GORDURA SEM MEDO

GORDURA SEM MEDO

Por que a manteiga, a carne e o queijo devem fazer parte de uma dieta saudável

NINA TEICHOLZ

Tradução de Marcelo Brandão Cipolla

wmf **martinsfontes**

Esta obra foi publicada originalmente em inglês, em 2014, com o título
THE BIG FAT SURPRISE: WHY BUTTER, MEAT AND CHEESE
BELONG IN A HEALTHY DIET, por Simon & Schuster.
Copyright © 2014, Nina Teicholz
Copyright © 2017, Editora WMF Martins Fontes Ltda.,
São Paulo, para a presente edição.

Todos os direitos reservados. Este livro não pode ser reproduzido, no todo ou em parte, armazenado em sistemas eletrônicos recuperáveis nem transmitido por nenhuma forma ou meio eletrônico, mecânico ou outros, sem a prévia autorização por escrito do editor.

1ª edição 2017
4ª tiragem 2024

Tradução
MARCELO BRANDÃO CIPOLLA

Acompanhamento editorial
Fernanda Alvares
Revisões
Solange Martins
Cássia Land dos Anjos
Projeto gráfico
Gisleine Scandiuzzi
Produção gráfica
Geraldo Alves
Paginação
Studio 3 Desenvolvimento Editorial
Imagem
halock/iStock by Getty Images

Dados Internacionais de Catalogação na Publicação (CIP)
(Câmara Brasileira do Livro, SP, Brasil)

Teicholz, Nina
  Gordura sem medo : por que a manteiga, a carne e o queijo devem fazer parte de uma dieta saudável / Nina Teicholz ; tradução de Marcelo Brandão Cipolla. – São Paulo : Editora WMF Martins Fontes, 2017.

  Título original: The big fat surprise: why butter, meat & cheese belong in a healthy diet.
  ISBN 978-85-469-0158-6

  1. Ácidos graxos saturados na nutrição humana 2. Lipídeos na nutrição humana I. Título.

17-04382   CDD-613.284

Índices para catálogo sistemático:
1. Gordura sem medo : Nutrição aplicada :
Promoção da saúde   613.284

Todos os direitos desta edição reservados à
Editora WMF Martins Fontes Ltda.
Rua Prof. Laerte Ramos de Carvalho, 133 01325-030 São Paulo SP Brasil
Tel. (11) 3293-8150 e-mail: info@wmfmartinsfontes.com.br
http://www.wmfmartinsfontes.com.br

Para Gregory.

Sumário

Ilustrações IX
Nota da edição brasileira XI
Introdução 1
1. O paradoxo da gordura: saúde com uma dieta gorda 11
2. Por que pensamos que a gordura saturada não é saudável 23
3. A introdução da dieta de baixo teor de gordura nos Estados Unidos 57
4. Falhas científicas no confronto entre gorduras saturadas e poli-insaturadas 87
5. A dieta de baixo teor de gordura chega a Washington 125
6. Efeitos da dieta de baixo teor de gordura sobre mulheres e crianças 163
7. A comercialização da dieta mediterrânea: o que a ciência tem a dizer? 211
8. Saem de cena as gorduras saturadas, entram as gorduras trans 271
9. Saem de cena as gorduras trans, entra algo pior? 311
10. Por que a gordura saturada nos faz bem 343

Conclusão 397
Uma observação sobre carne e ética 405
Agradecimentos 407
Glossário 411
Permissões e autorizações 415
Índice remissivo 417

Ilustrações

Principais fontes de diferentes tipos de gordura 9

Um ácido graxo é uma cadeia de átomos de carbono rodeada de átomos de hidrogênio, com um grupo de ácido carboxílico numa das pontas 29

Tipos de ácidos graxos 31

O gráfico de Keys, 1952 34

Yerushalmy e Hilleboe: dados de 22 países 41

Ancel Keys na capa da Time: 13 de janeiro de 1961 61

Cartum sobre riscos e benefícios 63

Cartum sobre as mudanças da doutrina sobre o colesterol 79

Consumo de gorduras nos Estados Unidos, 1909-99 101

"Leve este anúncio ao seu médico", Mazola, 1975 103

Disponibilidade e consumo de carne nos Estados Unidos, 1800-2007: total, carne vermelha e aves 140

Disponibilidade de carne nos Estados Unidos, 1909-2007: total, carne vermelha e aves 141

"Conferência do Consenso" do NIH: Time, 26 de março de 1984 160

Cartum de um restaurante 168

Cartum sobre a dieta de baixo teor de gordura 208

Antonia Trichopoulou 212

Ancel Keys e colegas passeando pelo sítio arqueológico de Cnossos 215

Anna Ferro-Luzzi   218

Pirâmide do USDA   225

Pirâmide da dieta mediterrânea, 1993   226

Walter Willett e Ancel Keys, Cambridge, Massachusetts, 1993   229

Anúncio de Sokolof publicado no New York Times,
   1º de novembro de 1988   276

Consumo de óleo vegetal nos Estados Unidos, 1909-99   279

Cartum da dieta dos esquimós   345

Capa da The New York Times Magazine, 7 de julho de 2002   374

Índices de obesidade nos Estados Unidos, 1971-2006   393

Nota da edição brasileira

As notas de referência da autora e a bibliografia encontram-se disponíveis *on-line* no endereço: <http://gordurasemmedo.com.br/>.

INTRODUÇÃO

Lembro o dia em que parei de me preocupar com a ingestão de gordura. Isso foi muito antes de eu começar a ler milhares de estudos científicos e fazer centenas de entrevistas para escrever este livro. Como a maioria dos norte-americanos, eu seguia o conselho de limitar o consumo de gorduras de acordo com a pirâmide alimentar divulgada pelo US Department of Agriculture (USDA); e, quando a dieta mediterrânea se tornou conhecida, na década de 1990, acrescentei azeite de oliva e porções extras de peixe a minha dieta, diminuindo ainda mais o consumo de carne vermelha. Eu tinha certeza de que, agindo assim, estava fazendo o melhor que podia em favor do meu coração e da minha silhueta, pois as fontes oficiais diziam havia anos que a melhor dieta é a que privilegia carnes magras, frutas, hortaliças e cereais e que as gorduras mais saudáveis são as dos óleos vegetais. A medida mais óbvia que qualquer pessoa poderia tomar em prol da própria saúde seria evitar especialmente as gorduras saturadas encontradas em alimentos de origem animal.

Foi então que, por volta de 2000, mudei-me para Nova York e comecei a fazer crítica de restaurantes para um pequeno jornal local. O jornal não me dava ajuda de custo para as refeições, por isso eu geralmente comia o que o *chef* quisesse me oferecer. De repente me vi diante de refeições gigantescas, com alimentos que, antes, eu jamais permitiria que cruzassem a barreira dos meus lábios: patês, os mais diversos cortes de carne bovina preparados de todas as maneiras que se possam imaginar, molhos cremosos, sopas e cremes, *foie gras* – todos os alimentos que eu sempre evitara na vida.

Esses pratos simples e substanciosos foram uma revelação para mim. Eu comia à vontade. No entanto, estranhamente, vi que estava perdendo peso. Na verdade, logo perdi cinco quilos que me perseguiam fazia anos, e meu médico disse que meu índice de colesterol estava ótimo.

Talvez eu não tivesse pensado mais no assunto se minha editora no *Gourmet* não me pedisse para escrever uma reportagem sobre as gorduras trans, que não eram tão conhecidas na época e nem de longe tinham a má fama que têm hoje. Meu artigo chamou a atenção e levou a um contrato para que eu escrevesse um livro.

No entanto, à medida que me aprofundava nas pesquisas, fui me convencendo de que o assunto era muito mais amplo e mais complexo do que a questão das gorduras trans. Estas pareciam ser apenas o mais recente bode expiatório para os problemas de saúde do país.

Quanto mais eu investigava, mais percebia que *todas* as recomendações dietéticas sobre a gordura – o ingrediente que mais obcecou as autoridades de saúde ao longo dos últimos 60 anos – pareciam ser não apenas ligeiramente inexatas, mas completamente erradas. Um exame atento revela que quase nada do que pensamos hoje sobre as gorduras em geral, e as gorduras saturadas em particular, corresponde à verdade.

A descoberta dessa verdade se tornou, para mim, uma ambição que me consumiu durante nove anos. Li milhares de artigos científicos, compareci a conferências, aprendi detalhes da ciência da nutrição e entrevistei praticamente todos os especialistas em nutrição vivos hoje nos Estados Unidos, alguns mais de uma vez, além das dezenas que entrevistei no exterior. Entrevistei também muitos executivos do setor alimentício para entender como esse setor tão grande e poderoso influencia a ciência da nutrição. Os resultados são alarmantes.

INTRODUÇÃO

É bastante popular a suposição de que a indústria alimentícia, movida pelo lucro, está por trás de todos os problemas dietéticos, de que essas empresas são, de algum modo, responsáveis por corromper as recomendações nutricionais, distorcendo-as de modo a favorecer seus próprios objetivos. E é verdade que o setor alimentício não é feito de anjinhos. De fato, a história dos óleos vegetais, e inclusive das gorduras trans, trata em parte de como a indústria alimentícia sufocou a ciência para proteger um ingrediente essencial para o setor.

Apesar disso, descobri que, em geral, os erros da ciência da nutrição não poderiam ser todos atribuídos aos interesses escusos do setor alimentício. A fonte do descaminho nas recomendações alimentares era, de certo modo, mais perturbadora, pois esse descaminho parece ter sido motivado antes de tudo por especialistas que, trabalhando em algumas das instituições em que mais confiamos, acreditavam estar promovendo o *bem* público.

O problema é, em parte, fácil de entender. Esses pesquisadores depararam com um problema antigo na ciência da nutrição: boa parte dessa ciência acaba por revelar-se altamente falível. A maioria das recomendações dietéticas se baseia em estudos que tentam medir o que as pessoas comem e as acompanham durante anos para verificar o que acontece com a saúde delas. É claro que é bastante difícil identificar um elo direto entre determinado elemento da dieta e uma doença que sobrevém muitos anos depois, principalmente quando levamos em conta todos os outros fatores e variáveis que fazem parte do estilo de vida de uma pessoa. Os dados fornecidos por esses estudos são fracos e baseados em impressões. No entanto, no calor da luta contra as cardiopatias (e, mais tarde, contra a obesidade e o diabetes), esses dados fracos tiveram de ser considerados suficientes. A concessão feita pelos pesquisadores parece ter causado boa parte dos fracassos das políticas nutricionais: especialistas bem-intencionados, apressando-se para combater epidemias de doenças crônicas cada vez mais intensas, acabaram interpretando os dados de forma pouco equilibrada.

Com efeito, a história perturbadora da ciência da nutrição no último meio século é mais ou menos assim: os cientistas, reagindo a um aumento súbito do número de casos de doenças cardíacas, que passou de um punhado em 1900 à principal causa de mortes em 1950, formularam a hipótese de que a culpa era da gordura na dieta, principalmente a gordura saturada (por causa de seu efeito sobre o colesterol). A hipótese foi aceita como verdadeira antes de ser devidamente comprovada. Os estamentos burocráticos da saúde pública adotaram e santificaram esse dogma, que não tinha provas a seu favor, imortalizando a hipótese nas gigantescas instituições públicas de saúde. Desse modo, o habitual mecanismo de autocorreção da ciência, que envolve o questionamento constante das próprias crenças por parte dos cientistas, deixou de funcionar. Apesar de a boa ciência ser regida pelo ceticismo e pela dúvida metódica, o campo da nutrição foi, ao contrário, moldado por paixões que beiram o dogmatismo. E o sistema pelo qual as ideias se canonizam e são aceitas como fatos nos traiu.

Depois que as ideias sobre a gordura e o colesterol foram adotadas pelas instituições oficiais, até para grandes especialistas na área tornou-se quase impossível contestá-las. O químico orgânico David Kritchevsky, um dos nutricionistas mais venerados do século XX, deparou com essa realidade há 30 anos, quando, num painel da National Academy of Sciences, sugeriu que se abrandassem as restrições à gordura na dieta.

"Fomos severamente repreendidos!", ele me contou. "As pessoas cuspiam em nós! É difícil, hoje, imaginar o calor daquela discussão. Foi como se tivéssemos profanado a bandeira americana. Eles se irritavam porque estávamos contrariando as sugestões da American Heart Association (AHA) e dos National Institutes of Health (NIH)."

Todos os especialistas que criticaram a opinião dominante sobre a gordura na dieta depararam com esse tipo de reação e, assim, toda e qualquer oposição foi silenciada. Os pesquisadores que insistiram no desafio viram-se impossibilitados de obter financiamento, proibidos de galgar cargos de responsabilidade em associações profissionais, sem convites para participar de painéis de especialistas e incapazes de encontrar revistas científicas que publicassem seus artigos. A influência deles se extinguiu e seus pontos de vista se perderam. Em decorrência disso, há muito que vem se apresentando ao público um suposto consenso científico sobre o tema da gordura – especialmente da gordura saturada –, mas essa aparente unanimidade só foi possibilitada pela supressão das opiniões discordantes.

Ignorantes dos frágeis alicerces científicos que respaldam suas referências alimentares, os norte-americanos têm procurado segui-las com zelo e obediência. Da década de 1970 para cá, conseguimos aumentar a ingestão de frutas e hortaliças em 17% e a de cereais em 29%, bem como reduzir a quantidade de gordura que comemos de 40% para 33% do total de calorias, ou menos. A proporção de gorduras saturadas entre as gorduras totais também diminuiu, de acordo com dados do próprio governo. (Nesse período, os norte-americanos também passaram a se exercitar mais.) Com o corte no consumo de gorduras, foi preciso começar a comer mais carboidratos, como grãos, arroz, macarrão e frutas. Um café da manhã sem ovos e bacon, por exemplo, mas geralmente com cereais ou mingau de aveia; o iogurte semidesnatado, escolha comum para o café da manhã, tem mais carboidratos que o integral, pois a remoção da gordura dos alimentos quase sempre exige o acréscimo de substitutos à base de carboidratos para que o alimento recupere a textura perdida. Além disso, a renúncia à gordura animal nos fez adotar os óleos vegetais; nos últimos 100 anos, a participação desses óleos no total das calorias consumidas pelos norte-americanos subiu de zero para 8%, tendo sido essa, de longe, a maior mudança em nossos padrões de alimentação ao longo desse período.

Também nesse período a saúde dos Estados Unidos piorou de modo impressionante. Quando, em 1961, a AHA recomendou oficialmente ao público pela primeira vez a dieta de baixo teor de gordura e de colesterol, um em sete adultos norte-americanos era obeso. Quarenta anos depois, essa proporção era de um em três. (É triste perceber que a meta "Pessoas saudáveis", projetada pelo governo federal para 2010 num processo que começou em meados dos anos 1990, consistia apenas em levar o público de volta aos índices de obesidade de 1960, e que nem mesmo essa meta foi alcançada.) Ao longo dessas décadas, também vimos os índices de diabetes subirem drasticamente de menos de 1% da população adulta para mais de 11%, enquanto as cardiopatias continuam sendo a principal causa de morte tanto para homens quanto para mulheres. Esse é um quadro trágico para um país que, segundo o governo, vem seguindo fielmente todas as diretrizes alimentares oficiais há tantos anos. É justo perguntarmos: se temos sido tão bonzinhos, por que nosso prontuário médico é tão ruim?

A dieta de baixo teor de gordura e quase vegetariana dos últimos 50 anos pode ser entendida como um grande experimento feito com toda a população norte-americana, um experimento sem grupo de controle, que alterou significativamente a dieta tradicional e teve resultados imprevistos. Talvez essa afirmação pareça dramática, e eu mesma jamais teria acreditado nela, mas uma das coisas mais impressionantes que aprendi em minha pesquisa foi que, nos 30 anos depois da recomendação oficial da dieta de baixo teor de gordura, embora considerássemos seus benefícios certos e garantidos, ela não foi sujeita a nenhuma verificação científica formal de grande escala. Empreendeu-se então a chamada Women's Health Initiative (WHI), um experimento que envolveu 49 mil mulheres em 1993 com a expectativa de que, quando saíssem os resultados, os benefícios de uma dieta de baixo teor de gordura fossem confirmados de uma vez por todas. No entanto, depois de passar 10 anos comendo mais frutas, hortaliças e cereais integrais e diminuindo o consumo de carne e gordura, essas mulheres não só não conseguiram perder peso como tampouco tiveram redução significativa do risco de cardiopatia ou dos principais tipos de câncer. A WHI foi o maior e mais longo experimento já feito com a dieta de baixo teor de gordura, e seus resultados indicaram que a dieta fracassara.

Agora, em 2014, um número cada vez maior de especialistas começa a reconhecer que talvez não tenha sido uma boa ideia fazer da dieta de baixo teor de gordura o elemento principal dos conselhos nutricionais ao longo de 60 anos. Mesmo assim, a solução oficial consiste em continuar dizendo a mesma coisa: ainda nos aconselham a seguir uma dieta alimentar feita principalmente de frutas, hortaliças e cereais integrais, com modestas porções de carne magra, leite e laticínios semidesnatados. A carne vermelha continua sendo praticamente proibida, assim como o leite e o queijo integrais, o creme de leite, a manteiga e, em menor medida, os ovos.

No entanto, argumentos a favor do consumo desses alimentos integrais de origem animal começam a surgir entre os autores de livros de receitas e outros gastrônomos que não acreditam que tudo que seus avós comiam pudesse fazer tão mal. Há também os adeptos da chamada dieta paleolítica, que trocam informações em blogs e sobrevivem praticamente à base de carne vermelha e *nada* mais. Muitos desses devotos dos alimentos de origem animal foram inspirados pelo médico cujo nome é o mais ligado à dieta de alto teor de gordura: Robert C. Atkins. Como veremos, suas ideias tiveram extraordinária longevidade e foram tema de muitos estudos e pesquisas científicas nos últimos anos. Mas os jornais ainda publicam manchetes alarmantes sobre a carne vermelha como causa de câncer e doenças cardíacas, e a maioria dos nutricionistas afirma que as gorduras saturadas devem ser evitadas a todo custo. Quase ninguém dá o conselho contrário.

Para escrever este livro e abordar este assunto, foi uma vantagem o fato de eu ser de fora da área, com mentalidade científica totalmente desligada de qualquer corrente estabelecida e sem receber nenhum financiamento. Busquei informações sobre a ciência da nutrição desde seu nascimento, na década de 1940, até a época atual, a fim de encontrar respostas para as perguntas: por que evitamos as gorduras na dieta? Será que convém fazer isso? Será que existe *algum* benefício para a saúde na recusa da gordura saturada e no consumo de óleos vegetais no lugar delas? Será que o azeite de oliva é realmente a chave para uma vida longa e saudável? A situação dos norte-americanos melhorou por tentarem proibir o uso de gorduras trans nos alimentos? Este livro não oferece receitas nem recomendações dietéticas específicas, mas chega a algumas conclusões gerais sobre a melhor combinação de macronutrientes numa dieta saudável.

Em minhas pesquisas, evitei expressamente me apoiar em relatórios sumários de pesquisas, que tendem a reiterar os conhecimentos convencionais e, como veremos, podem, sem querer, perpetuar a má ciência. Em vez disso, li os estudos originais e, em alguns casos, escarafunchei dados obscuros, que estavam cuidadosamente escondidos para nunca serem encontrados. Este livro, portanto, contém muitas revelações novas e, às vezes, alarmantes sobre falhas nos estudos fundamentais da ciência da nutrição e também sobre as maneiras surpreendentes pelas quais esses estudos foram mal concebidos e mal interpretados.

É difícil de acreditar, mas descobri que não só foi um erro restringir o consumo de gorduras como também que nosso medo das gorduras saturadas dos alimentos de origem animal – manteiga, ovos e carne – não é nem nunca foi baseado em provas científicas sólidas. O preconceito contra esses alimentos surgiu há muito tempo e logo se consolidou, mas as provas apresentadas em favor dele, além de nunca terem sido convincentes, de lá para cá caíram por terra.

Este livro apresenta um argumento científico em favor da ideia de que nosso corpo é mais saudável quando ingerimos uma dieta com ampla quantidade de gordura. Defende também que essa dieta necessariamente inclui carne, ovos, manteiga e outros alimentos de origem animal com alto teor de gorduras saturadas. *Gordura sem medo* nos acompanha ao longo das dramáticas reviravoltas de 50 anos de ciência da nutrição e apresenta suas provas de forma que o leitor possa compreendê-las e ver por si mesmo como chegamos a nossas concepções atuais. No fundo, este livro é uma investigação científica; mas é também uma narrativa sobre personalidades fortes que coagiram seus colegas a acreditar em suas ideias. Esses pesquisadores ambiciosos empreenderam uma verdadeira cruzada levando toda a população dos Estados Unidos, e depois do resto do mundo, a adotar uma dieta semivegetariana com baixo teor de gordura, que paradoxalmente pode ter exacerbado muitos dos males que visava curar.

Para todos nós, que passamos a maior parte da vida acreditando nessa dieta e seguindo-a, é importantíssimo compreender o que deu errado e por quê, bem como o que devemos começar a comer a partir de agora.

Principais fontes de diferentes tipos de gordura

Saturada

- Manteiga de cacau
- Leite e laticínios
- Ovos
- Azeite de dendê
- Óleo de coco
- Carnes

Insaturada

Monoinsaturada
- Azeite de oliva
- Banha
- Gordura de frango e pato

Criada por processamento químico
- Óleos hidrogenados (gorduras trans)

Poli-insaturada – "Ômega-6"
- Óleo de milho
- Óleo de semente de algodão
- Óleo de soja
- Óleo de açafrão
- Óleo de amendoim
- Óleo de canola

"Ômega-3"
- Óleos de peixe
- Óleo de linhaça

1

O PARADOXO DA GORDURA: SAÚDE COM UMA DIETA GORDA

Em 1906, o antropólogo Vilhjalmur Stefansson, formado em Harvard e filho de imigrantes islandeses, resolveu viver com o povo inuíte no Ártico canadense. Foi o primeiro branco com quem os inuítes do rio Mackenzie tiveram contato e que com eles aprendeu a caçar e pescar. Stefansson fez questão de viver de modo exatamente igual ao de seus anfitriões, e, assim, passava o ano comendo quase exclusivamente carne e peixe. De seis a nove meses, eles não comiam nada além de carne de caribu; depois, passavam meses comendo apenas salmão, e um mês comendo ovos na primavera. Observadores estimam que de 70% a 80% das calorias na dieta dos inuítes vinham de gorduras.

Stefansson percebeu que a gordura era o alimento predileto e o mais precioso aos inuítes. Os depósitos de gordura atrás dos olhos e ao longo das mandíbulas dos caribus eram os mais apreciados, seguidos pelo restante da cabeça, pelo coração, pelos rins e pelas espáduas. As partes mais magras, como o filé mignon, eram dadas aos cães.

"Para a maioria dos esquimós [...] os vegetais eram consumidos principalmente nos períodos de fome", escreveu Stefansson no controverso livro *Not by Bread Alone* [Nem só de pão], publicado em 1946. Ciente de que essa afirmação seria chocante, Stefansson acrescentou:

"Se a carne exige o consumo de carboidratos e outros aditivos vegetais para fazer bem, os pobres esquimós não estavam comendo de forma saudável." Pior: Stefansson observou que eles passavam meses inteiros na escuridão quase total do inverno sem fazer nada, incapazes de caçar, sem "nenhum trabalho de verdade". "Deveriam estar em péssima condição. [...] Mas, ao contrário, pareciam as pessoas mais saudáveis com quem já convivi." Stefansson não viu, entre eles, nem obesidade nem doenças.

Os especialistas em nutrição do começo do século XX não enfatizavam a importância do consumo de frutas e hortaliças como fazem os de hoje, mas mesmo naquela época era difícil acreditar nas afirmações de Stefansson. Ansioso para provar suas alegações quando voltou do Ártico, Stefansson arquitetou um experimento drástico. Em 1928, ele e um colega, sob a supervisão de uma equipe de cientistas altamente qualificados, internaram-se no Hospital Bellevue, em Nova York, e juraram ingerir apenas carne e água durante um ano inteiro.

Os dois homens enfrentaram "uma chuva de protestos" quando entraram no hospital. Stefansson escreveu: "Nossos amigos diziam em coro que, se comêssemos carne crua, seríamos excluídos da sociedade." (Na verdade, a carne seria cozida.) Outros temiam que Stefansson e seu colega morressem.

Depois de cerca de três semanas de dieta, ao longo das quais se submeteram a uma bateria de exames no hospital, os dois homens, ainda saudáveis, foram para casa e permaneceram sob supervisão cerrada. Durante o ano seguinte, Stefansson ficou doente apenas uma vez – quando os experimentadores o encorajaram a comer apenas carne magra, sem a gordura. "Os sintomas provocados em Bellevue por uma dieta incompleta de carne (a ração de carne magra, sem gordura)" sobrevieram rapidamente: "diarreia e uma estranha sensação de desconforto geral", lembra Stefansson – mas logo foram curados por uma refeição de contrafilé bem gordo com miolos fritos em gordura de bacon[1].

---

1. O equilíbrio ideal parecia consistir numa proporção de três partes de gordura para uma parte de carne magra, e, de fato, essa foi a fórmula adotada por Stefansson ao longo de seu experimento de um ano. "Só carne", portanto, era uma descrição inexata de sua dieta, que na verdade consistia basicamente em gordura.

Ao fim de um ano, os dois homens se sentiam muito bem, e seus exames acusavam uma saúde perfeita. Meia dúzia de artigos publicados pelo comitê de supervisão científica registraram o fato de que os pesquisadores não encontraram nada errado com eles. Esperavam que eles contraíssem no mínimo escorbuto, pois a carne cozida não é fonte de vitamina C. Mas isso não aconteceu, talvez porque não comessem somente a carne, mas o animal inteiro, inclusive os ossos, o fígado e os miolos, que, como se sabe, contêm essa vitamina. Mascavam os ossos para obter cálcio, como faziam os inuítes. Stefansson seguiu essa dieta não somente no ano em que fez o experimento, mas durante quase toda a vida adulta. Permaneceu ativo e saudável até morrer, aos 82 anos.

Meio século depois, do outro lado do mundo, George V. Mann, médico e professor de bioquímica que havia viajado à África, também passou por uma experiência que desafiava a intuição. Embora seus colegas norte-americanos estivessem todos dando apoio à hipótese cada vez mais disseminada de que as gorduras animais causavam doenças cardíacas, a realidade que Mann viu na África era completamente diferente. Ele e sua equipe da Universidade Vanderbilt levaram um laboratório móvel ao Quênia no começo da década de 1960 para estudar o povo massai. Mann ouvira dizer que os massais comiam apenas carne, sangue e leite – uma dieta que, como a dos inuítes, era composta quase inteiramente de gordura animal – e consideravam frutas e hortaliças alimentos próprios para vacas.

Mann estava levando adiante o trabalho de A. Gerald Shaper, médico sul-africano que trabalhava numa universidade de Uganda e viajara um pouco para o norte a fim de estudar uma tribo semelhante – os samburus. Um jovem samburu bebia de dois a sete litros de leite todos os dias, dependendo da estação do ano, o que significava, em média, mais de meio quilo de gordura do leite. Mann constatou a mesma realidade entre os massais: os guerreiros bebiam de três a cinco litros de leite por dia, geralmente divididos em duas refeições. Quando a quantidade de leite diminuía, na estação seca, eles o misturavam com sangue de vaca. Não recusavam nenhum tipo de carne e comiam regularmente cordeiro, cabrito e carne bovina. Em ocasiões especiais ou nos dias de feira, quando abatiam animais, cada homem comia de 1,8 a 4,5 quilos de carne gorda. Em ambas as tribos, a gordura era a fonte de mais de 60% das calorias ingeridas, e toda ela era de origem animal, o que significa que era, em grande parte, saturada. Segundo o relato de Mann, os jovens da casta guerreira (*murran*) "não consumiam produtos vegetais".

Apesar disso, a pressão sanguínea e o peso dos massais e dos samburus eram cerca de 50% mais baixos que os dos norte-americanos – e, mais importante, os índices não aumentavam com a idade. "Essas descobertas representaram um duro golpe para mim", disse Shaper, pois o obrigaram a reconhecer que não era biologicamente normal que o colesterol, a pressão sanguínea e outros indicadores de boa saúde piorassem automaticamente com o envelhecimento, como todos supunham nos Estados Unidos. Na verdade, uma revisão sistemática de 26 artigos sobre vários grupos étnicos e sociais concluiu que, em populações homogêneas e relativamente pequenas vivendo em condições primitivas, "em certa medida não perturbadas por seus contatos com a civilização", o aumento da pressão sanguínea não fazia parte do processo normal de envelhecimento. Será que a anomalia éramos nós, os ocidentais, que estávamos aumentando nossa pressão sanguínea e, de modo geral, arruinando nossa saúde por meio de algum aspecto da dieta ou do modo de vida moderno?

É verdade que os massais não estavam sujeitos ao estresse competitivo e emocional que corrói os cidadãos de países mais "civilizados" e que, na opinião de alguns, contribui para as cardiopatias. Além disso, eles faziam mais exercícios do que os ocidentais presos a suas escrivaninhas: esses pastores altos e esguios andavam muitos quilômetros por dia com o gado, em busca de pastagens e água. Para Mann, todo esse exercício talvez protegesse os massais das doenças cardíacas[2]. Mas ele também

---

2. Mann foi um dos primeiros pesquisadores a investigar os benefícios potenciais dos exercícios físicos para a prevenção de doenças cardíacas. As vantagens da corrida, no entanto, não parecem ser inequívocas; Jim Fixx, por exemplo, famoso entusiasta da corrida, morreu de ataque cardíaco enquanto corria em 1984. E diz-se que o famoso soldado Filípedes, na Grécia antiga, que correu a primeira maratona para dar aos atenienses a notícia da vitória na Batalha de Maratona, morreu logo após entregar a mensagem.

reconheceu que a subsistência era "fácil" e o trabalho "leve", e que os anciãos, que "parecem sedentários", não morriam de ataque cardíaco.

Se nossas crenças atuais sobre a gordura animal estão corretas, toda a carne e o leite que esses povos ingerem deveriam causar uma epidemia de doenças cardíacas no Quênia. No entanto, Mann constatou o contrário – quase não conseguiu identificar casos de cardiopatia. Para documentar esse fato, fez eletrocardiogramas em 400 homens, entre os quais não constatou nenhum indício de ataque cardíaco. (Shaper fez o mesmo teste em 100 samburus e encontrou "possíveis" sinais de cardiopatia em apenas dois.) Depois, Mann fez a autópsia de 50 homens massais e só encontrou um caso com sinais "inequívocos" de infarto. Os massais também não sofriam de outras doenças crônicas, como câncer e diabetes.

De um ponto de vista superficial e em vista do que sabemos sobre a gordura animal e o risco de infarto, esses relatos da África e do Ártico (bem como de Nova York) parecem paradoxais. A boa saúde e o alto consumo de gordura animal devem excluir-se mutuamente, pois o consenso atual diz que essas gorduras, sobretudo as da carne vermelha, causam doenças coronarianas e, talvez, câncer. Essas crenças estão tão entranhadas que nos parecem evidentes por si mesmas.

De acordo com os conselhos que ouvimos há décadas, em vez de produtos de origem animal deveríamos comer vegetais – a dieta mais saudável seria quase vegetariana. A AHA e o USDA, além de quase todos os grupos de especialistas do planeta, recomendam que as calorias necessárias para nossa vida diária sejam obtidas principalmente de frutas, hortaliças e cereais integrais, e que o consumo de qualquer tipo de gordura animal deve ser minimizado. A ingestão de carne vermelha não é aconselhada. Como escreveu Mark Bittman, principal colunista de alimentos do *New York Times*: "Para comer 'melhor', [...] a parte principal da resposta é conhecida por todos: coma mais plantas." A primeira diretriz alimentar do USDA diz: "Aumente a ingestão de hortaliças e frutas." Podemos também citar as palavras de Michael Pollan na primeira linha de seu popularíssimo livro *Em defesa da comida*: "Coma comida. Não em excesso. Principalmente vegetais."

O que devemos pensar, então, dos inuítes e dos massais, que pareciam bastante saudáveis com uma dieta de alto teor de gordura e quase nada de vegetais? Stefansson e Mann, que os observaram, eram pesquisadores bastante respeitados, cujos estudos obedeciam aos padrões da boa ciência e eram publicados em periódicos de boa reputação. Não eram marginais da academia em busca de aberrações da natureza; apenas procuravam entender certas observações atípicas.

A prática da boa ciência exige que, quando observamos algo que não se encaixa numa hipótese, as observações devem ser levadas em conta e explicadas de algum modo. Será que houve uma falha na própria observação? Se não houve, será que a hipótese precisa mudar para fazer jus às observações? As observações em primeira mão feitas por Stefansson e Mann não podem ser simplesmente ignoradas – embora essa tenha sido a atitude dos outros cientistas na época. Os críticos eram incapazes de imaginar que aqueles relatos fossem verdadeiros.

Durante meio século, os especialistas em nutrição acalentaram a hipótese de que a gordura, especialmente a saturada, causa doenças cardíacas (além de obesidade e câncer). Tem sido difícil para eles, se não impossível, reconhecer quaisquer provas em contrário – mesmo que essas provas sejam abundantes. Um exame cuidadoso da imensa quantidade de observações científicas sobre a dieta e a saúde revela um quadro surpreendente e inesperado que não parece corroborar os argumentos contrários à gordura saturada[3].

Com efeito, Stefansson e Mann têm apenas duas das muitas histórias "paradoxais" que poderíamos contar. Na realidade, muitas populações humanas saudáveis sobreviveram essencialmente à base de alimentos de origem animal, tanto no passado quanto hoje. É fácil encontrar exemplos. Por volta de 1900, Sir Robert McCarrison, diretor de pesquisas em nutrição do governo inglês no Serviço Médico da Índia e, talvez, o nutricionista mais influente da primeira metade do século XX, escreveu que estava "profundamente impressionado pela saúde e pelo vigor de

---

3. As gorduras saturadas são encontradas principalmente nos alimentos de origem animal. A palavra "saturada" se refere a um tipo de ligação química nas moléculas do ácido graxo e será discutida mais à frente neste capítulo. (Ver também o Glossário).

certas raças aqui. Os siques e os hunzas", em especial, não sofriam "de nenhuma das principais doenças dos países ocidentais, como câncer, úlceras pépticas, apendicite e cárie dentária". Esses indianos do norte eram em geral longevos e tinham "um bom físico"; sua saúde vibrante "contrastava fortemente" com a alta mortalidade de outros grupos no sul da Índia, que comiam principalmente arroz, com pouquíssima carne e leite. McCarrison acreditava que daria para excluir as possíveis causas não nutricionais dessas doenças, pois constatou que podia reproduzir um grau semelhante de enfermidade ao dar a ratos de laboratório uma dieta com baixa quantidade de leite e carne. As pessoas saudáveis que McCarrison observou comiam um pouco de carne, mas sobretudo "uma abundância" de leite e laticínios, como manteiga e queijo. Ou seja, as gorduras que elas ingeriam em sua dieta eram principalmente saturadas.

Nesse meio-tempo, os índios do sudoeste dos Estados Unidos foram observados entre 1898 e 1905 pelo ex-físico e antropólogo Aleš Hrdlička, que narrou suas observações num relatório de 460 páginas escrito para o Smithsonian Institute. Os índios idosos com quem conviveu teriam se alimentado com uma dieta constituída predominantemente de carne, especialmente de búfalo, até o momento em que perderam seu modo de vida tradicional; no entanto, como observou Hrdlička, pareciam espetacularmente saudáveis e viviam muito. Segundo o censo norte-americano de 1900, a incidência de centenários entre esses índios era de 224 por 1 milhão de homens e de 254 por 1 milhão de mulheres, em comparação com apenas três e seis por milhão entre os homens e as mulheres da população branca. Embora Hrdlička tenha observado que esses números talvez não fossem exatos, escreveu que "nenhum erro estatístico explica a extrema desproporção de centenários observados". Entre os idosos de 90 anos ou mais que ele conheceu, "nenhum era por demais senil ou incapaz".

Outra coisa que impressionou Hrdlička foi a absoluta ausência de doenças crônicas na população indígena que viu. "As doenças malignas, caso existam – e seria difícil duvidar de que existam de fato –, devem ser muito raras." Falaram-lhe de "tumores" e ele viu vários casos de tumor fibroide, mas não chegou a deparar com nenhum caso claro de qualquer outro tipo de tumor ou de câncer. Hrdlička escreveu que só viu três casos de cardiopatia em mais de 2 mil índios examinados, e "nenhum caso intenso" de aterosclerose (acúmulo de placas nas artérias). As varizes eram raras, e ele não observou casos de apendicite, peritonite, úlcera estomacal ou qualquer "doença grave" do fígado. Embora não possamos supor que a ingestão de carne fosse a responsável pela saúde e longevidade, seria lógico concluir que a dependência da carne não *prejudicava* de maneira alguma a boa saúde.

Na África e na Ásia, no começo do século XX, exploradores, colonizadores e missionários admiravam-se repetidas vezes da ausência de doenças degenerativas entre as populações isoladas que encontravam. O *British Medical Journal* sempre publicava relatos de médicos que trabalhavam nas colônias e que, embora fossem especialistas no diagnóstico de câncer, encontravam pouquíssimos casos dessa doença fora da Grã-Bretanha. Para George Prentice, médico que trabalhou no sul da África Central em 1923, o número de casos identificados era tão baixo que "alguns parecem supor que a doença não existe". No entanto, se havia uma "relativa imunidade ao câncer", ela não podia ser atribuída à falta de carne na dieta. Ele escreveu:

> Os negros, quando conseguem obter carne, a comem muito mais que os brancos. Não há limite para a variedade e a condição da carne, e alguns poderiam se perguntar se há limite para a quantidade. Só são vegetarianos quando não há mais nada para comer. [...] Tudo é bem-vindo, de um arganaz a um elefante.

Talvez tudo isso seja verdade, mas nenhum pesquisador experiente em cardiopatias poderá ler essas observações históricas sem contrapor a elas uma objeção conhecida e razoável: a carne dos animais domesticados de hoje é muito mais gordurosa – e tem uma proporção maior de gordura saturada – do que a carne dos animais selvagens que vagavam ao léu há 100 anos. Os especialistas afirmam que a carne de animais selvagens continha uma proporção maior de gorduras poli-insaturadas, do tipo encontrado nos óleos vegetais e nos peixes[4]. Se os animais selvagens têm menos gordura saturada, de acordo com o argumento, as populações carnívoras antigas consumiam uma quantidade menor dessa gordura do que as pessoas que comem a carne de animais domésticos hoje.

É verdade que a carne de uma vaca norte-americana, criada à base de ração de cereais e leguminosas, tem um perfil de ácidos graxos diferente da carne de um bovino selvagem. Em 1968, o bioquímico inglês Michael Crawford examinou pela primeira vez detalhadamente essa questão. Ele pediu que o Departamento de Caça de Uganda lhe mandasse o tecido muscular de vários tipos de animais exóticos: o elande, o alcélafo, o damalisco e o javali africano, mais uma girafa e alguns outros. Ele comparou essas carnes com as carnes de vacas, frangos e porcos domesticados na Inglaterra e relatou que a carne dos animais selvagens tinha 10 vezes mais gordura poli-insaturada do que a dos animais domésticos. Seu artigo portanto dava a impressão de confirmar que os homens modernos não devem pensar que a carne de animais domésticos seja, nem de longe, tão saudável quanto a de animais selvagens que foram caçados. Faz 45 anos que esse artigo é extensamente citado, tendo moldado a visão geral sobre o tema.

Mas um dos dados do estudo de Crawford que passou despercebido é que o teor de gordura *saturada* das carnes de animais selvagens e domésticos era quase igual. Em outras palavras, o fator supostamente perigoso da carne vermelha não era mais alto nas vacas e nos porcos ingleses do que nos antílopes de Uganda. Pelo contrário, revelou-se que a carne dos animais domésticos tinha maior teor de gorduras *monoinsaturadas*, do tipo que se encontra predominantemente no azeite de oliva. Por isso, quaisquer que fossem as diferenças entre as

....
4. Essa objeção reflete um fato real sobre a carne: ela contém uma mistura de diversos tipos de gordura. Metade da gordura num corte típico de carne bovina, por exemplo, é insaturada, e a maior parte dela é do mesmo tipo (monoinsaturada) que o azeite de oliva. Metade da gordura do frango e 60% da banha suína são insaturadas. (Por isso, afirmar que as gorduras de origem animal são sempre saturadas é uma simplificação. No entanto, pelo fato de as gorduras saturadas serem encontradas *principalmente* nos alimentos de origem animal, recorrerei à mesma simplificação neste livro, apesar da brevidade.)

carnes de animais selvagens e domésticos, o problema não era a gordura saturada.

Outra falha desses estudos é que eles partiam do pressuposto de que no passado as pessoas comiam principalmente o tecido muscular dos animais, como fazemos hoje. Nos estudos em questão, a palavra "carne" significa os músculos do animal: o lombo, a costela, a fraldinha, o acém e por aí afora. No entanto, a preferência pelos músculos parece ser um fenômeno relativamente recente. Segundo todos os relatos já escritos sobre o assunto, os indícios de que dispomos dão a entender que as populações humanas antigas preferiam a gordura e as vísceras (também chamadas "miúdos") ao tecido muscular. Stefansson constatou que os inuítes reservavam os miúdos e as carnes gordas para consumo humano e davam a carne mais magra aos cães. Ou seja, os seres humanos comiam como comem outros animais carnívoros grandes. O leão e o tigre, por exemplo, devoram primeiro o sangue, o coração, os rins, o fígado e os miolos de suas presas, e muitas vezes largam os músculos para os abutres. As vísceras tendem a ter um teor muito mais alto de gordura, especialmente do tipo saturado (por exemplo, metade da gordura num rim de veado é saturada).

A preferência pelas partes mais gordas do animal e a escolha de animais no ponto de seu ciclo de vida em que estejam mais gordos parecem ter sido constantes entre os caçadores humanos no decorrer da história. Na tribo bardi do noroeste australiano, por exemplo, pesquisadores constataram que a gordura era "o critério determinante" na caça e na coleta de peixes, tartarugas e frutos do mar. O povo bardi desenvolveu um conhecimento extraordinário das estações apropriadas e dos melhores métodos de caça para satisfazer o que os pesquisadores chamaram de sua "obsessão pela gordura": aprenderam, por exemplo, a detectar o grau de gordura de uma tartaruga-verde à noite pelo simples cheiro de seu bafo, quando ela punha a cabeça fora da água para respirar. A carne magra era considerada "lixo" e "seca ou insípida demais para ser apreciada".

Costumavam achar que a carne consumida sem gordura provocava magreza. Os inuítes evitavam comer coelhos em demasia, pois, como escreveu um observador que esteve no Ártico, "se as pessoas só tivessem coelhos para comer [...] provavelmente morreriam de fome, pois esses animais são muito magros". No inverno de 1857, alguns armadilheiros que exploravam o rio Klamath, no estado norte-americano de Oregon, ficaram isolados pela neve e "experimentaram as carnes de cavalos, potros e mulas, todos famintos; e é claro que a carne não estava macia nem suculenta". Consumiam uma quantidade imensa de carne, de dois a três quilos por homem por dia, mas "estavam ficando cada vez mais fracos e mais magros", até que, ao cabo de 12 dias, "éramos praticamente incapazes de trabalhar e ansiávamos o tempo todo por gordura".

Lewis e Clark relataram o mesmo problema durante suas viagens, em 1805: Clark voltou de uma caçada trazendo 40 veados, três búfalos e 16 alces, mas o resultado foi considerado decepcionante, pois a maior parte da caça "estava magra demais para ser aproveitada". Ou seja, tinha muito tecido muscular e pouca gordura.

Os anais de antropologia e história estão repletos de relatos sobre pessoas que inventam estratégias de caça para conseguir capturar animais durante a estação em que estão mais gordos e, depois, comer as partes mais gordas desses animais.

Agora que tendemos a comer apenas as carnes magras – e a tirar delas até a pouca gordura que resta – essas histórias nos parecem exóticas e inacreditáveis; é difícil compatibilizá-las com nossa concepção de dieta saudável. Como populações inteiras poderiam ter uma dieta alimentar tão pouco saudável segundo os padrões modernos, tão dependente dos alimentos que culpamos por todos os nossos males, e não sofrer das doenças que hoje representam tamanho fardo para nós? Parece quase impossível que os especialistas em nutrição tenham deixado passar em branco informações tão importantes sobre a dieta e as cardiopatias. No entanto, a literatura científica que respalda nossas recomendações dietéticas atuais não faz nenhuma tentativa de levar em conta esses dados e entendê-los.

Apesar disso, temos de partir do pressuposto de que esse paradoxo tem alguma explicação que, de algum modo, passou despercebida.

Afinal, nossos conhecimentos modernos são rigorosamente baseados na ciência e são endossados e promovidos pelas instituições privadas e públicas mais prestigiadas e influentes do mundo, não é mesmo? É claro que as "provas" científicas acumuladas ao longo de mais de 50 anos não poderiam estar erradas – ou poderiam?

2

POR QUE PENSAMOS QUE A GORDURA SATURADA NÃO É SAUDÁVEL

A ideia de que a gordura em geral e a gordura saturada em particular são prejudiciais à saúde foi inculcada no discurso nacional há tanto tempo que hoje tendemos a encará-la mais como "bom senso" do que como uma hipótese científica. Mas, como qualquer outra crença sobre os elos que unem a dieta e as doenças, essa também começou como uma simples *ideia* proposta por um grupo de cientistas num momento específico.

A hipótese de que a gordura saturada causa doenças do coração foi desenvolvida no começo da década de 1950 por Ancel Benjamin Keys, biólogo e patologista da Universidade de Minnesota. Ele fazia experimentos de laboratório em busca de indícios precoces de doenças, e, na década de 1950, nenhum problema de saúde parecia mais urgente do que o das doenças cardíacas. Os norte-americanos tinham a impressão de estar sendo assolados por uma terrível epidemia. Um aperto repentino no peito matava homens no auge da vida durante uma partida de golfe ou no escritório, e os médicos não sabiam por quê. A doença surgira como que do nada e rapidamente se tornara a principal causa de mortes no país[1].

---

1. O índice de morte por doenças cardíacas caiu depois do fim da década de 1960, talvez em razão dos avanços da medicina. No entanto, não se sabe se a incidência de

Assim, quando Keys propôs pela primeira vez suas ideias sobre a gordura na dieta, o contexto era um país tenso e assustado, sedento por respostas. Na época, a opinião prevalecente era que as artérias humanas se estreitavam inevitavelmente com a idade e que a medicina moderna pouco podia fazer a respeito. Keys, por sua vez, escorando-se na lógica simples de que tal epidemia nem sempre existira, pensava que o infarto podia ser prevenido. Era, sob esse aspecto, semelhante a George Mann, cujas observações dos massais na África, feitas alguns anos depois, levaram-no a perceber que o ataque cardíaco não era parte inevitável da vida humana. Keys defendia a tese de que o Serviço de Saúde Pública dos Estados Unidos não devia limitar-se a *conter* doenças como a tuberculose, mas devia esforçar-se para *preveni-las* antes de acontecerem. Oferecendo uma solução passível de aplicação prática, Keys procurava deixar de lado a "atitude derrotista ante as doenças cardíacas"[2].

O próprio Keys era um inconformista inveterado. Nascido em 1904, cresceu em Berkeley, na Califórnia, e desde muito cedo caracterizou-se por uma independência feroz. Na adolescência, foi de carona de Berkeley até o Arizona e trabalhou por três meses numa caverna recolhendo fezes de morcego para uma fábrica de fertilizantes. Cansado da faculdade depois de apenas um ano de estudo, saiu e empregou-se como trabalhador braçal num navio que ia para a China. Mais tarde, seu amigo mais íntimo na Universidade de Minnesota, Henry Blackburn, descreveu-o como uma pessoa "franca a ponto de ser rude, crítica a ponto de ser mordaz e dotada de uma inteligência muito ágil e brilhante". Segundo consta, Keys também tinha uma vontade indo-

---

doenças cardíacas, considerada em si, também caiu. E essas doenças ainda representam uma das principais causas de morte para homens *e* mulheres nos Estados Unidos, matando cerca de 600 mil pessoas por ano (Lloyd-Jones et al., 2009).

2. "Doenças cardíacas" ou "cardiopatias" são termos gerais usados em referência a várias doenças que atingem o coração, como a redução do bombeamento de sangue para os órgãos (isquemia), a deterioração do músculo cardíaco (cardiomiopatia), a inflamação do músculo cardíaco (cardiopatia inflamatória) e o enfraquecimento de todo o sistema circulatório em razão da pressão sanguínea alta (cardiopatia hipertensiva). O tipo de cardiopatia que mais preocupava os pesquisadores da época era a aterosclerose, que envolve o acúmulo de placas nas artérias.

mável e, quando adotava uma opinião, era capaz de defendê-la "até a morte". (Colegas que o admiravam menos chamaram-no de "arrogante" e "impiedoso".) Obteve ph.D. em biologia em Berkeley em apenas três anos e depois fez um segundo doutorado, em fisiologia, no Kings College, em Londres.

Em 1933, Keys passou 10 dias no altiplano andino medindo os efeitos da altitude sobre seu sangue, e esses dias mudaram sua vida. Observando como o ar rarefeito afetava profundamente o funcionamento de seu corpo, ele descobriu uma paixão pela fisiologia humana. O interesse pelos efeitos da nutrição no corpo veio mais tarde, durante a Segunda Guerra Mundial, quando fez estudos pioneiros sobre inanição e desenvolveu a "ração K" para os soldados. A letra K era do nome Keys.

Aplicou então seu intelecto e sua ambição formidáveis ao estudo das cardiopatias, e é natural que tenha revolucionado essa área.

Desde o começo, um dos principais fatores na discussão das cardiopatias foi o colesterol, a substância cerosa de cor amarela que está necessariamente presente em todos os tecidos do corpo. O colesterol é um componente essencial de toda membrana celular e controla o que entra e sai da célula. É responsável pelo metabolismo dos hormônios sexuais e se encontra em maior concentração no cérebro. Além desses papéis cruciais, porém, os pesquisadores descobriram que o colesterol é um dos principais componentes das placas ateroscleróticas, de modo que ele passou a ser considerado um dos principais culpados pelo desenvolvimento das cardiopatias coronarianas. Na época, considerava-se que a formação das placas – as quais, segundo se entendia, estreitavam as artérias até interromper todo o fluxo sanguíneo – era a causa principal do infarto.

Embora depois se tenha descoberto que as cardiopatias se desenvolvem de maneira muito mais complexa, essa instigante imagem inicial do acúmulo de colesterol transformou a substância na mais brilhante estrela maléfica a reluzir no firmamento da saúde pública. Como escreveu Jeremiah Stamler, um dos primeiros e mais influentes pesquisadores da área, o colesterol é uma "ferrugem biológica" que pode "se espalhar e assim estrangular o fluxo [sanguíneo] ou torná-lo mais lento, como faz a ferrugem dentro de um cano de ferro, de modo que apenas poucas gotas conseguem sair quando se abre a torneira". Com efeito, até hoje dizemos que o colesterol "entope as artérias", como gordura quente jogada pelo ralo num cano frio. Essa ideia vívida e aparentemente intuitiva capturou nossa imaginação, embora a ciência já tenha demonstrado que tal caracterização é por demais simplista, quando não francamente inexata.

O primeiro conjunto de pistas que pareciam apontar para o colesterol como *causa* das cardiopatias veio de relatos do século XIX, segundo os quais certas crianças com índice anormalmente elevado de colesterol no sangue corriam um risco altíssimo de desenvolver problemas cardíacos. (Segundo um antigo relato, uma pobre menininha teve um infarto e morreu aos 11 anos.) Essas crianças também tinham grandes depósitos de gordura nas mãos e nos tornozelos, chamados *xantomas*.

No começo da década de 1940, pesquisadores já haviam determinado que essas crianças sofriam de uma doença genética rara que não tinha nada a ver com a dieta. No entanto, o fato de idosos com alto índice de colesterol no sangue também terem xantoma, especialmente nas pálpebras, levou a crer que o colesterol no sangue talvez fosse a causa última desses acúmulos cerosos sob a pele. Além disso, os pesquisadores pressupuseram que os depósitos visíveis no *exterior* do corpo eram idênticos aos depósitos insidiosos e invisíveis que se acumulavam no *interior* das paredes arteriais e que esses acúmulos poderiam produzir ataques cardíacos. Ambos os pressupostos eram saltos no escuro, embora fossem plausíveis. Nem todos concordavam com esse raciocínio (uma das objeções mais óbvias era que a doença genética das crianças poderia ter um mecanismo de funcionamento diferente da doença crônica que se desenvolvia ao longo de toda uma vida), mas essas preocupações não impediram que a hipótese do colesterol fosse adiante.

Alguns dos primeiros dados sugestivos que estabeleciam um vínculo entre o colesterol e as cardiopatias vieram de pesquisas com animais. Em 1913, o patologista russo Nikolaj Anitschkow relatou que conseguira induzir lesões ateroscleróticas em coelhos alimentando-os com uma grande quantidade de colesterol. Esse experimento ficou famoso e foi reproduzido em muitas espécies de animais, entre elas gatos, ovelhas, vacas e cavalos, disseminando a ideia de que o colesterol na *dieta* – como o que se encontra em ovos, carne vermelha e frutos do mar – deve causar a aterosclerose. Na época, foi observado que os coelhos, bem como a maioria dos animais usados nos experimentos de controle, são herbívoros. Portanto, não comem habitualmente alimentos de origem animal e não estão biologicamente preparados para metabolizá-los. Quando o experimento foi reproduzido em cães (que comem carne, como os seres humanos), os animais foram capazes de regular e excretar o excesso de colesterol. A comparação com os cães parecia mais adequada como modelo para os seres humanos, mas o experimento original com coelhos já havia chamado a atenção dos pesquisadores de doenças cardíacas, de modo que o colesterol se consolidou como principal suspeito do desenvolvimento das cardiopatias[3].

Em 1950, um índice elevado de colesterol no sangue já era visto como causa provável de doenças cardíacas, e muitos especialistas acreditavam que o mais seguro para quem tivesse muito colesterol no sangue seria diminuir esse índice.

Uma das primeiras ideias sobre como reduzir o índice de colesterol consistia em simplesmente consumi-lo em quantidade menor. A noção de que o colesterol na dieta se traduz diretamente em colesterol no sangue parecia intuitivamente razoável e foi proposta por dois bioquímicos da Universidade Columbia em 1937. Segundo esse pressuposto, se evitássemos o consumo de gemas de ovo e outras coisas desse tipo, impediríamos o acúmulo de colesterol no corpo. Essa ideia criou raízes em nossa mente: quantos convidados para um lanche não recusarão um prato de ovos *poché* com um comentário sobre "excesso de colesterol"?

Foi o próprio Ancel Keys o primeiro a desacreditar essa noção. Embora ele tenha dito em 1952 que a quantidade de indícios em favor

---
3. Mais tarde, pesquisadores descobriram que muitos desses experimentos foram mal conduzidos, pois os experimentadores não sabiam ainda como prevenir a oxidação do colesterol com que alimentavam os animais (depois de oxidado o colesterol, a produção de placa torna-se mais provável) (Smith, 1980).

da teoria era "estarrecedora", depois descobriu que, por mais colesterol que desse para os voluntários de seus estudos, o índice de colesterol no sangue deles não se modificava. Constatou que doses "tremendas" de colesterol acrescentadas à dieta diária – até 3 mil miligramas por dia (um ovo grande tem menos de 200 miligramas) – tinham apenas um efeito "trivial". E, em 1955, ele já concluía que "essa tese não merece mais consideração".

Muitos estudos posteriores reforçaram essa conclusão. Num caso, o médico sueco Uffe Ravnskov aumentou de um para oito o número de ovos que consumia por dia (totalizando cerca de 1.600 miligramas de colesterol) durante quase uma semana e fez a notável descoberta de que seu índice total de colesterol *caiu*. Depois, registrou o fato num livro, no capítulo intitulado "Consumo de ovos e índices de colesterol num médico sueco cético". Na verdade, o consumo de dois ou três ovos por dia no decorrer de um longo período nunca demonstrou ter nada além de um impacto mínimo sobre o colesterol no sangue para a imensa maioria das pessoas. Vimos que Mann, depois, constatou que os massais tinham em média uma taxa de colesterol sanguíneo baixíssima, apesar de sua dieta consistir inteiramente em leite, carne e sangue. Em 1992, uma das análises mais amplas já feitas sobre o assunto concluiu que, diante de um aumento drástico do colesterol na dieta, a maioria das pessoas reage diminuindo a quantidade de colesterol que o próprio corpo produz[4]. Em outras palavras, o corpo busca manter seu estado interno constante. Da mesma maneira que o corpo causa a excreção de suor para baixar a temperatura corporal, o processo de homeostase reconduz todas as outras condições internas do corpo – incluindo o índice de colesterol – a um estado em que todos os sistemas biológicos funcionem bem.

Reagindo a esses dados, as autoridades de saúde na Inglaterra e na maioria dos demais países europeus deixaram de recomendar um limite ao consumo de colesterol na dieta. Os Estados Unidos, no en-

---

4. Esse estudo foi o primeiro a corrigir os problemas metodológicos que haviam distorcido os estudos anteriores sobre o colesterol, como a ausência de uma referência de base em relação à qual fossem medidas as alterações no índice de colesterol.

tanto, continuam recomendando um limite de 300 miligramas por dia para pessoas saudáveis (o equivalente a um ovo e meio). Além disso, a Food and Drug Administration (FDA) continua permitindo que os produtos alimentares tragam o rótulo "sem colesterol", levando os consumidores que caminham alegremente pelos corredores do supermercado, entre prateleiras cheias de cereais e molhos para salada sem colesterol, a ter a impressão de que o colesterol nos alimentos continua sendo um fator de preocupação para a saúde.

No entanto, se os alimentos com alto teor de colesterol não provocam a alta do índice de colesterol no sangue em algumas pessoas, qual seria a causa? Depois de determinar que o colesterol na dieta poderia ser "desconsiderado" causa, Keys sugeriu que os pesquisadores se concentrassem em outros elementos da dieta. No começo da década de 1950, vários cientistas já estavam investigando como diferentes nutrientes afetam não só o colesterol, mas também outros aspectos da química do sangue. Em anos anteriores, o foco da pesquisa em cardiopatias havia sido as proteínas e os carboidratos, mas a explosão de novos métodos para o isolamento de ácidos graxos, especialmente uma invenção de 1952 chamada cromatografia gasosa, possibilitou que se fizessem experimentos com diferentes tipos de gorduras (mais conhecidas, em terminologia técnica, como "lipídios") e seus efeitos sobre a biologia humana. A "sonolenta área da pesquisa sobre lipídios decolou repen-

Um ácido graxo é uma cadeia de átomos de carbono rodeada de átomos de hidrogênio, com um grupo de ácido carboxílico numa das pontas

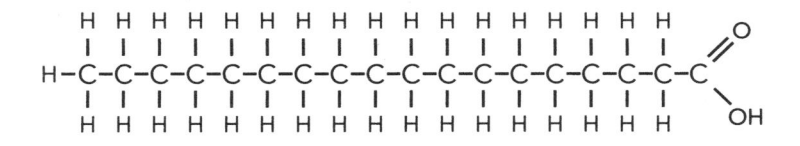

```
    H H H H H H H H H H H H H H H H H H      O
    | | | | | | | | | | | | | | | | | |     ‖
H — C-C-C-C-C-C-C-C-C-C-C-C-C-C-C-C-C-C
    | | | | | | | | | | | | | | | | | |     \
    H H H H H H H H H H H H H H H H H H      OH
```

cadeia longa de hidrogênio e carbono — grupo de ácido carboxílico

tinamente rumo à Lua", escreveu E. H. "Pete" Ahrens, da Universidade Rockefeller, de Nova York, e um dos principais "lipidólogos" de sua época. Vários pesquisadores entraram na área; as verbas de pesquisa foram se tornando maiores a cada ano e, de acordo com Ahrens, "a pesquisa em lipídios virou moda".

Na década de 1950, Ahrens fundou o primeiro laboratório de cromatografia gasosa nos Estados Unidos e fez alguns experimentos pioneiros, examinando diversos tipos de gordura encontrados na dieta. Vale a pena entendermos um pouco melhor a estrutura química básica das gorduras. Todas elas, basicamente, são feitas de cadeias de carbono rodeadas de átomos de hidrogênio.

Essas cadeias podem ter diversos comprimentos, e sua integridade pode ser mantida por diversos tipos de reações químicas. É o *tipo* de ligação que faz com que um ácido graxo seja "saturado" ou "insaturado". Em química, "ligação" designa o modo como dois átomos se entreligam. Numa ligação dupla, é como se os átomos segurassem um ao outro com as duas mãos. Essas ligações têm duas características na prática: em primeiro lugar, são menos estáveis, pois a qualquer momento os átomos podem soltar uma das mãos para se ligar a outros átomos; em segundo lugar, esse tipo de ligação provoca uma protuberância ao longo da cadeia de carbono, de modo que o átomo que a apresenta não se situa na mesma altura de seus vizinhos. As moléculas com ligações duplas, portanto, são frouxas e não se justapõem de forma compacta; por isso, formam os óleos. A existência de uma única ligação dupla numa cadeia faz com que o ácido graxo seja "monoinsaturado", sendo este o principal tipo de molécula encontrado no azeite de oliva. A presença de mais de uma ligação dupla faz com que o ácido graxo seja "poli-insaturado"; essa é a característica da maioria dos óleos vegetais, como os de canola, açafroa, semente de girassol, amendoim, milho, semente de algodão e soja.

Os ácidos graxos saturados, por sua vez, não contêm ligações duplas, mas somente ligações simples. As moléculas já estão "saturadas" de átomos de hidrogênio e, por isso, não podem se ligar a novos átomos. As cadeias de carbono dessas gorduras são retas e justapõem-se densa-

Tipos de ácidos graxos

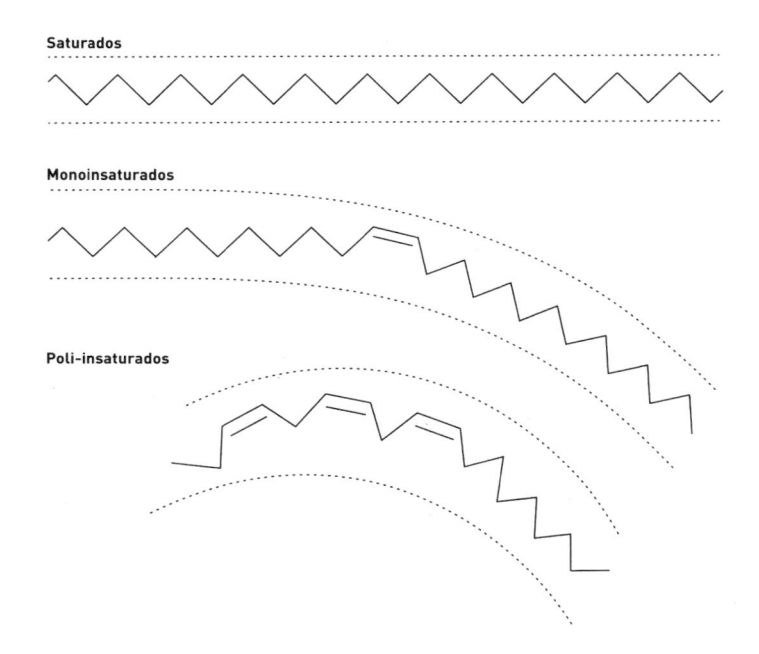

Saturados

Monoinsaturados

Poli-insaturados

mente. Por isso, permanecem sólidas em temperatura ambiente – é o caso da manteiga, da banha suína e do sebo bovino.

Na década de 1950, os pesquisadores de lipídios queriam muito saber como esses diferentes tipos de gordura afetam os vários aspectos do sangue quando são ingeridas, especialmente os índices de colesterol. No Instituto de Pesquisa Metabólica de Oakland, na Califórnia, por exemplo, os pesquisadores descobriram em 1952 que a substituição de gorduras animais por gorduras vegetais causava uma redução drástica do colesterol total. Uma equipe da Universidade Harvard descobriu que o índice de colesterol no sangue de pessoas vegetarianas era menor entre as que não consumiam laticínios do que entre as que ingeriam leite e ovos. Um estudo feito com vegetarianos na Holanda chegou à mesma conclusão.

Ahrens, da Universidade Rockefeller, era um pesquisador especialmente meticuloso. Esforçou-se para controlar todos os aspectos dos testes que fazia, mantendo seus pacientes hospitalizados numa enfermaria metabólica e alimentando-os com uma dieta líquida para evitar as complicações nutricionais que sempre acompanham os alimentos de verdade. Ele constatou que as gorduras saturadas da manteiga e do óleo de coco faziam aumentar o colesterol sanguíneo numa proporção maior que outras gorduras saturadas; em seguida, pela ordem, vinham o óleo de palma, a banha suína, a manteiga de cacau e o azeite de oliva. Os índices mais baixos de colesterol no sangue de seus sujeitos de pesquisa foram constatados em quem tinha seguido uma dieta de óleo de amendoim, semente de algodão, milho e açafroa. Depois, usando técnicas mais avançadas, Ahrens descobriu que o índice de colesterol não subia e descia de modo tão regular de acordo com as gorduras consumidas na dieta; a heterogeneidade era muito maior do que ele havia imaginado originalmente. A descoberta dessa "heterogeneidade" das respostas humanas, como escreveu Ahrens no fim de sua carreira, foi uma das "contribuições mais gratificantes" que, em sua opinião, ele deu a sua área de pesquisa. Na década de 1950, porém, os pesquisadores estavam convictos de que as reações ao colesterol eram rigorosamente uniformes; e voltaram a atenção para as gorduras saturadas, que se pensava serem as que mais faziam aumentar o índice de colesterol.

    Embora Keys viesse depois a se tornar o cientista mais influente na área da relação entre dieta alimentar e doenças, a verdade é que, em matéria de identificação de *tipos* de gordura, ele chegou um pouco atrasado. Tendia a concordar com os pesquisadores que pensavam que a quantidade *total* de gordura na dieta estava mais ligada ao risco de cardiopatia do que o *tipo* de gordura. Em suas pesquisas sobre o tema, Keys fez experimentos eticamente questionáveis em pacientes esquizofrênicos do sexo masculino num hospital de Minnesota. Alimentou-os com dietas cujo teor total de gordura variava entre 9% e 24% e descobriu que as dietas com menor teor de gordura eram um pouco melhores para baixar o índice de colesterol. Esses experimentos – uma série de testes com duração de duas a nove semanas envolvendo um total de meras 66 pessoas

– não foram conclusivos⁵. E Keys logo mudou de ideia sobre os resultados. Apesar disso, num estilo que já prefigurava o modo pelo qual ele acabou se tornando a figura mais famosa do mundo da nutrição, Keys promoveu esses estudos preliminares e inconclusivos como se mal deixassem margem para dúvida. Numa reunião dedicada à discussão da aterosclerose, em 1954, ele disse aos colegas: "Com exceção das calorias de gordura na dieta, não se conhece nenhuma outra variável no modo de vida que demonstre ter relação constante com a taxa de mortalidade por cardiopatias coronarianas ou degenerativas."

Confiante, Keys postulou uma relação causal direta entre a gordura na dieta, o colesterol no sangue e as doenças cardíacas. Em 1952, numa palestra proferida no Hospital Monte Sinai, em Nova York (publicada depois num artigo famosíssimo), Keys apresentou formalmente sua ideia, que chamou de "hipótese dieta-coração". Seu gráfico apontava uma correlação entre a ingestão de gordura e as mortes por doenças cardíacas em seis países⁶.

O gráfico mostrava uma curva crescente perfeita, como a do crescimento de uma criança. Ele dava a entender que, caso a curva se prolongasse para a esquerda até o grau zero de consumo de gorduras, o risco de doença cardíaca quase desapareceria.

Esse exercício de "ligar os pontos", feito em 1952, foi a semente que se transformou na gigantesca árvore de nossa atual desconfiança em relação à gordura. A atribuição de tantos males à ingestão de gordura – não somente as cardiopatias, mas também a obesidade, o câncer, o diabetes e outros – nasceu da implantação dessa ideia por Ancel Keys nas principais instituições da ciência da nutrição e da perseverança do cientista na promoção dessa noção. Hoje, quando almoçamos salada com peito de frango grelhado e preferimos macarrão ao bife para o jantar, nossas escolhas podem ser atribuídas a ele. A influência de Keys no mundo da nutrição não tem paralelo.

....
5. Afastando-se dos padrões científicos normais, Keys não divulgou os detalhes desses experimentos, como o número de homens envolvidos e a duração de cada intervenção.
6. O outro argumento que Keys apresentou a favor da hipótese dieta-coração nos primeiros anos foi que parecia haver uma correlação entre as *tendências* de consumo de gordura na dieta e a intensificação da epidemia de cardiopatias na Alemanha, na Noruega e nos Estados Unidos.

O gráfico de Keys, 1952
Calorias provenientes da ingestão de gordura *vs.* mortes por cardiopatia degenerativa

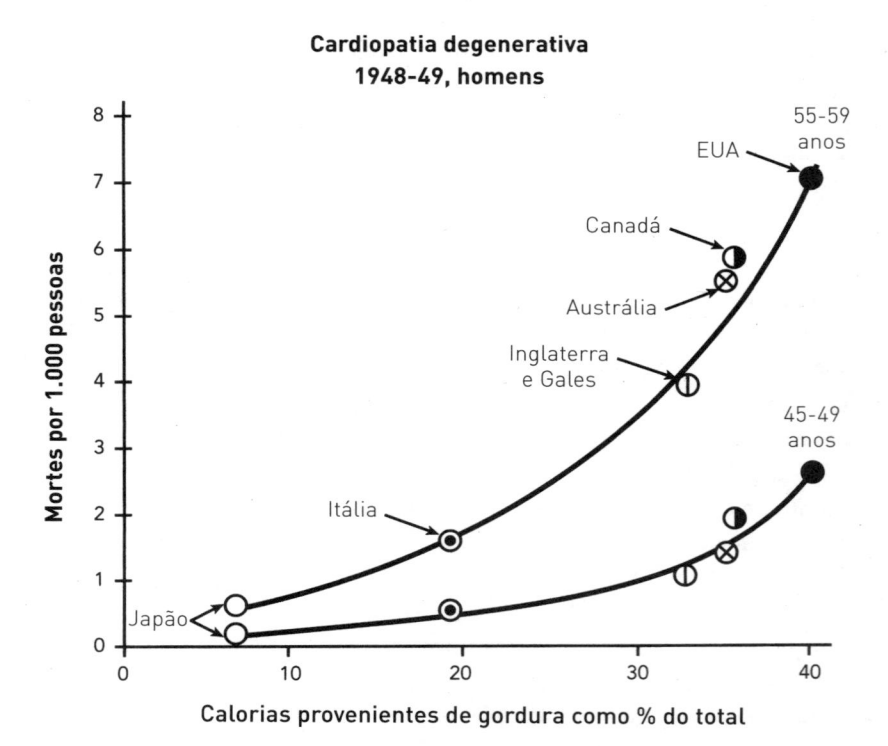

**Cardiopatia degenerativa
1948-49, homens**

[Gráfico: eixo Y "Mortes por 1.000 pessoas" de 0 a 8; eixo X "Calorias provenientes de gordura como % do total" de 0 a 40. Curva superior 55-59 anos com pontos: Japão, Itália, Inglaterra e Gales, Austrália, Canadá, EUA. Curva inferior 45-49 anos.]

Fonte: Ancel Keys, "Atherosclerosis: A Problem in Newer Public Health". *Journal of Mt. Sinai Hospital, New York*, v. 20, n. 2, p. 134, jul.-ago. 1953.

O gráfico que Keys usou em 1952 para promover sua ideia de que a gordura na alimentação causa doenças cardíacas.

A gordura nos torna gordos?

Keys achava que a gordura, além de causar a aterosclerose, *engorda* as pessoas. Visto que a gordura contém pouco mais de nove calorias por grama e que as proteínas e carboidratos contêm apenas quatro calorias por grama, há tempos que os especialistas em nutrição seguem o raciocínio de que uma dieta de baixo teor de gordura permite a perda de peso por causa da redução na quantidade total de calorias[7]. Em outras palavras, se *comermos* gordura, *seremos* gordos.

Creio que ninguém expressou essa atitude prevalecente sobre a gordura tão bem quanto Jerry Seinfeld, quando descreveu o que nos acontece no supermercado: "Olhamos para o rótulo 'Contém gordura'. [...] É só isso que as pessoas veem: contém gordura. Tem a palavra "*g-o-r-d-u-r-a*"! Tem *gordura*. E essa gordura vai estar dentro de *miiiim*!"

Será que existe algum caso de homonímia tão infeliz quanto esse? Uma única palavra significa duas coisas muito diferentes: a gordura que comemos e a gordura em nosso corpo. É difícil para nosso cérebro compreender que a palavra "gordura" tem duas definições completamente distintas. O medo dissimulado da gordura na dieta surgiu em meados da década de 1920 nos Estados Unidos, pois a magreza era uma parte importante das novas modas e estilos de vida da classe média; além disso, as seguradoras começaram a basear o valor das prestações dos seguros de vida na relação entre altura e peso das pessoas. Nessa época, a redução das calorias era uma entre várias teorias que procuravam explicar como as pessoas perdem peso; uma vez que a gordura tinha mais calorias por unidade de peso, muitos médicos começaram a aconselhar seus pacientes a tirá-la de sua dieta. De lá para cá, a gordura em todas as suas formas passou a ser entendida por quase todos como algo a ser evitado. Um grande número de experimentos já confirmou que a restrição do consumo de gordura não ajuda as pessoas a emagrecer (pelo contrário, na verdade), mas a ideia de que exista uma "gordura que emagrece" provavelmente sempre nos parecerá paradoxal.

A respeito da gordura na dieta e das cardiopatias, Keys reconheceu desde cedo que os exemplos internacionais representavam uma

---

7. Keys, porém, nunca teve uma opinião constante sobre a obesidade e pensava que não havia relação entre ela e o desenvolvimento de cardiopatias, embora se tenha provado, de lá para cá, que esse elo é bem forte (Keys em *Symposium on Atherosclerosis*, 1954, pp. 182-4).

grave ameaça a sua hipótese. Em seus primeiros artigos, ele dedicou muito espaço à tentativa de refutar dados provenientes de vários lugares do mundo e que não respaldavam suas conclusões: os massais da África, os esquimós do Ártico, até os navajos de seu próprio país. Obteve, porém, alguns relatórios preliminares de países como a Finlândia e o Japão, cujos dados pareciam harmonizar-se com suas teses. E uma de suas primeiras ideias geniais foi perceber que dados internacionais desse tipo poderiam dar um poderoso apoio a suas ideias. Assim, enquanto seus rivais labutavam nos laboratórios das universidades, Keys foi viajar e viver aventuras, das quais voltaria carregado de dados levantados pelo mundo afora.

Keys começou a viajar para diversos lugares do mundo no início da década de 1950. Foi, com a esposa, Margaret, à África do Sul, à Sardenha, à Suécia, à Espanha e à Itália. Onde quer que fosse, o casal media o colesterol dos habitantes locais e estimava o conteúdo de gordura de suas dietas. Keys e a esposa visitaram um longínquo acampamento de lenhadores na Finlândia, onde as doenças cardíacas faziam enorme estrago entre os jovens trabalhadores. No Japão, mediram o colesterol de pescadores e agricultores; depois, fizeram o mesmo com imigrantes japoneses que moravam em Honolulu e Los Angeles.

Keys tinha um fascínio particular pelos países do litoral mediterrâneo, pois ouvira dizer que o índice de cardiopatias na região era excepcionalmente baixo. Em 1953, foi primeiro a Nápoles e em seguida a Madri para conhecer a situação de perto. Depois de medir os índices de colesterol sanguíneo e fazer eletrocardiogramas numa minúscula amostra de homens, concluiu que toda a população dessas cidades apresentava, de fato, um índice de cardiopatia bem inferior ao índice típico dos Estados Unidos. De maneira geral, Keys especulou que, uma vez que os índices de morte por cardiopatia coronariana mudavam tanto de país para país, essas doenças não poderiam ser atribuídas à genética nem ao processo natural de envelhecimento. Keys concluiu que deveriam, ao contrário, ser atribuídas à dieta. Mann chegou mais tarde à mesma conclusão com base em suas observações dos guerreiros massais, mas Keys tinha ideias muito diferentes acerca de qual parte da dieta era a culpada. Escreveu: "Por enquanto, somente o fator 'gordura' parece importante."

Se as artérias dos norte-americanos estavam cheias de placa, isso se devia, como afirmou Keys em 1957, "aos efeitos de longo prazo de uma dieta rica em gordura e inúmeras refeições cheias de gordura". E ele apresentava como prova os jovens lenhadores finlandeses, que lanchavam "fatias de queijo do tamanho de uma fatia de pão, sobre as quais passavam manteiga [...] tudo isso regado a cerveja. Era uma demonstração viva do problema da doença coronariana."

Embora tenha observado um número muito pequeno de homens nessas primeiras pesquisas e não empregasse um método regular para quantificar suas dietas, Keys escreveu, cheio de confiança, que as gorduras totais eram "claramente" um dos "fatores principais" no desenvolvimento de cardiopatias. Era isso que ele estava procurando, e não surpreende que seja isso que tenha encontrado.

Em suas viagens, Keys fez alianças profissionais pelo mundo afora e convenceu pesquisadores a pôr sua ideia à prova. Depois, esses colegas coligiram dados de muitos países, da África do Sul à Suécia, e todos os indícios acumulados davam a impressão de confirmar a hipótese de que uma dieta rica em gordura andava de mãos dadas com um índice alto de colesterol no sangue. Mais uma vez, o número de pessoas efetivamente observadas foi minúsculo, mas Keys alinhavou com habilidade esses dados escassos e conseguiu pintar um quadro que parecia convincente.

Keys acumulou mais munição para sua hipótese a partir de uma observação interessante feita durante a Segunda Guerra Mundial: as mortes devidas às cardiopatias caíram drasticamente em toda a Europa durante a guerra e, logo depois, voltaram a subir. Keys presumiu que a escassez de alimentos – particularmente de carne, ovos, leite e laticínios – era a causa mais provável desse fenômeno. É claro que havia outras explicações possíveis: o açúcar e a farinha, por exemplo, também eram escassos durante a guerra; as pessoas respiravam menos fumaça de automóvel devido à falta de gasolina e faziam mais exercício, pois tinham de circular a pé e de bicicleta. Outros cientistas chamaram a atenção para essas explicações alternativas do declínio no índice de cardiopatias, mas Keys desconsiderou-as de cara.

Em meados da década de 1950, Keys começou a distanciar-se de sua ideia original de que as gorduras *totais* eram a causa principal das cardiopatias, embora não reconhecesse explicitamente essa mudança de opinião. Seus artigos começaram a tratar mais do *tipo* de gordura na dieta como fator crítico para o aumento do colesterol. Keys chegou a essa conclusão depois de fazer mais alguns experimentos pequenos e de curto prazo com os mesmos pacientes esquizofrênicos de um hospital de Minnesota, em 1957 e 1958. Descobriu que o índice de colesterol no sangue subia depois de os homens comerem gorduras saturadas e caía depois da ingestão de óleos vegetais, como Ahrens e outros já haviam constatado.

Assim, como anunciou Keys num conjunto de artigos publicados nos principais periódicos científicos em 1957[8], o índice total de colesterol no sangue poderia ser diminuído pela redução do consumo de gorduras *saturadas*. Keys estava convicto de sua nova descoberta – tanto que publicou uma fórmula matemática específica pela qual, alegava, a quantidade *exata* de elevação ou queda do índice de colesterol no sangue poderia ser calculada para determinada população, dependendo da quantidade de gordura saturada, gordura poli-insaturada e colesterol que fizesse parte da dieta dos membros dessa população. Era a famosa "equação de Keys", que exerceu imensa influência entre os pesquisadores em nutrição, provavelmente porque esses pesquisadores, que tanto se empenhavam na busca de respostas, sentiram-se aliviados ao encontrar uma fórmula exata supostamente aplicável a todos os seres humanos, sem exceção. Ao contrário de Ahrens, que, em razão da imensa complexidade da biologia humana, estimulava os colegas a encarar com certa reserva suas próprias descobertas (e, como já vimos, acabou defendendo a ideia de uma *diversidade* de reações biológicas possíveis), Keys reduziu a complexidade a uma única explicação segura e confiante. Ainda acreditava que as pessoas não deveriam comer mui-

---
8. Keys propôs essa ideia em nada menos que 20 artigos publicados em periódicos científicos de renome entre 1957 e 1958.

tas gorduras *em geral*, mas, quando chegou enfim à conclusão de que o maior mal alimentar era a gordura saturada, começou a defender sua teoria como se fosse superior a todas as outras. Se as pessoas parassem de consumir ovos, leite, laticínios, carnes e todas as gorduras visíveis, segundo ele, as doenças cardíacas iriam se tornar "muito raras". Keys recomendou uma "redução acentuada" do consumo de gorduras na dieta, especialmente das que ocorrem naturalmente nos alimentos de origem animal – e aconselhou que as pessoas passassem a ingerir, em vez delas, óleos vegetais.

O presidente poli-insaturado: o infarto de Eisenhower

As ideias de Keys foram levadas à atenção de todo o público norte-americano em 23 de setembro de 1955, quando o presidente Dwight D. Eisenhower sofreu o primeiro de muitos infartos. Paul Dudley White, médico pessoal do presidente, pegou um avião e foi acompanhar seu paciente em Denver, Colorado. White, cardiologista, fora uma das primeiras pessoas a chamar a atenção para a epidemia de cardiopatias quando ela começou, nas primeiras décadas do século XX. Em 1931, escreveu um compêndio clássico sobre o assunto e foi um dos seis fundadores da AHA. Também havia trabalhado com o presidente Harry Truman para fundar o National Heart Institute (NHI) no quadro dos National Institutes of Health (NIH) em 1948. White era então um famoso professor em Harvard, e sua influência na área era quase ilimitada.

Havia muito que Keys mostrara ter talento para cultivar a amizade de pessoas poderosas. Para ser contratado para desenvolver as famosas rações K, por exemplo, ele assegurara para si mesmo, de 1939 a 1943, o posto de assistente especial do ministro da Defesa. White era outro aliado desejável, e já havia alguns anos que Keys o persuadira a acompanhá-lo em algumas de suas viagens internacionais para medir índices de gordura e colesterol. Foi sem dúvida durante essas viagens – ao Havaí, ao Japão, à Rússia e à Itália – que White começou a convencer-se das ideias de Keys.

No dia seguinte ao infarto de Eisenhower, White organizou uma conferência de imprensa e deu ao público norte-americano uma aula clara e convincente sobre as cardiopatias e as medidas que poderiam preveni-las: parar de fumar, reduzir o estresse e, no *front* dietético, diminuir o consumo de gordura saturada e colesterol. Nos meses seguintes, White continuou divulgando relatórios sobre a saúde do presidente em conferências de imprensa e nas páginas do *New York Times*. Num artigo de primeira página no *Times*, que White foi convidado a escrever, Keys foi o único pesquisador mencionado pelo nome; seu trabalho foi qualificado como "brilhante" e sua teoria dietética foi a única a ser exposta em detalhes. Se houve algo que os homens norte-americanos de meia-idade puderam aprender com esse episódio, foi que os principais médicos do país achavam que o público deveria diminuir o consumo de gordura na dieta. O próprio Eisenhower tornou-se obcecado pelos índices de colesterol no sangue e passou a evitar religiosamente todo alimento que contivesse gorduras saturadas; começou a usar uma margarina poli-insaturada, que entrou no mercado em 1958, e a comer torradas Melba no café da manhã – isso até morrer de doença cardíaca, em 1969[9].

Nesse meio-tempo, Keys tratava de promover seu gráfico e outros dados que aparentemente evidenciavam para os cientistas do mundo inteiro o vínculo entre as cardiopatias e o consumo de gordura. Em 1957, ele escreveu que "uma dieta rica em gordura e inúmeras refeições cheias de gordura" eram "provavelmente" a causa do desenvolvimento das doenças coronarianas na "maioria dos casos".

Keys tinha um bom número de seguidores entre seus colegas nutricionistas, mas pelo menos um cientista, chamado Jacob Yerushalmy, não se deixou impressionar. Yerushalmy era o fundador do Departamento de Bioestatística da Universidade da Califórnia, em Berkeley, e assistiu a uma palestra de Keys numa conferência da Organização Mundial de Saúde (OMS), em Genebra, em 1955. Para Yerushalmy, os dados de Keys pareciam um pouco suspeitos. Ali mesmo em Genebra,

---
9. Eisenhower chegara a fumar quatro maços de cigarro por dia e isso pode ter contribuído para causar sua doença, embora ele tenha parado de fumar cinco anos antes do primeiro infarto.

por exemplo, a população local ingeria uma grande quantidade de gordura – gordura animal, por sinal –, mas não era especialmente vulnerável à morte por doenças cardíacas. Assim como havia um paradoxo francês (comedores de omelete surpreendentemente saudáveis), podia--se observar um paradoxo suíço. Na verdade, caso se levasse em conta os 22 países para os quais havia dados nacionais disponíveis em 1955, também Alemanha Ocidental, Suécia, Noruega e Dinamarca eram casos "paradoxais". Estava claro que não se tratava de paradoxos, mas de dados que exigiam uma explicação alternativa.

Yerushalmy e Hilleboe: dados de 22 países

Mortalidade por cardiopatias arterioscleróticas e degenerativas e porcentagem de calorias provenientes da ingestão de gordura – homens de 55 a 59 anos, 1950

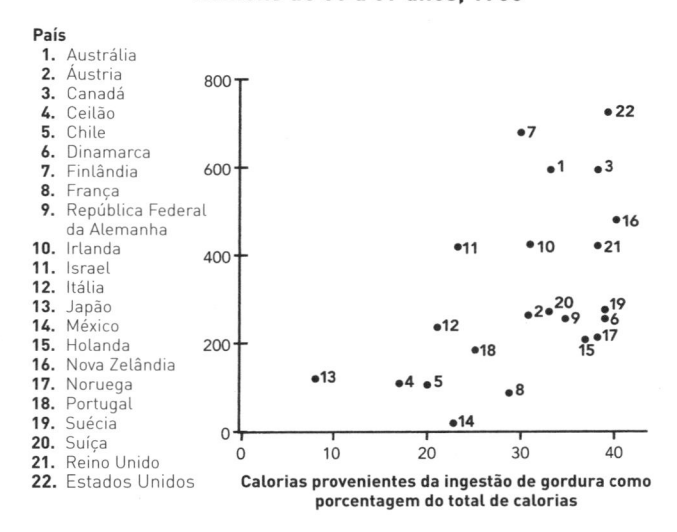

País
1. Austrália
2. Áustria
3. Canadá
4. Ceilão
5. Chile
6. Dinamarca
7. Finlândia
8. França
9. República Federal da Alemanha
10. Irlanda
11. Israel
12. Itália
13. Japão
14. México
15. Holanda
16. Nova Zelândia
17. Noruega
18. Portugal
19. Suécia
20. Suíça
21. Reino Unido
22. Estados Unidos

Fonte: Jacob Yerushalmy e Herman E. Hilleboe, "Fat in the Diet and Mortality from Heart Disease: A Methodologic Note". *New York State Journal of Medicine*, v. 57, n. 14, p. 2346, jul. 1957.

Esse gráfico, publicado pelos críticos de Keys, mostra que *não* havia correlação entre a gordura na dieta e as cardiopatias quando outros países eram acrescentados à lista original de Keys, que tinha apenas seis países.

A objeção de Yerushalmy era que Keys parecia ter escolhido somente os países que se encaixavam em sua hipótese. E havia outros fatores que também poderiam explicar bem as tendências de morte por doenças cardíacas em todos esses países. Num artigo publicado em 1957, Yerushalmy listou alguns desses fatores: o número de automóveis vendidos *per capita*, o número de cigarros vendidos, o consumo de proteínas e o consumo de açúcar. Todos eles estavam ligados a um único fator comum: a riqueza. Ou seja, tudo o que acompanhava a crescente prosperidade do pós-guerra – carne, açúcar, fumaça de automóveis, margarina e outras coisas – poderia estar causando as cardiopatias. Quanto à gordura, quando Yerushalmy e seu colega Herman E. Hilleboe puseram num gráfico os dados de todos os 22 países, em vez dos seis que Keys havia escolhido a dedo, observaram que a correlação praticamente desaparecia. Tudo o que restava eram pontos distribuídos aleatoriamente, como numa pintura de Jackson Pollock. Keys não gostou nem um pouco desse amontoado de pontos.

"Eu me lembro do clima no laboratório quando saiu esse estudo", disse Henry Blackburn, que foi durante muito tempo o braço direito de Keys e que, quando o entrevistei, já havia se aposentado da Universidade de Minnesota.

"O clima?... Não estava bom?", perguntei.

"Mmmmm", respondeu. E fez uma longa pausa[10].

A essa altura, várias pessoas já estavam criticando Keys. Um desses críticos era George V. Mann, que mais tarde conduziria a pesquisa sobre os massais. Mann ventilou, na época, sua esperança de que a con-

---

10. Mais tarde, Blackburn alegou que Yerushalmy e outros críticos haviam sido injustos ao concentrar-se nesse gráfico dos seis países, isolando-o dos demais dados que Keys apresentara em favor de sua teoria. Mas a verdade é que em 1957, quando Yerushalmy publicou sua crítica, os únicos outros dados que Keys apresentara ou mencionara eram observações sobre a redução dos índices de doença cardíaca na Europa durante a Segunda Guerra Mundial (redução essa que poderia ter outras causas) e alguns dados não publicados sobre os finlandeses e os japoneses. No principal artigo de 1957 em que defende sua hipótese, em vez de procurar substanciá-la com mais dados, Keys dedica várias páginas a atacar as teorias rivais, como a possibilidade de que o excesso de proteínas, a falta de exercício e o colesterol na dieta causassem cardiopatias (Blackburn e Labarthe, 2012, p. 1072; Keys, 1957, pp. 552-9).

frontação com Yerushalmy viesse a "esmagar" a teoria de Keys sobre a gordura e as doenças cardíacas. Mas Keys revidou. No *Journal of Chronic Diseases*, respondeu que os dados de Yerushalmy e Hilleboe eram falhos, pois as estatísticas nacionais – especialmente as preparadas por países europeus no volátil período do pós-guerra – não eram confiáveis. Verdade! Mesmo longe do furor da guerra, existe uma diferença enorme entre as frequências com que os médicos de diversos países escrevem "doença cardíaca" como *causa mortis* num atestado de óbito. Para citar apenas um exemplo, um estudo de 1964 constatou que, diante de dados exatamente iguais, médicos norte-americanos diagnosticavam doença cardíaca com uma frequência 33% maior que médicos britânicos e 50% maior que médicos noruegueses. Keys tinha plena ciência desse problema, mas isso não o impediu de usar as mesmas estatísticas nacionais em seus gráficos, uma vez que, falhos ou não, não havia outros dados disponíveis. No entanto, na época, ninguém questionou seus dois pesos e duas medidas.

Em sua réplica a Hilleboe, Keys o acusou de preferir "conclusões negativas a conclusões positivas". "Duvido que o dr. Hilleboe realmente acredite que dispõe de indícios suficientes para provar que *não* há relação causal entre a gordura na dieta e a tendência de desenvolvimento da aterosclerose no homem", escreveu Keys.

Em outras palavras, Keys queria que sua hipótese fosse considerada verdadeira até prova em contrário. No entanto – e este ponto é muito importante –, a ciência não é igual ao poder Judiciário. Quem vai a julgamento tem presunção de inocência até que se prove sua culpa, mas o conhecimento científico é o oposto: não se deve presumir que uma hipótese seja verdadeira até que uma grande quantidade de indícios significativos em seu favor comece a se acumular, e, mesmo nesse caso, ainda não se pode ter certeza absoluta. Tudo o que se pode afirmar é que a maior parte dos dados tende a dar mais apoio a uma hipótese do que às outras. A crença inabalável de Keys em sua própria hipótese, mesmo quando ela ainda estava em formação e mesmo diante de indícios conflitantes, dá a entender que, para defendê-la, ele estava disposto a negar esses princípios basilares da ciência.

De todo modo, parece claro que a reação cética dos colegas de Keys a sua palestra na conferência da OMS em Genebra, em 1955, embora tenha representado uma humilhação, foi um momento importante para ele: "Foi o ponto de virada por excelência na vida de Keys", lembra Blackburn. Depois da confrontação de Genebra, "[Keys] se cansou de apanhar e disse: 'Esses caras vão ver só' [...] foi então que arquitetou o estudo dos Sete Países".

O estudo dos Sete Países

Diferentemente da primeira amostragem internacional que Keys tinha feito em suas viagens com Margaret, o estudo dos Sete Países foi a primeira pesquisa epidemiológica[11] multinacional na história da humanidade. Padronizando a coleta de dados e juntando esses dados diretamente nas populações, Keys procurou acumular informações precisas e detalhadas que, ao contrário das estatísticas nacionais dúbias, pudessem propiciar uma comparação entre os diversos países e, assim, pôr fim de uma vez por todas ao debate sobre a relação entre a dieta e as doenças do coração.

Keys começou o estudo em 1956, tendo recebido uma verba anual de 200 mil dólares do Serviço de Saúde Pública dos Estados Unidos – uma quantia enorme, na época, para um único projeto. Ele tinha a intenção de acompanhar detalhadamente cerca de 12.700 homens de meia-idade em populações predominantemente rurais da Itália, da Grécia, da Iugoslávia, da Finlândia, da Holanda, do Japão e dos Estados Unidos.

....
11. Num estudo epidemiológico, faz-se o perfil de um grupo de pessoas (são medidos, por exemplo, seus hábitos de dieta e de tabagismo), e, em seguida, os investigadores observam essas pessoas ao longo de certo período. O melhor é que as pessoas estudadas sejam mais velhas, de modo que ocorrências de saúde, como infarto, câncer ou morte, possam ser observadas sem que se tenha de esperar tempo demais. Faz-se então uma correlação entre essas ocorrências e as variáveis originalmente medidas, permitindo que os pesquisadores verifiquem se existe uma associação entre, por exemplo, o tabagismo e o câncer de pulmão.

Vários críticos observaram então que, se Keys tivesse levado a sério a crítica de Yerushalmy, poderia ter escolhido algum país europeu que realmente *se contrapusesse* a sua hipótese, como a Suíça ou a França (ou a Alemanha, ou a Noruega, ou a Suécia). Mas, ao contrário, escolheu apenas os países que (a julgar pelas estatísticas nacionais) pareciam ter a probabilidade de confirmá-la.

Desde o começo do século XX, os cientistas sabem que a seleção aleatória dos sujeitos de pesquisa colabora para evitar a parcialidade dos investigadores. Isso se chama "aleatorização" ou "randomização", e os pesquisadores seguem certos protocolos para obter uma amostra suficientemente aleatória. Porém, os critérios de seleção de Keys eram tudo menos aleatórios; ao contrário, ele próprio escreveu que escolheu lugares que pareciam manifestar certos contrastes nos índices de dieta e de morte, e, mais importante ainda, lugares "onde obteve um apoio entusiástico" – tanto em matéria de pessoas quanto de recursos – para conduzir seus estudos, como Blackburn me descreveu. Procurando explicar por que Keys não buscou países que representassem um desafio a suas ideias, Blackburn disse: "Keys tinha aversão a estar na França ou na Suíça."

O período histórico do estudo dos Sete Países também era problemático. Os anos durante os quais ele foi feito, de 1958 a 1964, foram uma época de transição na região mediterrânea: a Grécia, a Itália e a Iugoslávia ainda estavam se recuperando da Segunda Guerra Mundial, que havia causado extrema pobreza e levado as pessoas quase à inanição; a Itália também estava saindo de 25 anos de sofrimento sob um governo fascista. Quatro milhões de italianos fugiram do país devido à miséria e pelo menos 150 mil gregos fugiram da Grécia.

Esses fatos deveriam fazer o pesquisador parar para pensar. Keys poderia ter se perguntado se, sondando a Europa da década de 1960, não estaria obtendo uma imagem anômala. As pessoas estudadas por ele estavam num momento de privação. Teriam ingerido uma dieta mais rica na infância, antes da guerra, como também teriam feito suas mães durante a gravidez. Visto que certos pesquisadores creem que os alicerces das cardiopatias podem ser lançados na vida intrauterina ou decorrer da acumulação de hábitos praticados ao longo da vida, seria arriscado estudar uma amostragem obtida na década de 1960. Está claro que essa amostragem não refletiria uma realidade mais ampla.

Dentro dos limites dessas escolhas questionáveis, no entanto, o estudo procurou estabelecer um padrão de excelência. Nos países que Keys escolheu, sua equipe visitou vilarejos rurais e selecionou trabalhadores braçais de meia-idade do sexo masculino. Os membros da equipe mediam o peso, a pressão sanguínea e os índices de colesterol dos sujeitos de pesquisa, além de aplicar-lhes questionários sobre sua dieta e seus hábitos tabagistas. Para um pequeno subconjunto de homens, amostras das refeições que eles tomaram no decorrer de uma semana foram coletadas e enviadas a laboratórios para serem analisadas quimicamente.

Os resultados do estudo dos Sete Países foram divulgados numa monografia de 211 páginas publicada pela AHA em 1970 e, depois, num livro da Harvard University Press. Seguiram-se sete livros e mais de 600 artigos de vários membros da equipe original. Em 2004, de acordo com uma contagem, o estudo dos Sete Países já havia sido referenciado quase 1 milhão de vezes na literatura médica.

Keys descobriu o que esperava: uma forte correlação entre o consumo de gordura saturada e mortes devidas a doenças do coração. Na Carélia do Norte, uma região da Finlândia onde os homens trabalhavam duro na extração de madeira e na agricultura, mas ingeriam uma dieta com alto teor de leite, laticínios e carne, havia muitas mortes devidas a doenças cardíacas: 992 homens a cada 10 mil durante 10 anos. Em Creta e Corfu, com abundância de azeite de oliva e pouquíssima carne, esse número era ridiculamente baixo: 9 mortes. Na Itália, eram 290, e, entre ferroviários dos Estados Unidos, 570.

Como Keys havia padronizado cuidadosamente os diagnósticos de infarto e outras doenças coronarianas em todos os países estudados, uma das grandes vantagens dos dados levantados em seu estudo foi demonstrar que as populações de diferentes países realmente apresentavam índices bastante variados de infarto. Por isso, segundo Blackburn, o estudo foi o primeiro a demonstrar que "o infarto pode ser prevenido [...] não é um fenômeno natural do envelhecimento, nem predeterminado pela genética, nem um acontecimento aleatório e imprevisível".

Aparentemente, os resultados demonstravam que, embora os lenhadores finlandeses e os agricultores gregos comessem mais ou menos a mesma quantidade de gordura, o que importava era o *tipo* de gordura. De acordo com esses resultados, quanto maior a quantidade de gordura saturada ingerida, maior o risco de sofrer um infarto. A gordura saturada correspondia a menos 8% das calorias ingeridas pelos cretenses, em comparação com 22% dos finlandeses. Esses dados aparentemente conclusivos davam a impressão de oferecer uma resposta definitiva aos críticos de Keys.

Mas será mesmo? Apesar dos célebres resultados, certos problemas incômodos em alguns dados não corroboravam a hipótese. Para começar, os finlandeses do leste tinham uma taxa de morte por doença cardíaca quase três vezes superior à dos finlandeses do oeste, mas seus estilos de vida e suas dietas, segundo os dados de Keys, eram praticamente idênticos. Os habitantes de Corfu comiam ainda menos gorduras saturadas do que seus compatriotas de Creta, mas os índices de cardiopatia em Corfu eram bem mais altos. Assim, *dentro* de cada país, a correlação entre gordura saturada e cardiopatias não se verificava.

Quinze anos depois, em 1984, Keys fez uma atualização do estudo nas mesmas populações dos Sete Países e constatou que os resultados haviam se tornado ainda mais paradoxais. Àquela altura, o consumo de gordura saturada já não explicava de modo algum as diferenças nos índices de cardiopatia. E agora, uma vez que as cardiopatias respondiam por somente um terço das mortes ocorridas, Keys tomou a atitude lógica: examinou todas as causas de morte, e não apenas as doenças cardíacas. Afinal, não é isso que queremos saber? Não somente o que fazer para evitar um ataque cardíaco, mas também o que fazer para viver mais? (Se uma dieta com baixo teor de gordura protege as pessoas das cardiopatias mas causa câncer, por exemplo, para que ela serve?)

Os dados então coletados foram frustrantes para Keys. Embora parecesse haver uma correlação entre a dieta de baixo teor de gordura saturada e um número menor de mortes por doença cardíaca (pelo menos nos países estudados), essa vantagem não existia quando se computava a mortalidade total. Entre as pessoas cujas dietas tinham baixo teor de gordura saturada, o risco de morte era tão alto quanto entre as que ingeriam gordura. As que minimizavam o consumo de alimentos de origem animal simplesmente morriam de outras causas. No contexto do estudo, as pessoas que viveram por mais tempo moravam na Grécia e nos Estados Unidos. Não havia correlação alguma entre sua longevidade e a quantidade de gorduras saturadas ou não que ingeriam e os índices de colesterol em seu sangue.

Os dados nutricionais também não eram imunes a críticas. Quando se lê com atenção o modo como o estudo de Keys foi concebido, descobre-se que o alimento efetivamente ingerido só foi avaliado para 499 dos 12.770 sujeitos de pesquisa, ou seja, 3,9% do total. E não havia uniformidade entre os métodos de coleta de dados nutricionais nos diversos países: nos Estados Unidos, foram recolhidas como amostra as refeições tomadas num dia por 1,5% dos homens, enquanto, em outros países, recolheram-se os dados de sete dias. Algumas amostras de alimento foram coletadas após a cocção; outras, antes; outras, ainda, antes e depois.

Examinei de forma mais detida os dados dietéticos levantados na Grécia, pois esse é o país citado como exemplo maior da dieta mediterrânea (veja o capítulo 7). Encontrei aí um dos erros mais incríveis e perturbadores. Nesse país, Keys estudou amostras das dietas de Creta e Corfu mais de uma vez, em diferentes estações, para procurar capturar as variações sazonais na alimentação. Porém, por um tremendo descuido, um dos três levantamentos em Creta foi feito durante a quaresma, um período de jejum de 48 dias. De que modo isso teria afetado a dieta? Um observador escreveu na época: "O jejum dos ortodoxos gregos é rigoroso; exige a abstenção de todos os alimentos de origem animal, inclusive peixe, queijo, ovos e manteiga." (No sul da Itália, há muito que a expressão *"pari corajisima"* – "com cara de quaresma" – se refere a uma pessoa feia, desagradável e mal-humorada devido à subnutrição.) Visto que os alimentos evitados durante a quaresma são as principais fontes de gordura saturada, a tomada de amostras da dieta durante esse período provocaria uma falta de exatidão na contagem desse nutriente. Um estudo feito em Creta em 2000 e 2001 demonstrou que o consumo de gorduras saturadas *cai pela metade* durante a quaresma.

Keys mencionou esse problema em sua monografia, mas logo desconsiderou sua importância, afirmando que "a observância rígida [da quaresma] não parecia ser coisa comum". Não entrou em detalhes e não mencionou o assunto no principal artigo que escreveu sobre a dieta grega. Mais tarde, quando dois pesquisadores da Universidade de Creta entrevistaram os diretores originais da parte grega do estudo dos Sete Países, ficaram sabendo que 60% da população estudada em Creta estava jejuando e fazendo abstinência durante o período de pesquisas, embora "não se tenha feito nenhuma tentativa", no estudo, de diferenciar os que observavam o jejum dos que não o observavam. No periódico *Public Health Nutrition*, em 2005, pesquisadores qualificaram esse fato como "uma omissão grave e perturbadora", mas 40 anos já haviam se passado. Era tarde demais para corrigir as impressões originais do estudo.

Surpresa e alarmada pela descoberta, liguei para Daan Kromhout, que dirigiu o setor nutricional do estudo dos Sete Países. Hoje ele é professor de pesquisas em saúde pública na Holanda e atua como conselheiro do governo em políticas de saúde. Ficou claro que Kromhout estava envergonhado pelo descuido de fazer o estudo durante a quaresma, mas frisou o quão pouco se sabia na época sobre amostragem de alimentos e o quanto eles avançavam às cegas num campo completamente desconhecido. "Numa situação ideal, não deveríamos ter feito aquilo", admitiu. "Mas nem sempre é possível fazer o ideal." Essa explicação pareceria justa se a dieta cretense não tivesse se tornado nossa principal referência em matéria de dieta nos últimos 50 anos.

Keys não estava nem um pouco disposto a dar informações detalhadas sobre os dados dietéticos colhidos, e eu mesma tive dificuldades para encontrar parte deles. A maioria dos dados foi publicada num periódico holandês, *Voeding*, onde Keys sabia que passariam despercebidos[12]; nada foi publicado em nenhum dos maiores periódicos britâ-

---

12. Keys escreveu sobre sua frustração devido a um artigo anterior que publicara na *Voeding*, que "não chamou a atenção em nível internacional" porque o periódico, embora fosse respeitável, tinha "pouquíssima circulação fora da Holanda e, mesmo lá, [era] lido principalmente por nutricionistas" (Keys em Kromhout, Menotti e Blackburn 1994, op. cit., p. 17).

nicos e americanos onde ele publicou a maior parte dos seus outros artigos ligados ao estudo. E é preciso ler nas entrelinhas para ter uma noção das principais dificuldades técnicas com que Keys deparou. Somente na Grécia, três métodos químicos diferentes foram usados para analisar as gorduras nas amostras de alimento, e os resultados dos três não batiam. ("Foi impossível saber com certeza qual sistema proporcionou os resultados mais precisos", como ele disse.)

Apesar disso, no relatório principal do estudo dos Sete Países não há indicação alguma de que os dados poderiam ser falhos; em geral, os pesquisadores da área deixaram as falhas passar em branco durante décadas. Quando fui atrás dos artigos, ficou claro para mim que Keys, movido pela ambição, havia feito todo o possível para esconder os problemas – problemas tão significativos que, se tivessem vindo a público na época, o estudo dos Sete Países talvez nem sequer tivesse sido publicado.

Além dos problemas com os dados, o estudo dos Sete Países sofria de uma imensa limitação estrutural: por tratar-se de um estudo epidemiológico, só poderia demonstrar correlações, não relações causais. Em outras palavras, só poderia demonstrar que os dois elementos estudados ocorriam juntos, mas não poderia estabelecer uma relação de causalidade entre um e outro. Na melhor das hipóteses, portanto, o estudo de Keys poderia provar que existe uma *associação* ou *correlação* entre uma dieta com baixo teor de gorduras de origem animal e uma taxa mínima de doenças cardíacas; não podia provar que a dieta *causava* uma menor incidência da doença. Também havia correlações entre outros aspectos da dieta e do estilo de vida e os baixos índices de cardiopatia verificados no estudo de Keys, e esses outros aspectos não podiam ser excluídos como possíveis causas.

Açúcar: uma explicação alternativa?

Em 1999, Alessandro Menotti, chefe da equipe italiana do estudo dos Sete Países, voltou 25 anos no tempo e reexaminou os dados colhidos entre os 12.770 sujeitos de pesquisa estudados. Foi então que notou um fato interessante: a categoria de alimento que mais apresentava correlação com a mortalidade por doenças coronarianas era a dos doces. "Doces", no caso, significam produtos feitos com açúcar e produtos de confeitaria em geral. O coeficiente de correlação entre eles e a mortalidade em razão de doenças coronarianas era de 0,821 (uma correlação perfeita tem coeficiente 1,0). Talvez esse coeficiente de correlação fosse ainda maior caso Menotti tivesse incluído chocolates, sorvetes e refrigerantes na categoria "doces"; mas, na época, esses alimentos foram classificados em outra categoria e, segundo Menotti, a recodificação seria "muito difícil". Por outro lado, a correlação entre doenças coronarianas e "alimentos de origem animal" (manteiga, carne, ovos, banha suína, leite e queijo) era de 0,798, e esse número provavelmente teria sido menor se Menotti tivesse excluído a margarina. (A margarina em geral é feita com gorduras de origem vegetal, mas os pesquisadores da época tendiam a incluí-la na categoria dos produtos de origem animal por sua semelhança com a manteiga.)

Ancel Keys estava atento à ideia de que o açúcar pudesse dar uma explicação dietética alternativa à sua como causa de cardiopatias. Do fim da década de 1950 ao começo dos anos 1970, ele debateu em artigos científicos com John Yudkin, professor de fisiologia no Queen Elizabeth College, da Universidade de Londres. Yudkin era, na época, o principal proponente da hipótese do açúcar. "Keys opunha-se frontalmente à ideia do açúcar", Daan Kromhout revelou-me numa entrevista, embora não soubesse dizer por quê. Os filósofos da ciência nos dizem que o papel do cientista consiste em ser o mais cético possível em relação a suas próprias ideias, mas é evidente que Keys era o contrário. "Estava tão convicto de que os ácidos graxos eram *a* coisa mais importante em relação à aterosclerose que via tudo dessa perspectiva", diz Kromhout. "Era uma pessoa muito enérgica e tinha seu próprio ponto de vista." Diante das opiniões de outras pessoas, Keys às vezes era agressivo e as desmerecia e desprezava: ao final de uma crítica de nove páginas publicada no periódico *Atherosclerosis*, concluiu que a ideia de Yudkin de que o açúcar causa doenças cardíacas é "uma montanha de disparates". Mais tarde, escreveu: "Yudkin e os interesses comerciais que o apoiam não se deixam deter pelos fatos; continuam batendo na mesma tecla desacreditada."

Keys defendeu especificamente seu estudo dos Sete Países contra a ideia de que o açúcar pudesse explicar algumas das diferenças de mortalidade observadas. Respondendo à carta de um pesquisador sueco que levantou essa questão em 1971, Keys fez algumas análises de regressão demonstrando que a ingestão de gordura por si só se correlacionava perfeitamente com as variações de cardiopatias; o açúcar não tinha nenhum efeito adicional. Mas não fez o cálculo inverso, perguntando-se se o açúcar por si só tinha a mesma correlação (como Menotti fez depois). Keys publicou seus resultados numa carta, não num artigo (que teria sido objeto de revisão paritária); além disso, não revelou os dados originais, de modo que seus cálculos não poderiam ser verificados por outras pessoas.

"O açúcar nunca chegou a ser adequadamente discutido entre nós [os líderes do estudo dos Sete Países]", Menotti me contou. "Não sabíamos como tratá-lo. Relatamos os fatos e tivemos alguma dificuldade para explicar nossas descobertas."

O problema era o açúcar ou a gordura? Mesmo que fosse possível analisar com precisão a dieta, um epidemiologista nunca poderia saber se determinado alimento – ou qualquer outra coisa, diga-se de passagem – causara uma doença cardíaca observada anos depois. A ciência da epidemiologia foi inventada para estudar doenças infecciosas, que se deflagram de repente e podem, em geral, ser atribuídas a uma fonte específica, como o abastecimento de água. As doenças crônicas, por sua vez, evoluem ao longo de um período muito mais prolongado e é quase impossível medir os milhares de fatores que, no decorrer da vida de uma pessoa, poderão contribuir para causar uma doença décadas depois. O maior sucesso da epidemiologia para resolver um enigma relacionado a uma doença crônica foi a descoberta de que o cigarro causa câncer do pulmão. Nesse caso, porém, a diferença entre a população de fumantes e a de não fumantes era imensa: 30 vezes maior, ao passo que, no caso da gordura saturada, Keys observou uma diferença apenas duas vezes maior[13]. Além disso, o efeito observado por Keys não acompanhava com precisão o aumento gradual do consumo de gorduras saturadas, o que representava mais um sinal de alerta de que suas provas eram fracas, visto que os epidemiologistas consideram essa "relação dose-resposta" extremamente importante para a confirmação de associações confiáveis.

Apesar desses tipos de problemas que rotineiramente afetam a epidemiologia nutricional, os políticos e outras pessoas dotadas de poder decisório, pelo simples fato de não haver outros dados disponíveis, muitas vezes tomam os resultados de estudos desse tipo como "provas" conclusivas. Os estudos clínicos, que poderiam estabelecer uma *causa*, são muito mais complicados e mais caros e, por isso, são realizados com frequência muito menor. Na ausência de dados clínicos, como ocorreu repetidas vezes nos últimos 50 anos de história da nutrição, os dados epidemiológicos são considerados suficientes. Embora um estudo epidemiológico, por sua própria natureza, não tenha absolutamente nada a dizer sobre relações causais, tais estudos foram empregados reiteradamente dessa maneira. O próprio Keys foi um dos pioneiros da prática de usar dados epidemiológicos como base para diretrizes alimentares oficiais, e não é difícil entender sua motivação para fazer isso. Depois de acompanhar uma população de sujeitos de pesquisa entre 10 e 15 anos, podemos imaginar que ele tivesse o desejo de maximizar o impacto de suas descobertas na área da saúde pública e, deitado sobre esses louros, colher os aplausos e as novas verbas de pesquisas que geralmente os acompanham.

É compreensível que Keys, um dos primeiros epidemiologistas da nutrição, ansiasse por esses aplausos. Varrendo para baixo do tapete quaisquer dúvidas que tivesse a respeito de seus dados ou das limitações intrínsecas de suas pesquisas, Keys insistia agressivamente na "moral

---

13. Os epidemiologistas chamam essas diferenças de "tamanho do efeito". Índices muito baixos, como o constatado por Keys, continuam sendo a norma na maioria dos estudos epidemiológicos sobre nutrição publicados hoje. É o caso, por exemplo, das descobertas alarmantes de 2012, que estabeleciam um vínculo entre a carne e doenças crônicas (Pan et al., 2012).

da história" de seu estudo: a ingestão de gorduras saturadas gera um alto índice de colesterol, e um alto índice de colesterol gera doenças cardíacas. Depois da publicação do estudo dos Sete Países, que aparentemente respaldava suas alegações, Keys passou a defender suas ideias de modo ainda mais violento. Nas palavras de um médico da Filadélfia, relatadas pela revista *Time*, "Toda vez que questionamos esse tal de Keys, ele diz: 'Eu tenho 5 mil casos. Quantos você tem?'". É claro que os cientistas da época sabiam que uma correlação não é prova de causalidade, mas a simples magnitude dos dados acumulados no estudo de Keys, especialmente num campo onde a quantidade de pesquisas já feitas era mínima, bastou para conferir-lhe uma estatura incomum. Keys não hesitou em aproveitar as vantagens desse status especial.

É claro que, ao longo do caminho, Keys foi contestado. O número de céticos não era pequeno, e entre eles havia cientistas respeitados e influentes. Lembra-se do médico sueco Uffe Ravnskov, que gostava de ovos? Em minhas viagens pelo mundo da nutrição, enquanto fazia pesquisas para este livro, ele foi o primeiro "cético" que encontrei. Embora um grupo grande e eminente de cientistas tivesse se oposto a Keys e à sua hipótese, a maioria desses cientistas já havia desaparecido no fim da década de 1980. Ravnskov deu continuidade à luta deles, publicando em 2000 um livro chamado *Cholesterol Myths* [Mitos do colesterol].

Numa conferência a que nós dois comparecemos perto de Copenhague, em 2005, ele se destacava entre os participantes pelo simples fato de estar disposto a confrontar os especialistas em nutrição ali presentes, fazendo perguntas que se considerava terem sido respondidas havia muito tempo.

Um dia, após uma apresentação, ele se levantou e fez uma pergunta válida, apesar de retórica: "Todo o caminho causal que leva do colesterol na dieta para o colesterol no sangue e daí para as doenças cardíacas – há por acaso alguma prova real de que esse caminho exista?"

"Shhhh!", mais de 100 cientistas balançaram a cabeça ao mesmo tempo.

O moderador, irritado, interveio: "Próxima pergunta?"

Esse incidente ilustrou para mim o aspecto mais notável da comunidade dos nutricionistas: sua surpreendente falta de tolerância a pontos de vista alternativos. Quando comecei minhas pesquisas, tinha a expectativa de encontrar uma comunidade de cientistas dedicados a um debate civilizado. Em vez disso, conheci cientistas como Ravnskov, cuja história, como ele próprio admite, serve de alerta para cientistas de mentalidade independente que estejam dispostos a contestar as noções convencionais e aceitas. Seus predecessores, desde a década de 1960, não foram convencidos pelo ponto de vista tradicional sobre o colesterol; foram simplesmente silenciados, se cansaram ou chegaram ao fim da carreira. À medida que as ideias de Keys se difundiram e foram abraçadas por instituições poderosas, os que o contestavam passaram a travar uma batalha cuja vitória era difícil ou, segundo alguns, impossível. Por estar do lado perdedor dessa guerra, em que tantas coisas estavam em jogo, esses cientistas sofreram na vida profissional. Muitos deles perderam o emprego, verbas de pesquisa, convites para conferências e todos os adereços que acompanham o prestígio. Embora entre esses adversários da hipótese dieta-coração houvesse alguns pesquisadores de altíssima respeitabilidade em suas respectivas áreas – com destaque para um editor do *Journal of the American Medical Association* –, eles não eram convidados para congressos e não conseguiam ter seus trabalhos publicados em periódicos de primeira linha[14]. Constataram que os experimentos que redundassem em resultados discordantes não eram sequer debatidos e discutidos, mas simplesmente desconsiderados e ignorados por completo. As calúnias e zombarias eram experiências comuns para esses adversários da hipótese dieta-coração. Em suma, eles foram incapazes de continuar contribuindo para suas áreas de pesquisa, apesar de essa contribuição ser a própria essência das esperanças e ambições de qualquer cientista.

---

14. O ex-editor do *Journal of the American Medical Association* era Edward R. Pinckney, cujo livro *The Cholesterol Controversy* [A controvérsia do colesterol], lançado em 1973, foi seguido em 1988 por uma pioneira crítica científica dos dados apresentados para corroborar a hipótese dieta-coração. Esse segundo trabalho ainda é a revisão crítica mais cabal dessa área da ciência, mas Pinckney não encontrou quem o publicasse (Pinckney e Pinckney, 1973; Smith e Pinckney, 1988).

A verdade é que, ao contrário do que poderíamos esperar, a história da ciência da nutrição não é uma narrativa em que pesquisadores sóbrios avançam a passo comedido e num ritmo judicioso. Surpreendentemente, ela se explica pela teoria histórica dos "Grandes Homens", na qual personalidades fortes se valem de carisma, inteligência ou astúcia para determinar o rumo dos acontecimentos. Na história da nutrição, Ancel Keys foi, de longe, o maior desses Grandes Homens.

3

A INTRODUÇÃO DA DIETA DE BAIXO TEOR DE GORDURA NOS ESTADOS UNIDOS

O ano de 1961 foi importante para Ancel Keys e sua hipótese dieta-coração. Ele obteve então três grandes vitórias: uma na AHA, o grupo mais poderoso dedicado ao estudo e à prevenção das cardiopatias em toda a história dos Estados Unidos; outra na revista *Time*, a mais influente da época; e uma terceira no NIH, que não só era a maior autoridade em matéria de saúde no país como também constituía a fonte mais rica de verbas para pesquisa. Esses três grupos eram os agentes mais importantes no mundo da nutrição; quando a predisposição a favor da hipótese dieta-coração se consolidou entre os três, eles passaram a trabalhar em equipe para institucionalizar as ideias de Keys, promovendo-as e divulgando-as durante décadas.

A AHA era como um transatlântico transportando a hipótese dieta-coração com todo o conforto. Fundada em 1924, no começo da epidemia de doenças do coração, era uma sociedade científica de cardiologistas que buscavam compreender melhor esse novo desafio. Durante mais de 20 anos, a AHA foi um grupo pequeno, quase sem dinheiro. Mas em 1948 tirou a sorte grande: a Procter & Gamble (P&G) designou o grupo para receber toda a verba do concurso de rádio "Truth or Consequences", que levantou 1,74 milhão de dólares, o equivalente a 17 milhões de dólares hoje. Num almoço festivo, executivos da P&G entregaram um cheque ao presidente da AHA; segundo o historiador oficial do grupo, "de repente os cofres se encheram e havia verba disponível para pesquisas, promoção da saúde pública e criação de grupos locais – a matéria de que são feitos os sonhos!". O cheque da P&G foi o "saco de dinheiro grosso" que "lançou" o grupo. Com efeito, um ano depois a AHA abriu sete filiais em todo o país e angariou mais de 2,65 milhões de dólares com doações. Em 1960, já tinha mais de 300 filiais e angariava mais de 30 milhões de dólares por ano. Com o apoio contínuo da P&G e de outras gigantes do setor alimentício, a AHA logo se tornou o principal grupo de pesquisa e prevenção das doenças cardíacas nos Estados Unidos, bem como a maior associação sem fins lucrativos no país.

A verba recebida em 1948 permitiu que o grupo contratasse seu primeiro diretor profissional, um ex-levantador de fundos da Sociedade Bíblica Americana, que lançou uma campanha sem precedentes para angariar fundos em todos os Estados Unidos. Teatros de variedades, desfiles de moda, programas de perguntas e respostas, leilões e pedidos de doações nos cinemas – tudo isso foi feito para levantar dinheiro e informar os norte-americanos que as doenças do coração eram a principal causa de mortes no país. Em 1960, a AHA já investia centenas de milhões de dólares em pesquisas. O grupo se tornara a fonte principal de informação sobre cardiopatias não só para o público, mas também para o governo, os profissionais e os meios de comunicação.

Uma vez que a dieta era tida como causa provável de doenças cardíacas, no fim da década de 1950 a AHA reuniu um comitê de especialistas para desenvolver diretrizes sobre o que os homens de meia--idade deveriam comer para se prevenir. O presidente Eisenhower já estava seguindo uma dieta "prudente" para combater sua doença, sob a supervisão de Paul Dudley White, fundador da AHA. O fato de os cuidados de White terem permitido que Eisenhower voltasse a trabalhar na Sala Oval representou em si uma imensa vitória para a AHA, pois mostrava que valia a pena seguir os conselhos do grupo. Colaborou também para a coleta de fundos: depois do infarto de Eisenhower, a AHA arrecadou 40% mais doações do que no ano anterior[1].

O novo comitê de nutrição da AHA reconheceu que os médicos, em geral, enfrentavam forte pressão para que *fizessem* algo: "As pessoas querem saber se seus hábitos alimentares as estão levando a ter doenças cardíacas prematuramente", escreveu o comitê. Mesmo assim, os especialistas resistiram à pressão e publicaram um relatório cauteloso. Declararam que os dados disponíveis não permitiam que se afirmasse com segurança nem mesmo que um índice elevado de colesterol tende a produzir infarto, de modo que ainda era cedo para que se recomendassem aos norte-americanos quaisquer mudanças "drásticas" na dieta. (No entanto, o comitê recomendou que a ingestão de gordura fosse reduzida a 25%-30% do total de calorias para as pessoas acima do peso ideal, pois isso contribuiria para o emagrecimento.) Os membros do comitê chegaram a repreender aqueles que, como Keys, insistiam na hipótese dieta-coração, pois assumiam "uma postura inflexível com base em dados que não resistem a um exame crítico". Os dados, segundo eles, não autorizavam tal "postura rígida"[2].

Entretanto, poucos anos depois a política da AHA deu uma grande guinada. Keys, junto com Jeremiah Stamler, médico de Chicago que se tornou seu aliado, conseguiu, por meio de manobras, infiltrar-se no comitê de nutrição. Apesar de alguns críticos observarem que nem Keys nem Stamler tinham formação em ciência da nutrição, epidemiologia e cardiologia, e que as provas em favor das ideias de Keys continuavam tão fracas quanto eram quando a AHA publicara sua posição anterior sobre a nutrição, os dois conseguiram convencer os

---

1. Eisenhower foi um entusiasta da AHA durante todo seu mandato: apresentava na Sala Oval o prêmio anual "Coração do Ano", presidia às cerimônias de abertura da "Campanha do Fundo do Coração" na Casa Branca, comparecia às reuniões do conselho da AHA e assumiu na associação o posto de Presidente Honorário do Futuro. Alguns de seus ministros também participaram do conselho da AHA. O historiador oficial da associação conclui: "Assim, os principais líderes do governo norte-americano faziam campanha ativamente em prol da AHA" (Moore, 1983, p. 85).

2. Na época, os cientistas levavam a sério várias outras teorias sobre a causa das cardiopatias: deficiência de vitamina B, obesidade, falta de exercício, hipertensão e tensão nervosa (Mann, 1959, p. 922).

outros membros do comitê de que a hipótese dieta-coração deveria prevalecer. O comitê da AHA mudou de opinião e abraçou suas ideias. O relatório resultante, em 1961, afirmava que "os melhores indícios científicos disponíveis na atualidade" davam a entender que os norte-americanos poderiam reduzir o risco de infarto e derrame cortando a gordura saturada e o colesterol de sua dieta alimentar.

O relatório também recomendava a "substituição razoável" da gordura saturada por gorduras poli-insaturadas, como os óleos de milho e de soja. A chamada "dieta prudente" ainda tinha um teor total de gordura bastante alto. Na verdade, a AHA só passou a insistir na redução total de gordura em 1970, quando Jerry Stamler conduziu o grupo nessa direção. Ao longo da primeira década, no entanto, o foco principal do grupo era a redução do consumo das gorduras *saturadas* encontradas na carne, no queijo, no leite integral e em outros laticínios. O relatório de 1961 da AHA foi, no mundo inteiro, a primeira declaração oficial de uma associação recomendando que uma dieta com baixo teor de gorduras saturadas fosse empregada para prevenir as cardiopatias. Aí estava, de forma condensada, a hipótese de Keys.

Isso representou, para Keys, um imenso triunfo pessoal, profissional e ideológico. A influência da AHA em matéria de cardiopatias não tinha e ainda não tem paralelo. Para os cientistas que militam na área, a oportunidade de trabalhar no comitê de nutrição da AHA é um privilégio altamente cobiçado; as diretrizes alimentares publicadas por esse comitê foram consideradas, desde sua primeira publicação, o padrão de excelência em matéria de conselhos nutricionais. A influência delas se estende não só aos Estados Unidos, mas a todo o resto do mundo. Assim, quando Keys conseguiu inserir sua hipótese nessas diretrizes, foi como se programasse o DNA da associação: a AHA cresceu seguindo esse modelo e, nesse processo, serviu tanto de leme quanto de motor para conduzir adiante o navio da hipótese de Keys ao longo dos últimos 50 anos.

Keys pensava que o relatório da AHA de 1961, que ajudara a redigir, caracterizava-se ainda por uma "reticência indevida", pois prescrevera a dieta somente para casos de risco e não para toda a população norte-americana. Mas não tinha do que reclamar: duas semanas depois, a revista *Time* trazia na capa uma imagem de Keys aos 57 anos, de óculos e avental branco, diante da figura de um coração do qual brotavam veias e artérias. A *Time* chamou-o de "sr. Colesterol!" e citou seu conselho de que a proporção de gordura na dieta fosse reduzida dos costumeiros 40% das calorias para draconianos 15%. Keys recomendava um corte ainda mais radical da gordura saturada – de 17% para 4%. Segundo ele, essas medidas eram "o único método" seguro para evitar o excesso de colesterol no sangue.

O artigo discorria amplamente sobre a hipótese dieta-coração e sobre a história pessoal de Keys. Ele era pintado como um homem rebelde e incisivo, mas de maneira a ressaltar sua autoridade. Tinha um remédio amargo a administrar e não tinha medo de administrá-lo: "As

Ancel Keys na capa da *Time*: 13 de janeiro de 1961

Ancel Keys lançou a ideia de que a gordura saturada causa doenças do coração e foi o especialista em nutrição mais influente do século XX.

Da revista *TIME*, 13 jan. 1961 © 1961, Time Inc. Usado com permissão. A *TIME* e a Time Inc. não são ligadas de nenhuma maneira à licenciatária e não endossam os produtos ou serviços desta.

pessoas devem conhecer os fatos", disse. "Depois, se quiserem comer até morrer, que comam." Nem o próprio Keys, segundo o artigo, parecia seguir à risca os próprios conselhos; seu "ritual" de jantar à luz de velas com Margaret, ao som das "notas suaves de Brahms" na sala de sua casa, incluía refeições com carne – bife, costeletas e assados – até três vezes por semana. (Certa vez, um colega viu Keys e Stamler devorando ovos mexidos e "umas cinco porções" de bacon numa conferência.) "Ninguém quer passar à base de angu", Keys explicou. O artigo da *Time* menciona de passagem que as ideias de Keys "ainda [eram] questionadas" por "alguns pesquisadores" que tinham outras concepções do que causa as cardiopatias coronarianas.

E assim entrou em cena o outro motor que propelia o navio da hipótese dieta-coração: os meios de comunicação. A maioria dos jornais e revista deixou-se persuadir pelas ideias de Keys desde muito cedo. O *New York Times*, por exemplo, deu espaço para Paul Dudley White na primeira página e logo adotou as opiniões de Keys (uma manchete de 1959 dizia: "Recomenda-se cuidado com a gordura aos homens de meia-idade"). Tanto a mídia como a comunidade científica estavam em busca de respostas para a epidemia de cardiopatias, e a ideia de que os vilões fossem a gordura na dieta e o colesterol parecia fazer sentido. Além de Keys ter talento para a publicidade, seu jeito mordaz de falar e sua solução aparentemente conclusiva eram mais atraentes para os jornalistas do que as comunicações de cientistas como Pete Ahrens, da Universidade Rockefeller, que recomendava sobriedade e comedimento diante da falta de provas científicas sólidas. Os meios de comunicação também seguiram o exemplo da AHA: depois que esse grupo publicou as diretrizes da "dieta prudente", o *New York Times* divulgou que "a mais prestigiada instituição científica assinou embaixo" da ideia de que a redução ou a alteração do teor de gordura da dieta poderia ajudar a prevenir doenças cardíacas.

Um ano depois, o *New York Times* sugeriu uma aparente inevitabilidade aos novos padrões dietéticos. Num artigo intitulado "Nada é sagrado? O leite perde seu apelo entre os americanos", lia-se: "se antes as pessoas viam o leite e os laticínios como sinônimos de saúde e vitalidade, muitos hoje os associam ao colesterol e aos males do coração". Os meios de comunicação eram quase unânimes no apoio à hipótese de Keys. Jornais e revistas tornaram sua dieta conhecida em todo o país, e as revistas femininas a levaram para a cozinha, com receitas para uma dieta com menos carne e gorduras. Influentes colunistas de saúde também ajudaram a evangelizar a nação: Jean Mayer, professor de nutrição em Harvard, escrevia uma coluna publicada duas vezes por semana em 100 dos maiores jornais dos Estados Unidos, com circulação total de 35 milhões de exemplares. (Em 1965, ele chamou de "genocídio" a dieta de baixo teor de carboidratos.) A partir da década de 1970, Jane Brody, do *New York Times*, se tornou uma das maiores promotoras da hipótese dieta-coração. Ela reproduzia fielmente as declarações da AHA e quaisquer novos estudos que estabelecessem um elo entre o colesterol e as cardiopatias ou o câncer. Um artigo escrito por Brody em 1985, intitulado "Uma dieta saudável deixa os americanos mais esbeltos", apresenta as figuras de Jimmy Johnson, que "costumava acordar sentindo o cheiro do bacon na frigideira", e da esposa, que lembra que depois fritava os ovos na gordura do bacon; e a sra. Johnson diz "com um certo pesar" agora: "O café da manhã já não tem um cheiro tão gostoso, mas todos nós ganhamos com isso".

Os jornalistas eram capazes de criar imagens vívidas e alcançar um público amplo, mas não estavam dizendo nada que as próprias autoridades de saúde não estivessem aconselhando. Tanto para a mídia quanto para os especialistas em nutrição, a cadeia causal que Keys propusera parecia eminentemente sensata: a gordura na dieta provocava o aumento do colesterol, que por sua vez endurecia as artérias e provocava infarto. A lógica era tão simples que parecia até evidente por si só. No entanto, mesmo com a disseminação da dieta prudente, de baixo teor de gordura, os dados objetivos nunca chegaram a confirmá-la. Na verdade, nenhum dos elos dessa cadeia causal foi provado: *não* se provou que a gordura saturada faz aumentar os índices de colesterol ruim; *não* se demonstrou que o índice total de colesterol determina um risco maior de infarto na grande maioria das pessoas; *não* se provou nem mesmo que o estreitamento das artérias é fator que permite um prognóstico de infarto. Porém, nos anos 1960, ainda faltava uma década para que tudo isso ficasse claro. Nesse meio-tempo, as instituições oficiais e os meios de comunicação se uniram entusiasticamente para apoiar a ideia simples e atraente de Keys. Estavam tão convictos que já começavam a fechar os olhos para quaisquer indícios contrários à hipótese.

Vale a pena examinarmos alguns dos indícios então ignorados, pois, apesar de algumas observações científicas – sobretudo o estudo dos Sete Países – darem a impressão de corroborar a hipótese dieta-coração, um grande número de estudos feitos já naqueles anos se mostrava menos favorável. Vamos dar uma olhada em alguns desses estudos.

Observações antigas que não corroboram a hipótese de Keys

Na década de 1950, a pedido do Serviço de Saúde Pública dos Estados Unidos, o pesquisador William Zukel foi ao extremo nordeste de Dakota do Norte para examinar pessoas que haviam sofrido infarto ou parada cardíaca. Durante um ano, sua equipe identificou 228 casos e obteve históricos detalhados da dieta e do estilo de vida de 162 deles.

A probabilidade de os pacientes cardíacos serem fumantes era mais alta que a média, mas Zukel não constatou diferença alguma entre os dois grupos[3] no que se refere à quantidade de gordura saturada, gordura insaturada ou total de calorias consumidas[4].

Na Irlanda, pesquisadores analisaram as dietas de 100 homens com menos de 60 anos que já haviam sofrido infarto e as compararam, no decorrer de vários anos, com as de um grupo de controle de pessoas do mesmo sexo e idade. Os investigadores não constataram diferença alguma entre os dois grupos no que se refere à quantidade ou ao tipo de gordura ingerida. Um estudo semelhante realizado pela mesma equipe com 50 mulheres de meia-idade, um ano depois, deu os mesmos resultados. Os autores publicaram suas descobertas no *American Journal of Clinical Nutrition* (*AJCN*), um periódico com muitos leitores. Eles observaram que, embora Keys postulasse um elo entre a gordura saturada e as doenças cardíacas (baseado, até então, nas estatísticas internacionais), o estudo deles "não confirma" essa conclusão.

S. L. Malhotra, médico-chefe da ferrovia Western Railway, de Bombaim, descobriu que havia, sim, uma diferença entre a dieta de homens que sofriam de cardiopatias e a dos que não sofriam, mas essa diferença não era favorável à hipótese dieta-coração. Malhotra estudou as cardiopatias em mais de 1 milhão de ferroviários indianos do sexo masculino em meados da década de 1960, e, ao longo de cinco anos,

---

3. Em seu estudo, Zukel comparou os doentes do coração com um grande grupo de controle constituído por habitantes da região. (N. do T.)

4. Esse tipo de investigação, em que se fazem perguntas retroativas aos pacientes acerca de sua dieta, é chamado "estudo de caso-controle". Entende-se que, nesses estudos, os sujeitos de pesquisa possam sofrer de "parcialidade de memória", ou seja, que não lembrem com exatidão o que comeram. Especificamente no caso de pacientes cardíacos a quem, quando do diagnóstico, em geral se recomendaria que reduzissem o teor de gordura saturada (e provavelmente de gordura total) de sua dieta, é provável que, em suas recordações, eles sejam parciais em favor de achar que seguiram esse conselho. Além disso, como desde a década de 1960 vem se recomendando a todos os americanos que adotem uma dieta com baixo teor de gordura, é possível que o grupo de controle sofra da mesma parcialidade. Já o estudo de Zukel, da década de 1950, provavelmente não foi distorcido por esses problemas, pois foi somente na década de 1960 que a maioria dos médicos começou a recomendar aos pacientes cardíacos que ingerissem uma dieta com baixo teor de gordura.

constatou que o índice de doenças cardíacas entre os varredores de ferrovias em Madras, no sul da Índia, era sete vezes maior que entre os do Punjab, no norte – embora estes ingerissem de oito a 19 vezes mais gordura (sobretudo de leite e laticínios). Os sulistas comiam pouquíssima gordura, e o pouco que ingeriam era óleo insaturado de amendoim. Mesmo assim, em média morriam 12 anos antes de seus colegas do norte. Malhotra concluiu seu artigo com a recomendação de "que sejam ingeridos mais produtos fermentados do leite, como iogurte, sorvete de iogurte e manteiga". Ele publicou suas descobertas num dos periódicos mais importantes do campo da epidemiologia, mas seu trabalho não foi comentado por ninguém e quase nunca foi citado.

Mais ou menos na mesma época, outros pesquisadores foram a Roseto, na Pensilvânia, para descobrir por que a população que residia ali, majoritariamente de origem italiana, caracterizava-se por uma incidência "incrivelmente baixa" de mortes por cardiopatia – menos da metade do índice das cidades vizinhas. Não era por falta de gordura, pois os pesquisadores logo perceberam que a dieta local incluía uma grande quantidade de gordura animal, inclusive *prosciutto* com uma camada de gordura de mais de dois centímetros de espessura; quase todas as refeições eram feitas com banha de porco. A maioria dos 179 homens de Roseto comia grandes refeições e bebia muito vinho. Estavam, em geral, acima do peso ideal, mas nenhum deles morreu de infarto com menos de 50 anos entre 1955 e 1961, o período em que foi feita a pesquisa.

Esse estudo foi publicado em 1964 em outro periódico de ampla circulação, *The Journal of the American Medical Association* (JAMA), e recebeu – de acordo com a despeitosa descrição de Keys – "publicidade extravagante no mundo inteiro e, ao que parece, pronta aceitação em certos setores do meio médico". Keys sentiu que era necessário dar uma resposta, e deu-a na forma de uma crítica de três páginas também publicada no JAMA, em 1966. Esse acontecimento não era comum. Em geral, os questionamentos acerca de um estudo eram publicados na forma de breves "Cartas ao Editor", e o espaço concedido a Keys refletia, sem dúvida, a estatura desproporcional que ele tinha em sua área. Keys observou que a população estudada não fora escolhida de forma aleatória e que a coleta de dados dietéticos não refletia os hábitos alimentares que parte daqueles homens havia tido ao longo da vida, pois muitos haviam imigrado da Itália[5]. Embora a metodologia empregada pelos pesquisadores seguisse os padrões da época, Keys concluiu que os dados de Roseto "não podem, de maneira alguma, ser aceitos como prova de que as calorias e as gorduras que fazem parte da dieta não são importantes". Parece que seu artigo conseguiu marginalizar o estudo, pois este foi mencionado poucas vezes de lá para cá.

Esses casos em que não se verificava uma correlação próxima entre o consumo de gordura e o risco de cardiopatia eram problemáticos para a hipótese de Keys, mas continuavam pipocando pelo mundo afora. Em 1964, F. W. Lowenstein, médico da OMS que trabalhava em Genebra, coletou todos os estudos que conseguiu encontrar sobre homens que não apresentavam sintoma algum de doença cardíaca e concluiu que o consumo de gordura deles variava imensamente, desde cerca de 7% do total de calorias entre monges beneditinos e japoneses até cerca de 65% entre os habitantes da Somália. E entre esses dois extremos havia casos de todo tipo: o consumo de gordura entre os maias era de 26% do total de calorias; entre os filipinos, 14%; entre os gaboneses, 18%; e entre os escravos negros da ilha de São Cristóvão, 17%. O *tipo* de gordura também variava de modo drástico, desde os óleos de gergelim e de semente de algodão (óleos vegetais) consumidos por monges budistas até os litros e mais litros de leite (com gordura animal) bebidos pelos massais. A maioria dos demais grupos ingeria alguma mistura de gorduras vegetais e animais. De tais descobertas, só se podia concluir que o vínculo entre a gordura na dieta e as doenças cardíacas era, na melhor das hipóteses, fraco e vacilante.

Quase todos esses estudos foram publicados em periódicos científicos de renome; alguns foram discutidos e debatidos – começaram a fazer parte da "conversa" entre os especialistas em nutrição –, mas os defensores da hipótese dieta-coração sempre encontravam motivos para

---
5. Este é mais um caso em que Keys foi hipócrita, pois seu estudo dos Sete Países também coletara os dados de pessoas cujos hábitos alimentares haviam, com grande probabilidade, mudado muito ao longo da vida em razão da Segunda Guerra Mundial.

desacreditá-los: todos os estudos certamente haviam sido mal interpretados, ou não tinham nada a ver com o assunto, ou eram baseados em dados indignos de confiança.

Em geral, os pesquisadores sempre têm a opção de decidir quais estudos selecionar e quais rejeitar em seu trabalho ao procurar formar uma hipótese. Nesse processo, é difícil contrariar o instinto natural de selecionar apenas as observações que convenientemente corroboram nosso ponto de vista e rejeitar as que fazem o contrário. Um grande número de estudos psicológicos demonstrou que o modo como as pessoas reagem aos indícios técnicos ou científicos sempre tende a justificar suas crenças preexistentes. Esse "viés de seleção" reflete os perigos de um apego excessivo a nossas próprias hipóteses ou sistemas de crenças.

O método científico visa exatamente promover a resistência a esses "ídolos da mente", como foram chamados pelo grande teórico seiscentista Francis Bacon. O cientista sempre deve procurar refutar sua própria hipótese. Ou, nas palavras de Karl Popper, um dos grandes filósofos da ciência do século XX, "o método da ciência é o método das conjecturas corajosas e das tentativas severas e engenhosas de refutá-las"[6].

Quando vejo como esses estudos feitos em Roseto e na Dakota do Norte foram desconsiderados logo de cara, é difícil, como estudiosa da história da hipótese dieta-coração, não concluir que o viés de seleção vem sendo praticado sistematicamente há décadas. Dezenas de pesquisas foram esquecidas ou tiveram seus resultados distorcidos. As que acabamos de recapitular foram feitas no começo da polêmica e eram relativamente pequenas. Mas, como veremos, entre os estudos posteriores que foram ignorados ou deliberadamente mal interpretados, houve alguns que se contavam entre as investigações mais amplas e ambiciosas sobre a relação entre alimentação e doença em toda a história da ciência da nutrição.

---

6. Em 1897, T. C. Chamberlin, famoso geólogo e presidente da Sociedade Americana para o Progresso da Ciência, escreveu um ensaio poético sobre a dificuldade de mantermos a objetividade em relação a nossas próprias ideias. No momento em que nos apegamos a uma ideia, "nosso intelecto gera um filho" diante do qual é difícil nos mantermos neutros. A mente se detém "com prazer" nos fatos que apoiam a teoria e sente uma "frieza natural" pelos fatos que não a corroboram (Chamberlin, [1897] 1965).

As ideias alternativas e a oposição

Uma das características do viés de seleção é que as pessoas acometidas por esse defeito cognitivo – mesmo que sejam cientistas treinados para identificá-lo – muitas vezes não percebem o que estão fazendo. Esse é o aspecto inocente da explicação do que aconteceu com tantos pesquisadores nesses anos de formação da hipótese dieta-coração. Temos bons motivos para afirmar, contudo, que Keys não fazia nenhuma questão de tomar cuidado com sua própria parcialidade. Para ele, o ônus da prova cabia a seus opositores. Ao contrário do que aconselhara Popper, Keys não procurava de maneira alguma refutar as próprias ideias e promovia o "ídolo de sua mente" sem nenhuma hesitação. Para Keys e seus colegas, era óbvio que sua hipótese não apenas deveria ser aceita como também deveria ser promovida entre a toda a população dos Estados Unidos, uma vez que os potenciais benefícios à saúde pareciam ser tão grandes. E eles tinham imensa dificuldade para imaginar que a redução da gordura na dieta pudesse ter consequências inesperadas.

Quem *conseguiu* antever essas consequências foi Pete Ahrens. Ele deixara claro desde o princípio que as ideias de Keys – primeiro, sobre o total de gorduras; depois, sobre a gordura saturada – estavam longe de ter sido comprovadas e que ainda havia explicações alternativas plausíveis para as cardiopatias. (Já em 1957, ele objetava: "Quando uma hipótese não comprovada é proclamada entusiasticamente como um fato, é hora de refletirmos sobre a possibilidade de darem-se outras explicações para os fenômenos observados.") As pesquisas de Ahrens haviam aberto outra linha de investigação, segundo a qual os carboidratos encontrados nos cereais, nos grãos, na farinha e no açúcar poderiam estar contribuindo diretamente para a obesidade e o diabetes, se não causando esses problemas. E ele previu, corretamente, que uma dieta de baixo teor de gordura só faria aumentar o consumo desses outros alimentos.

Enquanto quase todos estavam obcecados pelo colesterol no sangue, Ahrens interessou-se pelos triglicerídeos, moléculas feitas de ácidos graxos que também circulam por nossas veias e artérias. Como costuma acontecer na ciência, novas tecnologias tendem a propiciar o progresso em determinadas áreas, e Ahrens foi pioneiro do uso da cromatografia do ácido silícico para isolar os triglicerídeos em amostras de sangue. Os experimentos altamente controlados que fez entre 1951 e 1964, com alimentação por fórmula líquida, revelaram reiteradamente que o índice desses triglicerídeos aumenta quando a gordura é substituída por carboidratos na dieta. (Um café da manhã de cereais, em vez de ovos com bacon, é um bom exemplo de opção alimentar que teria exatamente esse efeito.)

Aliando-se a Margaret Albrink, jovem médica da Universidade Yale, Ahrens comparou os índices de triglicerídeos e de colesterol de pacientes cardíacos internados no Hospital de New Haven com os de funcionários saudáveis da American Steel and Wire, uma empresa dos arredores. Constatou-se que um índice alto de triglicerídeos era muito mais comum do que um índice alto de colesterol nos pacientes de cardiopatias coronarianas; assim, Ahrens e Albrink postularam que os triglicerídeos são um indicador de cardiopatias melhor que o colesterol. Embora essa linha de investigação não fosse muito popular, uns poucos pesquisadores confirmaram essas descobertas básicas ao longo da década seguinte.

Ahrens constatou que os triglicerídeos turvavam o sangue com um líquido leitoso, facilmente visível num tubo de ensaio, que ele costumava mostrar ao público de suas palestras. Em seguida, fazia a grande revelação: o sangue turvo pertencia a uma pessoa cuja dieta tinha alto teor de carboidratos, já o plasma sanguíneo transparente num frasco ao lado pertencia a alguém que seguia um regime de alto teor de gordura. Numa pequena minoria de casos acontecia o contrário, mas Ahrens acreditava que essas pessoas sofriam de um distúrbio genético raro. O sangue da maioria dos pacientes se mostrava turvo por causa de um "processo químico normal que ocorre em todas as pessoas cuja dieta tem alto teor de carboidratos", ele escreveu.

Ahrens também constatou que o sangue perdia o aspecto turvo quando a quantidade de carboidratos era reduzida. A restrição do total de calorias tinha o mesmo efeito. Para ele, esse segundo efeito, o das baixas calorias, explicava por que os pobres do Japão, depois da guerra, tinham um índice baixo de triglicerídeos apesar de comerem muito arroz.

Como os triglicérideos também são um dos sinais do diabetes e os diabéticos correm alto risco de apresentar cardiopatias, Albrink esboçou a hipótese de que essas duas doenças teriam uma única causa comum: o excessivo ganho de peso. O que quer que estivesse levando as pessoas a engordar estaria também elevando seu nível de triglicerídeos no sangue e, por fim, produzindo cardiopatia e diabetes. A causa provável que Albrink identificou eram os carboidratos. Essa hipótese assustadora tem hoje uma quantidade cada vez maior de indícios a seu favor, mas, no começo da década de 1960, quando Albrink e Ahrens a propuseram, era uma novidade.

As implicações dessa hipótese para a dieta, contudo, eram frontalmente contrárias ao que Keys propunha. De acordo com o modelo de Ahrens, a causa das doenças cardíacas não eram as gorduras, mas os carboidratos. Uma vez que uma dieta de baixo teor de gordura tem, inevitavelmente, alto teor de carboidratos (quando a carne e o leite são tirados da dieta, é preciso comer mais cereais e hortaliças, simplesmente porque não há outra alternativa), as duas hipóteses eram mutuamente excludentes.

Ahrens estava preocupado com a possibilidade de a dieta de baixo teor de gordura prescrita ao público norte-americano acabar piorando os índices de triglicerídeos e, assim, exacerbar os problemas da obesidade e das doenças crônicas.

No entanto, como uma Cassandra do mundo da nutrição, Ahrens nunca conseguiu se fazer ouvir, embora fosse um dos cientistas mais respeitados da área e fosse estimado por muitos pesquisadores influentes. Incansável, chamava a atenção para a necessidade de que se juntassem indícios melhores e mais volumosos em favor da dieta com teor reduzido de gordura. Alertava continuamente os colegas contra as conclusões apressadas, mas talvez não tenha sido agressivo o suficiente.

Keys e seus colegas mais próximos obtiveram um sucesso imenso na promoção de sua hipótese porque defendiam incansavelmente as próprias ideias. Empregavam também outra tática – a saber, ridicularizar incessantemente a oposição. Não reconheciam normas de cortesia e moderação no debate científico. Talvez Keys e Stamler não tenham inventado a estratégia de esmagar a oposição pela força de sua vontade, mas foram, sem dúvida, dos que com mais eficácia se dedicaram a essa prática.

A ambição agressiva dos nutricionistas

Jeremiah Stamler me demonstrou essa estratégia ao vivo quando o encontrei, em 2009. Tinha então 89 anos e, para minha surpresa, ainda estava muito ativo. Especialista em cardiopatias na Universidade do Noroeste, em Chicago, fora um dos mais importantes aliados de Keys a partir do fim da década de 1950. Perguntei-lhe sobre os estudos cruciais que consolidaram a hipótese dieta-coração, pois Stamler dirigira a maioria deles, além de ter sido figura de vulto na AHA e no NIH. A substância de suas contribuições será discutida mais adiante; por ora, vem ao caso apenas assinalar a prontidão com que, em sua conversa, ele passou a atacar seus diversos oponentes, como se a ciência da nutrição fosse uma espécie de campo de batalha político.

"Mas vamos falar de Pete Ahrens", disse ele, sem que eu lhe pedisse. "Pete Ahrens! Era sempre um imenso obstáculo! Eu costumava ter discussões *fortes* com Pete."

Em tom de zombaria, Stamler começou a imitar Ahrens: "*Não, ainda estamos pesquisando, vamos esperar mais cinco anos. Temos de fazer estudos equilibrados. Temos de descobrir tudo direitinho. Ainda não sabemos.*" Stamler e Keys, ao contrário, buscavam urgentemente que se fizessem recomendações amplas de saúde pública. Representavam o lado de um debate que tem sido a questão central na área da nutrição: será que as correlações constatadas em estudos epidemiológicos são base suficiente para que se deem conselhos de dieta a toda uma população? Keys e Stamler acreditavam que sim. Não pensavam que suas provas fossem infalíveis, mas acreditavam que, diante da difícil necessidade de chegar a um meio-termo, os dados epidemiológicos eram suficientes. Seriam necessários mais de 10 anos para esperar os resultados de um estudo clínico, e, enquanto isso, havia homens morrendo de infarto. Por isso, o tom desapaixonado e a cautela com que Ahrens falava faziam ferver o sangue de Stamler. "Ele se opunha a qualquer coisa que se dissesse. Eu falava: 'Pete, você está dizendo que a dieta americana atual é a *melhor* dieta que se pode conceber para a saúde do povo americano.' 'Não! Não!' 'Mas, Pete, *por favor*, essa é a *consequência lógica* de suas ideias!' Bom, de todo modo, ele já está morto e enterrado."

Ouvindo a conversa de Stamler, eu quase o imaginava de lança em punho. "E Yudkin!", disse ele quase aos berros, referindo-se ao médico inglês que promoveu a hipótese do açúcar, rival da hipótese de Keys. "Fui um dos que o derrubaram!" Sobre Michael Oliver, famoso cardiologista britânico e crítico da hipótese dieta-coração, Stamler disse diversas vezes que ele era um "canalha".

Assim como Stamler, Keys praticamente não aceitava o debate. Suas reações aos que ousavam discordar dele eram de espantar. Quando o professor Raymond Reiser, da Universidade Texas A&M, escreveu uma crítica cabal e rigorosa da hipótese da gordura saturada para o *American Journal of Clinical Nutrition*, em 1973, Keys iniciou uma resposta de *24 páginas* dizendo que a análise de Reiser "nos lembra dos espelhos distorcidos num parque de diversões de segunda categoria". Ao longo de todo o texto, o tom de Keys é o de implacável aviltamento: "Esta distorção é típica", escreve, e "seria difícil juntar um número maior de imprecisões numa frase de 16 palavras"; "Reiser afirma pomposamente [...]", "ignora por completo [...]", "é óbvio que Reiser não tem compreensão alguma".

Reiser era apenas um entre vários críticos que reexaminaram os principais estudos que davam respaldo à hipótese dieta-coração. Ele fez algumas observações que, de lá para cá, voltaram a ser citadas: listou os muitos problemas metodológicos que assolavam aqueles primeiros estudos e chamou a atenção para o fato de certos tipos de ácidos graxos saturados, como o ácido esteárico (a principal gordura saturada encontrada na carne), não terem em absoluto o efeito de elevar os níveis de colesterol. Em sua resposta, Keys explicava alguns problemas específicos e, embora tenha concordado que o ácido esteárico é "neutro", defendeu que outros tipos de gorduras saturadas tinham a propriedade de elevar o índice de colesterol. Respondendo a Keys, Reiser escreveu uma breve carta ao periódico – com relutância, segundo disse, pois "sinto que tenho o dever de responder às acusações de que tentei manchar o nome dos cientistas cujos artigos revi e de que menti deliberadamente".

Quaisquer que sejam as discordâncias – e sempre haverá discordâncias em razão da complexidade da ciência –, o estilo agressivo adotado por Keys e Stamler saía do padrão. Poucos colegas conseguiam se opor a eles; e, à medida que a hipótese dieta-coração foi ganhando seguidores e adquirindo legitimidade institucional, o número dos que tentavam se opor foi diminuindo cada vez mais.

George V. Mann

Ao lado de Ahrens e Reiser, um dos poucos cientistas eminentes que declararam publicamente seu ceticismo foi George Mann, o bioquímico da Universidade Vanderbilt que fora à África para estudar os massais. O começo da carreira de Mann fora pontuado por lampejos de brilho: ele foi um dos primeiros cientistas a alertar para os perigos das gorduras trans, já em 1955, e especulou que a súbita soltura das placas arteriais era um fator mais importante do infarto do que o lento entupimento arterial. Décadas depois, provou-se que ele tinha razão.

Na África, Mann vira pessoas que viviam bem à base de uma dieta de carne, sangue e leite, cujos índices de colesterol total estavam entre os mais baixos do mundo e que não contraíam nem doenças cardíacas nem, parecia, nenhuma outra doença crônica.

Essas descobertas solapavam de modo tão claro a hipótese dieta-coração que os pesquisadores em nutrição empenharam grande esforço para refutá-las. Várias universidades norte-americanas se juntaram para montar uma equipe de cientistas que viajaram ao Quênia em busca de furos nos dados de Mann. Acabaram tendo de confirmar, contrariados e relutantes, as descobertas dele. Depois, numa busca desesperada de explicações para essa anomalia, outra equipe sugeriu que os massais talvez tivessem, no decorrer de milhares de anos, desenvolvido um gene capaz de reduzir o índice de colesterol no corpo. No entanto, essa teoria logo caiu por terra quando se descobriu um grupo de massais que havia mudado para perto de Nairóbi. O índice de colesterol deles era 25% mais alto do que o de seus parentes do interior, o que os tornava muito mais parecidos com os ocidentais. Caso a teoria do gene fosse verdade, esse seria o caso mais fantástico de preponderância do ambiente sobre a genética.

Keys, como era de esperar, procurou jogar para escanteio o trabalho de Mann. Escreveu que "as peculiaridades desses nômades primitivos não vêm absolutamente ao caso" no que se refere à compreensão das cardiopatias em outras populações. O próprio Keys, em seu estudo dos Sete Países, havia saído em busca da verdade sobre a dieta comparando povos de diversas partes do planeta, mas, como escreveu depois, eles eram na maioria europeus, que imaginava serem um ponto de referência mais próximo para os norte-americanos.

Keys usou o mesmo argumento depreciativo para desconsiderar as observações dos inuítes no Ártico. Assim como Mann, Vilhjalmur Stefansson havia visto em primeira mão que a boa saúde poderia caminhar de mãos dadas com uma dieta de alto teor de gordura; a dieta dos inuítes, como vimos, continha pelo menos 50% de gordura. Além disso, em 1929 Stefansson fizera seu experimento de passar um ano comendo apenas carne e gordura. Otimista, ele tinha a expectativa de que seus esforços abrissem "um caminho de rosas para os regimes ricos em gordura" postulados por colegas que o admiravam. Estava, portanto, despreparado para a desgraça em que caiu. "E como foi feia a queda!", escreveu. "A primeira nuvem a surgir no céu foi bem pequena, do tamanho da mão de um homem – na verdade, foi uma nota pessoal breve e amigável escrita pelo dr. Ancel Keyes [sic]", em 1954.

Logo depois, Keys já desmerecia publicamente o trabalho de Stefansson, apresentando-o como uma aventura que, igual à de Mann, era exótica e não vinha ao caso. Embora "seu modo de vida bizarro excite a imaginação", especialmente "a imagem popular de esquimós [...] empanturrando-se de banha, felizes e contentes", "de maneira alguma" seria possível aventar a hipótese de que o caso dos inuítes "tivesse qualquer contribuição a dar"; ele "certamente não demonstra uma exceção à hipótese de que a gordura na dieta causa patologias coronarianas".

A mesma finalidade depreciativa poderia ser alcançada sem violência. Foi essa a atitude de Frederick J. Stare, apoiador de Keys e presidente do departamento de nutrição da Escola de Saúde Pública de Harvard, diante da obra de Stefansson. Stare era amigo de Stefansson e escreveu um comentário introdutório a um de seus livros sobre os inuítes. Nesse texto, porém, Stare atribuiu pouca importância à questão substantiva que Stefansson propunha em sua obra e não deu aos leitores razão alguma para levá-la a sério. "[Esta dieta] seria boa ou ruim para o leitor?", pergunta retoricamente. "É claro que, se todos nós começássemos a comer mais carne, logo não haveria carne suficiente, sobretudo dos cortes mais nobres."[7] Sempre nesse tom jovial e sem nunca se referir às implicações do trabalho científico de Stefansson, ao final Stare recomenda ao leitor esse livro "divertido".

Stefansson morreu em 1962, oito anos depois da publicação do livro, e suas ideias logo sumiram de circulação entre os nutricionistas.

O estudo de Framingham

George Mann, que entrou na área da nutrição no começo da década de 1960, fez um sucesso enorme antes de estudar os massais e, assim, atolar-se nessa controvérsia. Foi, inclusive, diretor associado de uma das mais famosas investigações sobre doenças cardíacas já realizadas: o Estudo do Coração de Framingham. Framingham é uma cidadezinha perto de Boston, Massachusetts, que tem servido de laboratório para

---

7. Stefansson reconheceu que um dos benefícios subsidiários do fato de ser praticamente a única pessoa na cidade de Hanover, New Hampshire, que gostava de gordura é que ela podia ser obtida de graça no açougue, uma vez que normalmente era jogada fora – os outros clientes não consideravam aqueles restos de gordura dignos sequer de serem dados aos cães (Stefansson, 1956, p. xxxi).

o estudo de cardiopatias desde 1948. Já na terceira geração de sujeitos de pesquisa, o estudo começou com cerca de 5 mil homens e mulheres de meia-idade que participaram de um levantamento de todos os fatores que, no entender dos pesquisadores, poderiam ter alguma participação no desenvolvimento de doenças cardíacas. Os participantes se sujeitaram a extensos exames físicos, entrevistas e novos testes a cada dois anos. O Estudo de Framingham foi a primeira tentativa em grande escala de descobrir se determinados fatores de risco, como o tabagismo, a pressão alta e os genes, podem servir para prever a morte por doença cardíaca.

Em 1961, depois de seis anos de estudo, os investigadores de Framingham anunciaram sua primeira grande descoberta: um índice elevado de colesterol total servia para prever de modo confiável as cardiopatias. Essa descoberta é tida como uma das mais significativas na história da pesquisa sobre doenças cardíacas, pois, antes disso, embora os especialistas já presumissem que o colesterol no sangue fosse uma coisa ruim, as provas eram somente circunstanciais.

Essa novidade teve consequências importantes. Para começar, resolveu um problema que afligira a pesquisa em cardiopatias desde o início: os pesquisadores precisavam de alguma referência que pudessem medir para avaliar o risco de infarto antes de a pessoa morrer. Talvez pareça insensibilidade, mas, para detectar a causa de uma cardiopatia, o momento ideal de estudo é a morte. Os pesquisadores preferem acompanhar os sujeitos de pesquisa, registrando o que comem, o quanto fumam e outros fatores, até morrerem. A morte é o "evento" por excelência, um ponto definitivo, um dado indisputável ao fim de um experimento. (O infarto também é encarado como um ponto desse tipo, mas mesmo no caso dele há uma certa incerteza no diagnóstico, como vimos.) A partir do fato inegável da morte, os pesquisadores podem se perguntar "quanto toicinho defumado aquela pessoa comeu, quanto fumou ou alguma outra coisa".

Porém, se precisam esperar que seus sujeitos de pesquisa morram, os pesquisadores são obrigados a acompanhar uma população ao longo de muitos anos. Por isso, a ciência saiu à procura de um ponto definitivo menos drástico, que pudesse ser medido e avaliado antes da morte. Caso houvesse um indicador capaz de prever com eficácia uma cardiopatia, os pesquisadores poderiam conduzir experimentos menos prolongados e medir esses fatores intermediários. Quando os pesquisadores de Framingham identificaram o colesterol total como um ponto definitivo, isso foi visto como um grande avanço: agora, os cientistas poderiam concluir que qualquer alimento que fizesse aumentar o colesterol total aumentaria também o risco de infarto. Os médicos, com toda probabilidade, poderiam também usar esse fato para ajudar os pacientes a identificar seu risco de ter doenças coronarianas.

Ou seja, a descoberta que se fez em Framingham sobre o colesterol foi muito importante. E, acima de tudo, deu a impressão de eliminar todas as dúvidas restantes dos pesquisadores acerca da hipótese dieta-coração. Um jornal local citou as seguintes palavras de William Kannel, diretor médico do estudo de Framingham: "Já não resta dúvida razoável de que haja um vínculo estreito entre o colesterol no sangue e a aterosclerose coronariana."

No entanto, 30 anos depois, um estudo posterior feito em Framingham – num momento em que os investigadores já dispunham de mais dados, pois um número maior de pessoas já havia morrido – revelou que o poder preditivo do colesterol total não era, nem de longe, tão forte quanto os líderes do estudo haviam pensado originalmente. Para homens e mulheres com índice de colesterol entre 205 e 264 miligramas por decilitro (mg/dl), não se constatou relação alguma entre essa taxa e o risco de doença cardíaca. Na verdade, metade das pessoas que sofreu infarto tinha um índice de colesterol abaixo do índice "normal" de 220 mg/dl. Entre os homens de 48 a 57 anos de idade, os que tinham colesterol médio (183-221 mg/dl) tinham risco *maior* de morrer por ataque cardíaco do que os de colesterol mais alto (222-261 mg/dl). Ou seja, no fim descobriu-se que o colesterol não servia de modo algum para prever com confiabilidade as cardiopatias.

Como os líderes do estudo de Framingham haviam passado anos proclamando aos quatro ventos que o colesterol total era o maior fator de risco para doenças cardíacas, não se deram ao trabalho de publicar esses números menos lisonjeiros quando enfim surgiram, no fim da década de 1980. (Logo começaram a falar de subfrações do colesterol – a lipoproteína de alta densidade (HDL) e a lipoproteína de baixa densidade (LDL) –, que já podiam ser medidas e cujo poder preditivo parecia mais promissor, embora hoje se saiba que até alguns aspectos dessas subfrações tenham se revelado decepcionantes, como veremos nos capítulos 6 e 10.)

Os dados de Framingham tampouco provaram que a *diminuição* do colesterol de uma pessoa ao longo do tempo pudesse ajudar, mesmo que só um pouco. No relatório publicado 30 anos depois do início do estudo, os autores declararam: "Para cada queda de 1% mg/dl de colesterol, houve um *aumento* de 11% na mortalidade por doença coronariana e na mortalidade total" (grifo meu). Trata-se de uma descoberta chocante, diametralmente oposta à verdade oficial sobre a redução do colesterol. No entanto, essa descoberta específica nunca é discutida nas revistas científicas, embora muitos outros experimentos de grande escala tenham chegado a resultados semelhantes.

Outras descobertas importantes do estudo de Framingham também foram ignoradas, com destaque para o que se constatou sobre os fatores de risco na dieta, examinados no segmento do estudo que Mann

BOAS-NOVAS! SEU COLESTEROL ESTÁ IGUAL, MAS OS RESULTADOS DAS PESQUISAS MUDARAM.

coordenou. Com a ajuda de um nutricionista, Mann passou dois anos coletando dados de consumo de alimentos entre mil sujeitos de pesquisa. Quando calculou os resultados, em 1960, ficou claro que a gordura saturada *não* tinha nenhuma correlação com as doenças cardíacas. Sobre a incidência de cardiopatia coronariana e da dieta, os autores concluíram apenas: "Nenhuma relação foi encontrada."

"Isso foi completamente ignorado por meus superiores no NIH", Mann me contou, "pois era o contrário do que eles queriam que descobríssemos." O NIH também passou a favorecer a hipótese dieta-coração desde o começo da década de 1960 e "não permitiu que publicássemos os dados", segundo Mann. Os resultados que ele obteve ficaram esquecidos nos porões do NIH durante quase 10 anos. (Sonegar informações científicas "é uma forma de trapaça", queixa-se Mann.) Mesmo quando os resultados finalmente foram publicados, em 1968, estavam tão enterrados debaixo de outros dados que um pesquisador teria de escarafunchar 28 volumes para encontrar a notícia de que não havia correlação entre as variações dos índices de colesterol no sangue e a quantidade ou o tipo de gordura ingerida.

Na verdade, foi só em 1992 que um dos líderes do estudo de Framingham reconheceu publicamente as descobertas sobre a gordura. "Em Framingham, Massachusetts, quanto mais gordura saturada as pessoas ingeriam, [...] *mais baixo* seu índice de colesterol no sangue [...] e *menor* seu peso" – assim escreveu William P. Castelli, um dos diretores do estudo de Framingham, mas esse reconhecimento não foi publicado como um estudo formal, e sim como editorial num periódico que a maioria dos médicos normalmente não leem[8]. (Está claro que Castelli não conseguia acreditar que essa descoberta fosse verdadeira. Numa entrevista, insistiu em que o problema teria sido uma coleta imprecisa dos dados dietéticos, mas a metodologia empregada por Mann era meticulosa e seguia os padrões de sua área, de modo que a tese de Castelli não é provável.)

---

8. O *Archives of Internal Medicine* é um periódico respeitado, mas Castelli, encarregado do maior estudo sobre fatores de risco para cardiopatia já feito nos Estados Unidos, poderia ter publicado seu artigo em qualquer lugar, inclusive em periódicos mais lidos pela classe médica, como *The New England Journal of Medicine*.

Apesar de seus outros sucessos, o fato de que estava do lado menos popular da controvérsia sobre o colesterol amargurou Mann. Perto da aposentadoria, no fim da década de 1970, seus artigos começaram a apresentar um tom atormentado. Um artigo escrito em 1977 começava assim: "Uma geração de pesquisas sobre a questão dieta-coração culminou numa confusão"; e disse que a hipótese dieta-coração era "uma busca descabida e infrutífera".

Falei com Mann pela última vez quando ele tinha 90 anos (ele morreu em 2012). Embora sua memória já não fosse perfeita, ele parecia se lembrar muito bem das privações que acreditava ter sofrido em razão de sua oposição a Keys. "Foi terrível para minha carreira", disse. Ficou cada vez mais difícil, por exemplo, encontrar periódicos que se dispusessem a publicar seus artigos científicos. Depois de ter falado contra a hipótese dieta-coração, ele diz que foi excluído de publicações eminentes da AHA, como *Circulation*. Mann também acreditava que a influência de Keys no NIH levou ao cancelamento da verba que a instituição dava, fazia tempo, às pesquisas dele. "Um dia", lembra-se Mann, "a mulher que trabalhava na secretaria da seção de estudos me chamou para o saguão e disse: 'Sua oposição a Keys vai lhe custar sua verba.' E ela tinha razão."

Como é possível que as ideias de um único homem tivessem tal predomínio? Mann explica: "Você precisa entender o quanto a personalidade de Keys era forte e persuasiva. Se conversasse com ele por uma hora, você sairia acreditando em tudo o que ele lhe disse."

O predomínio da hipótese dieta-coração

O fato de Mann ter sido marginalizado na AHA e no NIH ilustra uma realidade mais ampla: a da consolidação da hipótese dieta-coração como um dogma entre os especialistas. Não há dúvida de que Keys era o proponente mais influente dessa hipótese, mas seria ingenuidade pensar que o poder de intimidação científica de um punhado de homens é suficiente para sobrepujar todo um universo de pesquisadores acadêmicos inteligentes e objetivos. Na verdade, o que aconteceu foi que, uma vez que a hipótese dieta-coração foi adotada pela AHA e pelo NIH, o ponto de vista de Keys se institucionalizou. Essas duas organizações determinavam o programa da área e controlavam a maior parte das verbas de pesquisa. Os cientistas que não queriam sofrer o destino de Mann tinham de seguir o programa da AHA e do NIH.

A AHA e o NIH trabalharam juntos desde o começo. Em 1948, quando a AHA foi lançada em nível nacional como organização administrada por voluntários, uma de suas primeiras tarefas foi fundar em Washington um "lobby do coração" para convencer o presidente Eisenhower a criar o National Heart Institute (NHI) – o que ele fez no mesmo ano. O NHI, ao longo dos anos, se transformou no National Heart, Lung, and Blood Institute (NHLBI), que existe hoje. Esse novo instituto acompanhou sua irmã mais velha, a AHA, a cada passo do caminho. Em 1950, por exemplo, as duas instituições coordenaram a primeira conferência nacional sobre cardiopatias, realizada em Washington. Em 1959, publicaram juntas um relatório dirigido "à nação" sobre "Uma década de progresso contra as doenças cardiovasculares". Em 1964, as duas associações realizaram juntas uma segunda conferência nacional sobre as doenças cardíacas, novamente em Washington. Em 1965, o presidente da AHA fez *lobby* no Congresso para a fundação do Serviço Regional de Programas em Medicina como parte do NIH, que, por meio de um contrato com a AHA, pôs em ação um processo complexo para impor a todo o país certos padrões de medicina cardiovascular. E assim por diante. O NHLBI e a AHA celebraram juntos seu 30º aniversário, em 1978.

Durante todo esse tempo, o NHLBI e a AHA publicaram vários relatórios conjuntos, co-organizaram conferências e montaram forças-tarefa. Essas atividades, ao lado das atividades das principais sociedades de cardiologia, constituíram juntas a história oficial das pesquisas sobre cardiopatias. Em outras palavras, de 1950 em diante, qualquer evento que *não* tenha sido organizado pela AHA, pelo NHLBI ou por alguma dessas sociedades da cardiologia quase não teve impacto na redação da história oficial.

O núcleo de controle que dirigia essas instituições era um minúsculo grupo de especialistas que acumulavam várias funções. O número dos que faziam parte dessa elite da nutrição era pequeno o suficiente para que todos se conhecessem pelo primeiro nome; no fim, eles vieram a controlar quase todos os experimentos clínicos de grande envergadura sobre a relação entre alimentação e doenças. Eram os "aristocratas" da nutrição, para usar um termo cunhado por Thomas J. Moore, jornalista que, em 1989, escreveu uma crítica devastadora da hipótese do colesterol[9]. Vinham todos dos quadros acadêmicos de escolas de medicina, hospitais universitários e instituições de pesquisa, principalmente da costa leste dos Estados Unidos, mas também de Chicago. (À medida que as viagens de avião foram se tornando mais baratas, especialistas da Califórnia e do Texas também puderam participar.) Esse grupo, composto praticamente só de homens, trabalhava em íntima coordenação com a AHA e o NHLBI. Os membros desse *haut monde* acadêmico eram nomeados para comitês oficiais e painéis de especialistas; escreviam juntos artigos influentes, participavam dos conselhos editoriais dos principais periódicos científicos e faziam a revisão paritária dos artigos uns dos outros. Compareciam às principais conferências profissionais e as dominavam.

Em todos esses casos, vemos sempre os mesmos nomes. Paul Dudley White, por exemplo, fundador da AHA, também foi nomeado pelo presidente Harry S. Truman como primeiro diretor do Comitê Consultivo Nacional do Coração, que orientava todas as atividades do NHI relacionadas com as doenças cardiovasculares. Depois, White fundou alguns comitês científicos conjuntos da AHA e do NHI, entre os quais o comitê de serviço comunitário e de educação, que ele mesmo presidiu antes de passar o bastão a Keys. Segundo a história oficial da

---

9. O trabalho original de Moore foi uma reportagem de capa publicada na revista *Atlantic* em 1989; esse número teve mais exemplares vendidos do que qualquer outro na história da revista. No mesmo ano, ele publicou um livro sobre o assunto. Também em 1989, a reportagem de Moore levou o Congresso a fazer um inquérito para determinar se os programas do NIH não estariam recomendando desnecessariamente que milhões de norte-americanos tomassem remédio para baixar o colesterol. (Moore, "The Cholesterol Myth", 1989; Moore, *Heart Failure*, 1989; Anônimo, Associated Press, 1989.)

AHA, era quase "rotina" que os presidentes dessa associação dirigissem o Comitê Consultivo do NIH ou nele servissem como membros. Os líderes da AHA também dominavam as sociedades médicas profissionais. White ajudou a fundar a Sociedade Internacional de Cardiologia e, ao lado de Keys, presidia seu comitê de pesquisas. Em 1961, a AHA e o NHI começaram a planejar conjuntamente o gigantesco Estudo Nacional Dieta-Coração, a maior empreitada já realizada para pôr à prova a hipótese dieta-coração. O comitê executivo desse estudo parecia uma galeria da fama da ciência da nutrição, e é claro que dele participavam tanto Keys quanto Stamler.

Juntos, a AHA e o NHLBI também administravam a maior parte das verbas de pesquisas cardiovasculares. Em meados da década de 1990, o orçamento anual do NHLBI chegava a 1,5 bilhão de dólares, e a maior parte desse dinheiro ia para pesquisas sobre cardiopatias; a AHA, por sua vez, dedicava 100 milhões de dólares por ano a pesquisas originais. Essas duas instituições milionárias dominavam a área. O NIH e a AHA financiaram quase todos os estudos norte-americanos discutidos neste livro. A única outra fonte significativa de verbas para pesquisa são as indústrias farmacêuticas, que os pesquisadores tentam evitar por um motivo óbvio: prevenir conflitos de interesse ou a aparência desses conflitos. Como escreveu George Mann em 1991, quando patrocinou um pequeno encontro de pesquisadores com pontos de vista alternativos: "Nossa tarefa é dificílima, pois não podemos obter verbas federais e não podemos aceitar verbas do setor alimentício, para que não se entenda que estamos falando em nome de um interesse econômico."

No fim das contas, a cada milhão de dólares a mais que a AHA e o NIH gastavam tentando provar a hipótese dieta-coração, mais difícil se tornava para outros grupos tentar reverter esse curso ou examinar outras hipóteses. Embora os estudos sobre a hipótese dieta-coração tenham tido uma taxa de fracasso imensa, esses resultados tiveram de ser interpretados favoravelmente, minimizados e distorcidos, pois a hipótese em si se tornara uma questão de credibilidade institucional[10].

---

10. Esse círculo vicioso continua funcionando até hoje, com uma diferença: céticos declarados como Pete Ahrens e Michael Oliver, que nos anos 1970 e 1980 eram pelo

As vozes dissonantes estavam sumindo. Em 1967, o *Journal of the American Medical Association* lamentava que "um número imenso de pesquisadores, de modo quase vergonhoso, entrou no 'barco do colesterol'". O periódico referia-se aí à "adoção fervorosa da hipótese do colesterol" mediante a "exclusão" de outros processos bioquímicos que poderiam causar cardiopatias. Nas páginas de periódicos científicos simpáticos a suas ideias, Ahrens, Mann e mais um punhado de colegas nunca deixaram de publicar suas críticas ao avanço inexorável da hipótese dieta-coração, mas não tinham poder algum diante da elite. Com escreveu George Mann no fim de sua carreira, em 1978, uma "máfia do coração" havia "defendido o dogma" e abocanhado todas as verbas de pesquisa. "Durante toda uma geração, a pesquisa sobre cardiopatias tem sido mais política que científica", declarou.

---

menos incluídos em painéis de especialistas por estarem envolvidos nas pesquisas da área desde seu surgimento, são muito menos tolerados. Depois que esses homens se aposentaram, nenhuma figura de vulto na área da nutrição publicou crítica geral da hipótese dieta-coração.

4

FALHAS CIENTÍFICAS NO CONFRONTO ENTRE GORDURAS SATURADAS E POLI-INSATURADAS

Embora Keys se comportasse como se o estudo dos Sete Países tivesse provado sua hipótese dieta-coração, em seus artigos publicados ele sempre tomou o cuidado de incluir a ressalva de que seu estudo só poderia demonstrar uma correlação: "não se afirma que haja uma relação causal". Em vista das limitações intrínsecas da epidemiologia, essa declaração era necessária.

Para determinar relações de causa e efeito com alguma confiabilidade, os investigadores quase sempre precisam fazer um tipo de pesquisa chamada estudo clínico ou ensaio clínico.

Os estudos clínicos em nutrição são experimentos controlados nos quais os sujeitos de pesquisa são alimentados com uma dieta específica ao longo de determinado período, em vez de apenas terem de responder a perguntas acerca do que comem habitualmente. Nos melhores experimentos (os mais "bem controlados"), os pesquisadores preparam ou fornecem alimentos aos participantes a fim de controlar de modo exato o que eles ingerem. Às vezes, os sujeitos de pesquisa vão jantar numa lanchonete especial; às vezes, os pesquisadores chegam ao ponto de entregar-lhes as refeições em casa – embora esse tipo de estratégia possa sair muito cara. Em testes não tão bem controlados, simplesmente dizem aos sujeitos de pesquisa o que comer; talvez entreguem a eles um manual de dieta para levar para casa.

O ideal é que as pessoas que fazem a dieta especial sejam comparadas com um grupo semelhante (um grupo de controle) formado por pessoas que não mudam de dieta, de forma que o efeito da intervenção possa ser isolado. Caso uma população grande o suficiente seja aleatoriamente dividida em dois grupos, o de estudo e o de controle, pode-se supor, teoricamente, que os dois grupos sejam idênticos em todos os aspectos pertinentes. Os membros dos grupos devem ter a mesma distribuição etária e as mesmas tendências em relação ao fumo e aos exercícios físicos, e devem ser parecidos de mil outras maneiras que os pesquisadores talvez nem cheguem a pensar em medir. A *única* diferença entre os dois grupos num estudo clínico deve ser a intervenção, seja ela um medicamento, seja uma dieta. O fato de o estudo partir de dois grupos idênticos permite que quaisquer diferenças surgidas entre eles possam ser atribuídas com plausibilidade à intervenção.

Este é o ponto mais forte dos estudos clínicos: ao contrário dos estudos epidemiológicos, em que os pesquisadores precisam primeiro tentar listar e depois medir os muitos fatores que podem estar contribuindo para uma doença, o estudo clínico, por causa do próprio modo como é concebido, mantém esses fatores num valor constante independentemente de os pesquisadores os terem posto na lista ou não.

Os estudos clínicos sobre a hipótese dieta-coração começaram a ser feitos no fim da década de 1950. É importante comentá-los para que o leitor possa conhecer por si mesmo as origens científicas da ideia de que a gordura saturada nos faz mal, e alguns dos surpreendentes efeitos colaterais da dieta que Keys propôs. Os estudos a que vou me referir agora não tinham como objeto uma dieta de baixo teor de gordura – a ideia de evitar *todos* os tipos de gordura só se disseminou décadas depois. O que obcecava os pesquisadores naquela época era a ideia de Keys de que uma dieta de baixo teor de gordura *saturada* e de colesterol poderia prevenir doenças cardíacas. Portanto, o conteúdo total de gordura desses estudos básicos ainda era bastante alto pelos padrões de hoje; apenas o tipo de gordura sofria variação.

Um dos primeiros e mais célebres estudos clínicos foi o Clube Anticoronariano, criado em 1957 por Norman Jolliffe, secretário de Saúde da cidade de Nova York. Jolliffe era uma autoridade respeitada na época e escrevera um livro chamado *Reduce and Stay Reduced on the Prudent Diet* [Emagreça e não volte a engordar com a dieta prudente], que até o presidente Eisenhower tinha usado. Jolliffe também tinha lido os trabalhos de Keys e resolveu testar as ideias dele por um período prolongado. Inscreveu 1.100 homens em seu Clube Anticoronariano e instruiu-os a reduzir o consumo de carne vermelha (bovina, ovina e suína, por exemplo) a não mais que quatro refeições por semana – o que já seria muito pelos padrões de hoje! –, mas a consumir peixe e aves à vontade. A ingestão de ovos, leite e produtos lácteos era limitada. Os homens também beberiam pelo menos duas colheres de sopa de óleos vegetais poli-insaturados por dia. No conjunto, cerca de 30% das calorias dessa dieta vinham da gordura, mas a proporção de gorduras poli-insaturadas (sobretudo óleos vegetais) para gorduras saturadas era quatro vezes maior do que na dieta americana comum na época. Jolliffe também recrutou um grupo de controle para seguir a dieta dos norte-americanos comuns, com uma proporção estimada de gordura de 40%; no entanto, a dieta dos membros do grupo de controle não foi registrada.

Em 1962, quando começaram a sair os resultados do estudo, o *New York Times* noticiou: "Dieta é ligada a diminuição no número de infartos". De acordo com os resultados, os homens que persistiram na dieta perderam peso e viram cair seus índices de colesterol e pressão sanguínea. O risco de sofrerem um ataque cardíaco parecia estar regredindo, o que dava a impressão de confirmar a condenação das gorduras saturadas. Porém, já no décimo ano de estudo, os investigadores começaram a constatar resultados "bastante incomuns": 26 membros do clube da dieta haviam morrido durante o estudo, em comparação com apenas seis do grupo de controle. Oito membros do clube haviam morrido de infarto, ao passo que isso não acontecera com nenhum membro do grupo de controle. Na discussão do relatório final, os autores (com exceção de Jolliffe, que morrera de infarto em 1961) sublinharam a melhora dos fatores de risco nos homens do clube da dieta, mas ignoraram o fato flagrante que esses fatores de risco não haviam conseguido prever: o maior número de mortes entre eles. Esse resultado estava enterrado bem no fundo do relatório. Os autores não quiseram responder à questão mais importante: a dieta "prudente" prolongaria a vida de quem a adotasse? A resposta do Clube Anticoronariano foi um sonoro não.

O estudo clínico do Clube Anticoronariano, apesar de suas fraquezas científicas, se tornou um dos alicerces da ideia de que uma dieta de baixo teor de gordura saturada é uma proteção contra as cardiopatias. Vou mencionar mais alguns estudos que são sempre citados pelos cientistas como provas fundamentais de sua hipótese. Certa vez, conversando com uma especialista que dirigira o prestigioso comitê de nutrição da AHA durante três anos, ela listou as referências desses estudos de cabeça, como um pregador matraqueando versículos da Bíblia: "*Lancet*, 1965, páginas 501 a 504, *Circulation* de Dayton, 1969, volume 60, suplemento 2, página 111 [...]." Eu mal conseguia acompanhá-la.

Todos os profissionais da área conhecem esses estudos e há décadas eles vêm sendo citados em quase todos os artigos sobre dieta e aterosclerose. No entanto, quando submetidos a um exame atento, cada um desses experimentos revela deficiências e contradições semelhantes às do Clube Anticoronariano. Só há pouco tempo pesquisadores começaram a reexaminar esses estudos, cujos detalhes concretos são tão chocantes quanto descobrir que o alicerce de nossa casa é feito de areia.

O primeiro estudo mencionado pela especialista da AHA é o Experimento dos Veteranos de Los Angeles. Foi conduzido por Seymour Dayton, professor de medicina na UCLA, e teve como sujeitos de pesquisa quase 850 homens idosos que residiam num lar da Secretaria dos Veteranos na década de 1960. Durante seis anos, Dayton manteve metade dos voluntários numa dieta em que óleos de milho, soja, açafrão e semente de algodão substituíam as gorduras saturadas da manteiga, do leite e de sorvetes e queijos. A outra metade comeu normalmente e serviu de grupo de controle. O índice de colesterol médio dos membros do primeiro grupo caiu quase 13% a mais do que o dos membros do grupo de controle. O mais impressionante foi que apenas 48 homens sujeitos à dieta morreram de doença cardíaca durante o estudo, em comparação com 70 do grupo de controle.

Essa notícia seria muito boa se não fosse por um detalhe: o índice total de mortes por todas as causas era o mesmo nos dois grupos. E havia um dado preocupante. Trinta e um membros do grupo de estudo haviam morrido de câncer, em comparação com 17 do grupo de controle.

Está claro que essa descoberta sobre o câncer preocupou Dayton, que escreveu extensamente sobre o assunto. Com efeito, a investigação das consequências desconhecidas de uma dieta com alto teor de óleos vegetais tinha sido o objetivo inicial do estudo: "Não é possível", pergunta ele, "que uma dieta com alto teor de gorduras insaturadas [...] tenha efeitos nocivos quando consumida ao longo de muitos anos? Afinal, uma dieta desse tipo é uma raridade." Tratava-se de uma realidade nova e desconhecida: os óleos vegetais haviam começado a ser consumidos como alimento na década de 1920, e de repente estavam sendo recomendados como uma panaceia. Na verdade, a curva ascendente de consumo dos óleos vegetais coincidia *perfeitamente* com a maré montante de doenças cardíacas na primeira metade do século XX, mas os pesquisadores e os médicos da época mal prestaram atenção nessa coincidência. Era apenas uma correlação, claro, e muitas outras mudanças tinham ocorrido na vida dos norte-americanos naquela época (como a disseminação do automóvel e dos carboidratos refinados, que já vimos).

Como os pesquisadores da área estavam concentrados no papel da gordura saturada como fator de cardiopatias, o estudo de Dayton foi recebido com entusiasmo nos Estados Unidos quando foi publicado, em 1969. A maioria dos especialistas concluiu que uma dieta prudente havia reduzido o risco de ataque cardíaco. Alguns cientistas europeus se mostraram mais céticos, no entanto, e os editores do periódico científico mais antigo e mais prestigiado da Inglaterra, *The Lancet*, escreveram uma crítica fulminante. Citaram problemas do estudo, como o fato de a proporção de fumantes inveterados ser duas vezes maior no grupo de controle do que no grupo experimental[1] e de as pessoas submetidas à dieta especial fazerem apenas metade de suas refeições no hospital (não se sabia sobre o que comiam fora de lá). Além disso, como o próprio Dayton admitiu, apenas metade dos homens do grupo experimental conseguiu manter a dieta durante os seis anos do estudo. Os resultados também estavam viciados porque os homens que melhoravam de saúde tendiam a sair do centro dos veteranos e, portanto, do estudo. Dayton defendeu seu estudo numa carta para o *Lancet*, reafirmando peremptoriamente sua conclusão de que uma "dieta prudente" poderia fazer baixar o risco de cardiopatia. Desde a época que o estudo dos Veteranos de Los Angeles é citado como prova dessa alegação, a controvérsia original sobre o experimento foi esquecida.

Um terceiro ensaio clínico famoso que sempre volta a ser citado é o estudo dos Hospitais Psiquiátricos Finlandeses. A primeira pessoa a me falar dele foi uma grande especialista em nutrição, que me garantiu tratar-se da "melhor prova possível" de que a gordura saturada não é saudável.

Em 1958, com o objetivo de comparar uma dieta tradicional (de alto teor de gordura animal) com uma dieta nova (de alto teor de gorduras poli-insaturadas), pesquisadores escolheram dois hospitais psiquiátricos perto de Helsinque, chamando um de Hospital K e o outro de Hospital N. Durante os seis primeiros anos do ensaio, os pacientes do Hospital N ingeriram uma dieta de alto teor de gordura vegetal. O leite comum foi substituído por uma emulsão de óleo de soja em leite desnatado e a manteiga foi substituída por uma margarina especial com alto teor de gorduras poli-insaturadas. O teor de óleo vegetal da dieta especial era seis vezes maior do que o de uma dieta normal. Enquanto isso, os pacientes do Hospital K tomavam as mesmas refeições de sempre. Depois os hospitais trocaram de papel, e nos seis anos seguintes, os pacientes do Hospital K ingeriram a dieta especial e os do Hospital N voltaram a sua dieta normal.

---

1. Dayton escreveu um réplica no *Lancet*, onde analisa os dados sobre tabagismo e, com base em certos pressupostos, declara que o hábito de fumar "não teve efeito algum" sobre o resultado do ensaio (Dayton e Pearce, 1970).

No grupo da dieta especial, o índice de colesterol no sangue despencou de 12% a 18% e "as doenças cardíacas caíram pela metade". É assim que o estudo é lembrado e foi essa a conclusão tirada pelos próprios diretores desse estudo, Matti Miettinen e Osmo Turpeinen. Segundo eles, numa população de homens de meia-idade, uma dieta de baixo teor de gorduras saturadas "exercia um efeito preventivo substancial sobre as cardiopatias coronarianas".

Um exame mais atento, porém, revela um quadro diferente. A incidência de doenças do coração (que os investigadores definiram como a soma de mortes e infartos) de fato caiu drasticamente entre os pacientes do Hospital H; houve 16 casos desse tipo entre os que faziam dieta normal, em comparação com quatro na dieta especial. No Hospital K, entretanto, a diferença não foi significativa, nem tampouco se observou qualquer diferença entre as mulheres. O pior problema do estudo, porém, foi que, como no dos Veteranos de Los Angeles, a população estudada era um alvo em movimento. Com todas as internações e altas que ocorreram ao longo dos anos, metade da composição de cada grupo se modificou. Com essa mudança de população, um paciente do grupo que morreu de ataque cardíaco poderia ter sido internado apenas três dias antes, de modo que a morte não teria nada a ver com a dieta. E vice-versa: um paciente que teve alta poderia morrer no dia seguinte, mas sua morte não seria registrada no estudo.

Esse e outros problemas de concepção eram tão significativos que duas grandes autoridades do NIH e um professor da Universidade George Washington sentiram-se na obrigação de criticar o estudo numa carta enviada ao *Lancet*, asseverando que as conclusões do autor eram fracas demais do ponto de vista estatístico para serem usadas como provas a favor da hipótese dieta-coração. Miettinen e Turpeinen admitiram que a concepção de seu estudo "não era ideal", incluindo aí o fato de a população não ser estável, mas afirmaram em sua defesa que um ensaio perfeito seria "tão elaborado e tão caro [...] [que] talvez nunca venha a ser feito". Enquanto isso, o ensaio imperfeito teria de ser levado a sério: "não vemos razão alguma para modificar ou moderar nossas conclusões". A comunidade científica aceitou essa tese do "bom o suficiente", e o estudo dos Hospitais Psiquiátricos Finlandeses ganhou lugar cativo como um dos alicerces da comprovação da hipótese dieta-coração.

O quarto ensaio de dieta, citado com frequência como "prova" da hipótese dieta-coração, é o chamado Estudo de Oslo, conduzido no começo dos anos 1960.

Paul Leren, médico em Oslo, capital da Noruega, selecionou 412 homens de meia-idade que haviam sofrido um primeiro ataque cardíaco (os índices de cardiopatia entre os homens de Oslo dispararam entre 1945 e 1961) e dividiu seus sujeitos de pesquisa em dois grupos. Um grupo seguia uma dieta norueguesa tradicional, que, segundo Leren, tinha bastante queijo, leite, carne e pão, além de hortaliças e frutas da estação – no conjunto, 40% de gordura. O segundo grupo assumiu uma dieta de "redução do colesterol", com montes de peixe e óleo de soja, mas pouquíssima carne e nada de leite integral e creme de leite. As duas dietas tinham mais ou menos a mesma porcentagem de gordura, mas, na dieta de "redução do colesterol", a maior parte dessa gordura era insaturada.

Um dos motivos pelos quais Leren preferiu estudar homens que já haviam sofrido infarto é que esses homens tendem a ter alta motivação para seguir a dieta prescrita por um médico. Isso era tanto mais importante pelo fato de que, como Leren reconheceu, a dieta especial com alto teor de óleos vegetais "não foi recebida com entusiasmo", e alguns homens que a seguiam sentiam-se fracos e nauseados. A outra vantagem de trabalhar com esse tipo de população, e um dos motivos pelos quais os homens que já sofreram infarto são escolhidos com frequência para ensaios dessa natureza, é que esses homens têm maior probabilidade de ter um novo infarto em pouco tempo, de modo que os pesquisadores logo terão um número suficiente de "eventos" para gerar resultados estatisticamente significativos.

O experimento durou cinco anos, e Leren publicou suas descobertas em 1966. Como nos demais ensaios de grande escala, sua dieta conseguiu fazer baixar o colesterol no sangue dos sujeitos de pesquisa – nesse caso, 13% a mais que no grupo de controle. Os infartos fatais certamente caíram no grupo que seguiu a dieta: apenas dez, contra 23 no grupo de controle. Esse resultado foi impressionante, mas o experimento também teve uma grande falha, que passou despercebida porque, até há pouco tempo, ninguém havia procurado por ela. Além das gorduras animais saturadas, o grupo de controle estava ingerindo uma grande quantidade de margarina e óleos de peixe hidrogenados, muito comuns na dieta norueguesa de então, que perfaziam cerca de meia xícara de gorduras trans por pessoa por dia. Isso era muitas vezes mais do que o norte-americano médio comia quando a FDA concluiu que as gorduras trans eram perigosas o suficiente para merecer constar explicitamente nos rótulos de alimentos. A dieta experimental, em que se procurava maximizar o consumo de óleo de soja (uma gordura poli-insaturada), não continha gorduras trans; essa diferença é significativa e pode ter afetado o resultado. Além disso, o grupo experimental, seguindo uma campanha de saúde pública feita na época, reduziu o uso de tabaco numa proporção 45% maior que o grupo de controle; trata-se de uma diferença grande, que os investigadores não conseguiram explicar mas que, por si só, pode ser responsável pela maior parte da diferença no número de infartos. Apesar desses problemas, entretanto, o experimento de Oslo é lembrado unicamente como uma comprovação do sucesso da dieta de redução do colesterol.

Quando lemos os artigos originais desses estudos, nos lembramos de uma brincadeira de telefone sem fio. Quem começa a brincadeira diz: "Menos infartos, mas com várias ressalvas importantes." Vinte anos depois, o que restou dessa mensagem é somente "Menos infartos!"[2]

Apesar de suas profundas deficiências, o ensaio do Clube Anticoronariano, o estudo dos Veteranos de Los Angeles, o estudo dos Hospitais Psiquiátricos Finlandeses e o Estudo de Oslo são os ensaios clínicos citados com maior frequência como corroboração da hipótese dieta-coração. Assim como um número qualquer de zeros, adicionados, nunca serão iguais a um, esses estudos, mesmo em seu conjunto, nunca

---

2. Uma descrição formal desse problema foi escrita em 1973 por Raymond Reiser, da Universidade Texas A&M: "É essa prática de fazer referência a fontes secundárias ou terciárias, cada uma das quais aceita a anterior como matéria de fé, que conduziu à aceitação tácita de um fenômeno que talvez não exista" (Reiser, 1973, p. 524).

poderão ser indícios convincentes – o que não os impediu de resistir à prova do tempo.

O que esses ensaios realmente evidenciam são as perpétuas e enormes dificuldades de estudar o vínculo entre a nutrição e as cardiopatias de maneira rigorosa e conclusiva. Muitos cientistas se queixaram de que é quase impossível alimentar uma população de estudo e manter todas as variáveis constantes ao longo de vários anos até que surja um número estatisticamente significativo de dados objetivos e indisputáveis (um infarto, por exemplo). É esse o valor desses primeiros ensaios clínicos: todos eles foram realizados em populações institucionalizadas que, pelo menos em tese, poderiam ser controladas com relativa facilidade. Os princípios éticos atuais proíbem, com razão, esse tipo de experimento. Porém, como vimos, não é fácil manter a constância nem mesmo com essas populações hospitalizadas. E uma das complicações mais paradoxais é que os realizadores desses primeiros estudos não puderam impedir os membros dos grupos de controle de ouvir as novas recomendações de saúde pública contra o tabagismo e o consumo de gorduras de origem animal – que faria seu comportamento mudar inevitavelmente. O resultado é que os grupos de controle acabaram se parecendo com os grupos experimentais. A diferença específica da intervenção se perdeu.

Outro defeito desses experimentos dietéticos é que nem os pesquisadores nem os sujeitos de pesquisa poderiam realmente estar "cegos" para a intervenção. Um experimento ideal é concebido de forma que nem uns nem outros saibam se um participante faz parte do grupo de tratamento ou do grupo de controle. O que se pretende com isso é evitar o tratamento preferencial que os pesquisadores tenderiam a dar ao grupo de intervenção (um tipo de parcialidade ou viés chamado "efeito de desempenho") ou, do mesmo modo, a resposta positiva, talvez inconsciente, do paciente que sabe que está sendo alvo de uma intervenção (chamada "efeito placebo"). É por isso que, nos estudos clínicos de medicamentos, o grupo de controle também recebe placebos: para que todos tenham a mesma experiência de tomar um comprimido.

Na prática, porém, uma dieta que inclua manteiga, creme de leite e carne não terá o mesmo gosto de uma dieta sem essas coisas, de modo que é difícil fazer um experimento verdadeiramente cego envolvendo dieta. E ao contrário do que ocorre num experimento com exercícios, em que se pode comparar quem faz exercícios com quem não faz, é impossível comparar quem come com quem não come. Os alimentos precisam ser eliminados seletivamente. Sempre que algo é retirado da dieta – gordura saturada, digamos –, deve ser substituído por outra coisa. O que deve ser essa coisa? Óleo de soja? Carboidratos? Frutas e hortaliças? De fato, os experimentos sobre dieta sempre medem duas coisas ao mesmo tempo: a ausência de um nutriente e o acréscimo de outro. Para separar os efeitos de uma coisa dos efeitos da outra, é preciso fazer ensaios múltiplos, com diversas substituições. Esses ensaios são, em geral, excessivamente caros.

A maior tentativa de criar um ensaio verdadeiramente cego, em que os sujeitos de pesquisa adotariam uma dieta à base de óleos vegetais sem ter consciência disso, foi conduzida pelo NHLBI, tendo Jerry Stamler como um de seus principais investigadores. O NHLBI tinha ciência dos problemas que acometiam os outros ensaios clínicos envolvendo dieta. Estava claro que somente um ensaio gigantesco e muito bem controlado poderia provar em definitivo o vínculo entre gordura saturada e doença cardíaca. Esse ensaio teria de ser feito com 100 mil norte-americanos a fim de chegar a resultados estatisticamente significativos, e teria de prolongar-se por um período de 45 anos. Para saber se um empreendimento dessa escala era possível, o NHLBI começou por fazer, em 1962, um estudo de viabilidade. Mesmo esse estudo foi um esforço gigantesco: envolveu estudos em várias etapas com quase 1.200 sujeitos de pesquisa em cinco cidades diferentes (Baltimore, Boston, Chicago, Minneapolis-St. Paul e Oakland) e num hospital psiquiátrico de Minnesota.

Coincidentemente, os encarregados de supervisionar o estudo eram as pessoas que mais tinham a ganhar ou a perder com seus resultados: Keys e Stamler. Stamler se lembra que caminhou "a noite inteira" com Keys pelas ruas de Nova York, debatendo como poderiam organizar o estudo de forma a "cegar" as pessoas para o alimento que comiam. No fim chegaram a uma solução que os satisfez: a empresa de alimentos Swift & Co. fabricaria margarinas especiais com diferentes quantidades de ácidos graxos, a serem consumidas por ambos os grupos; ninguém, portanto, teria de comer manteiga. Mesmo assim a tarefa era dificílima, pois outros alimentos especiais também deveriam ser feitos para todos os grupos de dieta a fim de garantir que o gosto, a textura e o modo de cozinhar fossem os mesmos para todos os participantes. Hambúrgueres e salsichas, portanto, eram feitos em duas versões: uma com óleo vegetal e outra com sebo bovino ou banha de porco. O leite e o queijo do grupo de intervenção eram "preenchidos" com óleo de soja. (Ninguém conseguiu, porém, descobrir como reproduzir um ovo. Assim, todos podiam comer dois ovos normais por semana.) "A dona de casa encomendava alimentos uma vez por semana de uma loja criada especialmente para o estudo, e a loja lhe mandava os alimentos atribuídos a seu grupo", disse Stamler. Nem os participantes nem os gestores do estudo sabiam o que cada um comia. Essa tentativa de fazer um estudo "duplo-cego" foi um marco na história das pesquisas sobre dieta e coração. Ninguém nunca tinha conseguido fazer isso antes, e, de acordo com vários testes de confirmação realizados pelos investigadores, seus métodos tinham sido bem-sucedidos: "Ninguém sabia quem estava comendo o quê! Foi tudo muito bem-feito", asseverou Stamler.

De nosso ponto de vista, é quase incompreensível que aqueles cientistas não tenham questionado o pressuposto de que alimentos artificiais completamente novos pudessem devolver a saúde a toda uma população. Como uma dieta saudável poderia depender desses alimentos recém-inventados, como leite "preenchido" com óleo de soja?

É verdade que haviam demonstrado que os óleos vegetais reduzem o colesterol total, e esse efeito tinha grande apelo em uma comunidade científica obcecada pelo colesterol. No entanto, a redução do colesterol era apenas um dos muitos efeitos desses óleos sobre os processos biológicos, e nem todos os efeitos pareciam ser tão benéficos[3]. Na verdade, não havia registros de nenhuma população humana que

---

3. Christopher Ramsden, pesquisador do NIH, foi reestudar alguns daqueles primeiros ensaios clínicos para tentar isolar a partir dali os efeitos dos óleos vegetais, e concluiu que havia uma correlação entre seu consumo e uma taxa de mortalidade mais elevada – embora o efeito que ele tenha constatado fosse pequeno (e questionável, dado os experimentos terem sido tão mal controlados) (Ramsden et al., 2013).

tivesse sobrevivido por muito tempo tendo os óleos vegetais como principal fonte de gordura. Isso só mudou em 1976, quando se fez um estudo sobre os israelenses, que, na época, consumiam "a maior" quantidade "relatada" de óleos vegetais no mundo. No entanto, o índice de cardiopatias entre eles acabou se mostrando relativamente alto, o que contradizia a crença de que os óleos vegetais protegiam o coração.

Quando perguntei a Stamler sobre o fato de os óleos vegetais serem uma coisa nova, ele me disse que Keys e ele estavam preocupados com a ausência de qualquer registro histórico de que esses óleos tivessem sido consumidos por seres humanos, mas que, no fim, isso não foi considerado impedimento à promoção de uma dieta "prudente".

Como os óleos vegetais se tornaram os reis da cozinha

O fato de os norte-americanos começarem a considerar os óleos vegetais como o tipo mais saudável de gordura foi uma das mudanças mais impressionantes em nossas atitudes dietéticas em todo o século XX. A própria mudança no consumo foi astronômica: praticamente desconhecidos antes de 1910, esses óleos já respondiam por 7% a 8% das calorias consumidas pelos norte-americanos em 1999, segundo as estimativas de dois estudiosos.

Essas gorduras entraram no mercado de alimentos norte-americano por duas vias: em frascos de óleo de cozinha e óleo para salada de marcas como Wesson e Mazola ou, em maior escala, transformados nas gorduras solidificadas usadas em margarina, Crisco, biscoitos, bolachas, bolinhos, pães, batatas fritas, pipoca de micro-ondas, pratos prontos, cremes para café, maionese e alimentos congelados. Esses óleos sólidos também passaram a ser usados em muitos alimentos vendidos em lanchonetes, restaurantes, parques de diversões e estádios: tudo o que foi assado ou frito nesses lugares ao longo dos últimos 40 anos provavelmente foi feito com óleos solidificados.

Os efeitos desses óleos – solidificados ou não – sobre a saúde continuam sendo praticamente desconhecidos. Consumidos na forma líquida, eles reduzem o colesterol no sangue, razão pela qual os profissionais de saúde nos recomendam seu consumo em quantidade cada vez maior desde o começo da década de 1960 (a AHA atualmente recomenda que os americanos consumam de 5% a 10% de todas as calorias na forma de óleos poli-insaturados), mas também têm efeitos colaterais preocupantes – como talvez o câncer. Vários experimentos feitos já na década de 1960 mostraram que, quando aquecidos e depois consumidos, eles encurtaram de modo significativo a vida de ratos. E, na forma endurecida, contêm ácidos graxos trans, que a FDA considera bem perigosos para que sejam mencionados pelo nome nos rótulos dos alimentos.

Como mostra o gráfico, as únicas gorduras que entravam nas cozinhas norte-americanas até por volta de 1910 eram as de origem exclusivamente animal: banha (a gordura dos porcos), o sebo ao redor dos rins de bovinos e ovinos, o sebo subcutâneo de bovinos e ovinos, a manteiga e o creme de leite. Um pouco de óleo de semente de algodão e de gergelim era produzido localmente em fazendas do sul dos Estados Unidos (os escravos trouxeram o gergelim da África), mas nada em nível nacional nem em grande quantidade; as tentativas de fabricação de azeite de oliva fracassaram em razão da impossibilidade do cultivo de oliveiras no país (embora ninguém menos que Thomas Jefferson, entre outros, tenha tentado cultivá-las). As gorduras usadas pelas donas de casa nos Estados Unidos e na maior parte da Europa setentrional eram, portanto, de origem animal. Cozinhar com óleo era uma ideia praticamente desconhecida.

Os óleos não eram nem sequer considerados comestíveis. O lugar deles não era a cozinha. Eram usados para fazer sabão, velas, ceras, cosméticos, vernizes, linóleo, resinas, lubrificantes e combustíveis – cada vez mais necessários para uma população urbana em crescimento –, bem como para azeitar os motores da industrialização no século XIX. A partir de 1820, a principal matéria-prima desses produtos era o óleo de baleia; um grande surto de produção desse óleo enriqueceu duas gerações de habitantes do litoral da Nova Inglaterra, mas em 1860 o setor já havia entrado em colapso.

Consumo de gorduras nos Estados Unidos, 1909-99

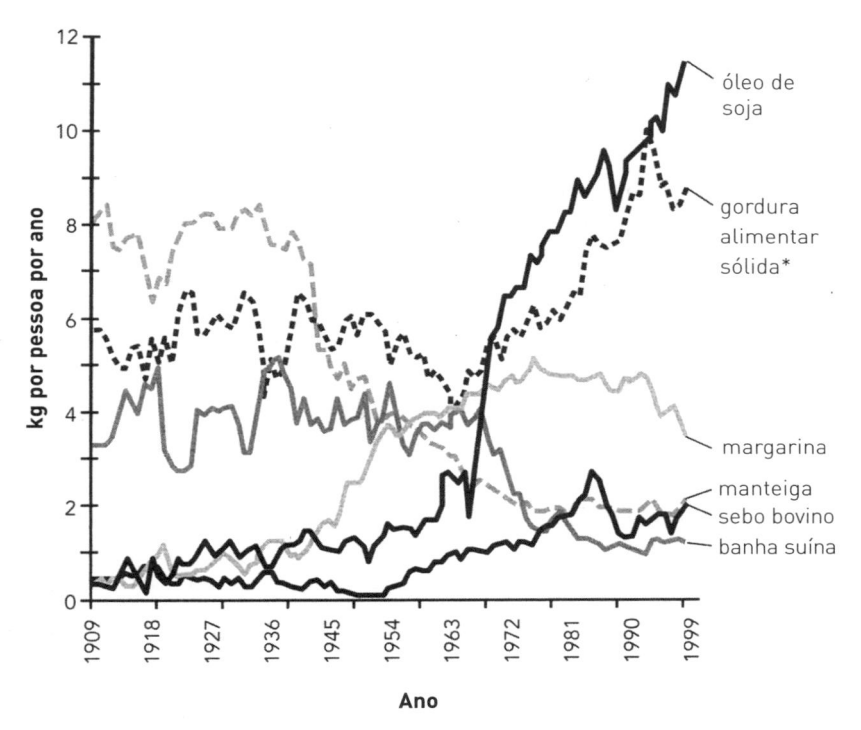

Gráfico: kg por pessoa por ano vs. Ano (1909–1999). Séries: óleo de soja, gordura alimentar sólida*, margarina, manteiga, sebo bovino, banha suína.

* Antes de 1936, a gordura alimentar sólida (*shortening*) era feita principalmente de banha de porco. Depois, passou a ter como ingrediente principal óleos vegetais parcialmente hidrogenados.

Fonte: Tanya L. Blasbalg et al., "Changes in Consumption of Omega-3 and Omega-6 Fatty Acids in the United States During the 20th Century". *American Journal of Clinical Nutrition*, v. 93, n. 5, fig.1B e 1C, p. 954, maio 2011.

De 1900 para cá, os norte-americanos trocaram as gorduras de origem animal pelos óleos vegetais.

A produção de óleo de semente de algodão das grandes plantações do sul ajudou a preencher esse vazio. Os norte-americanos ainda não aceitavam o óleo como ingrediente de cozidos ou assados, mas isso não impediu algumas empresas de misturá-lo com gordura bovina para fazer uma "banha composta". A Swift & Co., por exemplo, introduziu em

1893 um produto chamado "Cottonsuet". Sem que os consumidores soubessem, os fabricantes também estavam adicionando óleo de semente de algodão à manteiga desde a década de 1860, para reduzir custos. Com efeito, essa foi a lógica duradoura e irresistível dos óleos vegetais: eles são mais baratos que as gorduras de origem animal. No começo da década de 1930, quando o processo mecanizado de descascamento e esmagamento das sementes de algodão se tornou corrente, tanto o óleo de semente de algodão quanto outros óleos feitos de sementes se tornaram naturalmente menos caros que a criação e o abate de animais.

Os "óleos vegetais" são extraídos sobretudo de sementes de: algodão, colza, açafroa, girassol, gergelim, milho e soja. Vimos que esses óleos começaram a se popularizar para uso culinário quando a AHA os promoveu para a "saúde do coração" em 1961. O apoio da maior autoridade em medicina cardíaca nos Estados Unidos lhes deu um impulso enorme. Nesse mesmo ano, a revista *Food Processing*, do setor de alimentos, proclamou: "A corrida para subir na barca dos óleos poli-insaturados se torna um frenesi". Entre os novos produtos que então surgiram, com "uma quantidade cada vez maior de óleos poli-insaturados", havia molhos para salada, maioneses e margarinas. Até pães e produtos de confeitaria foram promovidos por conterem esses novos óleos. A Mazola era uma entre muitas empresas que propagandeavam com entusiasmo os potenciais benefícios de seus óleos para a saúde. "Os poli-insaturados são o *plus* da Mazola", dizia um anúncio de revista em 1967. Em 1975, a Mazola estava comercializando seus óleos como se fossem remédios.

Embora Keys e outros cientistas acreditassem firmemente que os óleos poli-insaturados ajudavam a prevenir as doenças cardíacas devido a seu efeito de redução do colesterol, também é fato que a AHA recebeu milhões de dólares em doações das empresas alimentícias que fabricavam esses óleos. Lembre-se de que a própria projeção da AHA ao plano nacional, em 1948, foi uma consequência do programa de rádio *Truth or Consequences*, da Procter & Gamble. Campbell Moses, diretor médico da AHA no fim da década de 1960, chegou a posar com um frasco de óleo Crisco para um filme educativo da associação. E mais

"Leve este anúncio a seu médico", Mazola, 1975

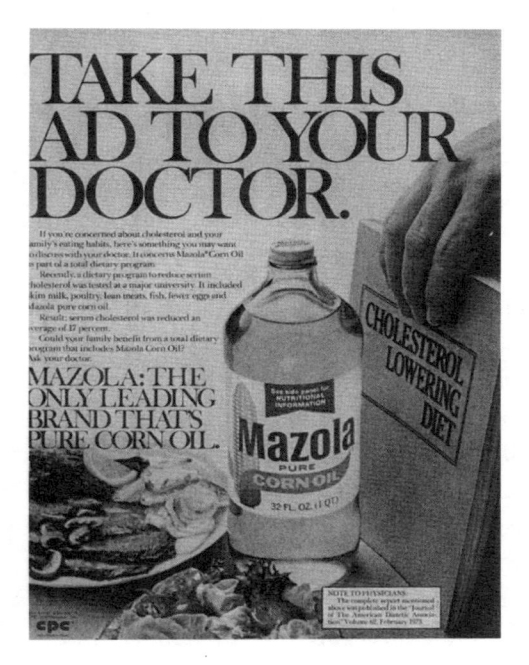

Na década de 1970, os óleos vegetais eram promovidos por seu alto teor de gorduras poli-insaturadas e seu poder de redução do colesterol, seguindo os conselhos da AHA.

um dado notável: quando Jerry Stamler relançou *Your Heart Has Nine Lives* [Seu coração tem nove vidas], de 1963, o livro foi publicado na forma de edição "profissional" com encadernação de couro vermelho pela Corn Products Company e distribuído gratuitamente a milhares de médicos. Nesse livro, Stamler agradece a essa empresa e ao Wesson Fund for Medical Research pelo apoio "significativo" dado a suas pesquisas. Quando lhe perguntei sobre esse vínculo, ele me disse sem vergonha alguma: "Os pesquisadores em saúde pública *precisam* fazer alianças com empresas. É duro."

Stamler tem razão. Os estudos em nutrição são caros e as fontes de verba, limitadas (nem tanto, porém, na época dele). Há muito que os pesquisadores pedem ao setor alimentício que preencha essa lacuna. No entanto, é sensato concluir que os laços estabelecidos por Stamler, Keys e outros pesquisadores daquele tempo com a indústria alimentícia tiveram uma influência desproporcional na evolução da dieta norte-americana. Afinal, a substituição de gorduras animais por óleos vegetais se tornou a espinha dorsal da "dieta prudente", que perdura até hoje.

Como vimos, os norte-americanos começaram a seguir esses conselhos religiosamente no início da década de 1960, mas uma das realidades desagradáveis dos óleos vegetais é que muitas vezes eles eram líquidos demais para o uso em forno e fogão e, além disso, rançavam facilmente. Isso explica por que poucas civilizações humanas têm histórico de uso de óleo como principal fonte de gordura alimentar. Os gregos vêm usando azeite de oliva há milhares de anos, mas seus ácidos graxos são monoinsaturados (têm apenas uma ligação dupla) e, por isso, são mais estáveis. Já os óleos extraídos de sementes de algodão, milho, soja, amendoim, semente de linhaça e semente de colza[4] são poli-insaturados (têm múltiplas ligações duplas). Cada ligação dupla oferece uma nova oportunidade para que o ácido graxo reaja com o ar (que "dê a mão" a outra molécula, como já explicamos), de modo que os óleos oxidam – e estragam-se rapidamente. São especialmente instáveis depois de aquecidos e não podem ser transportados a grandes distâncias, ao passo que o azeite de oliva é relativamente seguro em alta temperatura e, como evidenciam tantos jarros da Antiguidade grega, pode viajar de um extremo a outro de um império[5].

Um óleo sem consistência e que rança facilmente não é tão útil quanto uma gordura sólida que não estraga, como a manteiga, o sebo bovino ou a banha suína. Porém, se esse óleo fosse transformado em algo sólido, esses problemas seriam magicamente resolvidos. É por isso que o processo de endurecimento dos óleos poli-insaturados, chamado hidrogenação, foi uma descoberta tão importante. A conversão de um óleo em gordura sólida transformava um produto culinário relativa-

---
4. Os óleos de semente de linhaça e de semente de colza, numa forma geneticamente modificada, são misturados para formar o óleo de "canola". O "can" de canola refere-se ao país de origem dessa mistura, o Canadá.
5. Os inuítes do Pacífico Norte inventaram um jeito de espessar o óleo do peixe *Thaleichthys pacificus*, fermentando-o e fervendo-o para transformá-lo numa "graxa" que podia ser transportada a grandes distâncias e usada durante todo o ano (Phinney, Wortman e Bibus, 2008).

mente inútil num dos ingredientes mais importantes e versáteis que o setor alimentício já conheceu. Os óleos hidrogenados eram muito mais úteis do que os óleos líquidos jamais haviam sido. Empregados na manufatura de dezenas de milhares de produtos alimentícios e na preparação de refeições em restaurantes e lanchonetes de todo o país, os óleos hidrogenados mudaram a paisagem do processamento alimentar nos Estados Unidos durante décadas.

A hidrogenação do óleo foi inventada por um químico de Hanover, na Alemanha, e foi adotada nos Estados Unidos pela Procter & Gamble, que registrou duas patentes para o processo em 1908. A ideia original da empresa era empregar essa substância para fazer sabão, mas o produto cremoso de cor branca ou amarelada, tão parecido com a banha de porco, sugeria também um uso alimentar. A P&G anunciou seus resultados em 1911: uma nova gordura alimentar sólida sem banha de porco, chamada Krispo. Ou quase. Esse nome foi descartado em razão de problemas de direitos de marca e decidiu-se por um segundo nome, Cryst, até o momento em que alguém chamou a atenção para suas óbvias conotações religiosas. A P&G decidiu-se por fim pelo nome Crisco, derivado do ingrediente principal do produto, óleo *cristalizado* de semente de algodão (*cottonseed*).

Como o óleo hidrogenado contém ácidos graxos trans, a Crisco foi o produto que introduziu essas gorduras no mercado de alimentos norte-americano[6]. No entanto, somente em parte o óleo hidrogenado é composto de gorduras trans, e é por isso que costuma aparecer nas listas de ingredientes com o nome de óleo *parcialmente* hidrogenado. Os fabricantes controlam o processo com cuidado para obter uma quantidade específica de hidrogenação. Quanto mais hidrogenada a gordura, mais dura ela é – e mais gorduras trans contém. Os óleos altamente hidrogenados são ideais para fazer coberturas de chocolate em doces e

---

6. A palavra "trans" se refere ao tipo de ligação dupla entre dois átomos de carbono numa cadeia de ácidos graxos. Uma ligação dupla na forma trans cria uma molécula em forma de ziguezague, permitindo que os ácidos graxos adjacentes se encaixem uns nos outros e formem uma gordura sólida em temperatura ambiente. (O outro tipo de ligação dupla chama-se "cis" e produz curvas em forma de U na cadeia do ácido graxo; essas moléculas não se encaixam umas nas outras e, por isso, formam óleos líquidos.)

bolos. Uma gordura levemente hidrogenada é usada em produtos fluidos, como molhos, e uma gordura intermediária é usada para recheios de creme e outros ingredientes de confeitaria – e para um produto como o creme vegetal Crisco[7].

É claro que as donas de casa norte-americanas não adotaram da noite para o dia um novo modo de cozinhar. A P&G desenvolveu uma campanha maciça de propaganda para convencê-las a usar esse novo tipo de gordura alimentar sólida. Em *The Story of Crisco* [A história da Crisco], de 1913, o primeiro de vários livros de receitas que a P&G publicou somente sobre esse novo produto, a linguagem é construída de modo a retratar a Crisco como uma gordura "*nova*" e "*melhor*", apelando para a vontade das donas de casa de estarem sempre atualizadas. Embora a Crisco talvez representasse "um choque para a geração mais velha, nascida numa era menos progressista que a nossa", a mulher moderna abandona "de boa vontade" a manteiga e a banha suína, assim como sua "avó" abandonara de boa vontade "a fatigante roca de fiar". O livro de receitas também afirmava que a Crisco era mais fácil de digerir que a manteiga e a banha, além de ser produzida em "salões luminosos e brilhantes", onde "o esmalte branco recobre superfícies de metal". (Esta última informação tinha o objetivo de distinguir a Crisco da banha suína e dos escândalos recentes sobre a imundície de seus locais de produção.) Além disso, ao contrário da banha, quando usada para frituras a Crisco não enchia a casa de fumaça: "Os odores da cozinha não têm o que fazer na sala", dizia o livro[8].

---

[7]. Os ácidos graxos trans compõem até 70% das gorduras mais hidrogenadas, e uma gordura levemente hidrogenada contém de 10% a 20% de ácido graxo trans.

[8]. A P&G reconhecia ainda o apelo especial da Crisco para as necessidades dietéticas *kosher*. O livro de receitas cita o rabino Margolies, de Nova York: "A raça hebreia aguarda a Crisco há 4 mil anos." A Crisco "é compatível com as leis dietéticas rígidas dos judeus. Em língua hebraica, classifica-se como 'parava' uma gordura neutra." "Ao contrário das gorduras derivadas do leite, a Crisco pode ser usada tanto com alimentos 'milchig' (do leite) quanto com alimentos 'fleichig' (da carne)", disse o rabino. Embalagens especiais de Crisco, levando os selos do rabino Margolies e do rabino Lifsitz, de Cincinnati, eram distribuídas nas lojas judaicas. Os judeus norte-americanos seriam os maiores consumidores das gorduras vegetais nos Estados Unidos, por sua conveniência para manter a pureza alimentar (P&G, 1913, p. 10).

As vendas de Crisco aumentaram 40 vezes em apenas quatro anos após sua introdução, atraindo para o mercado outras marcas com nomes como Polar White, White Ribbon e Flakewhite. Durante a Primeira Guerra Mundial, o governo exigiu que as padarias passassem a usar somente gorduras de origem vegetal, a fim de que a banha pudesse ser exportada para os aliados europeus. Isso deu ao setor um impulso enorme. E os padeiros comerciais continuaram a utilizar a gordura vegetal solidificada, quando descobriram como usá-la.

No começo da década de 1940, 680 milhões de quilos de gordura vegetal solidificada estavam sendo produzidas anualmente em 65 fábricas nos Estados Unidos, e a gordura vegetal hidrogenada tornou-se o oitavo produto alimentar mais vendido, com a marca Crisco sempre na liderança. "E, assim, o livro de receitas da nação foi totalmente revisado e renovado. Em milhares de páginas, as palavras 'banha' e 'manteiga' foram riscadas e a palavra 'Crisco' foi escrita no lugar", comemorava *The Story of Crisco*.

Enquanto isso, outro produto alimentar pioneiro oferecia gorduras hidrogenadas ao público norte-americano: a margarina[9]. A recepção da margarina não fora tão entusiástica quanto a da Crisco. Para começar, quando surgiu, ela não era um produto *sui generis* como fora a Crisco. E não era direcionada apenas para o uso culinário, mas também para o consumo direto. A margarina vinha substituir a manteiga, um símbolo da terra pura e santa dos Estados Unidos, e por isso era mais suspeita. Por ser o primeiro alimento totalmente artificial a ser manufaturado em larga escala, ela suscitou um questionamento quase metafísico sobre a natureza essencial dos alimentos. Como entender um substituto da manteiga? Produtos alimentares artificiais não eram a norma no começo do século XX. Naquele tempo não havia bolinhos de peixe artificiais, salsichas sem carne e "branqueadores" de café (cremes de leite artificiais). Agora não percebemos, ou fingimos não perceber, que um "queijo" na verdade é feito de óleo de coco; naquela época,

---

9. A margarina era originalmente feita com banha (algumas marcas, com óleo de coco), mas, na década de 1950, seu ingrediente principal já era a gordura vegetal parcialmente hidrogenada.

porém, os alimentos eram iguais havia muitas gerações. Assim, a margarina e outras "abominações do mesmo tipo" eram consideradas "misturas mecânicas" criadas pela "astúcia de um gênio humano depravado", como declamou Lucius Frederick Hubbard, governador de Minnesota, na década de 1880. Era comum que os fabricantes de margarina fossem chamados "fraudadores" e que sua atividade fosse considerada uma forma de "falsificação"[10].

No entanto, a margarina era mais barata que a manteiga, e era esse seu principal apelo para as donas de casa, que aos poucos começaram a aceitá-la. O setor de leite e laticínios reagiu violentamente, fazendo *lobby* para que a margarina fosse sobrecarregada com uma quantidade sem paralelo de impostos e outros encargos e restrições. De 1917 a 1928, projetos de lei que visavam proteger o setor de leite e laticínios contra a margarina foram apresentados em todas as legislaturas, embora a maioria não tenha chegado sequer a ser votada em plenário. O governo federal aprovou, porém, quatro leis sobre a margarina, a última delas, em 1931, proibiu quase completamente a venda de todas as margarinas de cor amarela (as margarinas brancas, que não imitavam manteiga, eram consideradas mais aceitáveis). Os estados também aprovaram suas próprias leis, impondo restrições diversas à venda de margarina.

Indicando o grau de ridículo a que chegara essa legislação, um cartum da revista *Gourmet* mostrou uma mulher elegantemente vestida, em pé diante de seus convidados num jantar, anunciando: "Em conformidade com o título 6, seção 8, capítulo 8 das leis deste estado, quero anunciar que estou servindo oleomargarina." E os jornais comumente relatavam histórias de donas de casa que se juntavam num car-

---

10. Uma passagem famosa de *Life on the Mississippi*, de Mark Twain, ilustra esse fato: "'Ora, quanto a este artigo', disse [o vendedor], '[...] olha bem para ele – cheira-o – prova-o. [...] É manteiga, não é? De jeito nenhum – é oleomargarina! Por tudo o que é mais sagrado, é impossível distingui-la da manteiga! [...] Muito logo, muito em breve, verás o dia em que não poderás encontrar 20 gramas de manteiga nem para remédio. [...] É por isso que estamos produzindo agora a oleomargarina à razão de milhares de toneladas. E podemos vendê-la tão barato que o país inteiro a adotará. [...] A manteiga não tem chance [...] e, a partir de agora, a manteiga está fadada a desaparecer'" (Twain [1883], 2011, pp. 278-88).

ro para cruzar a fronteira e comprar margarina num estado onde as leis não eram tão rígidas.

Reagindo à demanda dos consumidores pelo produto, em 1950 o governo federal suspendeu por fim todos os impostos e restrições sobre a margarina. Uma década depois, a AHA endossou a margarina como parte de sua "dieta prudente". Ironicamente, esse alimento, antes tão aviltado, transformou-se numa preciosidade quase da noite para o dia. Em 1961, por exemplo, a margarina Mazola pretendia, em suas propagandas, ser a melhor opção "Para as pessoas que se preocupam com as gorduras saturadas na dieta". Alguns anos depois, a margarina Fleischmann afirmava ter "o menor teor de gordura saturada". A reputação da margarina foi reabilitada, e ela se tornou um dos elementos cruciais de uma dieta saudável e favorável à redução do colesterol.

Algumas décadas depois, a imagem da margarina sofreu mais uma transformação radical: desta vez, o produto passou a ser visto como um assustador amontoado de gorduras trans e, portanto, uma ameaça à saúde. (As primeiras margarinas continham muito mais gorduras trans – até 50% do conteúdo total de gordura – do que as versões posteriores.) Até então, o setor alimentício trabalhou para que a margarina, a gordura Crisco e todos os outros produtos que contivessem gordura vegetal hidrogenada fossem considerados seguros e saudáveis. A partir do começo da década de 1960, os consumidores foram aconselhados a substituir a manteiga por margarina ou Crisco e a sempre preferir gorduras de origem vegetal às de origem animal – tudo isso como parte de uma dieta saudável e prudente.

O NIH investe 250 milhões para demonstrar que os óleos vegetais são saudáveis

O Estudo Nacional Dieta-Coração, que Stamler e Keys ajudavam a coordenar, foi uma tentativa rigorosa de testar a viabilidade de um estudo muito mais amplo sobre a "dieta prudente". Visto hoje em dia sob o prisma da história da indústria, porém, parece muito plausível que essa empreitada, à qual a Swift & Co. dedicou um funcionário em tempo integral para desenvolver hambúrgueres de mentira e margarinas com alto teor de gordura poli-insaturada, tenha sido em parte um esforço das empresas para ampliar o mercado dos óleos vendidos por elas[11]. Contribuíram para o estudo quase todas as indústrias alimentícias norte-americanas, entre as quais a "gigante dos óleos" Anderson, Clayton & Co. e as empresas Carnation, The Corn Products Company, Frito-Lay, General Mills, H. J. Heinz, Pacific Vegetable Oil Corporation, Pillsbury, Quaker Oats e outras.

Um estudo de "viabilidade" não produz resultados; serve apenas para testar os procedimentos de um experimento de grande escala antes que este seja realizado. Entendido dessa maneira, o estudo foi claramente um fracasso. Keys, Stamler e a equipe constataram que um quarto dos homens abandonou a dieta no primeiro ano, pois era difícil demais fazer todas as refeições em casa e as esposas "não cooperavam ou não se interessavam". A terceira razão alegada pelos homens era que simplesmente não gostavam das dietas especiais e sentiam falta de seu alimento habitual.

Depois desse estudo-piloto, a questão de saber se o NIH deveria investir num estudo maior foi ventilada reiteradamente pelos gestores em várias comissões de revisão sistemática ao longo da década de 1960. A situação era frustrante, pois, para o bem da ciência, um estudo clínico em grande escala era urgentemente necessário. Havia quase uma década que os médicos que seguiam as diretrizes da AHA já vinham recomendando uma dieta com baixo teor de colesterol e gorduras de origem animal, baseados em correlações epidemiológicas fracas e em alguns ensaios clínicos mal controlados em que não se provara que essa dieta reduzia a taxa geral de mortalidade.

No fim das contas, em 1971, o NIH decidiu não fazer um teste definitivo da hipótese dieta-coração. Fabricar todas aquelas margarinas

---

11. Os alimentos usados na dieta experimental dos Veteranos de Los Angeles – leite com óleo de soja, sorvete de imitação, queijo com óleo de soja, entre outros – também foram doados por empresas (organizadores, "Diet and Atherosclerosis", 1969, p. 640), assim como os alimentos do estudo de Oslo (Leren, 1966, p. 88).

e outros alimentos especiais a serem vendidos em lojas especiais para tanta gente ao longo de tantos anos poderia custar mais de 1 bilhão de dólares. E, dada a imensa dificuldade de convencer os participantes a perseverar na dieta, a empreitada toda parecia fútil. Como plano B, o NIH decidiu gastar 250 milhões de dólares em dois ensaios de menor escala, que mesmo assim estariam entre os maiores e mais caros ensaios clínicos já realizados na história das pesquisas sobre a hipótese dieta-coração.

Um deles foi o Ensaio de Intervenção de Múltiplos Fatores de Risco ou MRFIT (de Multiple Risk Factor Intervention Trial) na sigla em inglês (pronuncia-se "Mr. Fit", ou seja, "sr. Boa Forma"), realizado de 1973 a 1982. Stamler ganhou a prestigiosa responsabilidade de dirigi-lo. Depois do esforço inglório de tentar convencer pessoas a aderir aos alimentos artificiais que inventara para o Estudo Nacional Dieta-Coração, Stamler pensou que talvez fosse melhor focar menos na dieta e tentar controlar melhor outros fatores, como o tabagismo, a perda de peso e a pressão sanguínea. O MRFIT, portanto, queria testar o uso de "tudo e mais um pouco" para combater as doenças cardíacas. Foi um dos experimentos médicos mais amplos e mais exigentes já realizados num grupo de seres humanos; envolveu 28 centros médicos em todos os Estados Unidos e custou 115 milhões de dólares.

A equipe de Stamler mediu o colesterol de 361 mil homens norte-americanos de meia-idade e encontrou 12 mil cujo colesterol estava acima de 290 mg/dl – um valor tão alto que se considerou que eles corriam risco iminente de infarto[12]. A maioria desses 12 mil era obesa, tinha pressão alta e fumava, de modo que a quantidade de fatores de risco a ser modificada era grande. Então, metade deles foi objeto de intervenções "múltiplas": aconselhamento para deixar de fumar, medica-

---

12. É provável que esse grupo incluísse um número desproporcional de homens que sofrem de um transtorno genético raro (atinge uma em cada 500 pessoas) que faz aumentar excepcionalmente o índice de colesterol (os sujeitos de pesquisa não foram submetidos a testes genéticos). As reações fisiológicas desses homens não podem ser generalizadas, mas muitos estudos sobre a relação entre a dieta e o coração escolheram pessoas desse tipo para aumentar a probabilidade de ocorrência de "eventos" (infartos). Em decorrência disso, todo esse campo de pesquisas sofreu uma distorção.

mentos para baixar a pressão sanguínea (se necessário) e orientações sobre como seguir uma dieta de baixo teor de gorduras e colesterol. Tomavam leite desnatado, usavam margarina em vez de manteiga, comiam no máximo dois ovos por semana e evitavam carne e doces; o objetivo era que as gorduras saturadas perfizessem somente de 8% a 10% do total de calorias. À outra metade, se disse que comessem e vivessem como quisessem. Stamler acompanhou os 12 mil homens durante sete anos[13].

Os resultados, anunciados em setembro de 1982, foram um desastre para a hipótese dieta-coração. Embora os homens do grupo de intervenção tivessem sido espetacularmente capazes de mudar de dieta, parar de fumar e reduzir a pressão sanguínea, sua taxa de mortalidade era um pouco mais alta do que a do grupo de controle. Os pesquisadores do MRFIT reconheceram esse fato e aventaram várias explicações possíveis. Uma delas era que o grupo de controle, por sua própria conta, também havia reduzido o tabagismo e tomado medicamentos para controlar a pressão sanguínea, de forma que, no fim do estudo, as diferenças entre os dois grupos não eram tão grandes quanto se esperava. Outra explicação possível era que os diuréticos usados para tratar a hipertensão eram tóxicos (provou-se depois que essa tese era falsa). A última ideia era que talvez as pessoas precisassem começar essas intervenções mais cedo ou mantê-las por um período mais longo para obter resultados.

O MRFIT suscitou muitos comentários e críticas entre os pesquisadores, mas, apesar das muitas preocupações, seu fracasso não gerou nem uma mudança de curso nem sequer uma reavaliação séria dos rumos da pesquisa em cardiopatias. E as coisas continuaram nesse pé mesmo depois que as atualizações do MRFIT revelaram notícias ainda piores: num levantamento feito em 1997, 16 anos após o início do estudo, constatou-se que o grupo de tratamento tinha índices maiores de câncer de pulmão, apesar de 21% de seus membros terem parado de fumar (em comparação com 6% do grupo de controle).

....
13. Stamler disse que o único problema desse estudo é que não incluía mulheres (entrevista com Stamler). O índice de doenças cardíacas entre homens era muito mais alto que entre mulheres, mas em meados da década de 1980 os dois grupos já haviam se igualado. As mulheres, como categoria específica nos estudos sobre alimentação e doença, serão discutidas no capítulo 6.

Quando perguntei a Stamler sobre esse aparente paradoxo, ele não se fez de rogado. "Não sei! Pode ter sido um fruto do acaso. [...] É uma daquelas descobertas. Problemática. Inesperada. Inexplicada. Não racionalizada!" (Stamler, com seu sotaque de Chicago, responde com entusiasmo mesmo aos menores questionamentos a suas ideias. Um colega disse que ele, com mais de 90 anos, está "frágil mas ardente".)

Baixo colesterol e câncer

Stamler me disse no começo de nossa entrevista que se lembrava muito bem de certas coisas, mas "de outras coisas não me lembro em absoluto". Conforme descobri, isso queria dizer que ele se lembrava de detalhes dos indícios favoráveis à hipótese dieta-coração e de quase nada dos indícios contrários. Sobre o câncer, por exemplo, ele deveria se lembrar de que as constatações do MRFIT estavam longe de ser incomuns. Em 1981, mais de 10 estudos de bom tamanho haviam constatado um vínculo entre a queda do colesterol e o câncer, especialmente do cólon.

No estudo de Framingham, os homens cujo índice de colesterol estava abaixo de 190 mg/dl tinham três vezes mais chance de ter câncer no cólon do que aqueles cujo índice era superior a 220 mg/dl. Na verdade, desde 1968, quando se demonstrou que o óleo de milho duplicara o índice de crescimento tumoral em ratos, já havia um fundo de preocupação com a relação entre os óleos vegetais e o câncer. (Outros estudos da época levantaram a suspeita de que o óleo de milho pode causar cirrose hepática.) E havia outros problemas. Pessoas que conseguiram baixar o índice de colesterol em estudos sobre dietas ou medicamentos também apresentaram um índice maior de pedras na vesícula[14]. Outra preocupação era o derrame. No Japão, por exemplo

---

14. As autópsias de sujeitos de pesquisa do Estudo dos Veteranos de Los Angeles, que haviam adotado uma dieta com alto teor de gorduras poli-insaturadas, revelaram que os que seguiram a dieta tinham duas vezes mais probabilidade de ter pedras na vesícula do que os do grupo de controle (Sturdevant, Pearce e Dayton, 1973). O mesmo se observou entre os participantes de um estudo sobre os efeitos de clofibrato para baixar o colesterol (Committee of Principal Investigators, 1978).

– país que interessava aos pesquisadores por causa da taxa relativamente baixa de cardiopatia entre os habitantes da zona rural –, os pesquisadores do NIH descobriram que os japoneses com menos de 180 mg/dl de colesterol no sangue sofriam derrames a uma taxa de duas a três vezes mais alta que os que tinham colesterol mais alto.

O NHLBI ficou tão preocupado com as descobertas sobre o câncer que promoveu três oficinas, em 1981, 1982 e 1983. Os dados relacionados ao tópico foram examinados e reexaminados por um grupo eminentíssimo de cientistas, do qual faziam parte Keys e Stamler. Uma das ideias propostas foi que o colesterol baixo talvez fosse um dos primeiros *sintomas* do câncer, e não uma causa – um truque de lógica plausível apenas na aparência. No fim, porém, embora os cientistas reunidos não tenham conseguido encontrar nenhuma explicação convincente, concluíram que as descobertas sobre o câncer "não representavam um desafio para a saúde pública" nem "contradiziam" a mensagem mais urgente de que todos deveriam baixar o índice de colesterol; tratava-se de questão de "bom senso".

No fim, segundo Manning Feinleib, diretor associado do NHLBI que compareceu às reuniões como relator, o comitê deu a impressão de considerar que o aspecto negativo da possibilidade de câncer era menos importante do que o aspecto positivo de reduzir as doenças cardíacas. Quando falei com ele, em 2009, Manning estava perplexo pelo fato de a questão do baixo colesterol e do câncer ainda não ter sido resolvida. "Já faz mais de 25 anos e eles ainda não lançaram luz sobre o que está acontecendo. E por que não? Isso é ainda mais enigmático."

Em 1990, o NHLBI convocou mais uma mesa-redonda sobre o problema do índice "significativamente maior" de mortes por câncer e outras causas não cardiovasculares sofridas por pessoas com baixo índice de colesterol. Quanto mais baixo o colesterol, maior o índice de mortes por câncer, e a situação era ainda pior no caso de homens saudáveis que tentavam ativamente reduzir o colesterol por meio de dieta ou medicamentos. Mas essas mesas-redondas não tiveram nenhuma continuidade, e as descobertas das pesquisas não arrefeceram o entusiasmo pela "dieta prudente". Os efeitos de um colesterol baixo ainda não são bem compreendidos.

Quando mencionei isso a Stamler, ele não se lembrava de nenhum fragmento desse debate sobre câncer e colesterol. Nesse aspecto, ele é um microcosmo do fenômeno maior que permitiu que a hipótese dieta-coração avançasse: os resultados inconvenientes eram sistematicamente ignorados. Aqui também o "viés de seleção" estava em ação.

Um caso extremo de viés de seleção

No decorrer dos anos, houve muita divulgação seletiva de informações e inúmeros problemas metodológicos foram ignorados. Mas o caso mais incrível de viés de seleção talvez seja a supressão quase completa do Levantamento Coronariano de Minnesota, um desenvolvimento subsidiário do Estudo Nacional Dieta-Coração. Também custeado pelo NIH, o Levantamento Coronariano de Minnesota foi o maior estudo clínico da hipótese dieta-coração em todos os tempos e, por isso, certamente mereceria ser citado ao lado dos estudos de Oslo, dos Hospitais Psiquiátricos Finlandeses e dos Veteranos de Los Angeles, mas quase nunca é incluído nessa lista – o que se deve, sem dúvida, ao fato de não ter dado os resultados que os especialistas em nutrição esperavam.

A partir de 1968, o bioquímico Ivan Frantz alimentou 9 mil homens e mulheres em seis hospitais psiquiátricos estatais de Minnesota e em um lar para idosos com dois tipos de dieta: uma de "comidas norte-americanas tradicionais", com 18% de gordura saturada, ou uma contendo margarina, um substituto do ovo, carne bovina com baixo teor de gordura e leite e derivados "preenchidos" com óleo vegetal. Nessa dieta, a proporção de gordura saturada caía pela metade. (Ambas as dietas tinham uma proporção total de gordura de 38%.) Os pesquisadores relataram uma participação de "quase 100%" e, visto que a população estudada era de pessoas hospitalizadas, o estudo foi mais bem controlado do que a maioria – embora houvesse uma grande circulação de pacientes no hospital, como ocorrera na Finlândia (a duração média das estadias era de cerca de um ano apenas).

Depois de quatro anos e meio, no entanto, os pesquisadores foram incapazes de constatar quaisquer diferenças entre o grupo de tratamento e o grupo de controle no que se refere a eventos cardiovasculares, mortes por doença cardiovascular e mortalidade total. O índice de câncer era alto no grupo que ingeria pouca gordura saturada, embora o relatório não esclareça se essa diferença tinha relevância estatística. Não se demonstrou nenhuma vantagem da dieta de baixo teor de gordura saturada. Frantz, que trabalhava no mesmo departamento que Keys na universidade, retardou a publicação do estudo por 16 anos, até se aposentar. Depois, publicou seus resultados no periódico *Arteriosclerosis, Thrombosis, and Vascular Biology*, que provavelmente não é lido por ninguém que não seja cardiologista. Quando lhe perguntaram por que não publicou os resultados mais cedo, Frantz respondeu que não achava que tivesse cometido algum erro no estudo. "Apenas ficamos decepcionados com os resultados", afirmou. Ou seja, o estudo foi seletivamente ignorado pelo próprio cientista que o dirigiu. Era mais um dado inconveniente, que precisava ser varrido para debaixo do tapete.

Os indícios contrários à gordura saturada: estudos epidemiológicos

Da grande quantidade de dados imperfeitos interpretados de modo favorável à hipótese dieta-coração, boa parte não veio de ensaios clínicos, mas de grandes estudos epidemiológicos semelhantes ao pioneiro estudo dos Sete Países, de Keys. Nesses estudos, as dietas das populações estudadas não são modificadas; as populações são simplesmente observadas no decorrer do tempo e, no fim, os investigadores tentam estabelecer uma correlação entre certos eventos relacionados à saúde – doenças e mortes, por exemplo – e os hábitos alimentares dos sujeitos de pesquisa. Já tinham sido feitos alguns estudos desse tipo – dos italianos de Roseto, por exemplo, na Irlanda, na Índia, entre outros –, mas nenhum deles foi um estudo de grande escala. Os novos estudos acompanharam milhares de pessoas ao longo de anos e seus resultados deram uma contribuição muito influente para o crescente conjunto de artigos científicos citados pelos especialistas como provas favoráveis à hipótese dieta-coração.

Stamler herdou um dos primeiros estudos desse tipo, feito com 2 mil funcionários da Western Electric Company, perto de Chicago. Os participantes foram submetidos a exames médicos e os alimentos que comiam foram medidos e registrados a partir de 1957. No resumo do artigo – que, não raro, é a única parte dos artigos científicos lida por médicos e cientistas muito ocupados –, Stamler escreveu que os resultados eram favoráveis à hipótese de diminuição do colesterol por meio da dieta. Mas o que os resultados realmente indicaram, ao cabo de 20 anos, foi que a dieta tem uma influência mínima sobre o colesterol no sangue e que "não se constatou correlação significativa entre a quantidade de ácidos graxos saturados na dieta e o risco de morte por doença cardíaca coronariana", como escreveram os autores. Parece claro que Stamler não estava preparado para aceitar esses resultados. Na parte do artigo em que os resultados eram discutidos, ele e seus colegas logo põem para escanteio os dados que eles próprios haviam obtido e passam a falar de outros estudos que, *eles sim*, haviam dado os resultados "corretos".

Quando interroguei Stamler sobre esse fato, ele respondeu: "O que demonstramos foi que a gordura saturada não tem um efeito *independente* sobre os resultados finais."

"Isso significa que, no fim, a gordura saturada na dieta não importa. Correto?", indaguei.

"Não teve efeito INDEPENDENTE", Stamler berrou. O que ele queria dizer é que, por si só, ela não importa. No entanto, o estudo da Western Electric tem sido regularmente citado como corroboração da hipótese dieta-coração.

Outro estudo, feito em Israel, acompanhou 10 mil funcionários públicos do sexo masculino durante cinco anos e não encontrou correlação alguma entre casos de infarto e quaisquer alimentos consumidos pelos sujeitos de pesquisa. (Segundo o estudo, o melhor jeito de evitar um ataque cardíaco era adorar a Deus, pois, quanto mais os homens se identificavam como religiosos, menor era seu risco de sofrer infarto[15].)

O outro grande estudo epidemiológico feito nesse período foi realizado com japoneses, que há muito são objeto de fascínio por causa de seu baixíssimo índice de doenças cardíacas e por adotarem uma dieta aparentemente semivegetariana.

O estudo chamado NiHonSan procurou identificar e isolar as influências dos genes e da dieta, comparando homens japoneses que moravam em Hiroshima e Nagasaki com seus compatriotas que haviam emigrado para Honolulu ou para a Grande San Francisco. Esses homens de meia-idade estavam saudáveis em 1965, quando seus hábitos alimentares foram levantados pela primeira vez; depois disso, foram acompanhados ao longo de cinco anos. No fim, os homens que haviam se mudado para a Califórnia desenvolveram doenças cardíacas (diagnosticadas por meio de eletrocardiograma comum) com o dobro da frequência dos que estavam no Havaí ou no Japão. A gordura saturada parecia proporcionar uma explicação razoável, pois os japoneses de San Francisco ingeriam cerca de cinco vezes mais gordura saturada do que os que permaneceram no Japão. (A possível exposição desses homens à radioatividade decorrente das bombas atômicas que explodiram sobre suas cidades no fim da Segunda Guerra Mundial não foi levada em conta na análise.)

Os resultados do NiHonSan foram proclamados aos quatro ventos. As conclusões, porém, tinham problemas que iam desde os mais óbvios até os mais obscuros. Em primeiro lugar, os autores do estudo contornaram os dados de mortalidade, que *não* apoiavam a hipótese dieta-coração, e selecionaram somente, como pontos definitivos de medida, indicações positivas de "possível" doença cardiovascular. (Essa

---

15. Numa atualização feita 23 anos depois do início do estudo, os pesquisadores constataram uma correlação fraquíssima entre a gordura saturada e infartos do miocárdio, correlação que eles próprios consideraram pouco importante (Goldbourt, 1993). Mesmo assim, o Estudo dos Funcionários Públicos Israelenses, como é chamado, é comumente citado por cientistas famosos que pretendem demonstrar uma "correlação positiva" entre a ingestão de gordura saturada e o risco de cardiopatia coronariana (Griel e Kris-Etherton, 2006, p. 258).

"possível" cardiopatia era indicada por sintomas vagos, como dor no peito.) Essa expansão da definição de cardiopatia, de modo a incluir diagnósticos incertos, introduziu um grau significativo de erro nos cálculos de risco, mas também permitiu que os líderes do estudo exibissem resultados compatíveis com a hipótese dieta-coração: uma progressão ascendente do índice de cardiopatias e do consumo de gordura saturada desde o Japão até a Califórnia, passando pelo Havaí.

Quando se levam em conta apenas os casos "inequívocos" de doença cardiovascular, porém, os japoneses de Honolulu, que ingeriam tanta gordura saturada quanto os da Califórnia, sofriam de um índice *menor* de cardiopatia do que os que haviam ficado no Japão (34,7 vs. 25,4 a cada mil). Os índices de colesterol no sangue também não tinham um alinhamento tão nítido. Na verdade, nenhum dos fatores de risco postulados pelos pesquisadores – colesterol no sangue, hipertensão, pressão sanguínea – era capaz de explicar as diferenças constatadas em matéria de cardiopatias. Tampouco podiam explicar como os homens no Japão conseguiam evitar as doenças coronarianas, já que quase todos eles fumavam.

Essas incoerências me deram a entender que talvez os dados tivessem algum problema muito mais grave. Perguntei-me, por exemplo, o que os autores queriam dizer quando escreveram que as informações sobre dieta haviam sido coletadas somente de uma "*sub*-amostra do grupo de San Francisco" (grifo meu). Assim, fui em busca do artigo sobre a metodologia do estudo NiHonSan, publicado dois anos antes. Parece que a equipe da Grande San Francisco havia fracassado completamente em sua tarefa. Não só haviam obtido informações de meros 267 sujeitos de pesquisa, em comparação com os 2.275 entrevistados no Japão e os incríveis 7.963 de Honolulu, como também haviam feito suas entrevistas uma só vez e de um único modo (um questionário de memória do que fora ingerido nas últimas 24 horas), ao passo que as outras duas equipes haviam avaliado a dieta em duas ocasiões separadas por vários anos e de quatro maneiras diferentes; claramente, e ao contrário do que alegavam os autores, não se empregara o "mesmo método" em todos os casos. No entanto, essas questões nunca são mencionadas, e eu mesma não as conheceria se não tivesse decidido procurá-las.

De todo modo, embora os japoneses residentes na Califórnia ingerissem mais gordura saturada, eles também estavam em contato com inúmeros outros fatores típicos das sociedades mais ricas do Ocidente: mais estresse, menos atividade física, mais poluição industrial, mais alimentos industrializados e refinados, entre outras coisas. Qualquer um desses fatores pode ter provocado as doenças cardíacas. É quase certo que o fato de os autores terem posto a culpa apenas nas gorduras saturadas e terem se esforçado para ocultar a qualidade questionável de seus dados reflita uma parcialidade em favor da hipótese da relação entre gordura e cardiopatias, que já era generalizada em 1970[16].

Além disso, será que os japoneses do Japão eram em geral mais saudáveis? É verdade que sofriam menos de isquemia cardíaca, mas, em comparação com os norte-americanos, apresentavam um índice muito mais alto de derrame – índice que caía quando os homens japoneses emigravam para os Estados Unidos. Outros estudos apontaram para uma incidência maior de derrame em populações que ingeriam pouca carne, leite, laticínios e ovos, em comparação com as que comiam esses alimentos em maior quantidade. Constatou-se também que os homens no Japão apresentam um índice mais alto de hemorragia cerebral fatal; esse problema foi associado ao baixo índice de colesterol no sangue e é muito menos comum nos Estados Unidos. Keys e seus colegas tentaram desmerecer essas descobertas quando elas vieram a público, no fim da década de 1970. No entanto, os índices de derrame e hemorragia cerebral, associados ao baixo colesterol, são altos até hoje no Japão. Os pesquisadores ainda não conseguiram determinar se esses problemas de saúde são, ou não, causados por uma dieta de baixo teor de colesterol.

---

16. Numa atualização feita seis anos depois, os autores relataram que a correlação entre cardiopatias e ingestão de gorduras saturadas desaparecera; um índice menor de mortalidade por doenças coronarianas estava correlacionado apenas com menor consumo de álcool, maior consumo de carboidratos e menor consumo de calorias no geral (Yano et al., 1978).

Além disso, apesar de os japoneses hoje comerem muito mais carne, ovos e laticínios do que jamais comeram desde o fim da Segunda Guerra Mundial, o índice nacional de doenças cardíacas caiu para o nível que Keys constatara na década de 1950. Isso significa que, embora a história da relação entre alimentação e doenças no Japão seja complexa, podemos afirmar, com base nessa única tendência, que não era a dieta de baixo teor de gordura saturada que protegia os japoneses das cardiopatias no pós-guerra.

Depois da publicação do NiHonSan e do estudo com os funcionários públicos israelenses, o *Lancet* fez um balanço dos dados em 1974. Os editores escreveram: "Até agora, apesar do esforço e do dinheiro empenhados, os indícios de que a eliminação de fatores de risco possa eliminar as cardiopatias são quase iguais a zero."

Falando sobre os dois estudos epidemiológicos que tinham acabado de ser publicados, continuaram: "Uma coisa está clara: não se deve identificar imediatamente uma correlação estatística com uma relação de causa e efeito." Trata-se de uma obviedade, mas era algo que valia a pena reafirmar em uma comunidade de nutricionistas que se sentia tentada a torcer os dados epidemiológicos para fazê-los parecer favoráveis à hipótese dieta-coração.

Os editores do *Lancet* sempre se manifestaram contrariamente à adoção precoce da hipótese dieta-coração. Durante muitos anos, o debate a esse respeito na Inglaterra foi muito mais franco e animado do que nos Estados Unidos. No Reino Unido, o ceticismo e mesmo a hostilidade diante dessa hipótese eram comuns. A aceitação apaixonada dessa hipótese pelos cientistas americanos deixava perplexos seus colegas britânicos. "Naquela época, a interpretação tinha um elemento emocional muito forte", declarou o influente cardiologista britânico Michael Oliver. "Aquilo me parecia totalmente fora do comum. Nunca entendi essa tremenda emoção associada à redução do colesterol." Gerald Shaper, outro britânico, que estudara os samburus do Quênia, também não conseguia entender os defensores norte-americanos da hipótese dieta-coração: "Pessoas como Jerry Stamler e Ancel

Keys fizeram aumentar a pressão sanguínea dos cardiologistas britânicos a um grau incrível. Era uma coisa estranha; não era racional, não era científica."

Os editores do *Lancet* às vezes zombavam da obsessão americana. Por que os norte-americanos suportavam os rigores de uma dieta com baixo teor de gordura? Os editores espantavam-se diante do fato de que "alguns crentes, há muito passados da flor da idade, deixam-se ver em público de short e camiseta regata, fazendo exercícios em seu tempo livre, e depois voltam para casa e fazem uma refeição de indescritível restrição calórica [quando] não há prova alguma de que tal atividade possa obstar as doenças coronarianas".

O *Lancet* também fez soar um alarme que logo seria ecoado por outros: "A cura não deve ser pior que a doença", escreveram os editores, referindo-se ao antigo lema dos médicos: "Primeiro, não prejudicar." Talvez a redução da gordura na dieta pudesse produzir alguma consequência inesperada, como a falta de ácidos graxos "essenciais" (as gorduras que o próprio corpo é incapaz de produzir). Com efeito, Seymour Dayton preocupou-se ao constatar entre os sujeitos que haviam adotado a "dieta prudente" um índice baixíssimo de ácido araquidônico, um ácido graxo essencial presente sobretudo em alimentos de origem animal. Outra consequência possível da diminuição da ingestão de gorduras era o aumento aparentemente inevitável do consumo de carboidratos, que certamente ocorreria por uma razão muito simples. Só há três tipos de macronutrientes: proteínas, gorduras e carboidratos. A redução da ingestão de alimentos de origem animal (feitos principalmente de proteína e gordura) faria com que o consumo se voltasse para o único macronutriente restante, os carboidratos. Na prática, um café da manhã sem ovos e bacon (gordura e proteínas) teria frutas ou cereais (carboidratos). Um jantar sem carne teria macarrão, arroz ou batatas. Os especialistas agora se lamentam de que essa mudança dietética tenha ocorrido, com resultados alarmantes para a saúde na segunda metade do século XX. Os temores do *Lancet*, como se vê, eram completamente justificados.

Nos Estados Unidos, Pete Ahrens, que ainda era o principal crítico da dieta prudente, continuou a divulgar seu alerta central: a hipótese dieta-coração "ainda é uma *hipótese* [...] creio sinceramente que *não* devemos [...] fazer recomendações gerais de dietas e medicamentos ao público em geral neste momento"[17].

No fim da década de 1970, contudo, o número de estudos científicos havia crescido a tal ponto – numa "proporção não administrável", segundo um patologista da Universidade Columbia – que se chegara a uma situação de sobrecarga. Dependendo de como se interpretavam os dados e do peso que se atribuía a todas as ressalvas, era possível unir os pontos de maneira a formar desenhos muito diferentes. As ambiguidades naturais dos estudos sobre nutrição abriram a porta para que muitos estudos fossem influenciados por opiniões preconcebidas – opiniões essas que se solidificaram e se transformaram numa espécie de fé. Segundo Daniel Steinberg, especialista em colesterol, naquela época havia apenas os "fiéis" e os "infiéis". Várias interpretações dos dados eram possíveis e igualmente convincentes, mas os "fiéis" aceitavam apenas uma delas, ao passo que os "infiéis" se tornaram hereges proscritos do sistema.

Assim, as defesas normais da ciência moderna foram vencidas por um conjunto de forças que se reuniram nos Estados Unidos do pós-guerra. Ainda jovem e impressionável, e impelida pela urgência de curar as doenças cardíacas, a ciência da nutrição se curvou diante de líderes carismáticos. Uma hipótese havia ocupado o centro do palco; disponibilizou-se muito dinheiro para colocá-la à prova e a comunidade dos nutricionistas abraçou a ideia. Em pouco tempo, já não existia espaço para debates. Os Estados Unidos embarcaram num gigantesco experimento de corte do consumo de carne, leite e derivados e da ingestão de gordura em geral, transferindo o consumo de calorias para cereais,

---

17. Os "medicamentos" a que Ahrens se referia eram os da primeira geração de combate ao colesterol alto: o clofibrato e a niacina, que, em três grandes estudos clínicos, não conseguiram demonstrar que a redução do colesterol tinha como efeito a redução de ataques cardíacos em homens de meia-idade depois de cinco anos ("Trial of Clofibrate in the Treatment of Ischaemic Heart Disease", 1971).

frutas e hortaliças. As gorduras saturadas de origem animal foram substituídas por óleos vegetais poli-insaturados. Era uma dieta nova, que ainda não tinha sido testada – uma simples ideia, mas apresentada aos norte-americanos como uma verdade inconteste. Muitos anos depois, a ciência começou a mostrar que essa dieta, no fim das contas, não era tão saudável. Mas já era tarde, pois ela fora adotada como dieta oficial do país havia décadas.

5

A DIETA DE BAIXO TEOR DE GORDURA CHEGA A WASHINGTON

A dieta de baixo teor de colesterol se tornou um princípio oficial de saúde pública não apenas por ser entusiasticamente apoiada pela AHA e pelos nutricionistas como solução para as cardiopatias, mas também (e isto é ainda mais importante) porque adquiriu o respaldo do gigantesco poder do Estado norte-americano. No fim da década de 1970, o Congresso passou a se manifestar sobre o que os norte-americanos deveriam comer. Esse envolvimento do Estado deu novo fôlego à dieta de baixo teor de gordura, tirando-a do domínio da ciência e introduzindo-a no mundo da política e do governo. Ao longo dos 15 anos anteriores, a comunidade científica havia endossado uma ideia sobre dieta e cardiopatias antes de colocá-la adequadamente à prova e, assim, havia fracassado segundo os próprios padrões científicos. Mas, quando o governo federal se envolveu, as poucas oportunidades de autocorreção que os cientistas ainda tinham foram perdidas de vez. Com sua burocracia titânica e suas obedientes cadeias de comando, Washington é o oposto de um ambiente onde a dúvida metódica – tão essencial para a boa ciência – possa sobreviver. Quando o Congresso adotou a hipótese dieta-coração, a ideia se impôs como um dogma onipotente e inexpugnável. A partir desse ponto, foi praticamente impossível voltar atrás.

Tudo começou em 1977, quando a Comissão de Nutrição e Necessidades Humanas do Senado examinou a questão da dieta e das doenças nos Estados Unidos. Com um excelente orçamento de meio milhão de dólares, a comissão já havia tratado da questão da fome, ou *sub*nutrição. Voltou-se então para a questão da *super*nutrição: se o consumo excessivo de determinados alimentos poderia produzir doenças. Afinal, qual senador de meia-idade não apoiaria uma investigação sobre as cardiopatias, que constituíam a principal causa de morte entre os senadores de meia-idade?

Assim, em julho daquele ano, a comissão presidida pelo senador George McGovern promoveu dois dias de audiências sobre "A relação entre a alimentação e doenças fatais"[1]. A comissão era composta de advogados e ex-jornalistas que sabiam pouco mais que os leigos interessados sobre temas como a gordura e o colesterol e ignoravam quase por completo a controvérsia científica que vinha cozinhando em banho-maria havia anos. O próprio McGovern era suspeito de parcialidade, pois participara havia pouco de um programa de uma semana no centro fundado por Nathan Pritikin, guru de estilo de vida e devoto da dieta de baixo teor de gordura.

Depois das audiências, Nick Mottern, que era membro da comissão, comandou as pesquisas e a redação do relatório. Mottern era um progressista zeloso, ex-jornalista especializado em temas trabalhistas para o pequeno informativo semanal *Consumer News*, de Washington, e combatia a influência das grandes empresas. Contudo, não tinha formação alguma nas áreas de nutrição e saúde. Por isso, estava muito mal preparado para entender as sutilezas do tamanho das amostras de estudo, por exemplo, ou os problemas da epidemiologia. Não tinha a experiência necessária para saber que, para interpretar dados científicos, sempre é melhor buscar diversas opiniões. Ao contrário, apoiava-se quase exclusivamente em Mark Hegsted, professor de nutrição na Escola de Saúde Pública de Harvard e defensor ferrenho da hipótese dieta-coração. (Keys teria sido um dos candidatos a ocupar esse posto na comissão, mas

---

1. A história dos trabalhos da comissão sobre esse tópico foi apresentada pela primeira vez num artigo publicado na revista *Science* (Taubes, 2001).

havia se aposentado em 1972.) Tomando Hegsted como guia, Mottern recomendou uma dieta compatível com a que vinha sendo recomendada pela AHA: as gorduras totais deveriam baixar de 40% para 30% do total de calorias, com um máximo de 10% de gorduras saturadas; e os carboidratos deveriam passar a responder por 55% a 60% do total de calorias. (Mottern introduziu a expressão "carboidratos complexos" no vocabulário da nutrição. Referia-se aos cereais integrais na medida em que se distinguem de carboidratos refinados, como o açúcar[2].)

No fim, a comissão adotou essa concepção do que seria uma dieta saudável. Ela era compatível, aliás, com a visão crítica que Mottern tinha dos frigoríficos, do setor de laticínios e do setor de ovos. Mottern objetava a esses setores por razões ambientais e éticas (e, mais tarde, dirigiu durante vários anos um restaurante vegetariano no norte do estado de Nova York). Tendo estudado de perto o mundo dos produtores de carne, achava que o setor inteiro era corrupto. McGovern era senador de Dakota do Sul, estado com grandes rebanhos de gado, e Mottern conhecera muitos membros da Associação Nacional dos Criadores de Gado que entravam pisando duro no gabinete para conversar com o senador. Além disso, o próprio Mottern recebera chamadas telefônicas de criadores que pretendiam mudar o rumo de seu relatório.

Essa influência dos lobistas inflamava o idealismo de Mottern. Talvez pelo fato de Mottern trabalhar no Congresso, a questão da gordura e do colesterol não era para ele apenas um debate científico sobre temas de nutrição e saúde, mas uma controvérsia política entre interesses alimentícios concorrentes. A seu ver, a controvérsia opunha a virtuosa dieta de baixo teor de gordura, endossada pela AHA, aos mesquinhos setores de produção de carne e ovos, cuja "dissimulação" dos problemas da gordura se assemelhava, na mente dele, aos esforços do setor do tabaco para encobrir os efeitos negativos do fumo sobre a saúde. "Nick realmente queria encontrar um inimigo e transformar aquela questão numa luta entre o bem e o mal", lembra-se Marshall Matz, um

---

2. O relatório de Mottern também recomendava uma redução no consumo de açúcar (sendo esta a quinta de seis recomendações), mas esse objetivo ficou para trás à medida que os pesquisadores passaram a se concentrar mais na gordura e no colesterol.

dos advogados da comissão. Para Mottern, o lado que ele escolheria estava claro. Impressionado por pesquisadores como Jerry Stamler, que testemunhou em nome da AHA, Mottern concluiu que "aqueles cientistas estavam dispostos a enfrentar o dinheiro e a pressão da indústria", como ele me disse. "Eu os admirava."

A realidade era que, apesar de evidentemente defenderem os próprios interesses, os setores dos ovos, da carne e do leite não eram, de maneira alguma, os *lobbies* mais ativos em matéria de alimentos. Os verdadeiros pesos-pesados eram as grandes fabricantes de alimentos processados, como a General Foods, a Quaker Oats, a Heinz, a National Biscuit Company e a Corn Products Refining Corporation. Em 1941, essas empresas haviam criado a Fundação para a Nutrição, um grupo que trabalhava para influenciar a opinião pública com técnicas muito mais sutis do que entrar pisando duro no gabinete de um senador. A fundação dirigia os rumos da ciência na fonte, desenvolvendo relacionamentos com pesquisadores acadêmicos, financiando importantes conferências científicas e canalizando milhões de dólares diretamente para as pesquisas (muito antes de o NIH começar a financiar pesquisas). Assim, aliada às empresas que trabalhavam individualmente, a fundação foi capaz de influenciar as opiniões científicas à medida que estas se formavam[3].

A promoção de alimentos à base de carboidratos – cereais matinais, pães, bolachas e salgadinhos, por exemplo – era o tipo de conselho dietético que essas grandes empresas alimentícias favoreciam, pois eram esses os produtos que vendiam. A preferência pelos óleos poli-insaturados em detrimento das gorduras saturadas também atendia a seus interesses, pois esses óleos faziam parte dos ingredientes principais de seus biscoitos e bolachas e constituíam o ingrediente principal das margarinas e demais gorduras vegetais hidrogenadas. Portanto, a orientação pró-carboidratos e antigordura animal do relatório de Mottern era perfeitamente adequada para as grandes empresas do setor alimentício. Por outro lado, o relatório em nada colaborou com os interesses dos pro-

---

3. Muitas grandes empresas alimentícias tinham seus próprios institutos de pesquisa. É o caso do Corn Products Institute e do Wesson Fund for Medical Research.

dutores de ovos, carne e leite, apesar de sua reputação de bichos-papões que rondavam Washington. Por mais que tenham tentado, seus esforços de *lobby* não foram tão bem-sucedidos.

Um preconceito contra a carne

O desprezo que Mottern sentia pelo *lobby* do gado refletia um preconceito contra a carne vermelha que já era forte no fim da década de 1970, quando ele escreveu seu relatório. Hoje, a visão da carne vermelha como algo impuro e malsão já se encontra tão arraigada em nossas crenças que é difícil imaginar que as coisas não sejam assim, mas os leitores deste livro já estão cientes de que sempre é preciso encarar com certo ceticismo essas ideias convencionais. Quais são, no fim das contas, os dados científicos que impugnam a carne vermelha? É importante saber exatamente quais são os indícios que podem servir de base para as alegações contra a carne, especialmente pelo fato de que notícias aparentemente ruins sobre a carne vermelha parecem multiplicar-se a cada ano que passa.

Nas décadas de 1950 e 1960, Ancel Keys e seus colegas não consideravam a carne vermelha pior que outros alimentos ricos em gordura saturada e colesterol; tanto a carne quanto o queijo, o creme de leite e os ovos eram condenados com a mesma veemência por seu poder de elevar o índice de colesterol total e, portanto, seu potencial de causar doenças cardíacas. Já fazia tempo, no entanto, que a carne vermelha era encarada com desconfiança pela cultura ocidental: era associada não só com a gula, mas também com o poder de incitar a sensualidade e a virilidade, geralmente tidas como impedimentos à vida espiritual[4].

---

[4]. Essas eram algumas das razões pelas quais Pitágoras era vegetariano. O reverendo William Cowherd, um dos fundadores da Sociedade Vegetariana da Inglaterra, no começo do século XIX, pregava que "tomar carne como alimento" era um dos fatores da queda do homem e que a capacidade da carne de inflamar as paixões impedia que a alma fosse recebida "no divino amor e na divina sabedoria". Essas ideias foram adotadas por reformadores protestantes norte-americanos do século XIX, como o reverendo Sylvester Graham. Entretanto, vale observar que, tanto em textos gregos antigos

Além disso, a necessidade de matar animais para comer sua carne propõe um dilema ético – mais pronunciado no caso de animais grandes, como as vacas, que talvez nos pareçam mais sencientes que os frangos, por exemplo. Esses escrúpulos morais se intensificaram nos últimos 100 anos, alimentados pelas práticas desumanas e corruptas da produção de carne em escala industrial. À medida que os norte-americanos tomaram consciência da pobreza em outros países do mundo e do crescimento populacional, a carne vermelha também passou a ser considerada um desperdício. O livro de 1971 *Diet for a Small Planet* [Dieta para um pequeno planeta], de Frances Moore Lappé, que marcou época quando foi lançado, procurava defender a ideia de que o gado criado para satisfazer a gula dos norte-americanos representava um tremendo desperdício de proteínas, que poderiam em vez disso estar alimentando os povos subnutridos de países pobres. Para Lappé, o consumo de carne era particularmente ineficiente, pois o gado consumia 21 quilos de vegetais para produzir um quilo de carne.

Esses e outros argumentos contra a ingestão de carne vermelha eram bastante compatíveis com a tese de Ancel Keys de que deveríamos cortar o consumo de gordura saturada. Assim, a dieta que ele recomendava se afigurou muito mais intuitiva para um país inteiro de consumidores responsáveis. Como resultado, desde a década de 1970 um preconceito contra a carne vermelha se consolidou, mesmo na comunidade científica. Esse preconceito se reflete em como os experimentos são realizados e interpretados.

Um dos exemplos mais claros de preconceito nesse campo é o estudo mais famoso já feito com sujeitos de pesquisa vegetarianos. Esse estudo envolveu 34 mil homens e mulheres adventistas do sétimo dia, que foram acompanhados por pesquisadores ao longo das décadas de 1960 e 1970. A Igreja Adventista prescreve uma dieta vegetariana. Permite o consumo de ovos, leite e laticínios, mas de pouquíssima carne

---

quanto na Bíblia, a carne é apresentada como o alimento dos deuses. No primeiro livro de Moisés, por exemplo, Caim apresenta a Deus uma oferenda de vegetais, e Abel lhe oferece "as primícias e a gordura de seu rebanho". Ora, "o Senhor agradou-se de Abel e de sua oferenda, mas não se agradou de Caim e de sua oferenda" (Gênesis, 4,4). Sobre Pitágoras, Spencer, 2000, pp. 38-69; sobre Cowherd, Spencer, 2000, p. 243).

e peixe. Em 1978, investigadores relataram que os homens adventistas que seguiam essa dieta apresentavam um índice mais baixo de todos os tipos de câncer (exceto de câncer da próstata, que era mais alto) do que os homens não adventistas, e também menos mortes por cardiopatias. As mulheres, por outro lado, não tinham benefício algum[5] e apresentavam maior risco de sofrer de câncer do endométrio – um dos muitos exemplos de um efeito contrário sobre as mulheres que passou despercebido por não haver sido devidamente divulgado.

Esse estudo é largamente citado como a prova fundamental de que a dieta vegetariana é superior à dieta com carne. No entanto, mais uma vez podemos identificar no estudo diversos problemas que o tornam indigno de confiança. Por exemplo, um grupo de sujeitos de pesquisa adventistas foi comparado com um grupo de controle que morava no lado oposto do país, em Connecticut, onde não se podia presumir que os fatores ambientais fossem semelhantes (de fato, a mortalidade por causas coronarianas era 38% mais alta na costa leste do que na costa oeste, e essa variação por si só era capaz de explicar os diferentes índices de cardiopatia observados). O mais importante, porém, era que os homens adventistas que seguiam a doutrina vegetariana da igreja também tendiam a seguir outros conselhos de vida dos adventistas. Tendiam a não fumar e a participar da comunidade social e religiosa da igreja. Todas essas variáveis são associadas com uma saúde melhor, de modo que se torna impossível determinar em que medida a dieta por si só era responsável pelos resultados. (Além disso, a dieta foi avaliada apenas uma vez em 20 anos, e apenas para os sujeitos de pesquisa que se dispuseram a preencher um questionário. Isso cria uma distorção, pois as pessoas que participam tendem a ser mais saudáveis do que os que não querem ou não podem participar[6].) O próprio diretor do estudo reconheceu esses problemas[7]. Por fim, um dos vieses mais

---

[5]. As mulheres idosas estudadas, no entanto, apresentaram índices ligeiramente mais baixos de doença cardíaca.

[6]. Esse "viés do voluntário saudável" foi reconhecido pelos líderes do estudo, que tentaram levá-lo em conta (Fraser, Sabaté e Beeson, 1993, p. 533).

[7]. Gary Fraser, o epidemiologista da Universidade Loma Linda que assumiu há pouco o comando do estudo (que ainda continua), escreveu que essas "variáveis com

flagrantes, que porém não foi mencionado em nenhum dos artigos sobre o estudo, é que a Universidade Loma Linda, que o promoveu, é uma instituição administrada por adventistas para adventistas.

Apesar de suas falhas óbvias, o estudo dos adventistas é um dos indícios basilares citado como "prova" da crença de que a carne vermelha é insalubre. Estudos mais recentes citados para consolidar essa ideia sofrem de defeitos semelhantes. Em 12 de março de 2012, por exemplo, os meios de comunicação publicaram manchetes assustadoras, como esta do *New York Times*: "Riscos: mais carne vermelha, mais mortalidade." A reportagem se referia à descoberta de que meros 90 gramas a mais de carne vermelha por dia estavam associados a um risco 12% maior de morte em geral, incluindo um risco 16% maior de morte por causas cardiovasculares e um risco 10% maior de morte por câncer. O anúncio desses resultados de pesquisa ecoou pelo mundo afora e foi noticiado em quase todos os países.

Os dados desse relatório vieram do chamado Estudo da Saúde das Enfermeiras II, que acompanhou mais de 166 mil enfermeiras durante mais de 20 anos e se conta entre os maiores e mais prolongados estudos epidemiológicos já realizados. Para a análise da carne vermelha, os pesquisadores da Escola de Saúde Pública de Harvard, que dirige o estudo, compararam os dados das enfermeiras com um conjunto semelhante, porém menor, de dados sobre médicos do sexo masculino colhidos em outro estudo epidemiológico supervisionado por eles. Nos questionários respondidos por esses médicos e enfermeiras, os investigadores descobriram uma correlação entre o consumo de carne vermelha e o aumento da mortalidade. Entretanto, sabemos que uma correlação pode ser mera coincidência – não demonstra causa e efeito, e, além de tudo, a correlação em questão era bem fraca.

potencial de causar confusão" dificultavam a identificação exata do que poderia estar protegendo a saúde dos adventistas. Objetou também ao modo que William Castelli, o então diretor do estudo de Framingham, estava exagerando os resultados do estudo com os adventistas. Castelli afirmava que os adventistas do sétimo dia corriam "um sétimo" do risco de ataque cardíaco em relação aos outros norte-americanos, mas Fraser o corrigiu, asseverando que a diferença, na verdade, era apenas "modesta" (Fraser, 1988; Fraser, Sabaté e Beeson, 1993, p. 533).

Os números propriamente ditos que embasavam a proporção de 12% (as porcentagens geralmente parecem mais dramáticas quando são calculadas a partir de quantidades pequenas) mostram que o aumento no risco de morte era de somente uma pessoa em cada 100 ao longo dos 21 anos do estudo. Além disso, esse risco não variava em perfeita conformidade com o consumo de carne (ou seja, certa quantidade de carne consumida a mais não se traduzia diretamente em certa quantidade de risco a mais – sendo essa relação de "dose-resposta" considerada pelos epidemiologistas crucial para provar a confiabilidade de uma correlação). Com efeito, o risco correlacionado com o consumo de carne vermelha no estudo de Harvard caía progressivamente à medida que aumentava o consumo de carne, e só piorava no grupo dos mais ávidos comedores de carne – uma descoberta estranha, que dava a entender que talvez não existisse correlação alguma.

Mas e esses grandes comedores de carne? Eles não serviriam de alerta? Muitos outros estudos de observação evidenciaram uma correlação entre comer uma grande quantidade de carne vermelha e problemas de saúde. Não seria possível que um alto consumo de carne vermelha desencadeasse um efeito que só se manifestava de forma perceptível depois de um limiar bem alto? Ou – o que seria mais provável – talvez esse efeito se manifestasse porque as pessoas que comem muita carne vermelha hoje têm um estilo de vida mórbido de modo geral, por razões que não têm nada a ver com a carne. Quando escolheu comer bastante carne vermelha, a maioria dessas pessoas ignorou um dos conselhos mais básicos dados por médicos, enfermeiras e autoridades de saúde durante décadas. É muito provável, portanto, que essas pessoas estejam também descuidando de outros aspectos da saúde: provavelmente não vão ao médico com regularidade, não tomam medicamentos quando necessário, não fazem exercícios físicos com frequência, não frequentam eventos culturais nem se inter-relacionam de modo significativo com suas comunidades – visto que se demonstrou que todos esses fatores têm correlação com a boa saúde. Portanto, não surpreende que, no estudo de Harvard, tenha sido constatado que os maiores comedores de carne também eram menos ativos fisicamente, mais obesos e mais tendentes a fumar.

Do mesmo modo, também é verdade que as pessoas que comeram grande quantidade de frutas e hortaliças nas últimas décadas são mais saudáveis por motivos que não têm nada a ver com a dieta. Há muito se constatou que as pessoas que fazem um esforço consciente para seguir as ordens de seus médicos, quer para tomar um medicamento, quer para fazer exercícios com mais regularidade, são mais saudáveis que as que não fazem esse esforço. Esse efeito, chamado de efeito de "observância" ou de "adesão", foi descoberto durante o Projeto dos Medicamentos Coronarianos na década de 1970, quando os pesquisadores constataram que o risco de infarto dos homens que tomavam religiosamente o medicamento estudado caíra pela metade. Surpreendentemente, no entanto, o risco de infarto dos homens que tomaram religiosamente o placebo *também* caiu pela metade. O valor objetivo da intervenção tinha menos importância que a disposição de seguir as ordens do médico. No fim, parece que as pessoas que seguem zelosamente os conselhos recebidos são, de algum modo, bastante diferentes das que tendem a não segui-los; talvez cuidem mais de si mesmas de maneira geral, talvez sejam mais ricas. Seja como for, os estatísticos em geral admitem que esse efeito de observância é bem forte.

Portanto, para que seja significativa, qualquer correlação entre o consumo de carne e as doenças deve ser grande o suficiente para tornar insignificante esse efeito de observância e outras variáveis que possam causar confusão. No entanto, como no estudo de Harvard em 2012, as correlações constatadas entre o consumo de carne vermelha e as cardiopatias são, em geral, mínimas – e esse é um detalhe científico para o qual os líderes dos estudos tendem a não chamar a atenção, e que também foi largamente ignorado pelos grandes meios de comunicação.

São igualmente inconclusivos os dados referentes ao outro grande problema de saúde que se supõe ser relacionado à carne vermelha: o câncer. De acordo com um relatório de 2007 do Fundo Mundial de Pesquisa do Câncer e do Instituto Americano de Pesquisa do Câncer, um documento de 500 páginas que representa a revisão sistemática mais abalizada sobre a relação entre dieta e câncer já feita até hoje, a carne vermelha causa câncer colorretal. Apesar disso, também nesse caso a diferença entre os que comiam mais carne vermelha e os que comiam menos era minúscula – de apenas 1,29 (esse número, chamado "risco relativo", era ainda mais baixo para as carnes processadas: apenas 1,09). Isso está longe de constituir os "indícios convincentes" proclamados pelo relatório de 2007, visto que o próprio NCI recomenda que qualquer risco relativo inferior a 2 seja interpretado "com cautela". Por essa e por outras razões, os especialistas criticaram fortemente essas descobertas sobre carne vermelha. Como observou um dos críticos: "No máximo, os dados disponíveis indicam um vínculo com os chamados agentes cancerígenos HCA, gerados quando a carne vermelha é cozida ou frita."[8] Como veremos daqui a pouco, esse aparente efeito carcinogênico pode ter menos a ver com a carne em si e mais com o óleo no qual ela é frita.

Como os norte-americanos comiam

Apesar desses dados frágeis e não raro contraditórios, a ideia de que a carne vermelha é a grande vilã da dieta tomou conta do discurso norte-americano há décadas. Fomos levados a crer que nos afastamos de um passado mais perfeito, em que comíamos menos carne. Em especial, numa conferência de imprensa realizada em 1977, quando o senador McGovern anunciou o relatório de sua comissão, intitulado *Dietary Goals* [Metas alimentares], expressando uma perspectiva sombria sobre os rumos da dieta norte-americana. "Nossa dieta mudou radicalmente nos últimos 50 anos", explicou, "e isso teve um efeito imenso, e muitas vezes prejudicial, sobre nossa saúde." Hegsted, em pé a seu lado, criticou a dieta norte-americana da época por ser excessiva-

---

8. Konrad Bielsalski, especialista em nutrição da Universidade Hohenheim, de Stuttgart, também chamou a atenção para um fato contraintuitivo: muitos dos nutrientes implicados na proteção contra o câncer, como a vitamina A, o ácido fólico, o selênio e o zinco, em razão dos quais nos recomendam que comamos mais frutas e hortaliças, não somente são mais abundantes na carne como também são mais "biodisponíveis", ou seja, são mais facilmente absorvidos pela corrente sanguínea quando consumidos na carne do que quando consumidos em hortaliças (Biesalski, 2002).

mente "rica em carne" e em outras fontes de gordura saturada e de colesterol, substâncias "ligadas às doenças cardíacas, a certas formas de câncer, ao diabetes e à obesidade". McGovern chamou esses males de "doenças assassinas". A solução, conforme declarou, era que os americanos voltassem à dieta mais saudável de outrora, baseada principalmente em vegetais.

Jane Brody, colunista do *New York Times*, captou perfeitamente essa ideia quando escreveu: "Neste século, a dieta do americano médio sofreu uma mudança radical. Deixou de lado alimentos de origem vegetal, como cereais, leguminosas, batatas e outras hortaliças e frutas, e abraçou os alimentos derivados de animais – carne, peixe, aves, ovos, leite e laticínios." Essa opinião encontra eco em literalmente centenas de relatórios oficiais.

A justificativa da ideia de que nossos antepassados viviam à base de frutas, hortaliças, cereais e leguminosas vem principalmente dos "dados de desaparecimento de alimentos" do USDA. O "desaparecimento" de alimentos é uma estimativa aproximada da oferta de alimentos; boa parte é consumida, mas uma fração também é desperdiçada. Os especialistas, por isso, reconhecem que esses números são estimativas grosseiras do consumo. Sabe-se que os dados do começo do século XX, usados por Brody, McGovern e outros, eram especialmente imprecisos. Entre outros problemas, esses dados só levavam em conta a carne, os laticínios e outros alimentos frescos que cruzavam fronteiras entre estados, de modo que não incluíam alimentos produzidos e consumidos localmente, como a carne de uma vaca ou os ovos de uma galinha. E, visto que os agricultores e os criadores de animais perfaziam mais de um quarto de todos os trabalhadores naqueles anos, a quantidade de alimentos produzidos e consumidos localmente deveria ser imensa. Os especialistas concordam em que esses dados antigos sobre alimentos comercializados não são próprios para nenhum uso sério, mas citam esses números de qualquer modo, pois não há outros dados disponíveis. Já do período anterior a 1900, não dispomos de absolutamente nenhum dado "científico".

Na ausência de dados científicos, a historiografia pode proporcionar um panorama do consumo de alimentos nos Estados Unidos no fim do século XVIII e ao longo de todo o século XIX. Embora os indícios historiográficos sejam circunstanciais, também podem ser rigorosos. Nesse caso, certamente são mais precisos que os dados rudimentares do USDA. Os especialistas em nutrição raramente consultam textos históricos, pois consideram que esses textos pertencem a outro segmento acadêmico e têm pouco ou nada a oferecer aos estudos sobre alimentação e saúde. No entanto, a historiografia tem muito a nos ensinar sobre o que os seres humanos costumavam comer ao longo dos muitos milhares de anos que precederam a disseminação das cardiopatias, do diabetes e da obesidade. É claro que quase nunca nos lembramos disso, mas o fato é que essas doenças nem sempre foram tão comuns como são hoje. E, quando examinamos os padrões alimentares de nossos predecessores norte-americanos, que eram relativamente saudáveis, fica claro que eles comiam muito mais carne vermelha e muito menos hortaliças do que se costuma pensar.

Segundo diversos relatos, os primeiros colonos norte-americanos eram agricultores "indiferentes". Não empenhavam muito esforço nem na pecuária nem na lavoura e, nas palavras de um viajante sueco, "os campos de cereais, os prados, as florestas, o gado etc., eram todos tratados com igual descuido". De fato não fazia muito sentido plantar e criar animais, pois era muito fácil obter carne.

A abundância da América do Norte nos primeiros anos após o descobrimento era surpreendente. Os colonos registraram a extraordinária fartura de perus, patos, faisões e outras aves selvagens. Bandos de aves migratórias escureciam o céu durante *dias* a fio. O saboroso maçarico esquimó parecia tão gordo que estourava ao cair na terra, cobrindo o chão com uma espécie de graxa. (Os habitantes da Nova Inglaterra chamavam essa ave, ora extinta, de *doughbird* – pássaro-massa.)

Nas florestas, havia ursos (apreciados por sua gordura), guaxinins, gambás, lebres e multidões de veados – tantos que os colonos não se davam ao trabalho de caçar alces ou bisões, uma vez que o transporte e a conservação de quantidades tão grandes de carne eram vistas como um esforço excessivo[9].

Um viajante europeu, descrevendo sua visita a uma grande fazenda no sul do país, disse que comeu carne de vaca, vitela, cordeiro, veado, peru e ganso, mas não menciona uma única hortaliça. Os bebês comiam carne antes ainda de lhes nascerem os dentes. O romancista inglês Anthony Trollope, numa viagem aos Estados Unidos em 1861, relatou que os norte-americanos comiam o dobro de carne bovina que os ingleses. Charles Dickens, numa visita, escreveu que "nenhum café da manhã é café da manhã" sem um bom bife. Ao que parece, começar o dia à base de flocos de trigo e leite desnatado – nosso "Café da manhã dos campeões" – não seria considerado suficiente nem para um criado.

Com efeito, durante os primeiros 250 anos de história dos Estados Unidos, desde antes da independência, até os pobres tinham condições de comer carne ou peixe em todas as refeições. Foi exatamente o fato de os trabalhadores terem tanto acesso à carne que levou os observadores a considerarem a dieta do Novo Mundo superior à do Velho Mundo. No romance *O medidor de terrenos*, de James Fenimore Cooper, uma dona de casa na fronteira diz: "Considero que uma família chegou ao desespero quando a mãe consegue ver o fundo do barril de carne de porco."

Como as tribos primitivas mencionadas no capítulo 1, os norte-americanos apreciavam as vísceras dos animais. É o que nos dizem os livros de receitas da época. Comiam o coração, os rins, o bucho, os miolos, o fígado dos suínos, os pulmões das tartarugas, a cabeça e os pés de cordeiros e porcos e a língua dos cordeiros. A língua das vacas também era "altamente estimada".

Não somente a carne, mas gordura saturada em todas as formas era consumida em quantidade imensa. No século XIX, os norte-ameri-

---

9. A disponibilidade de tanta caça na América do Norte contrastava com o que ocorria em terras europeias, mais afetadas pela presença humana. Os camponeses europeus desejavam continuamente mais carne do que poderiam obter (Montanari, 1996).

canos comiam de quatro a cinco vezes mais manteiga do que comemos hoje e pelo menos seis vezes mais banha de porco[10].

No livro *Putting Meat on the American Table* [Pondo carne na mesa dos norte-americanos], o pesquisador Roger Horowitz vasculhou a literatura em busca de informações sobre o quanto de carne os norte-americanos efetivamente comiam. Um levantamento feito em 1909 com 8 mil norte-americanos que moravam em cidades mostrou que os mais pobres entre eles comiam 61,7 quilos por ano, e os mais ricos, mais de 90 quilos. Um orçamento alimentar publicado no *New York Tribune* em 1851 prevê 900 gramas por dia para uma família de cinco pessoas. Até aos escravos, na virada do século XVIII, se concediam em média 68 quilos por ano. Horowitz conclui: "Essas fontes nos imbuem de certa confiança para estimar um consumo anual médio entre 68 e 90 quilos por pessoa por ano ao longo do século XIX."

Cerca de 79 quilos por pessoa por ano! Compare-se esse número com os cerca de 45 quilos de carne que o adulto norte-americano médio come hoje. E, desses 45 quilos, mais da metade são aves – frango e peru –, ao passo que, até meados do século XX, o frango era considerado uma carne de luxo e só entrava no menu em ocasiões especiais (os frangos eram valorizados sobretudo pelos ovos). Subtraindo o fator aves, chegamos à conclusão de que o consumo de carne vermelha hoje fica, de acordo com diversas fontes de dados do governo, entre 18 e 32 quilos por pessoa por ano – de qualquer modo, muito menos do que era há um ou dois séculos.

No entanto, essa queda no consumo de carne vermelha é o oposto do que nos dizem as autoridades públicas. Um relatório recente do USDA diz que nosso consumo de carne atingiu um "recorde", e essa impressão é repetida pela mídia. O que se depreende daí é que nossos problemas de saúde estão associados a essa alta no consumo de carne,

---

10. O consumo de manteiga era de seis a nove quilos por pessoa por ano no século XIX, em comparação com menos de dois quilos no ano 2000. O consumo de banha era de cinco a seis quilos por pessoa, em comparação com menos de um quilo hoje. (O consumo de banha chegou ao auge entre 1920 e 1940, quando era de quase sete quilos por pessoa.) (Os números referentes ao século XIX são de Cummings, 1940, p. 258; os atuais são do USDA.)

Disponibilidade e consumo de carne nos Estados Unidos, 1800-2007: total, carne vermelha e aves

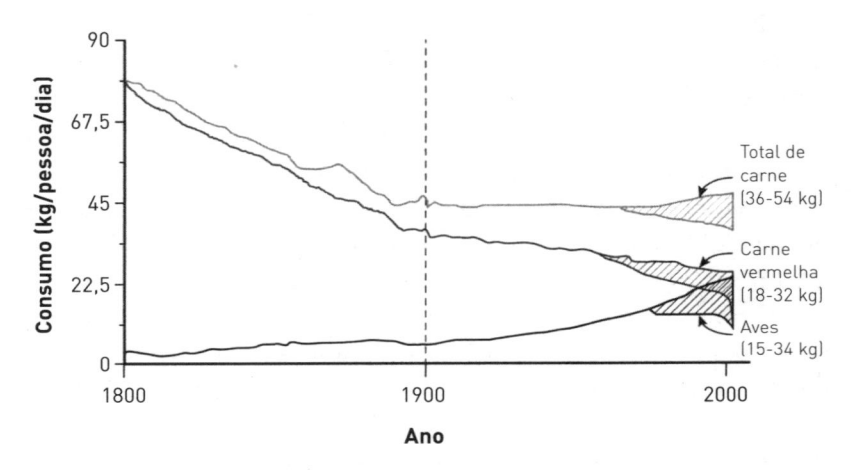

[Gráfico: eixo Y "Consumo (kg/pessoa/dia)" de 0 a 90; eixo X "Ano" de 1800 a 2000. Total de carne (36-54 kg); Carne vermelha (18-32 kg); Aves (15-34 kg).]

Fonte: Para os números referentes ao ano de 1800, ver Roger Horowitz, *Putting Meat on the American Table*. Baltimore, MD: Johns Hopkins University Press, 2000, pp. 11-17. Nas faixas referentes ao ano 2000, os limites superiores refletem a disponibilidade total de carne no mercado de alimentos e são dados pelo Serviço de Pesquisas Econômicas do USDA, e os limites inferiores refletem o consumo efetivo de acordo com dados do National Health and Nutrition Examination Surveys (NHANES). Tanto o valor superior quanto o inferior foram calculados por Carrie R. Daniel et al., "Trends in Meat Consumption in the USA". *Public Health Nutrition*, v. 14, n. 4, fig. 2, p. 578, 2011.

Nos séculos XVIII e XIX, os norte-americanos comiam muito mais carne vermelha do que comem hoje.

mas essas análises induzem a erro, pois embolam a carne vermelha e o frango numa única categoria para mostrar que o consumo geral de carne cresceu, apesar de apenas o consumo de frango ter crescido astronomicamente a partir da década de 1970. Uma visão mais exata nos mostra claramente que hoje comemos muito menos carne vermelha do que nossos antepassados comiam.

Além disso, ao contrário da impressão mais comum, parece que os primeiros norte-americanos comiam poucas hortaliças. As verduras só davam em determinada época do ano e, no fim, considerava-se que seu cultivo não valia o esforço. Segundo um observador do século XVIII,

Disponibilidade de carne nos Estados Unidos, 1909-2007: total, carne vermelha e aves

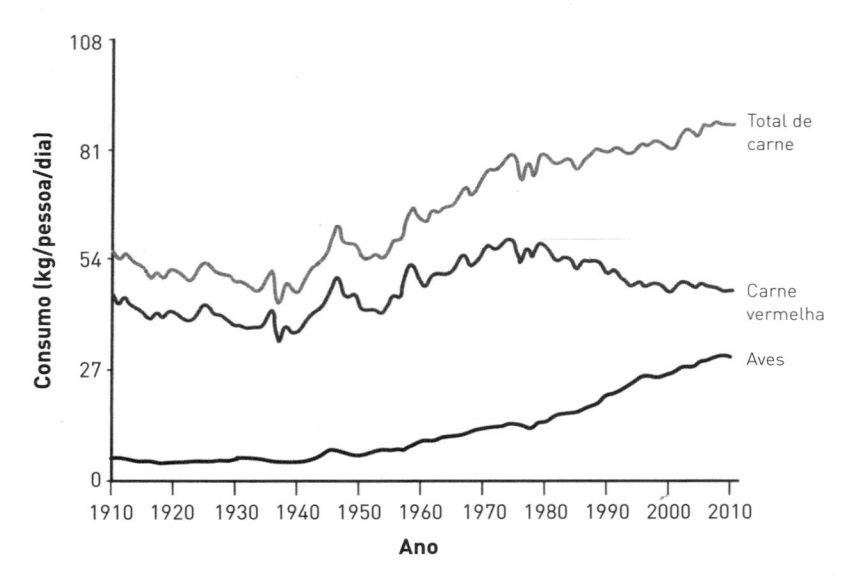

Fonte: US Department of Agriculture, Economic Research Service. O governo já não publica esses dados on-line, mas eles podem ser encontrados em: Neal D. Barnard, "Trends in Food Availability, 1909-2007". *American Journal of Clinical Nutrition*, v. 91, n. 5, tab. 1, p. 1531S, 2010.

Os norte-americanos hoje consomem mais carne que há um século, mas isso se deve ao aumento do consumo de aves, não de carne vermelha.

elas "pareciam fornecer tão poucos nutrientes em comparação com o trabalho despendido em seu cultivo" que "os agricultores preferem alimentos mais substanciosos". Com efeito, um relatório pioneiro preparado em 1888 para o governo norte-americano pelo maior especialista acadêmico em nutrição da época concluiu que o melhor para os norte-americanos viverem com sabedoria e economia seria "evitar as hortaliças folhosas", cujo conteúdo nutricional era tão ínfimo. Mesmo no que se refere às frutas, poucos agricultores da Nova Inglaterra tinham grandes pomares, pois a preservação das frutas exigia que se usasse uma quantidade igual da fruta e de açúcar, o que saía caro demais. A exceção eram as maçãs, e mesmo estas, guardadas em barris, duravam apenas alguns meses.

Quando paramos para pensar, parece óbvio que, antes de as grandes cadeias de supermercados começarem a importar kiwis da Nova Zelândia e abacates de Israel, um fornecimento regular de frutas e hortaliças não teria sido possível nos Estados Unidos fora das épocas de safra. Na Nova Inglaterra, essa época vai de junho a outubro ou talvez, num bom ano, novembro. Antes de navios e caminhões refrigerados permitirem o transporte de frutos da terra pelo mundo afora, a maioria das pessoas, portanto, só comia frutas e hortaliças frescas durante menos da metade do ano; mais ao norte, o inverno era ainda mais longo. Mesmo nos meses mais quentes, as pessoas evitavam comer frutas e saladas por medo do cólera. (Foi só com a Guerra Civil Norte-Americana que o setor dos enlatados prosperou, e, no começo, só um pequeno número de vegetais era posto em latas. Os mais comuns eram o milho doce, o tomate e a ervilha.)

Assim, de acordo com os historiadores Waverly Roth e Richard de Rochemont, seria "incorreto qualificar os norte-americanos como grandes consumidores dessas coisas [frutas e hortaliças]". Embora um movimento vegetariano tenha se estabelecido nos Estados Unidos por volta da década de 1870, a desconfiança geral em relação a esses alimentos frescos, que estragavam tão facilmente e podiam transmitir doenças, só se dissipou após a Primeira Guerra Mundial, com o advento do refrigerador doméstico.

Segundo esses relatos, portanto, nos primeiros 250 anos de história da América do Norte o país inteiro estava muito longe de seguir em medida significativa os grandes conselhos nutricionais de hoje.

Durante todo esse tempo, no entanto, é certo que as doenças do coração eram raras. Não dispomos de dados confiáveis tirados de certidões de óbito, mas outras fontes de informação sustentam de modo persuasivo a tese de que essas doenças só começaram a se tornar mais comuns na década de 1920. Austin Flint, o maior especialista em cardiopatias dos Estados Unidos, vasculhou o país inteiro em busca de relatos de anomalias cardíacas em meados do século XIX, mas afirmou ter constatado pouquíssimos casos, apesar de seu consultório ser bastante movimentado em Nova York. E William Osler, um dos acadêmicos que fundaram o Hospital da Universidade Johns Hopkins, não relatou nenhum caso de doença cardíaca nas décadas de 1870 e 1880, quando trabalhava no Hospital Geral de Montreal. A primeira descrição clínica de trombose coronariana data de 1912, e um compêndio de 1915, *Diseases of the Artheries including Angina Pectoris* [Doenças das artérias, incluindo a *angina pectoris*], não faz nenhuma menção à trombose coronariana. Às vésperas da Primeira Guerra Mundial, o jovem Paul Dudley White, que mais tarde se tornou médico do presidente Eisenhower, escreveu que, dos 700 pacientes do sexo masculino de que tratava no Hospital Geral de Massachusetts, somente quatro se queixavam de dores no peito, "muito embora muitos tivessem, então, mais de 60 anos de idade"[11]. Cerca de um quinto da população dos Estados Unidos tinha mais de 50 anos em 1900. Esse número refuta o argumento comum de que, antigamente, as pessoas não viviam o suficiente para que as doenças cardíacas se manifestassem como um problema observável. Em palavras simples, na virada do século XX havia 10 milhões de norte-americanos em idade adequada para sofrer um ataque cardíaco, mas parece que esse problema não era comum.

Será que as cardiopatias existiam, mas, de algum modo, passavam percebidas? O historiador da medicina Leon Michaels comparou os registros de dor no peito com os de outras duas queixas, gota e enxaqueca, que também são dolorosas e episódicas e, portanto, deviam ser observadas pelos médicos com mais ou menos a mesma frequência. Michaels cataloga descrições detalhadas da enxaqueca desde a Antiguidade, e também a gota foi objeto de extensas descrições por parte tanto de médicos como também de pacientes. Dores no peito porém não são mencionadas. Por isso, Michael considera "particularmente improvável"

---

11. No Reino Unido, o médico escocês Walter Yellowlees levantou todos os casos de doença cardíaca que foi capaz de encontrar e chegou à conclusão de que, na Grã-Bretanha de antes da Primeira Guerra Mundial, essas doenças eram "muito raras". O primeiro caso de infarto foi registrado na Enfermaria Real de Edimburgo em 1928 (Yellowlees, 1982; Gilchrist, 1972).

que a *angina pectoris*, cuja dor severa e assustadora recorre episodicamente ao longo de muitos anos, possa ter passado despercebida pela comunidade médica "se de fato não fosse excessivamente rara antes de meados do século XVIII"[12].

Por isso, parece justo afirmar que, nos séculos XVIII e XIX, auge do consumo de carne e manteiga, as doenças cardíacas não eram tão comuns quanto passaram a ser depois de 1930[13].

Paradoxalmente – ou, talvez, de modo revelador –, a "epidemia" de doenças cardíacas começou depois de um período em que o consumo de carne *caiu* excepcionalmente. A publicação de *The Jungle* [A selva] – a denúncia que Upton Sinclair apresentou, em forma de romance, contra os frigoríficos – fez com que a venda de carne nos Estados Unidos caísse pela metade em 1906; 20 anos se passaram até que o setor se recuperasse. Em outras palavras, o consumo de carne caiu pouco antes de as doenças coronarianas aumentarem. O consumo de gordura aumentou entre 1909 e 1961, período em que os infartos se tornaram muito mais comuns, mas esse aumento de 12% na ingestão de gordura não teve por objeto as gorduras de origem animal. Pelo contrário, foi devido ao aumento na oferta de óleos vegetais, inventados havia pouco tempo.

No entanto, a ideia de que houve um dia em que os norte-americanos comiam pouca carne e ingeriam "sobretudo vegetais" – defendida por McGovern e um sem-número de especialistas – continua forte. Há décadas que os norte-americanos são instruídos a voltar a essa dieta mais antiga e "mais saudável" que, quando examinamos a história com cuidado, parece nunca ter existido.

---

12. Michaels conta que William Heberden, um dos "médicos mais eruditos de seu tempo", apresentou ao Real Colégio de Médicos de Londres os primeiros casos devidamente registrados de dor no peito em 21 de julho de 1768. Os pacientes "são acometidos, enquanto caminham [...] por uma sensação dolorosa e desagradabilíssima no peito, tendo a impressão de que, caso tal sensação continuasse ou aumentasse, lhes faria perder a vida". Esses ataques continuavam ocorrendo durante meses ou mesmo anos até o golpe derradeiro. Heberden chamou a doença de *angina pectoris* (dor severa no peito) (Michaels, 2001, p. 9).

13. Esse aumento drástico no número de casos relatados no começo do século XX também pode ter sido devido à melhora das técnicas de diagnóstico (Taubes, 2007, pp. 6-8).

"Não podemos nos dar ao luxo de esperar"

No fim da década de 1970, nos Estados Unidos, a ideia de que uma dieta de base vegetal pudesse ser melhor para a saúde e mais autêntica do ponto de vista histórico estava apenas começando a entrar na consciência popular. Já havia 15 anos que se empreendia um esforço ativo para demonizar as gorduras saturadas, e já vimos que os membros da comissão McGovern se deixaram rapidamente persuadir por essas ideias. Mesmo assim, o projeto de relatório que Mottern escreveu para a comissão McGovern causou espécie – como era de esperar – nos produtores de carne, leite e ovos. Eles enviaram representantes ao gabinete de McGovern e insistiram em que ele realizasse novas audiências. Cedendo à pressão desse *lobby*, a equipe de McGovern abriu uma exceção para as carnes *magras*, que se poderia recomendar que os norte-americanos comessem. Assim, *Dietary Goals* recomendou que os americanos aumentassem o consumo de aves e peixes e diminuíssem o de carne vermelha, gordura do leite, ovos e leite integral. Na linguagem dos macronutrientes, isso quer dizer que se aconselhou aos norte-americanos que reduzissem a ingestão de gorduras totais, gordura saturada, colesterol, açúcar e sal e aumentassem a de carboidratos até que esta chegasse a perfazer de 55% a 60% das calorias ingeridas a cada dia.

Embora Mottern quisesse que o relatório final condenasse a carne de maneira irrestrita, alguns senadores da comissão não estavam tão confiantes em sua capacidade de avaliar as questões da ciência da nutrição. Charles H. Percy, senador por Illinois e líder da minoria na comissão, escreveu no relatório final *Dietary Goals* que ele e dois outros senadores faziam "graves ressalvas" ao conteúdo deste, por causa da "divergência de opiniões científicas quanto à questão de saber se a mudança dietética pode fazer algum bem ao coração". Descreveram a "polaridade" de opiniões entre cientistas famosos, como Jerry Stamler e Pete Ahrens, e notaram que líderes do governo, como o próprio chefe do NHLBI e o subsecretário de saúde Theodore Cooper, haviam recomendado que esperassem um pouco antes de fazerem recomendações ao público em geral.

No entanto, essa hesitação não foi forte nem rápida o suficiente para deter o impulso desencadeado pelo relatório de Mottern. *Dietary Goals* ressuscitou o mesmo argumento que já tinha sido usado por Keys e Stamler: *agora* era hora de agir para combater um problema urgente de saúde pública. "Não podemos nos dar ao luxo de esperar provas conclusivas antes de corrigir tendências que cremos ser prejudiciais", dizia o relatório do Senado.

Foi assim que *Dietary Goals*, compilado por um leigo – Mottern – e sem nenhuma revisão científica formal, tornou-se talvez o documento mais influente em toda a história da relação entre alimentação e saúde. Depois da publicação de *Dietary Goals* pelo principal órgão legislativo dos Estados Unidos, o governo inteiro e em seguida o país como um todo adaptaram-se aos poucos a seus conselhos dietéticos. "Ele resistiu à prova do tempo e me orgulho dele, como McGovern também se orgulha" – foi o que me disse Marshall Matz, advogado da comissão McGovern, 30 anos depois.

A prova da integridade do relatório, segundo Matz, é que suas recomendações básicas – reduzir a ingestão de gordura saturada e de gordura em geral e aumentar a de carboidratos – continuam em voga até hoje. Mas esse raciocínio é circular. E se o Congresso norte-americano tivesse dito o contrário – que devemos comer carne e ovos e nada mais? Talvez esse conselho, amparado pelo poder do governo federal, tivesse se perpetuado da mesma maneira. Nas décadas passadas desde a publicação de *Dietary Goals*, as epidemias de obesidade e diabetes explodiram nos Estados Unidos – sinal, talvez, de que há algo errado com nossa dieta. Com base nesses fatos, o governo poderia ter julgado cabível reformular aqueles objetivos alimentares, mas não fez isso e manteve sua posição. Afinal, o governo é a menos ágil de todas as instituições e a mais difícil de mudar de rumo.

Sem olhar para trás: as rodas de Washington começam a girar

Quando o Congresso norte-americano deu todo o seu respaldo a um conjunto de recomendações dietéticas, as engrenagens burocráticas de

Washington começaram a girar de modo lento mas inexorável. Havia muito tempo que os órgãos governamentais ignoravam a questão da relação entre alimentação e doença, mas essa época ficara para trás.

O Congresso designou o USDA como principal órgão encarregado da nutrição e, por coincidência, Mark Hegsted assumiu o posto de novo diretor de nutrição do Departamento. Assim, já tendo sido o principal arquiteto de *Dietary Goals*, tornou-se também seu principal implementador. No USDA, trabalhou com a subministra Carol Foreman, que defendia vigorosamente os consumidores e, como Mottern, entendia que seu papel era proteger os norte-americanos inocentes contra o consumo excessivo de alimentos gordos que lhes eram impostos pelos corruptos produtores de ovos e carne.

Coube a Hegsted e Foreman descobrir como implementar as diretrizes de *Dietary Goals*. E essa tarefa exigia alguma imaginação, pois, em setembro de 1978, tudo que a equipe do USDA publicara sobre o assunto era uma sugestão de menu de 13 fatias de pão por dia para suprir a quantidade de carboidratos recomendada no relatório. Um nutricionista citado no *Washington Post* perguntou se não havia ninguém capaz de pelo menos fazer algumas sugestões mais saborosas.

A verdade é que não havia, pois, embora o Congresso tivesse decretado quais eram os componentes de uma dieta saudável, os cientistas ainda discutiam sobre os dados básicos que davam respaldo a essas opções alimentares. Hegsted tentou montar um relatório definitivo sobre o assunto no USDA, mas seus esforços malograram em meio a querelas burocráticas. Enquanto isso, a veneranda Sociedade Americana para a Nutrição, que também defendia a necessidade de maior consenso científico antes que se dessem conselhos alimentares a todo o público norte-americano, havia estabelecido formalmente uma força-tarefa para fazer uma revisão sistemática dos dados sobre alimentação e doença e avaliar sua força. Hegsted decidiu deixar que as recomendações específicas do USDA fossem guiadas pelos trabalhos dessa força-tarefa. Afinal, os esforços do USDA só ganhariam credibilidade se contassem com o apoio de especialistas, uma vez que ainda era verdade que *nenhum* grupo de nutricionistas além do comitê de nutrição da AHA (dominado por

Keys e Stamler) havia se reunido formalmente para rever os dados obtidos até então sobre alimentação e doença. Hegsted sabia que estava "correndo um grande risco [...] pois Pete Ahrens, da Universidade Rockefeller, era copresidente do comitê e era famoso por se opor a recomendações dietéticas gerais". Apesar desse risco, Hegsted concordou em seguir a decisão do painel.

Ahrens montou uma força-tarefa de nove membros que representavam todas as opiniões científicas sobre a hipótese dieta-coração. O painel deliberou durante vários meses acerca de cada elo na cadeia da hipótese, desde a ingestão de gordura saturada até a doença cardíaca, passando pelo colesterol total. Os resultados, no entanto, não foram particularmente favoráveis aos apoiadores da hipótese, como Hegsted e Keys. Por exemplo, uma das proposições que o painel aceitou por consenso era que os indícios que condenavam a gordura saturada não eram convincentes. Além disso, o máximo que se poderia afirmar sobre a gordura em geral era que seu vínculo com as doenças cardíacas era apenas indireto. O problema básico era, como sempre fora, a quase ausência de dados de estudos clínicos sobre a dieta de baixo teor de gordura. Só havia estudos epidemiológicos, que, como sabemos, podem evidenciar correlações, mas não provar relações de causa e efeito. Eram considerados suficientes por Hegsted e sua turma, mas não por Ahrens e seu pessoal.

O relatório final da força-tarefa de Ahrens, divulgado em 1979, deixou claro que a maioria dos membros encarava com imenso ceticismo a ideia de que a redução da ingestão de gordura em geral ou de gordura saturada em particular pudesse deter as doenças coronarianas. Mas o grupo não dissera explicitamente que as metas dietéticas propostas poderiam ser prejudiciais, de modo que Hegsted resolveu encarar o relatório como um sinal verde. Usando a mesma lógica falha que Keys usara ao pressupor que estaria certo até provarem que estava errado, Hegsted fez a seguinte pergunta retórica: "A questão [...] não é se devemos mudar nossa dieta, mas, sim, por que não mudar? Quais são os riscos associados a comer menos carne, menos gordura, menos colesterol?" A opinião que vinha ganhando corpo entre os nutricionistas era que os americanos deveriam preparar-se para todas as eventualidades e, por via das dúvidas, reduzir a gordura na dieta até que novos dados estivessem disponíveis. Hegsted imaginava que "podem-se esperar importantes benefícios" e não previa nenhum custo possível. O comitê de Ahrens replicou que o princípio de "primeiro, não prejudicar" exigia que se obtivessem provas mais conclusivas antes de propor uma mudança na dieta norte-americana, mas Hegsted não se deixou persuadir por esse argumento. E, no fim das contas, o USDA não tinha de prestar contas aos cientistas, mas sim ao Congresso, que havia se pronunciado de modo terminante em favor de um regime alimentar com baixo teor de gordura.

Foi assim que, em fevereiro de 1980, apesar da ausência de qualquer endosso por parte do comitê de Ahrens, Hegsted foi em frente e publicou *Dietary Guidelines for Americans* [Diretrizes alimentares para os norte-americanos], o primeiro conjunto de recomendações dirigido diretamente ao público[14]. No fim, essas diretrizes serviram de base para a pirâmide alimentar do USDA (que, em anos recentes, tornou-se "My Plate" [Meu prato] publicado pelo mesmo órgão). Apesar de ter nascido do trabalho de um único membro de uma comissão do Senado e de um único consultor acadêmico, e apesar da falta de corroboração dos especialistas em nutrição, essas são, hoje, as diretrizes alimentares mais facilmente reconhecíveis nos Estados Unidos, com que todas as crianças em idade escolar estão familiarizadas. Sua influência se faz sentir com força na determinação da merenda escolar e da educação nutricional em todo o país.

A guerra dos especialistas em torno dos dados

Além do painel de Ahrens, houve outro grupo de especialistas que não aceitou os argumentos de Hegsted de que os resultados científicos dis-

---
14. Não foi o caso de *Dietary Goals*, que a comissão McGovern havia publicado e que estabeleceu a política da qual decorriam as *Dietary Guidelines* de Hegsted. *Dietary Guidelines for Americans* é publicado pelo USDA em conjunto com o HHS a cada cinco anos desde 1980.

poníveis já eram suficientes para justificar as novas diretrizes. Era a Academia Nacional de Ciências, sociedade de direito privado criada pelo Congresso em 1863 para aconselhá-lo em matéria de ciências. Seu Conselho de Alimentação e Nutrição era o grupo de especialistas mais respeitado em Washington em matéria de nutrição desde que fora fundado, em 1940, e a cada poucos anos publica a tabela de Ingestão Diária Recomendada (IDR) de nutrientes. O USDA solicitara ao conselho que preparasse uma revisão de *Dietary Goals*, mas o contrato nunca chegou a ser assinado. Alguém o cancelou, provavelmente porque, como divulgou a revista *Science*, as autoridades do USDA haviam ouvido dizer que o Conselho não tinha simpatia pela nova dieta de baixo teor de gordura preconizada pelo Senado.

A Academia, porém, não se conformou em ser silenciada e usou seu próprio dinheiro para fazer uma revisão sistemática. Um painel de especialistas realizou o processo, já bastante conhecido, de rever os mesmos estudos que todos os outros cientistas vinham examinando. Sua conclusão sobre os indícios disponíveis da hipótese dieta-coração, publicada num relatório intitulado *Toward Healthful Diets* [Rumo a dietas saudáveis], foi que os estudos tinham obtido "resultados que, em geral, não impressionam".

Um dos argumentos mais fortes da Academia era que os americanos vinham se dando muito bem com a dieta que até então adotavam. A dieta tradicional continha uma quantidade abundante de vitaminas essenciais e proteínas de alta qualidade; para Gil Leveille, presidente do Conselho de Alimentação e Nutrição, em 1978 ela era "melhor do que jamais fora e uma das melhores do mundo, *se não a melhor*". A altura média do homem norte-americano – indicador bastante confiável de suficiência nutricional ao longo de toda a vida – aumentara rapidamente durante toda a primeira metade do século XX. Em comparação com outros países com estatísticas semelhantes, os norte-americanos estavam entre os povos mais altos da Terra[15].

---

15. Esse aumento gradativo da altura dos norte-americanos do sexo masculino deteve-se para os homens nascidos em 1970 e depois desse ano. O declínio nutricional é uma de várias razões que os especialistas aventam para explicar esse fato.

Começou então, em Washington, um gigantesco cabo de guerra sobre o futuro da nutrição no país. De um lado estavam o USDA e o HHS, dois órgãos imensos que se escoravam no relatório McGovern, e também o cirurgião-geral dos Estados Unidos[16], que complementara *Dietary Goals* com um relatório próprio, de mesmo teor, em 1979. Do outro lado, e opondo-se a todos esses órgãos do governo federal, estava o Conselho de Alimentação e Nutrição da Academia Nacional de Ciências, solitário e cada vez mais assediado. Só essa instituição defendia a tese de que uma dieta com teor reduzido de gorduras não deveria ser recomendada a todos os norte-americanos.

A mídia, por sua vez, fez a festa – afinal, gordura e colesterol eram temas de grande interesse e, como disse Hegsted, cheio de júbilo: "Há uma desavença entre o governo e a academia!"

O *New York Times* e o *Washington Post* publicaram matérias importantes sobre o assunto e trataram-no em editoriais. Membros do Conselho apareceram em programas de auditório na televisão, e o *MacNeil/Lehrer Report* dedicou todo um episódio à questão. Até a revista *People* publicou uma matéria com uma foto de Alfred E. Harper, presidente do Conselho da Academia, sentado em casa observando a esposa preparar um belo prato de ovos mexidos.

Em geral, a cobertura da mídia favoreceu ferozmente as recomendações do governo de diminuição da ingestão de gordura. O *New York Times* acusou o relatório da Academia de "parcialidade" e de só dar espaço a "uma única visão". O que o *Times* não entendia era que o objeto de discordância científica não eram duas hipóteses rivais, cada qual com uma teia de argumentos em seu favor. Havia apenas uma hipótese no banco dos réus, e os cientistas votavam a favor dos indícios que supostamente a apoiavam ou contra eles. Eram suficientes ou não?

O que o *New York Times* fez foi, essencialmente, uma contagem de votos: "pelo menos 18 outras organizações de saúde e mais o governo federal apoiam uma redução da gordura e do colesterol", escreveram os editores; do lado oposto estavam somente a Academia e a Associa-

---

16. O cirurgião-geral, indicado pelo presidente e confirmado pelo Senado, é a maior autoridade em matéria de saúde pública no governo norte-americano. (N. do T.)

ção Médica Americana. Os custos potenciais da dieta – maior risco de cardiopatias em razão dos carboidratos, maior risco de câncer em razão dos óleos poli-insaturados, uma nutrição insuficiente para as crianças – não eram levados em conta na discussão. O *Times* concluía: "O governo federal ainda considera que o cidadão prudente deve comer menos gordura e colesterol. A menos que a Academia seja capaz de demonstrar com competência que o governo errou, é exatamente isso que o cidadão prudente deve fazer."

Era essa, portanto, a nova realidade: uma decisão política gerara uma verdade científica. Ao contrário do método científico normal, que exige que uma hipótese seja testada para ser considerada viável, nesse caso a política provocou um curto-circuito no processo. Uma hipótese não testada assumiu o posto de doutrina reinante e passou-se a presumir que ela estava correta até que se provasse que estava errada.

O dobre de finados soou para o relatório da Academia em 1º de junho de 1980, quando o *New York Times* publicou uma matéria de primeira página sobre dois membros do Conselho e seus laços com o setor produtivo: Robert E. Olson, bioquímico da Escola de Medicina da Universidade de St. Louis, havia dado consultoria para produtores de leite e ovos, e o presidente Harper havia trabalhado como consultor para produtores de carne. As acusações eram verdadeiras, mas o fato é que havia interesses empresariais influenciando os dois lados do debate. Assim como se descobriu que dois membros do conselho tinham ligação com os setores de carne, leite e ovos, dois outros membros eram *funcionários* de empresas do setor alimentício: um da McCormick and Company, do ramo de temperos, e o outro da Hershey Foods Corp. Além disso, o conselho fora financiado desde o começo pela Fundação para a Nutrição, cujos membros eram a General Foods, a Quaker Oats, a Heinz Co., a Corn Products Refining Co., entre outras gigantes do setor alimentício.

Apesar desse lobby poderoso, o Conselho resistira bravamente às novas recomendações de redução da ingestão de gordura e colesterol. Numa entrevista que deu aos 84 anos, o presidente Harper, sem nenhum sinal de arrependimento, disse: "Nossa atitude na época era que, se houvesse uma pessoa competente trabalhando como consultora de uma empresa alimentícia, isso não era razão para que ela não participasse do Conselho."

A imprensa e o público pouco sabiam sobre essas ramificações de ambos os lados do debate. A impressão que lhes restou foi unicamente a de que os frigoríficos e as granjas eram corruptos, e essa visão foi alimentada pela cobertura da imprensa. Os perigos da gordura saturada para a saúde já eram a tal ponto um lugar-comum nessa época que todos partiam do pressuposto de que qualquer defesa dos alimentos de origem animal deveria ter segundas intenções. Os críticos disseram que *Toward Healthful Diets* era "conspirativo" e "desleixado", e o deputado federal Fred Richmond, de Nova York, declarou abertamente que no relatório se viam "os dedos" de lobistas do setor alimentício.

O furor em torno do relatório assustou os cientistas da Academia, que não estavam acostumados com tamanha rejeição do público. Philip Handler, presidente da Academia, disse a um amigo que *Toward Healthful Diets* recebeu mais atenção que todas as outras publicações eruditas divulgadas em anos recentes. "Éramos ingênuos em matéria de política", comentou. E completou com um chiste: "Não se pode ganhar todas."

Em meados de 1980, a Câmara dos Deputados e o Senado promoveram audiências sobre o relatório, durante as quais a reputação da Academia foi arrastada pela lama. "Não restam muitas dúvidas de que a intenção da comissão [da Câmara] era crucificar Handler", julgou a revista *Science*. Com efeito, segundo um editorial do *Washington Post*, o relatório havia "conspurcado" as reputações do Conselho e da Academia, que antes se consideravam fornecer "conselhos científicos cuidadosos". Ora, o relatório fora feito com rigor e imparcialidade e continha muito mais análises de especialistas que o de Mottern, mas a publicidade é uma coisa poderosa e a visão depreciativa do trabalho do conselho em *Toward Healthful Diets* perdura, infelizmente, até hoje. Como a Academia é um dos poucos órgãos científicos que proporciona um contraponto ao trabalho de outras autoridades em matéria de nutrição e doença (sendo essas outras autoridades o NIH, o USDA e a AHA),

O colapso desse relatório cético foi um acontecimento significativo, porque depois dele não havia mais nenhum outro grupo científico formal que pudesse se opor à doutrina dominante.

O Estudo LRC põe fim ao debate

A última palavra no debate sobre a hipótese dieta-coração foi dada pelo NHLBI no começo da década de 1980. Lembre-se que dois estudos clínicos haviam sido planejados com uma década de antecedência, quando o instituto decidiu não gastar 1 bilhão de dólares num único estudo definitivo de grande escala sobre a dieta prudente. Um dos dois estudos clínicos menores foi o MRFIT, experimento dirigido por Stamler que usou o conceito de "tudo e mais um pouco" e teve um resultado decepcionante. O outro foi um estudo de 150 milhões de dólares chamado Lipid Research Clinic Coronary Primary Prevention Trial (LRC), o maior experimento já feito para testar a ideia de que a redução do colesterol poderia nos proteger contra as cardiopatias. O MRFIT foi uma tremenda decepção para a hipótese dieta-coração, de modo que todos estavam à espera dos resultados do LRC, na esperança de que fossem melhores.

O LRC foi comandado por Basil Rifkind, chefe da Divisão de Metabolismo de Lipídios do NHLBI, e por Daniel Steinberg, especialista em colesterol da Universidade da Califórnia, em San Diego. Eles fizeram exames prévios em quase 500 mil homens de meia-idade e encontraram 3.800 cujo índice de colesterol era alto o suficiente (265 mg/dl ou mais) para que se considerasse provável que logo viessem a sofrer um infarto. Esses homens foram divididos em dois grupos. Ambos foram aconselhados a ingerir uma dieta especial com o objetivo de baixar o índice de colesterol, com menos ovos, carne mais magra e leite e laticínios com menor teor de gordura do que a média nacional. O grupo de tratamento também passou a tomar colestiramina, um medicamento para a redução do colesterol, ao passo que os membros do grupo de controle tomavam um placebo.

É importante compreender que esse estudo não era um teste de dieta. Ambos os grupos foram aconselhados a consumir os mesmos alimentos com baixo teor de gordura. Portanto, a variável "dieta" não foi testada nesse ensaio clínico; somente o medicamento colestiramina foi testado. Os pesquisadores explicaram aos críticos que a dieta não foi testada porque o NHLBI não poderia, em boa consciência, privar nenhum homem em estado de risco de uma dieta que visasse reduzir seu colesterol – embora um dos objetivos originais do estudo fosse exatamente determinar se tal dieta seria mesmo capaz de oferecer proteção contra as cardiopatias. O raciocínio seguia um círculo vicioso kafkiano. Era evidente que a hipótese de Keys conseguira saltar sobre os obstáculos normais de prova científica, de modo que o mero ato de testar a dieta passou a ser considerado antiético.

Apesar dessa omissão da dieta como variável no ensaio, quando os resultados do LRC saíram, em 1984, foram proclamados como um grande triunfo da hipótese dieta-coração. Parte dessa hipótese tratava da importância da redução do colesterol total para impedir o acúmulo de placas nas artérias, e o medicamento de fato fez com que o colesterol caísse mais no grupo de tratamento do que no grupo de controle. Além disso, menos infartos ocorreram no grupo de tratamento, e, dos que ocorreram, o número de infartos fatais foi menor[17].

Porém, como de hábito, esses resultados só parecem promissores enquanto não examinamos os dados de perto. A diferença no número de infartos, por exemplo, foi relativamente pequena e, no fim, não se mostrou estatisticamente significativa de acordo com os testes estatísticos que os autores haviam originalmente decidido usar. No fim do estudo, os pesquisadores tomaram uma atitude controversa e pouco or-

---

[17]. No grupo que tomou o medicamento, o colesterol caiu em média 13%, em comparação com apenas 4% no grupo de controle. Mesmo assim, o resultado foi considerado um fracasso para o medicamento, pois os pesquisadores haviam projetado uma diferença quatro vezes maior na queda de colesterol entre um grupo e outro. Para explicar a ausência de resultados melhores, os pesquisadores citaram a dificuldade da adesão ao tratamento (o medicamento tinha muitos efeitos colaterais desagradáveis) e o fato de que o fígado, para compensar a falta de colesterol, começa ele próprio a produzir essa substância (é a homeostase em ação).

todoxa: retroativamente, escolheram um teste mais brando pelo qual seus resultados *pudessem* ser considerados estatisticamente significativos[18]. Também decidiram relatar seus dados sobre o colesterol LDL na forma de percentuais de mudança, distorcendo os resultados e mascarando uma mudança relativamente pequena nos valores absolutos. Mesmo com toda essa prestidigitação estatística, ainda havia outro problema: embora o tratamento tivesse prevenido as mortes por problemas coronarianos, não havia, curiosamente, prevenido a mortalidade total: 68 homens do grupo de tratamento morreram, em comparação com 71 do grupo de controle – uma diferença de meros 0,2%.

A mortalidade total sempre foi o grande obstáculo dos estudos de redução do colesterol. É estranho, mas repetidas vezes se constatou que os homens cujo colesterol caíra sofriam um índice maior de morte por suicídio, acidentes e homicídio. Rifkind achou que isso era mera coincidência, mas essa constatação já tinha sido feita por estudos que reduziram a gordura saturada, como o Estudo do Coração de Helsinque. Na verdade, uma meta-análise de seis estudos clínicos de redução do colesterol concluiu que a chance de morrer de suicídio ou de morte violenta era duas vezes maior nos grupos de tratamento do que nos grupos de controle, e os autores aventaram a hipótese de que a dieta causasse depressão. (Depois disso, pesquisadores propuseram a ideia de que a falta de colesterol no cérebro prejudique o funcionamento dos receptores de serotonina.) Outros estudos de redução do colesterol em que a única variável modificada havia sido a dieta constataram repetidamente um aumento nos índices de câncer e pedras na vesícula no grupo experimental, e tinha sido por essa razão que o próprio NHLBI, alguns anos antes, realizara uma série de oficinas sobre o problema. Além disso, populações nas quais os índices de colesterol eram baixís-

---

18. Em seu protocolo, os pesquisadores do estudo LRC declararam que usariam um teste "binário" de relevância estatística que reconhece que um tratamento pode ter dois resultados: ou benéfico ou prejudicial. No fim do estudo, contudo, eles decidiram usar um teste menos restritivo, partindo do princípio de que o tratamento só pode ter um efeito benéfico. Esse critério estatístico menos rigoroso é uma das fontes da controvérsia que rodeia o estudo LRC (Kronmal, 1985).

simos, como a do Japão, sofriam de índices mais altos de derrame e hemorragia cerebral do que grupos cujo colesterol médio era maior.

Alguns bioestatísticos achavam que os líderes do LRC deveriam explicar as "coincidências" apontadas pelo estudo. "Qualquer estatístico renunciaria à profissão se não fosse capaz de encontrar uma explicação para tal resultado", disse Paul Meier, um dos bioestatísticos mais influentes de sua geração. E Salim Yusuf, administrador do NHLBI, também não tirou da cabeça com tanta facilidade as descobertas do LRC. "Não consigo explicá-las plenamente, e isso me preocupa demais", ele disse, na época, à revista *Science*.

No entanto, Rifkind e Steinberg não procuraram explicar esses problemas. Pelo contrário, anunciaram que o ensaio conseguira demonstrar de modo estrondoso os benefícios da redução do colesterol para a saúde. E não se limitaram a concluir que a colisteramina prevenia o infarto, foram além: chegaram também à conclusão de que mudanças na *dieta* no sentido de diminuir o colesterol reduzem o número de infartos – muito embora a dieta em si não tivesse sido testada pelo estudo. O pressuposto de que a redução do colesterol por meio de um medicamento e sua redução por meio de dieta fossem a mesma coisa era apenas uma suposição bastante questionável, que levou o bioestatístico Richard A. Kronmal a escrever no *Journal of the American Medical Association* que, embora fosse tentador partir do princípio de que uma dieta prudente com baixo teor de gordura resultasse numa redução do número de infartos semelhante à provocada pelo medicamento, os resultados do estudo clínico "não proporcionam indícios que embasem essa conclusão". Para Kronmal, Rifkind e seus colegas teriam torcido os dados a tal ponto que sua atividade se parecia mais com "a defesa de uma causa do que com ciência". O bioestatístico Paul Meier comentou que a qualificação dos estudos como "conclusivos" era "substancialmente um mau uso do termo".

Apesar dessas críticas, Rifkind disse à revista *Time*: "Agora é inquestionável que a redução do colesterol por meio de dieta e medicamentos pode cortar o risco de se desenvolver uma doença cardíaca e sofrer um ataque cardíaco." Steinberg, triunfante, declarou que o estudo LRC era "a pedra angular" da hipótese dieta-coração. Rifkind e Steinberg também concluíram que suas descobertas, baseadas num estudo feito com homens de meia-idade e em situação de alto risco, "poderiam e deveriam ser aplicadas a outras faixas etárias e às mulheres", além de homens de baixo risco – tudo isso com base no pressuposto muito comum de que, quanto mais cedo começar a luta contra as cardiopatias, melhor.

Em parte, os resultados desse estudo foram aclamados como definitivos porque os especialistas queriam muito que assim fosse. O NHLBI tinha gasto 250 milhões de dólares em dois ensaios clínicos, cada um dos quais entrara para o rol dos estudos mais caros na história da nutrição. Com esse investimento, o governo praticamente ordenou que os estudos chegassem a recomendações conclusivas. Décadas haviam se passado e os partidários da hipótese dieta-coração ainda estavam à espera de um estudo "definitivo". Essa demanda reprimida incitou os pesquisadores a desconsiderar os dados problemáticos obtidos pelo estudo e seus alarmantes efeitos colaterais. De acordo com a visão otimista do LRC assumida pelos chefes da pesquisa, podia-se a partir de então aconselhar o público a baixar o colesterol cortando a ingestão de gordura saturada, tomando um medicamento ou fazendo as duas coisas.

Assim, o LRC não foi apenas mais uma etapa numa longa sequência de estudos. Embora não tenha testado nenhuma dieta, ele se tornou um dos estudos mais influentes de todos os tempos, pois seus resultados foram usados depois pelo NHLBI para criar toda uma burocracia exclusivamente dedicada a baixar o colesterol no sangue de todos os indivíduos de "alto risco" nos Estados Unidos. Parte desse esforço consistia em dizer às pessoas que diminuíssem a ingestão de gordura, principalmente de gordura saturada. E o esforço acabou por se dirigir a todos os homens, mulheres e crianças da nação.

A Conferência do Consenso

Se hoje uma grande parte dos adultos norte-americanos de meia-idade está comendo pouca carne e tomando comprimidos de estatina, isso se deve quase unicamente à medida que o NHLBI tomou em seguida. Recomendar medicamentos e fornecer conselhos alimentares a toda a população norte-americana é uma responsabilidade imensa, e o NHLBI decidiu que precisava criar um consenso científico, pelo menos na aparência, para poder seguir em frente. Além disso, o órgão precisava definir acima de que limite de colesterol diria aos médicos que prescrevessem uma dieta de baixo teor de gordura ou uma estatina. Assim, mais uma vez, em 1984 o NHLBI reuniu um grupo de especialistas em Washington numa audiência pública a que compareceram mais de 600 médicos e pesquisadores. A tarefa deles – num período pouco realista de dois dias e meio – era avaliar e debater *toda* a literatura científica sobre a relação entre alimentação e doença e chegar a um consenso sobre os índices recomendados de colesterol para homens e mulheres de todas as idades.

Muitos participantes disseram que a conferência teve os resultados predeterminados desde o começo, e é difícil concluir o contrário. O número de pessoas que testemunharam em favor da redução do colesterol foi maior do que o das que discordaram, e poderosos apoiadores da hipótese dieta-coração controlavam todos os postos importantes: Basil Rifkind presidiu o comitê de planejamento, Daniel Steinberg presidiu a conferência como um todo, e ambos testemunharam.

A declaração de "consenso" da conferência, lida por Steinberg no último dia do evento, não foi uma avaliação equilibrada do papel complexo que a dieta poderia desempenhar numa doença ainda pouco compreendida. Pelo contrário: não havia "dúvida alguma", segundo ele, de que a redução do colesterol por meio de uma dieta de baixo teor de gordura, especialmente de gordura saturada, "forneceria uma proteção significativa contra as doenças coronarianas" a todos os norte-americanos com mais de dois anos de idade. As doenças do coração se tornaram, a partir de então, o fator mais importante a determinar as escolhas alimentares de toda uma nação.

Depois da conferência, em março de 1984, a revista *Time* publicou na capa a ilustração de um prato onde dois ovos e uma tira de bacon formavam uma cara triste. "Suspendam os ovos e a manteiga", declarava a manchete. A reportagem começava assim: "Provou-se que o colesterol é mortífero, e nossa dieta talvez nunca mais seja a mesma."

Como vimos, o LRC não tinha nada a dizer sobre a questão da dieta e mesmo suas conclusões sobre o colesterol não eram fortemente respaldadas pelos dados, mas Rifkind já havia demonstrado que acreditava que sua extrapolação era justa. Disse à *Time* que os resultados "dão fortes indícios de que, quanto mais diminuímos o colesterol e a gordura na dieta, mais reduzimos o risco de doença cardíaca".

Gina Kolata, então repórter da revista *Science*, escreveu uma matéria cética sobre a qualidade dos dados que respaldavam as conclusões da conferência. Os estudos "não mostram que a *redução* do colesterol faz diferença", ela escreveu; e citou vários críticos que se preocupavam com o fato de que os dados não eram fortes o suficiente para autorizar

"Conferência do Consenso" do NIH: *Time*, **26 de março de 1984**

Uma conferência de "consenso", realizada em 1984, sacramentou a ideia de que a gordura saturada causa doenças do coração.

Da revista *TIME*, 26 mar. 1984 © 1984 Time Inc. Usado com permissão. A *TIME* e a Time Inc. não são ligadas de nenhuma maneira à licenciatária e não endossam os produtos ou serviços desta.

a recomendação de uma dieta de baixo teor de gordura a todos os homens, mulheres e crianças. Steinberg procurou desqualificar as críticas, atribuindo o artigo de Kolata ao apetite da mídia pela "dissensão, [que] sempre chama mais notícias que o consenso". Porém, a reportagem de capa da *Time* em favor das conclusões de Steinberg era um exemplo claro do contrário, e, no conjunto, a mídia se mostrou favorável às novas diretrizes quanto ao colesterol.

A Conferência do Consenso gerou uma repartição completamente nova no NIH, chamada National Cholesterol Education Program (NCEP), que ainda hoje tem a tarefa de aconselhar os médicos sobre como definir e tratar seus pacientes "de risco", bem como de educar os americanos em geral sobre as supostas vantagens da redução do colesterol. No anos seguintes, os painéis de especialistas do NCEP sofreram a infiltração de pesquisadores financiados pelos laboratórios farmacêuticos e os índices de colesterol considerados admissíveis foram diminuídos ainda mais, elevando o número de norte-americanos que se enquadravam na categoria dos que deveriam tomar estatinas. E a dieta de baixo teor de gordura, embora nunca tenha sido propriamente testada por meio de um ensaio clínico para termos certeza de que previne as doenças cardíacas, se tornou a dieta padrão do país e a dieta recomendada pelos médicos.

Para antigos críticos da hipótese dieta-coração, como Pete Ahrens, a Conferência do Consenso também foi significativa porque marcou sua última oportunidade de falar abertamente. Depois dessa conferência, Ahrens e seus colegas foram obrigados a calar-se. Embora os membros da elite dos nutricionistas tivessem participado do debate ao longo dos 20 anos anteriores, as coisas mudaram nos anos que se seguiram à Conferência do Consenso. Ser membro da elite, agora, era o mesmo que apoiar a dieta de baixo teor de gordura. Na verdade, a aliança entre o NHLBI e a AHA conseguiu silenciar seus opositores a ponto de que, nos 15 anos seguintes, entre as dezenas de milhares de pesquisadores em medicina e nutrição, apenas umas poucas dezenas publicaram pesquisas que, ainda que de modo hesitante e tímido, contestavam a hipótese dieta-coração. E mesmo eles tinham medo de estar prejudicando a própria carreira. Miravam-se no exemplo de Ahrens, que chegara à posição suprema em sua área de pesquisa e mesmo assim tinha dificuldade para obter financiamentos, pois, como me disse um de seus ex--alunos, "levantar-se contra o *establishment* tinha um preço, e ele sabia muito bem disso".

Sem dúvida foi por isso que Ahrens, ao lembrar-se da conferência que representou seu canto de cisne, falou com atípica franqueza: "Creio que o público está sendo engabelado pelo NIH e pela AHA", declarou. "O que eles pretendem é bom. Eles esperam em Deus que seja a coisa correta a fazer. Mas não estão agindo com base em dados científicos. Estão agindo com base em uma ideia plausível, e não testada." Independentemente de ser plausível ou até provável, no entanto, o fato é que aquela ideia não testada já estava na boca do povo.

6

EFEITOS DA DIETA DE BAIXO TEOR DE GORDURA SOBRE MULHERES E CRIANÇAS

Não há exagero em dizer que as *Dietary Guidelines for Americans*, apresentadas em 1980, representaram uma ruptura radical com as posições anteriores do governo em matéria de nutrição. Desde 1956 o USDA vinha aconselhando as pessoas a buscar alimentos nutritivos e ingerir uma dieta "equilibrada" que contivesse alimentos de todos os grupos básicos – primeiro em número de cinco, depois sete, depois quatro. Os quatro grupos de alimentos eram leite, carne, frutas e hortaliças, cereais e leguminosas. Os norte-americanos eram encorajados a comer alguns alimentos de cada grupo todos os dias. O USDA sempre viveu um conflito de interesses, pois sua missão principal é promover a produção agropecuária norte-americana e, consequentemente, o órgão sofre a forte influência desses setores. De todo modo, sua mensagem estava mudando. Em vez de procurar garantir que as pessoas ingerissem porções suficientes de alimentos nutritivos, agora queria restringir esse consumo – e o paradoxo era que, na maioria dos casos, eram os mesmos alimentos que estavam em jogo. Carne, manteiga, ovos e leite integral sempre haviam sido associados à prosperidade, mas de repente deixaram de ser saudáveis e se tornaram perigosos.

Na década de 1970, os norte-americanos estavam questionando as normas convencionais. Defensores do interesse público revelavam tristes verdades sobre bens de consumo, de cigarros a pesticidas há muito considerados seguros; nesse contexto de ceticismo, o questionamento de alimentos básicos como a carne, o leite e os ovos parecia compreensível. O conselho de abandonar esses alimentos tradicionais chegou num momento em que os cidadãos estavam questionando crenças antes consideradas sacrossantas. Isso explica, em parte, por que as *Dietary Guidelines* encontraram um público receptivo quando recomendaram que esses alimentos fossem substituídos por mais hortaliças, frutas, cereais e leguminosas.

No rastro das *Dietary Guidelines*, a dieta de baixo teor de gordura e colesterol se disseminou imensamente na década de 1980. Extrapolou seu público original, que eram os homens de meia-idade com alto risco de infarto, e foi adotada por todos os norte-americanos, inclusive as mulheres e as crianças. Tornou-se a dieta de todo um país. Prescrevendo índices rígidos de colesterol, as novas diretrizes do NCEP não só eram dirigidas a um número maior de pessoas como também tiveram seu alcance alimentar aumentado. O regime proposto já não exigia apenas o corte da gordura saturada e do colesterol, mas de toda gordura. A justificativa se baseava na lógica simples e poderosamente intuitiva de que, como disse Jerry Stamler em 1972, a gordura é "excessivamente calórica [...] de modo que a obesidade se desenvolve". Esse pressuposto aparentemente óbvio, que no entanto nunca foi provado, era que *a gordura engorda* – mais uma vez, a homonímia infeliz.

Essa ideia da causa da obesidade sempre esteve oculta por trás dos debates sobre a hipótese dieta-coração, mas só em 1970 foi inserida numa recomendação dietética formal, quando a AHA, sempre a primeira a sugerir o corte de gorduras, publicou uma diretriz que estabelecia para as gorduras um limite de 35% do total de calorias ingeridas. Apenas dois anos antes disso, o comitê da AHA alertara *contra* a redução do consumo de gorduras, pois temia que essa redução levasse a um aumento da ingestão de carboidratos. O comitê estava especialmente preocupado com os carboidratos refinados, e opinou contra o "uso excessivo de açúcar na forma de balas, refrigerantes e outros doces". No entanto, a liderança do comitê de nutrição da AHA mudou antes de serem publicadas as diretrizes de 1970. Agora sob o comando do influente Jerry Stamler, esse alerta desapareceu. E até 1995, ou seja, durante 25 anos, os folhetos da AHA diziam aos norte-americanos que, para controlar a ingestão de gordura, o melhor era aumentar o consumo de carboidratos refinados. De acordo com uma publicação da AHA de 1995, o correto seria escolher "lanches de outros grupos alimentares, como [...] bolachas e biscoitos de baixo teor de gordura, [...] *pretzels* sem sal, balas duras, balas de goma, açúcar, xaropes, mel, geleia, gelatina, marmelada". Em resumo, a AHA aconselhava que, para evitar as gorduras, as pessoas comessem açúcar.

Mais tarde, muitos nutricionistas lamentaram o chamado "efeito SnackWell"[1], referindo-se ao fato de que as pessoas que buscavam cuidar da saúde mediante a redução da ingestão de gordura passaram, em vez disso, a consumir quantidades gigantescas de bolachas com baixo teor de gordura ou mesmo sem gordura, mas cheias de carboidratos refinados. Repetindo uma opinião já muito difundida, Stamler me disse: "Não poderíamos ter previsto que isso aconteceria – eram as *indústrias alimentícias* que fabricavam esses produtos com alta concentração de calorias na forma de carboidratos." No entanto, a própria AHA havia encaminhado os norte-americanos – e o setor alimentício – rumo a essa solução. A partir da década de 1990, a AHA chegou inclusive a lucrar com a venda de carboidratos refinados, cobrando uma fortuna pelo privilégio de estampar nas embalagens de um produto o selo "Heart Healthy" [saudável para o coração]; esse selo acabou adornando produtos duvidosos, como os Sucrilhos, o preparado matinal Fruity Marshmallow Krispies e as tortinhas Pop Tarts com baixo teor de gordura, todos da Kellogg's. No fim, a AHA cedeu às críticas e retirou seu selo desses produtos, que flagrantemente não eram recomendáveis; mesmo assim, em 2012 o selo ainda figurava nas caixas dos preparados matinais Honey

---

1. SnackWell era o nome de uma linha de bolachas com baixo teor de gordura desenvolvida pela Nabisco na década de 1990. (N. do T.)

Nut Cheerios e Quaker Life Cereal Maple & Brown Sugar, que, apesar dos nomes aparentemente saudáveis, continham ainda mais açúcar e carboidratos que os Sucrilhos. Dado o papel da AHA na promoção de alimentos com alto teor de açúcares, o ato de jogar no setor alimentício a culpa pela substituição das gorduras pelos carboidratos cheira a falta de sinceridade.

É fato que a ênfase da AHA na redução do total de gordura deparou com algumas críticas oficiais na época. Com efeito, Donald S. Fredrickson, uma autoridade de primeiro escalão no NIH e que depois chegou a diretor desse órgão, escreveu um artigo questionando as diretrizes da AHA: "Será que sabemos o suficiente para aconselhar todas as pessoas a ingerir uma dieta na qual mais da metade das calorias serão proporcionadas por carboidratos?" Com certa condescendência, Fredrickson escreveu que o relatório da AHA era "digno de pena" sob alguns aspectos – referia-se à ausência de confirmação científica em favor da dieta de baixo teor de gordura.

É importante lembrarmos que em 1970, quando a AHA começou a dizer aos norte-americanos que cortassem as gorduras em geral, esse regime ainda não havia sido objeto de estudos clínicos. Todos os primeiros estudos, os mais famosos, haviam girado em torno da dieta "de baixo teor de colesterol", também chamada dieta "prudente" – com muitos óleos vegetais e pouca gordura saturada –, mas, no que se refere à redução das gorduras *totais*, como a AHA então começara a preconizar, os dados eram inexistentes. Na verdade, os indícios que davam embasamento à dieta de baixo teor de gordura vinham de dois estudos bem pequenos, um húngaro e outro inglês, nos quais a ingestão de gordura sofrera uma redução severa – para um patamar pouco realista de 45 gramas por dia – na tentativa de verificar se essa dieta poderia reduzir as cardiopatias. E os dois estudos tiveram resultados contraditórios. Não havia sido realizado nenhum estudo clínico com o objetivo de testar o limite de 35% de gorduras, que já estava sendo recomendado.

A ausência de provas no entanto não impediu a AHA de publicar suas diretrizes sobre o baixo consumo de gordura. E, depois, essa organização deu um passo além. Clamou pela reforma total dos sistemas de produção de alimentos no país: o desenvolvimento de novas raças de gado mais magras, laticínios e produtos de confeitaria com baixo de teor de gordura, a promoção da margarina, a virtual eliminação das gemas de ovo e mudanças nas merendas escolares, nos vales-alimentação distribuídos pelo governo e nas refeições servidas tanto nas Forças Armadas quanto nos lares de veteranos. Como sabemos, a maior parte dessas modificações acabou acontecendo. Não só os programas alimentares do governo passaram a privilegiar produtos com baixo teor de gordura como também praticamente todas as indústrias alimentícias do país reformularam seus produtos, desde os peitos de frango sem pele da Tyson's até um sem-número de sopas, iogurtes, bolachas e patês com baixo teor de gordura. Qualquer que seja o alimento, ele existe em versão magra. Em alguns casos, já não é possível comprar a versão integral de um produto alimentar. As principais fábricas norte-americanas de iogurte, por exemplo, até hoje só vendem iogurtes desnatados ou semidesnatados. (Em 2013, os únicos iogurtes integrais no mercado norte-americano eram importados da Grécia.) Em meados da década de 1990 e no auge da febre dos consumidores para se livrar de toda a gordura alimentar, um quarto de todos os novos produtos alimentares lançados no mercado levavam o rótulo de "baixo teor de gordura"[2].

Ao longo das décadas de 1980 e 1990, revistas e jornais transbordavam de artigos sobre como cortar o consumo de gordura e viver feliz sem carne. Jane Brody, colunista de saúde do *New York Times* e a mais influente propagandista da dieta de baixo teor de gordura na imprensa, escreveu: "Se há um nutriente que tem tudo contra si, é a gordura." Em 1990, ela publicou um manifesto de 700 páginas: *The Good Food Book: Living the High-Carboidrate Way* [O livro da boa comida: o estilo de vida alto em carboidratos].

---

2. De 1990 para cá, a FDA regulamentou o tipo de afirmação relacionada à saúde que pode constar nas embalagens dos alimentos. Além do baixo teor de gordura, rótulos como "rico em fibras" e "com baixo teor de colesterol" são regulamentados.

"A MESA 4 LHE DÁ OS PARABÉNS; A MESA 7 QUER SABER SE VOCÊ ESTÁ TENTANDO MATÁ-LOS COM AQUELE TANTO DE GORDURA SATURADA E COLESTEROL."

Dean Ornish e a dieta semivegetariana

Na década de 1980 a mania do baixo teor de gordura chegou ao auge nos Estados Unidos, a dieta estava evoluindo em direção ao objetivo gordura zero. Quem liderava a marcha nessa direção era o autodidata Nathan Pritikin, que, lutando com seus próprios índices de colesterol, encontrou como solução a dieta de baixo teor de gordura. Depois, popularizou esse regime por meio de livros e do Centro de Longevidade de Pritikin, em San Diego. As invectivas de Pritikin contra a gordura se tornaram mais virulentas com o correr dos anos e, no começo da década de 1980, ele já havia eliminado quase toda gordura de sua dieta. Ele gostava de chamar essa alimentação magra e vegana de "plano alimentar original da humanidade"[3]. Pritikin preconizava que 80% das

---
3. Parte da literatura científica sobre a dieta do ser humano no período paleolítico reforça a ideia de que nossa dieta pré-histórica era composta basicamente de plantas,

calorias diárias fossem ingeridas na forma de carboidratos – uma espécie de radicalização da dieta da AHA.

Nas décadas de 1970 e 1980, proliferaram os médicos especializados em dieta. Um dos médicos que estava do lado de Pritikin, mas que, depois, se tornou ainda mais poderoso – a ponto de ser considerado o dietista mais influente dos últimos 30 anos – foi Dean Ornish. (No outro extremo do espectro, na época havia Robert C. Atkins, discutido no capítulo 10.)

Ornish promove uma dieta semivegetariana desde a década de 1980. Estão excluídos de sua dieta carne vermelha, fígado, manteiga, creme de leite e gemas de ovos. Todos esses alimentos se situam no que Ornish chama de "Grupo Cinco", o degrau mais baixo, e completamente proibido, de sua "escada" dietética. Acima dele estão os alimentos do Grupo Quatro, entre os quais se incluem "roscas e sonhos, produtos de confeitaria fritos, bolos, bolachas e tortas". Se você realmente quer reverter sua doença cardíaca, Ornish o aconselha a comer sobretudo frutas, hortaliças, cereais e leguminosas; no conjunto, quase três quartos das calorias devem ser proporcionados por carboidratos. Para ele, as dietas de alto teor de gordura deixam as pessoas "cansadas, deprimidas, letárgicas e impotentes".

No entanto, o fato é que as pessoas têm imensa dificuldade para aderir à dieta de Ornish mesmo quando as refeições lhes são fornecidas em casa. Isso foi constatado por Frank Sacks, professor da Escola de

---

embora Loren Cordain, autor de *The Paleo Diet* [A dieta paleolítica], livro que inaugurou essa área de estudos, afirme que os primeiros seres humanos, "sempre e onde quer que fosse ecologicamente possível", ingeriam de 45% a 65% de suas calorias na forma de alimentos de origem animal. Essa ideia coincide com as conclusões de Richard Wrangham, antropólogo de Harvard, para quem a evolução do *Homo sapiens* só se tornou possível quando os primeiros seres humanos passaram a comer predominantemente carne, uma vez que a carne e especialmente as vísceras (como o fígado e o rim) são muito mais densas em matéria de nutrientes do que as plantas (Wrangham afirma que o conhecimento de como cozinhar a carne foi crucial, uma vez que esse processo aumenta a biodisponibilidade de nutrientes para a digestão). Já os chimpanzés, que vivem basicamente de plantas, têm de passar boa parte do dia comendo a fim de obter nutrientes suficientes para sobreviverem. O grande tamanho da boca do chimpanzé é um indício do volume de alimentos de origem vegetal que ele tem de ingerir, em comparação com a boca menor do ser humano, que, segundo Wrangham, vivia de carne (Cordain et al., 2000; Wrangham, 2009; Wredelin, 2013, pp. 34-9).

Saúde Pública de Harvard, quando conduziu um estudo sobre o programa de Ornish no começo da década de 1990. "Nós fizemos tudo o que podíamos. Tínhamos uma equipe excelente", ele disse, mas os sujeitos de pesquisa "não aguentaram perseverar na dieta". Ornish concorda que sua dieta pode ser trabalhosa, mas argumenta: "Na vida, é difícil fazer muitas coisas que vale a pena fazer. É difícil fazer exercícios todos os dias, mas não creio que muitos diriam que isso não vale a pena. É difícil largar de fumar, é difícil criar os filhos."

Ornish, que se formou em medicina no Baylor College of Medicine, ficou famoso porque, na década de 1990, foi uma das primeiras pessoas a publicar dados que aparentemente demonstravam os benefícios de uma dieta de baixo teor de gordura. Os estudos de Ornish estão entre os mais citados em toda a história da ciência da nutrição. Ele alega que seu programa – que envolve não apenas a dieta, mas também exercícios aeróbicos, ioga e meditação – é o único que já se demonstrou ser capaz de *reverter* as doenças cardíacas. Por isso, vale a pena examinar mais de perto seus estudos.

O estudo de 1990 em que se baseiam as espetaculares alegações de Ornish foi feito com 21 moradores de San Francisco que participaram por um ano do programa de exercício e dieta desenvolvido pelo próprio Ornish. Segundo um processo de diagnóstico por imagem chamado angiografia, que usa raios X para gerar uma imagem bidimensional dos vasos sanguíneos, as artérias dos sujeitos de pesquisa do programa de intervenção se alargaram. Enquanto isso, as artérias de 19 membros de um grupo de controle, sem nenhuma intervenção de dieta e exercícios no mesmo período, se contraíram[4]. A redução dos bloqueios arteriais foi uma tremenda descoberta, pois ninguém nunca demonstrara que as doenças cardíacas poderiam ser revertidas[5].

---

4. Ornish começou com 28 pacientes no grupo experimental, mas um deles morreu quando "excedeu em muito as recomendações de exercício físico numa academia não supervisionada", outro era um "alcoólatra não diagnosticado que então abandonou o estudo", e os demais permaneceram no programa, mas suas angiografias de atualização se perderam ou não puderam ser utilizadas por motivos técnicos.

5. Cinco anos depois, com apenas 20 sujeitos de pesquisa ainda participando do programa, Ornish relatou em dois artigos que os resultados eram favoráveis: as arté-

Quando Ornish publicou um artigo no *Journal of the American Medical Association* (JAMA), em 1998, uma reportagem de capa na *Newsweek* anunciou: "Curador de corações!" A reportagem retratava Ornish como o oposto de um cínico: abraçava espontaneamente as pessoas e buscava exercer seu trabalho num "espírito de serviço", e não como um esforço "motivado pelo ego". Num mundo onde os cardiologistas encaminhavam os pacientes para cirurgias invasivas ou para uma dependência vitalícia das estatinas, Ornish era praticamente o único que propunha, junto com os nutricionistas, que a dieta e os exercícios eram suficientes para que as pessoas se mantivessem saudáveis.

No entanto, o estudo de Ornish, como tantos outros na ciência da nutrição, é problemático. O número de 21 pacientes é baixo, e nem todos chegaram ao fim dos cinco anos de acompanhamento[6]. Mais importante: o estudo de Ornish nunca foi reproduzido por pesquisadores independentes, sendo essa reprodução a marca maior de credibilidade nas ciências ditas exatas.

Curiosa quanto a essas descobertas, liguei para Kay Lance Gould, diretora de cardiologia na Universidade do Texas, que ajudou Ornish a lançar-se na carreira de pesquisador e foi coautora dos artigos publicados no JAMA. (Juntos, eles publicaram três artigos nesse periódico,

------

rias dos pacientes experimentais haviam sofrido um alargamento de 3% desde o começo do experimento, ao passo que as dos pacientes do grupo de controle haviam se estreitado em quase 12%. Imagens geradas por meio de tomografia computadorizada por emissão de pósitrons revelaram que o fluxo sanguíneo para o coração melhorara de 10% a 15% entre os pacientes que tinham feito dieta e exercícios. No entanto, dois membros do grupo experimental morreram, em comparação com apenas um do grupo de controle (Gould et al., 1995; Ornish et al., 1998; Ornish et al., 1990).

6. Ornish já havia testado sua dieta em estudos-piloto pequenos e de curto prazo. No entanto, os cuidados e o tratamento dispensados ao grupo experimental eram tão mais intensos que os dedicados ao grupo de controle (os sujeitos de pesquisa do grupo experimental "moravam juntos num ambiente rural" e suas refeições lhes eram fornecidas durante toda a duração do experimento, ao passo que os membros do grupo de controle permaneciam em sua própria casa e viviam sua rotina normal) que é quase certo que os resultados foram influenciados pelo "efeito de intervenção" (ver nota 25, p. 252) (Ornish et al., 1983). Depois, Ornish realizou estudos maiores sobre seu programa e examinou os resultados no que se refere a sinais de doença cardíaca, mas esses estudos foram feitos sem grupo de controle (Koertge et al., 2003; Silberman et al., 2010).

um número extraordinariamente alto para um estudo clínico tão pequeno.) Pelo telefone, patenteou-se para mim a perplexidade de Gould diante do modo como Ornish promovera o resultado de seu estudo. "A maioria das pessoas faz um estudo e publica um artigo, mas Dean faz um estudo e publica um monte. É um milagre. É preciso bastante habilidade para fazer tanto *marketing* com dados tão escassos. Ele é um verdadeiro gênio das relações públicas."

Gould também contesta a confiabilidade dos dados angiográficos que supostamente demonstraram o alargamento das artérias dos pacientes. Demonstrou-se que essas imagens não constituem as provas irrefutáveis que Ornish costuma afirmar serem, nem necessariamente indicam notícias tão boas quanto as que ele proclama. Embora o alargamento de uma artéria pareça, intuitivamente, ser um bom sinal, até agora ninguém conseguiu correlacionar o gradual estreitamento das artérias com a mortalidade por doenças coronarianas[7]. Tampouco se demonstrou que o alargamento de artérias com o uso de um *stent* (um tubo de tela reticulada que expande as paredes arteriais) seja capaz de prolongar a vida. Importantes revistas científicas estavam publicando artigos sobre essa questão em meados dos anos 1980, quando Ornish realizou seus experimentos.

Quando perguntei a Ornish sobre essa questão, ele hesitou. "Por que quer saber?", retrucou. Quando expliquei, ele admitiu: "Bem, não é o melhor tipo de prova." Mesmo assim, dois dias depois, em outra

---

7. Os cardiologistas debatem a confiabilidade dessas imagens angiográficas desde o fim dos anos 1950. O estreitamento das artérias é causado por um acúmulo de lesões nas paredes arteriais, processo que se chama "aterosclerose", e há muito se imagina que esse acúmulo de placas indica um risco de ataque cardíaco. No entanto, George Mann foi um dos primeiros pesquisadores a fazer observações que não corroboram essa ideia: apesar de Mann ter encontrado lesões "extensas" nas artérias dos 50 homens massais de quem fez a autópsia, lesões idênticas às de "homens norte-americanos de idade avançada", os eletrocardiogramas que ele fez não revelaram quase nenhum sinal de infarto. Ele postulou que a aterosclerose era uma parte natural do processo de envelhecimento e que somente certos tipos instáveis de placa se soltavam e criavam os bloqueios que causam infarto. Essa teoria foi aceita pela maioria dos cientistas. Um dos problemas da angiografia é que suas imagens não conseguem revelar as diferenças entre a placa normal e a placa instável e perigosa. Sua confiabilidade também é prejudicada pelo fato de ser uma técnica difícil cujos resultados, por isso, variam bastante (Jones, 2000; Mann et al., 1972).

conversa, ele voltou a alegar que seus estudos haviam "realmente revertido a cardiopatia" e a citar a "arteriografia quantitativa" como elemento central de prova dessa alegação. Quando tornei a questioná-lo, ele ficou em silêncio. E depois disse: "Você está coberta de razão... Concordo totalmente." (No entanto, Ornish continuou a repetir suas alegações – a ocasião mais recente foi num artigo de opinião publicado em 2012 no *New York Times*, em que ele defendia a dieta semivegetariana.)

Em nossa conversa, Ornish passou então à seguinte alegação: "Também constatamos melhoras no fluxo sanguíneo [...] [que] é o que realmente importa nas cardiopatias. Demonstramos uma melhora de 300% no fluxo sanguíneo." Mas Gould, que interpretara os dados para o estudo, me garantiu que esse número se situava, na verdade, entre 10% e 15%. Relatei a Ornish essa opinião e ele disse: "Bem, não vou discutir por causa disso."

Mas, mesmo que aceitemos a alegação de Ornish de que a doença cardíaca foi "revertida", resta a questão: terá sido a dieta com baixíssimo teor de gordura que fez a diferença? Ou terá sido o fato de os pacientes terem parado de fumar, deixado de comer tantos carboidratos refinados, feito exercícios aeróbicos, ioga e meditação, ter contado com o apoio psicossocial do grupo e ter sofrido outras intervenções para baixar o estresse? Tudo isso fazia parte do programa. Talvez a redução no consumo de gorduras não tenha nada a ver com o assunto. Como Ornish ou qualquer outra pessoa poderia saber?

Em geral, não se demonstrou que uma dieta vegetariana colabore para que as pessoas vivam mais. O relatório de 2007 do Fundo Mundial de Pesquisa do Câncer e do Instituto Americano de Pesquisa do Câncer, discutido no capítulo anterior, constatou que "em nenhum caso" os indícios favoráveis ao consumo de frutas e hortaliças na prevenção do câncer "foram considerados convincentes". E apesar de os vegetarianos tenderem a seguir as prescrições médicas e a ter, em geral, um zelo maior pela própria saúde, em razão do que seria de esperar que vivessem mais que as outras pessoas, muitos estudos constataram que isso não é verdade. Com efeito, no maior estudo de observação já feito com pessoas vegetarianas, que acompanhou 63.550 homens e mulheres europeus de meia-idade durante 10 anos, a mortalidade geral foi idêntica entre vegetarianos e não vegetarianos[8].

Como hoje vivemos numa época em que a dieta vegetariana (ou semivegetariana) é tão favorecida pelas autoridades de saúde e pela imprensa popular, essas descobertas de pesquisas talvez sejam surpreendentes, mas não o teriam sido para especialistas em nutrição da década de 1920. Lembremos dos guerreiros massais do Quênia que se alimentavam quase só de leite, sangue e carne. Em 1926, décadas antes de George Mann chegar ao Quênia, o governo britânico contratou cientistas para comparar os massais com os membros de uma tribo vizinha, os akikuyus. As duas tribos viviam lado a lado em condições "muito parecidas" havia gerações, segundo os pesquisadores. Entretanto, ao passo que os massais ingeriam principalmente alimentos de origem animal, os akikuyus subsistiam à base de uma dieta semivegetariana com baixíssimo teor de gordura; "a maior parte" de seus alimentos consistia em "cereais, tubérculos, bananas, leguminosas e verduras".

Os investigadores passaram vários anos examinando detalhadamente 6.349 adultos akikuyus e 1.546 massais. No fim, constataram que a saúde dos dois grupos era drasticamente diferente, mas não do jeito esperado. Os homens akikuyus vegetarianos eram muito mais suscetíveis a deformações ósseas, cáries dentárias, anemia, doenças pulmonares, úlceras e transtornos do sangue; os massais tinham mais tendência a contrair artrite reumatoide. Os homens massais eram, em média, 10 centímetros mais altos que os akikuyus e 10 quilos mais pesados; boa parte desse peso extra era, aparentemente, de massa muscular, uma vez

---
8. Esses resultados saíram poucos anos antes das descobertas do Estudo da Saúde das Enfermeiras de Harvard sobre carne e doenças, mas – o que não surpreende – não ganharam tantas manchetes na imprensa. Tampouco receberam o mesmo nível de publicidade que o chamado Estudo da China, que desde 1990 foi tema de pelo menos oito livros (inclusive livros de receitas) de autoria do bioquímico nutricional T. Colin Campbell, que defende uma dieta vegana. Esses livros se baseiam todos num único estudo epidemiológico que, assolado por vários problemas metodológicos significativos, nunca chegou a ser publicado num periódico científico que sujeite os artigos à revisão paritária. Os dois artigos de Campbell foram, em vez disso, publicados em atas de conferências nos "suplementos" das revistas, que quase nunca são objeto de revisão por pares (Campbell e Junshi, 1994; Cambell, Parpia e Chen, 1998; Masterjohn, 2005; e Minger, <http://rawfoodsos.com/the-china-study/>).

que os massais tinham cintura mais fina e ombros mais largos e eram muito mais fortes que os akikuyus, que, em geral, não tinham forma física tão boa e não eram tão aptos ao trabalho braçal[9].

A moderna versão ornishiana dessa dieta semivegetariana com baixíssimo teor de gordura só foi cientificamente examinada por especialistas em 1998, quando a professora de nutrição Alice Lichtenstein, da Universidade Tufts, reviu, com uma colega e a pedido da AHA, a literatura sobre essa dieta. Os dados limitados disponíveis sobre a dieta com baixíssimo teor de gordura, incluindo os estudos de Ornish, mostravam que a redução drástica da gordura na dieta para 10% do total de calorias ou menos só parecia exacerbar os problemas associados a uma dieta com 30% de gordura. O colesterol ruim caía (o que era bom), mas o colesterol bom também (o que era ruim), ao passo que os triglicerídeos subiam (mau), às vezes a uma razão de 70% (péssimo). Questionou-se a suficiência nutricional da dieta, especialmente no que se referia às vitaminas lipossolúveis, e Lichtenstein concluiu que, dada a possibilidade de a dieta ser "prejudicial" para certas populações (idosos, gestantes, crianças novas, diabéticos de tipo 2 e pessoas com alto índice de triglicerídeos ou intolerância a carboidratos), ela só poderia ser recomendada para indivíduos que corressem "alto risco" de ter doenças cardíacas e, mesmo nesse caso, somente sob "cuidadosa supervisão".

Apesar disso, a influência de Ornish mostrou-se profunda e duradoura[10]. Ao contrário de Atkins, cuja recomendação de uma dieta com alto teor de gordura foi estigmatizada pela AHA e pelo NIH como um

---

9. A força muscular das mãos foi medida com um dinamômetro, que mede a força mecânica. Nesse teste, constatou-se que a força dos massais era 50% maior que a dos akikuyus. Outro sinal de fraqueza física entre os homens akikuyus era que 65% deles haviam sido "imediatamente rejeitados por motivos médicos" quando se apresentaram para o serviço militar em 1917. Já as mulheres das duas tribos tinham dietas mais semelhantes e, por isso, a diferença entre a saúde dos massais e a das akikuyus não era tão drástica (Orr e Gilks, 1931, p. 9; "imediatamente rejeitados", p. 17).

10. Ornish era próximo da família Clinton e deu um novo rumo à culinária da Casa Branca, abrindo caminho para hambúrgueres de soja e molhos de sobremesa feitos com polpa de banana (hoje, Bill Clinton é vegano). E Ornish ainda se envolve em debates; num importante artigo de opinião publicado no *New York Times* em 2012, ele defendia a dieta semivegetariana (Aquires, 24 jul. 2001; Ornish, 22 set. 2012).

perigo para a saúde, o programa de "estilo de vida" de Ornish, com sua dieta semivegetariana e magérrima, é um de apenas dois regimes de dieta e exercícios cobertos pelo Medicare e, em diversos graus, por 40 empresas privadas de seguros, entre as quais as gigantes Mutual de Omaha e Blue Shield da Califórnia. Para elas, a lógica é simples: alguns meses de dieta, ioga, meditação e exercícios, caso sejam efetivamente capazes de prevenir um ataque cardíaco, são baratíssimos em comparação com os 40 mil dólares de uma ponte de safena.

Começar a vida numa posição defensiva

Embora os principais especialistas em nutrição continuassem desconfiados da dieta radical de Ornish, eles acreditavam que a dieta padrão recomendada pela AHA, de baixo teor de gordura, aliada aos novos limites e diretrizes do NCEP sobre o colesterol, seria benéfica para todos os norte-americanos na longa luta contra as cardiopatias. Essa crença foi alimentada pelo Senado em seu relatório *Dietary Goals*, de 1977. Um dos subtítulos era: "Todos partilhariam os benefícios", ou seja, o alvo não eram apenas os homens de meia-idade, mas também as mulheres e as crianças. Não tinham sido realizados estudos para saber se uma dieta de baixo teor de gordura seria melhor – ou mesmo se seria segura – para bebês, crianças, adolescentes, gestantes, lactantes e idosos, mas a hipótese dieta-coração assumira tal grau de ascendência sobre os especialistas que a ideia de qualquer pessoa com mais de dois anos de idade seguir essa dieta era encarada como uma medida de prevenção e de bom senso.

 O raciocínio que embasava a inclusão das crianças nas recomendações dietéticas era que, na década de 1920, médicos alemães que faziam autópsias em crianças haviam encontrado lesões e veios de gordura em suas artérias, ou seja, sinais precoces de aterosclerose. Pressupôs-se que, caso não se fizesse nada, essas lesões e acúmulos de gordura produziriam inevitavelmente uma doença fatal. A questão de como deter essa progressão no começo da vida se tornou uma fonte de grande preocupação para os pesquisadores da relação entre alimentação e doenças.

Com efeito, no fim da década de 1960, o NHLBI já estava prescrevendo dietas para a redução do colesterol para crianças de quatro anos. Estava também administrando-lhes colestiramina, o mesmo medicamento usado no estudo LRC. Convicto de que o colesterol era uma peça-chave do quebra-cabeça das cardiopatias, o NHLBI chegou ao ponto de propor que todos os bebês nascidos nos Estados Unidos tivessem o sangue de seu cordão umbilical examinado para que pudessem começar o tratamento o mais cedo possível – de preferência, logo após o nascimento. Em 1970, chegou-se a considerar a sério a possibilidade de realizar esse exame em todos os bebês a um custo de "não mais de" cinco dólares por bebê. Tamanha era a preocupação com as doenças cardíacas que os pesquisadores acreditavam que as crianças saudáveis deveriam começar a vida numa posição defensiva[11].

Vários especialistas contestaram essa linha de raciocínio quando ela ainda estava sendo desenvolvida. "Que prova temos de que uma gema de ovo por dia é prejudicial para *todos* os norte-americanos?", perguntou Donald S. Fredrickson, autoridade de primeiro escalão no NHLBI, em artigo publicado no *British Medical Journal*, em 1971. "E os lactantes e bebês mais velhos? [...] Estamos convictos de que é segura uma dieta que contenha 10% de gorduras poli-insaturadas, a ponto de querermos insistir que tal proporção esteja presente nas fórmulas lácteas dadas aos bebês?" Prosseguindo, ele observou que um problema específico dos homens de meia-idade "não deve ser resolvido por meio de conselhos dietéticos genéricos" dados a toda a população. Em seu *Toward Healthful Diets*, a Academia Nacional de Ciências concordou com Fredrickson, afirmando que a inclusão das crianças nas recomendações governamentais de uma dieta de baixo teor de gordura "não tem fundamento científico". "As necessidades nutricionais do bebê em crescimento são visivelmente diferentes das de um octogenário inativo", declarou a Academia. Mas, pelo fato de o relatório ter sido dura-

---

11. Em 1970, a Fleischmann's, produtora de margarina, começou a veicular anúncios em que se perguntava: "Uma criança de oito anos precisa se preocupar com o colesterol?" No entanto, pela absoluta falta de indício de vínculo entre a dieta na infância e cardiopatias na idade adulta, a Comissão Federal de Comércio mandou, em 1973, que a empresa suspendesse esse anúncio (FTC, 1973).

mente atacado pelo Congresso e pela imprensa, esse alerta passou despercebido em meio à controvérsia.

As discussões sobre a inclusão de crianças continuaram sendo travadas com força durante a Conferência do Consenso do NIH, em 1984. Pesquisadores e médicos preocupavam-se com o fato de nenhum estudo clínico nunca ter sido feito com crianças para verificar os efeitos de uma dieta de baixo teor de gordura em geral ou de gordura saturada. Thomas C. Chalmers, ex-presidente do Centro Médico Monte Sinai, declarou à revista *Science*: "Não há absolutamente *nenhum* indício de que seja seguro para as crianças adotarem uma dieta que vise reduzir o colesterol." E prosseguiu: "Creio que eles [os líderes do NIH] exageraram todos os dados de forma *irrazoável*." Essa ausência de indícios não impediu o governo de emitir suas recomendações dietéticas para crianças, no entanto, e outros grupos de especialistas adotaram o mesmo ponto de vista.

Os únicos profissionais que resistiam a que a recomendação geral se estendesse às crianças eram os encarregados de zelar pela saúde delas: os pediatras. Mesmo quando os especialistas do NHLBI e da AHA pressionaram a American Academy of Pediatrics (AAP) a prescrever a dieta de baixo teor de gordura a todas as crianças, a AAP recusou. Num editorial publicado em 1986 em *Pediatrics*, o periódico da AAP, o comitê de nutrição da associação disse que qualquer mudança rumo a uma dieta mais restritiva nos primeiros 20 anos de vida deveria "esperar até que se demonstre que tais restrições dietéticas são necessárias". O editorial chamava a atenção para as diferenças nas necessidades nutricionais de crianças em crescimento, especialmente durante o estirão da adolescência, em comparação com as de homens de meia-idade com altos índices de colesterol. "As mudanças propostas afetariam o consumo de alimentos que atualmente fornecem proteínas de alta qualidade, ferro, cálcio e outros minerais essenciais para o crescimento."

Fazia muito tempo que a AAP entendia que as proteínas de melhor qualidade são dadas pela carne, pelo leite e pelos ovos, que teriam seu consumo restrito na nova dieta de baixo teor de colesterol e de gordura. "O leite e os laticínios fornecem 60% do cálcio necessário num dia, e a carne é a melhor fonte de ferro biodisponível", escreveu a academia. A AAP temia que os índices de anemia ferropriva, um problema que há décadas não afetava as crianças norte-americanas, viessem a aumentar se as crianças começassem a diminuir o consumo de carne.

Poucos anos antes daquela época, a carne, o leite, os laticínios e os ovos eram considerados os melhores alimentos para promover o crescimento. O especialista que presidiu à redação do controverso relatório da Academia Nacional de Ciências aludira a essa questão ao dizer que o país não deveria abandonar uma dieta que produzira pessoas altas e saudáveis. Essa crença se baseava em pesquisas conduzidas antes de a ciência da nutrição voltar toda a sua atenção para o estudo das cardiopatias. Os especialistas em nutrição das décadas de 1920 e 1930 não se interessavam tanto pela aterosclerose, que ainda era incipiente. Concentravam-se muito mais em procurar determinar a melhor dieta para o crescimento e a reprodução. Esses dois estágios sempre foram críticos para o sucesso de qualquer espécie animal. Num sentido darwiniano, tratava-se do crescimento desde a infância até a idade adulta, com a capacidade de produzir uma descendência saudável.

Dentre os primeiros pesquisadores em nutrição, um dos mais importantes a examinar essas questões foi Elmer V. McCollum, influente bioquímico da Universidade Johns Hopkins. Ele realizou um grande número de estudos de alimentação com ratos e porcos, que são espécies onívoras como o ser humano e, por isso, suas reações são consideradas instrutivas no que se refere às necessidades nutricionais humanas. Seu livro *The Newer Knowledge of Nutrition* (1921) está cheio de imagens de ratos esqueléticos e de pelagem seca e áspera, alimentados com uma dieta pobre, e também de ratos grandes e lustrosos cuja nutrição era melhor. McCollum constatou que os animais criados com uma dieta vegetariana tinham dificuldade para se reproduzir e criar seus filhotes. Num experimento, McCollum descreveu o que aconteceu com os ratos que tinham esse tipo de dieta:

> Eles cresciam bem durante um tempo, mas seu crescimento estacionava quando chegavam a cerca de 60% do tamanho de um adulto

normal. Viviam 555 dias em média, ao passo que os onívoros tinham uma vida média de 1.020 dias. Os vegetarianos tinham cerca de metade do tamanho e viviam metade do tempo de seus congêneres que recebiam alimentos de origem animal.

Experimentando vários tipos de aveia, cereais, folhas de alfafa, sementes de leguminosas, milho e outras sementes – os ingredientes de uma dieta semivegetariana, composta em sua maior parte de carboidratos –, McCollum descobriu que era possível melhorar o crescimento dos animais, o que "evidenciou que não havia nada no vegetarianismo em si e por si" que impossibilitasse a sustentação da vida; no entanto, esse método era muito mais difícil e exigia a seleção e a combinação cuidadosa de cereais e sementes de leguminosas "nas proporções corretas".

McCollum percebeu que era mais fácil manter os ratos saudáveis alimentando-os com leite, ovos, manteiga, miúdos e verduras. Disse que esses alimentos eram "protetores", pois promoviam o crescimento e a reprodução saudáveis no animal onívoro.

Na década de 1920, quando os pesquisadores em nutrição começaram a identificar algumas das vitaminas específicas que integravam os alimentos "protetores", o foco da pesquisa mudou: desviou-se dos alimentos inteiros e voltou-se para as vitaminas. Iniciou-se então toda uma era de pesquisas sobre esse tema. No fim, a ideia de separar as vitaminas dos alimentos de que provinham acabou tendo consequências infelizes, pois os norte-americanos passaram a crer, erroneamente, que poderiam atender a suas necessidades nutricionais apenas tomando um suplemento ou ingerindo alimentos fortificados, como os cereais matinais. Mas diversas vitaminas essenciais, como o cálcio e as vitaminas lipossolúveis A, D, K e E, não podem ser devidamente absorvidas se não forem ingeridas junto com gordura. Sem a gordura saturada do leite, por exemplo, o cálcio forma "sabões" insolúveis no intestino. E as vitaminas dos cereais matinais fortificados só podem ser bem absorvidas se forem consumidas com um leite que não tenha sido despojado de seu conteúdo lipídico; o mesmo vale para as vitaminas de uma salada ingerida com molho sem gordura. É por isso que, no começo do século XX, as mães davam a seus filhos óleo de fígado de bacalhau como proteção contra doenças: a gordura permitia que aquela colherada de vitaminas fosse absorvida.

No fim da década de 1940, depois de mais de 20 anos de pesquisa em vitaminas, a área da nutrição mudou mais uma vez seu foco: voltou-se para as cardiopatias, pois os líderes do país direcionaram seus recursos para a doença que mais os afligia pessoalmente. Nas décadas seguintes, os especialistas em coração e em colesterol passaram a dominar todos os debates sobre nutrição; o crescimento e o desenvolvimento das crianças não eram seu campo de especialidade nem sua principal preocupação. Foi assim que a linha de pesquisa sobre alimentos protetores, criada por McCollum e outros, foi deixada para trás. O foco na nutrição infantil cedeu lugar à preocupação com as doenças cardíacas e com a dieta de baixo teor de gordura.

A AAP, que há muito adotava o ponto de vista de McCollum, fez o que pôde para resistir à maré de pressão do setor médico-farmacêutico para que ela se alinhasse com a dieta de baixo teor de gordura. Porém, como muitos outros grupos, entre os quais a Academia Nacional de Ciências quando tentou tomar posição contra as novas recomendações dietéticas oficiais, os pediatras estavam perdendo a guerra contra a opinião pública. Fazia tantos anos que os especialistas vinham mandando os americanos reduzirem a ingestão de colesterol e gordura, que os pais já haviam assimilado a mensagem. Bombardeados por essas recomendações, os pais haviam trocado o leite integral por leite semidesnatado e estavam restringindo o consumo de ovos por parte dos filhos. Entre 1970 e 1997, o consumo anual de leite integral caiu de 97 quilos para 33 quilos por pessoa, ao passo que o consumo de leite semidesnatado e desnatado subiu de 6 quilos para 56 quilos. Para uma geração anterior de pediatras, formados na ideia de que as crianças em crescimento precisavam de gordura e de alimentos de origem animal para garantir sua boa saúde, essas tendências eram preocupantes.

Em 1988, o *New York Times* citou Lloyd Filler, um professor de pediatria da Universidade de Iowa: "Já vi uma estatística neste país em que 25% das crianças com menos de dois anos tomam leite semidesnatado." Segundo Filler, as crianças a quem se impunha esse tipo de dieta estavam dando entrada em hospitais com quadro de desnutrição;

quando voltavam a uma dieta com alto teor de gordura, "ganhavam peso e começavam a crescer".

Apesar disso, as preocupações dos pediatras foram soterradas pelos clamores de grupos de especialistas, do governo e da mídia por uma dieta com pouca gordura. Em 1995, um levantamento feito com mil mães revelou que 88% delas acreditavam que uma dieta de baixo teor de gordura era "importante" ou "muito importante" para seus filhos bebês, e 83% responderam que às vezes, ou sempre, evitavam dar alimentos gordos aos filhos.

É claro que essas mães não sabiam que as provas científicas favoráveis a essa opção dietética eram praticamente inexistentes. Com efeito, a defesa da inclusão das crianças nas diretrizes oficiais nunca se baseou na ciência. O fundamento dessa tese, pelo contrário, sempre foi a noção totalmente especulativa de que as raias de gordura observadas nas artérias de uns poucos jovens que sofreram autópsias viriam a constituir placas ateroscleróticas no decorrer da vida.

Uma segunda teoria de que as crianças deveriam ser incluídas na recomendação de baixo teor de gordura foi criada por Mark Hegsted, professor de Harvard e gestor do USDA. Ele usava um modelo de prevenção baseado no modelo das doenças infecciosas, de acordo com o qual o tratamento da população saudável beneficiaria a sociedade como um todo. A vacinação generalizada contra a rubéola é um exemplo óbvio desse modelo em ação, e Hegsted o aplicou às cardiopatias. A analogia era a seguinte: se a população inteira baixasse seu índice de colesterol em certo percentual, certo número de pessoas deixaria de sofrer infarto. Hegsted chegou a desenvolver uma fórmula matemática que, segundo ele, era capaz de prever o número exato de vidas que seriam poupadas. Seriam salvos sobretudo homens de meia-idade e idosos, mas se dava como certo que o restante da população tinha o dever de participar do projeto.

No entanto, parece óbvio que existe uma grande diferença entre a aterosclerose e a rubéola. Uma família saudável pode renunciar ao bife no jantar na esperança de prolongar a vida de um pai em risco, mas comer bife não é contagioso. Os filhos podem comer uma coisa e o pai outra. Assim, o modelo de Hegsted talvez até fizesse sentido do ponto de vista prático, uma vez que a família toda se senta para comer a mesma refeição; mas, do ponto de vista da saúde pública, sua lógica era frágil. Caso se tomasse por base as necessidades biológicas de um bebê, por exemplo, seria logicamente equivalente aconselhar toda a família a tomar apenas leite materno no jantar, pois essa é a opção mais saudável para as crianças novas. Entretanto, Hegsted e seus colegas parecem não ter parado para pensar em quão ridícula era a ideia de a família inteira comer de acordo com as supostas necessidades dietéticas de um único membro.

Em 1989, Fima Lifshitz, professor de pediatria na Universidade Cornell, descreveu num artigo alguns casos de famílias em que o pai ou a mãe haviam sido diagnosticados com doença cardíaca, desencadeando assim uma mudança dietética em casa, com destaque para a redução drástica da gordura na dieta. Era exatamente o tipo de mudança dietética familiar que Hegsted havia recomendado, mas estava claro que alguns pais exageraram. O "excesso de zelo na aplicação de uma dieta pobre em gorduras e em colesterol" estava produzindo "nanismo por subnutrição", insuficiente ganho de peso e atrasos na puberdade. Lifshitz também constatou que as piores deficiências vitamínicas ocorriam nas pessoas cuja dieta era mais pobre em gordura, mesmo quando a ingestão de proteínas era suficiente.

Mesmo assim, o modelo teórico de Hegsted prevaleceu entre os líderes da AHA, do NHLBI e de universidades em todo o país, onde se debatiam as necessidades nutricionais das crianças. Isso não impediu que o NHLBI, na década de 1980, finalmente concluísse que precisava de confirmação científica para suas diretrizes dirigidas às crianças. Financiou, assim, um estudo clínico chamado Dietary Intervention Study in Children (DISC). A partir de 1987, 300 crianças de sete a 10 anos de idade foram aconselhadas, junto com os pais, a ingerir uma dieta em que a gordura saturada perfazia apenas 8% do total de calorias e a gordura total, 28%. Esse grupo foi comparado a um grupo de controle do mesmo tamanho. Os investigadores constataram que as crianças cuja dieta era pobre em gordura (especialmente em gordura de origem animal) cresceram tão bem quanto as que comiam normalmente durante os três anos em que durou o experimento, e os autores chamaram a atenção para esse ponto.

No entanto, um dos aspectos problemáticos do estudo era que os meninos e as meninas escolhidos para participar não eram uma amostra representativa da população em geral. Para o grupo de estudo, os líderes do DISC haviam escolhido crianças com índices anormalmente altos de colesterol LDL (entre 80% e 98%). Em outras palavras, é muito possível que essas crianças sofressem de hipercolesterolemia familiar, uma doença genética que causa doenças cardíacas por meio de uma deficiência metabólica que não tem nada a ver com o modo pelo qual o colesterol é alterado pela dieta. Essas crianças formavam, portanto, um grupo de risco, e foram escolhidas porque se imaginou que precisavam de uma ajuda mais urgente para combater a incidência precoce de uma doença que poderia ameaçar-lhes a vida. No entanto, pelo fato de elas terem um índice excepcionalmente alto de colesterol, os resultados não poderiam ser generalizados para toda a população de crianças normais.

Outra coisa que complicou imensamente a capacidade do estudo de dar apoio à dieta de baixo teor de gordura para crianças foi que os sujeitos de pesquisa submetidos à dieta de intervenção do DISC acabaram consumindo menos de dois terços dos valores diários de referência de cálcio, zinco e vitamina E. Também ingeriram menos magnésio, fósforo, vitamina B12, tiamina, niacina e riboflavina que as crianças do grupo de controle. Esse resultado, na realidade, não foi nada surpreendente, pois esse tipo de deficiência vitamínica já tinha sido observado – aliado a deficiências de crescimento – em alguns outros estudos pequenos feitos com crianças cuja dieta era vegetariana ou de baixo teor de gordura[12, 13]. Com efeito, essas descobertas preliminares se conta-

---

12. Descobriu-se a mesma coisa em adultos. Até o USDA, que recomenda que a maioria das calorias seja obtida pela ingestão de frutas, hortaliças, cereais e leguminosas, reconheceu nas últimas *Dietary Guidelines* que era necessário fazer mais pesquisas sobre as "potenciais limitações de uma dieta de base vegetariana no que se refere a nutrientes fundamentais, especialmente para crianças e idosos" (Dietary Guidelines Advisory Committee, 2010, p. 277).

13. Uma pequena limitação do crescimento é uma constatação recorrente em crianças com dieta vegetariana. Constatou-se, além disso, que essas crianças tinham esti-

vam entre as principais preocupações que motivaram originalmente o estudo DISC. No Estudo do Coração de Bogalusa, feito com crianças de oito a 10 anos, constatou-se que as crianças cuja ingestão de gordura correspondia a menos de 30% do total de calorias ingeridas tinham chance muito maior de não atender aos valores diários recomendados das vitaminas B1, B12 e E, além de tiamina, riboflavina e niacina, em comparação com o grupo que ingeria mais de 40% de gordura.

Além disso, as crianças submetidas à dieta de intervenção do DISC não tiveram quase nenhuma melhora no colesterol total, no colesterol LDL ou nos triglicerídeos em comparação com o grupo de controle. Por isso, mesmo que desconsideremos o fato de a população estudada não ser representativa, os resultados indicavam claramente que a dieta de baixo teor de gordura não oferecia benefício algum às crianças e, ao mesmo tempo, impunha-lhes um custo, visto que, levando em conta os valores diários de referência, ela parecia deixar as crianças em risco de subnutrição.

Em meados da década de 1990, porém, quando esses estudos foram publicados, a predisposição favorável à dieta de baixo teor de gordura já era tão intensa que o leitor do relatório é quase capaz de imaginar os pesquisadores fazendo um tremendo esforço retórico para corroborar as recomendações dietéticas oficiais e endossadas pelo NIH. No caso do DISC, além disso, o NIH não só ajudara a planejar o estudo como o financiara. Os autores concluem que "uma ingestão reduzida de gordura [...] é segura para o crescimento e adequada do ponto de vista nutricional". À procura de problemas psicológicos, uma vez que estudos anteriores da dieta de redução do colesterol haviam constatado índices maiores de suicídio e mortes violentas entre os que faziam a dieta, os pesquisadores do DISC não relataram indício algum de prejuízo emocional. As deficiências nutricionais da dieta mal foram mencionadas.

---

rões de crescimento quando mais alimentos de origem animal eram incorporados a sua dieta. Os problemas de crescimento são particularmente marcantes em crianças de dieta vegana, onde todos os alimentos de origem animal são cortados (Kaplan e Toshima, 1992, pp. 33-52).

Por mais falhas que tivesse, o DISC é um dos dois únicos ensaios clínicos controlados já feitos com crianças no Ocidente para investigar a suficiência nutricional da dieta de baixo teor de gordura. Outros estudos, como o Estudo do Coração de Bogalusa, não foram ensaios clínicos, mas levantamentos epidemiológicos; e os poucos experimentos restantes feitos com crianças foram ou muito pequenos ou baseados em populações anormais. O segundo ensaio de grande porte, conduzido na Finlândia, foi o Special Turku Coronary Risk Factor Intervention Project (STRIP). A limitação específica desse estudo é que ele só interveio na dieta de crianças de até três anos de idade.

O STRIP foi um experimento controlado de forma não muito rígida. Começou em 1990 e estudou 1.062 bebês finlandeses, os mais novos dos quais tinham sete meses de idade. O leite materno foi substituído por leite desnatado após um ano de idade e, nas sessões de aconselhamento que aconteciam a cada poucos meses, os pais eram instruídos a eliminar a gordura saturada da dieta das crianças, usando carnes magras, queijo semidesnatado e sorvete sem derivados do leite. Além disso, as crianças tomavam suplementos multivitamínicos e, quando chegavam aos três anos, voltavam a sua dieta normal, com alto teor de gordura de origem animal. Os pesquisadores não observaram diferença alguma no crescimento das crianças, em matéria de peso e altura, nem durante o estudo, nem em exames posteriores feitos nas crianças até que elas completassem 14 anos. No entanto, as crianças da intervenção acabaram tendo um índice significativamente mais baixo de colesterol HDL, o que é um mau sinal em matéria de risco de doenças cardíacas. E, embora os pesquisadores não tenham constatado nenhuma deficiência vitamínica, é possível que os suplementos fornecidos tenham mascarado esse problema. Enfim, também é significativo que 20% das famílias em cada grupo tenham abandonado o estudo antes do término.

O DISC e o STRIP são frequentemente citados como justificativas para que uma dieta de baixo teor de gordura seja recomendada a todas as crianças, mas está claro que esses estudos nem sequer chegam perto de apresentar as provas que desejaríamos ter para alterar os hábitos alimentares das crianças de todo um país. Em seu conjunto, os estudos testaram a dieta de baixo teor de gordura em apenas 800 crianças, 300 das quais não podem ser consideradas representativas devido a seu colesterol LDL anormalmente alto. As demais tinham menos de três anos. Além disso, as crianças não foram acompanhadas até a idade adulta, de modo que as consequências reprodutivas não puderam ser estudadas. Com base numa amostra tão pequena e tão pouco representativa, não parecia razoável aconselhar milhões de crianças norte-americanas normais, de todas as idades, a mudar de dieta.

No entanto – e isso talvez fosse inevitável –, a resistência da AAP à dieta de baixo teor de gordura aos poucos desapareceu. No fim da década de 1990, todo um universo de especialistas já havia acreditado na dieta por tanto tempo que os pontos de vista alternativos não tinham chance real de sobrevivência. A crítica da hipótese dieta-coração, que estava viva até a Conferência do Consenso de 1984, foi, depois disso, praticamente silenciada nos Estados Unidos. Mesmo pelo mundo afora, essa crítica entre os nutricionistas reduziu-se ao mínimo e era feita sobretudo por um punhado de cientistas na Europa e na Austrália. A adoção monolítica do novo dogma antigordura acabou penetrando na AAP. Uma nova geração de líderes assumiu a direção da instituição e passou a afirmar, como Hegsted já afirmara, que, embora a quantidade de indícios em favor da aplicação do regime de baixo teor de gordura às crianças fosse ínfima, era preciso considerar que a dieta era correta até provar-se que estava errada. Afinal, segundo o raciocínio deles, aqueles dois estudos de curto prazo haviam demonstrado que a dieta não produzia grandes danos. Foi assim que, em 1998, a AAP adotou oficialmente o conselho padrão e recomendou uma dieta em que 10% das calorias viessem de gorduras saturadas e com apenas 20% a 30% do total de calorias na forma de gordura para todas as crianças com mais de dois anos de idade.

Não faz mal para as crianças?

Na época, um dos membros do comitê de nutrição da AAP era Marc Jacobson, então professor de pediatria e epidemiologia no Albert

Einstein College of Medicine. Numa entrevista, perguntei-lhe sobre as possíveis deficiências de vitaminas e minerais constatadas, naqueles estudos, em crianças que seguiam uma dieta de baixo teor de gordura. Ele respondeu que, embora as deficiência fossem problemáticas, não eram tão importantes quanto o crescimento como medida de boa saúde.

Mesmo assim, as crianças nos grupos que ingeriram mais gorduras cresceram tão bem quanto as outras e não tiveram dificuldade para ingerir uma quantidade adequada de vitaminas e minerais. Nesse caso, por que a AAP não optou por esse tipo de dieta? Não parece correto defender a dieta de baixo teor de gordura como opção padrão, quando as crianças se davam bem ou melhor com a dieta normal e, além disso, não precisavam tomar suplementos vitamínicos.

Jacobson enfatizou o argumento original: a luta contra a formação de placas nas artérias deve começar o mais cedo possível.

No fim, contudo, parece que, no decorrer dos anos, as pesquisas não produziram indícios sólidos em favor da tese de que a diminuição do índice de colesterol no sangue das crianças tem efeito sobre o risco de elas virem a ter doenças cardíacas no futuro. À medida que os estudos se acumulam, eles vão revelando que a maioria das raias de gordura não se tornam placas fibrosas e perigosas, e, mais importante ainda, que a dieta da criança não tem absolutamente nada a ver com o aparecimento dessas raias. Pelo contrário, no caso dos bebês o fator determinante parece ser o perfil lipídico da mãe.

Além disso, como constatou o estudo DISC, a diminuição da gordura em geral na dieta não produz melhoras significativas nos índices de colesterol no sangue. E, mesmo que o consumo de gordura aumente o índice de colesterol LDL em crianças, isso não significa muito no que se refere à idade adulta. Somente metade das crianças com colesterol total alto cresce e se torna adulta com colesterol total alto (isso vale também para o colesterol LDL). A verdade é que, hoje, toda essa suposta cadeia causal – da dieta ao colesterol e deste à doença cardíaca – parece altamente questionável no caso de crianças. Assim, cai por terra a justificativa para que se incluam as crianças nas recomendações originais de uma dieta de baixo teor de gordura.

A Cochrane Collaboration é um grupo internacional reconhecido que contrata especialistas para fazerem revisões objetivas de tópicos científicos. Em 2001, quando ela finalmente se manifestou sobre essa questão, concluiu que não fora até então possível demonstrar que a diminuição do consumo de gordura poderia prevenir doenças cardíacas em crianças normais. Os dados disponíveis não haviam chegado sequer a demonstrar que essa dieta poderia ajudar crianças com predisposição genética a doenças cardíacas. A Cochrane Collaboration concluiu que, mesmo que a dieta de baixo teor de gordura fosse a solução, não havia dados que corroborassem essa tese.

Além disso, a dieta não parecia ser eficaz nem sequer para ajudar as crianças a perderem peso. Na década de 1990, o NIH financiou um estudo grande e rigoroso sobre essa hipótese, no qual foram examinados cerca de 1.700 alunos do ensino fundamental. Durante três anos, essas crianças reduziram a ingestão total de gordura de 34% para 27% do total de calorias diárias. Também fizeram mais exercícios físicos, e tanto as crianças quanto suas famílias tiveram aulas sobre nutrição saudável. Estavam fazendo tudo direitinho – com efeito, estavam fazendo tudo o que hoje aconselhamos nossas crianças a fazer –, mas esses esforços não redundaram em nenhuma redução da gordura corporal.

Esses resultados devem, sem dúvida, assustar os pais norte-americanos que, na esperança de dar aos filhos as melhores condições de vida desde muito cedo, obedeceram às instruções, escolheram potinhos de purê de frutas e hortaliças para seus bebês e rechearam suas lancheirinhas de carnes magras e laticínios semidesnatados. Para a decepção deles, a busca de outros estudos sobre a eficácia dessas escolhas será completamente infrutífera, pois os pesquisadores sobre nutrição, como categoria, pararam de questionar os efeitos da dieta de baixo teor de gordura sobre as crianças depois de essa dieta ter sido aceita pela AAP, em 1998.

Em outros países, porém, ainda resta certo ceticismo e as pesquisas ainda continuam. O bioquímico e nutricionista britânico Andrew M. Prentice, por exemplo, postulou a hipótese de que a falta de alimentos de origem animal com alto teor de gordura fosse "o principal fator do crescimento retardado" de bebês que ele estudou na Gâmbia. Ele comparou cerca de 140 bebês gambianos com um grupo um pouco maior de bebês de famílias relativamente bem de vida de Cambridge, na Inglaterra. No começo, os gambianos e os britânicos cresceram igualmente bem; mas, quando começaram a ser desmamados, por volta dos seis meses de idade, suas curvas de crescimento começaram a divergir. Os gambianos ingeriam o mesmo número de calorias que os bebês de Cambridge durante os primeiros 18 meses de vida, mas o conteúdo de gordura de sua dieta caía constantemente até chegar a meros 15% das calorias aos dois anos de idade, e a maior parte dessa gordura era poli-insaturada, de sementes oleaginosas e óleos vegetais. A maior parte das calorias que os bebês de Cambridge ingeriam, por sua vez, vinha de ovos, leite de vaca e carne – e pelo menos 37% delas eram de gorduras, especialmente saturadas. Aos três anos de idade, as crianças da Gâmbia já pesavam bem menos do que deveriam pesar de acordo com as tabelas de crescimento normal, ao passo que os bebês de Cambridge cresciam de acordo com as expectativas e pesavam, em média, 1,8 quilo a mais que os gambianos. É fato que certas infecções crônicas, particularmente as que produziam diarreia, foram responsáveis por episódios temporários de perda de peso entre os gambianos, mas, apesar disso, Prentice especula que os alimentos "de baixo teor de gordura" eram os prováveis culpados pela incapacidade dessas crianças de "sustentar um crescimento rápido que lhes permitisse alcançar [os bebês ingleses]"[14].

Qualquer mãe norte-americana, ao ler esse estudo, correrá para verificar o conteúdo de gordura dos alimentos que dá aos filhos logo depois de desmamá-los – e ficará preocupada. O mingau de arroz, que é o primeiro alimento sólido dado aos bebês gambianos, tem 5% de

---
14. Os resultados desse estudo se assemelham às observações que cientistas britânicos fizeram da tribo kikuyu do Quênia, que era basicamente vegetariana. Na década de 1920, eles examinaram 2.500 crianças que, depois de desmamadas, cresciam muito menos que os bebês americanos ou ingleses a quem eram comparadas. Os pesquisadores constataram que as crianças quenianas, bem como um grupo de crianças escocesas com problemas de crescimento, passaram a crescer melhor quando foram acrescentados a sua dieta óleo de fígado de bacalhau e leite integral (Orr e Gilks, 1931, pp. 30-1 e 49-52).

sua energia na forma de gordura; mas um pote de cereal de arroz integral Earth's Best, uma marca orgânica que toda mãe norte-americana gostaria de dar a seu bebê, tem zero grama de gordura. Mais tarde, quando os bebês de Gâmbia já estão comendo arroz com molho de amendoim, um preparado onde a gordura responde por 18% das calorias, a criança americana obterá mero 1% de gordura da papinha de peru com hortaliças da Earth's Best, que parece extremamente saudável (e é uma das pouquíssimas opções de papinha com carne). Os dados do governo mostram que as crianças norte-americanas reduziram a ingestão de gordura, inclusive de gordura saturada, nas últimas décadas. Enquanto os bebês ainda mamam, é possível que o leite materno ou a fórmula láctea possa suprir boa parte do déficit de gordura dos alimentos para eles (com uma ressalva assustadora: se a mãe come carboidratos em grande quantidade, seu leite materno tenderá a ter um teor menor de gordura, como mostraram alguns estudos). No mais, porém, a falta de gordura nos alimentos normalmente ingeridos pela criança norte-americana pode causar problemas de saúde.

Os resultados obtidos na Gâmbia foram apresentados num grande simpósio sobre nutrição infantil realizado em Houston em 1998, junto com artigos de outros países. Pesquisadores da Espanha e do Japão relataram que, ao contrário dos norte-americanos, as crianças de seus países vinham aumentando o consumo de gordura em décadas recentes, quando se havia observado um ganho contínuo de altura. Relatos de países mais pobres da América Latina e da África, porém, revelaram que as crianças desses lugares estavam comendo menos gordura, com consequências claras para a nutrição e o crescimento: qualquer dieta com menos de 30% de gordura era preocupante do ponto de vista nutricional; e, aos 22%, começavam-se a relatar deficiências de crescimento. Esses números contrastavam de modo veemente com os 40% de gordura, ou mais, que as crianças em crescimento ingeriam em países mais ricos, como Espanha e Alemanha. No entanto, a declaração sumária do simpósio de Houston, escrita por um especialista norte-americano estreitamente ligado ao NIH e aos principais realizadores dos estudos DISC e STRIP, concluía que se devia recomendar que as crianças ingerissem de 23% a 25% de suas calorias diárias na forma de gordura – uma quantidade muito baixa. O resumo não mencionava a boa saúde e o ganho de altura associados às dietas com maior teor de gordura, que haviam sido objeto de muitas comunicações apresentadas na conferência.

Hoje, a AAP ainda mantém a recomendação de uma dieta de baixo teor de gordura em geral e de gordura saturada em particular para todas as crianças com mais de dois anos de idade. Diretorias de ensino de todo o país, inclusive as de Nova York e Los Angeles, baniram o leite integral e servem opções semidesnatadas sempre que possível (a Fundação Bill Clinton foi uma das grandes responsáveis por isso). E, desde que o USDA adotou suas diretrizes alimentares em 1980, pedindo a redução do consumo de gordura, o Special Supplemental Nutrition Program for Women, Infants, and Children (WIC) mudou gradativamente suas cestas de alimentos de modo que contenham menos produtos de origem animal, que foram substituídos por uma quantidade cada vez maior de cereais e leguminosas. Hoje há ainda menos ovos do que quando o programa começou, em 1972. Há peixe enlatado, tofu e bebidas à base de soja, mas nada de carne; e todo leite para mulheres e crianças acima de dois anos de idade deve ser semidesnatado, com 2% de gordura ou menos.

As mulheres e o paradoxo do baixo colesterol

As mulheres foram outro grupo levado pela enxurrada da recomendação de diminuição no consumo de gordura, embora também não existissem motivos para crer que elas se beneficiariam dessa medida. Além disso, como grupo, elas mal haviam sido estudadas.

No decorrer da história, as pesquisas em medicina sempre se concentraram nos homens, como se o sexo masculino fosse o padrão biológico. E, uma vez que a epidemia de cardiopatias inicialmente afetava mais os homens do que as mulheres, elas foram excluídas da maior parte dos estudos clínicos sobre doenças cardíacas: representavam somente

20% dos participantes desses estudos até 1995, e apenas 25% depois disso. O resultado é que as metas de redução de colesterol prescritas para toda a população norte-americana pelo Programa de Educação sobre o Colesterol são baseadas em estudos feitos exclusivamente com homens. Já na década de 1950, contudo, alguns pesquisadores alertavam que as mulheres reagiam à gordura e ao colesterol de forma diferente dos homens e, portanto, precisavam ser estudadas separadamente. Os sintomas da aterosclerose só se manifestam nas mulheres com 10 a 20 anos de atraso em relação aos homens, por exemplo, e as mulheres em geral só sofrem de um alto índice de doenças cardíacas depois da menopausa.

Quando havia dados de exames feitos separadamente com os dois sexos, as disparidades eram extraordinárias. No Estudo de Framingham, um dos poucos estudos iniciais que incluíram mulheres, por exemplo, não havia correlação alguma entre o colesterol total e a mortalidade por doenças coronarianas nas mulheres com mais de 50 anos. Uma vez que as cardiopatias são raríssimas em mulheres com menos de 50 anos, essa descoberta significa que há algumas décadas a imensa maioria das mulheres norte-americanas vem diminuindo desnecessariamente o consumo de gordura saturada, visto que não há relação entre o efeito dessa diminuição sobre seu colesterol e o risco de desenvolverem doença coronariana[15]. Apesar disso, essa importante descoberta foi omitida das conclusões do estudo quando estas foram publicadas, em 1971. Em 1992, um painel de especialistas do NHLBI reviu todos os dados disponíveis sobre mulheres e doenças do coração e constatou que a mortalidade por cardiopatia era *maior* entre as mulheres com baixo colesterol do que entre as com colesterol mais alto, independentemente da idade. Esses resultados também foram ignorados. De fato, quantos médicos você imagina serem, hoje, capazes de dizer a suas pacientes que o colesterol alto não é motivo de preocupação?

O estudo de Framingham foi epidemiológico. Quanto aos dados de estudos clínicos sobre mulheres, a situação era a mesma que para as

---

15. Com efeito, uma análise dos dados de Framingham revela que as mulheres de qualquer idade podem ter um índice de colesterol de até 294 mg/dl sem que aumente o risco de sofrerem um ataque cardíaco (Kannel, 1987).

crianças: até perto do ano 2000, esses dados não existiam. Foi só quando o Congresso investigou a questão da disparidade entre os sexos nos financiamentos científicos que o NHLBI resolveu empenhar algum dinheiro na condução de estudos sobre alimentação e doença em mulheres.

Uma das bolsas do NHLBI foi dada a Robert H. Knopp, especialista em lipídios da Universidade de Washington, que estudara a dieta de baixo teor de gordura em homens e estava preocupado com seus efeitos sobre as mulheres. O estudo que ele já fizera, em Seattle, com 444 funcionários da Boeing do sexo masculino e com alto índice de colesterol, havia revelado alguns resultados perturbadores. Knopp alimentara os homens da Boeing com diversas dietas magras, e seus sujeitos de pesquisa ingeriam de 18% a 30% das calorias diárias na forma de gordura. Em 1997, ao fim de um ano, todos apresentaram mudanças significativas nos índices de colesterol. Knopp observou que o colesterol LDL, considerado "ruim", havia baixado, e esse resultado parecia positivo. Mas os homens cuja dieta tinha o menor teor de gordura também sofreram uma problemática queda do colesterol HDL, chamado colesterol "bom", ao lado de um insalubre aumento dos triglicerídeos, que são gorduras que circulam no sangue. Esses resultados foram confirmados por outros estudos.

Os indicadores sanguíneos medidos por Knopp refletiam a realidade de que as pesquisas sobre dieta e coração haviam se tornado mais sofisticadas desde a década de 1970, quando só era possível medir o colesterol "total" (os triglicerídeos também eram um indicador biológico "antigo" que havia sido estudado desde a década de 1950 por Pete Ahrens e outros). No fim da década de 1980, aspectos muito mais sutis do colesterol podiam ser medidos, entre os quais os colesteróis HDL e LDL. Mas o que são essas coisas?

Acontece que o colesterol total pode ser dividido em subconjuntos de diferentes densidades, que são o colesterol HDL, de "alta densidade", e o LDL, de "baixa densidade". Esses dois indicadores biológicos ganharam reputações de "bom" e "ruim" ao longo de muitos anos de estudo. Os pesquisadores constataram que havia correlação entre um índice elevado de colesterol LDL e os mais diversos fatores de risco, como sobrepeso, tabagismo, falta de exercícios e hipertensão. Já o colesterol HDL era o oposto: seu índice aumenta quando as pessoas fazem exercícios, perdem peso e largam o cigarro – uma espécie de resumo do bem-viver californiano.

Essas frações do colesterol não se dissolvem no sangue nem conseguem se deslocar sozinhas pelas veias e artérias. Precisam entrar num pequeno submarino que, ele sim, é capaz de viajar tranquilamente dissolvido no sangue, ao mesmo tempo que leva em segurança, dentro de si, sua carga de colesterol. Esses submarinos são chamados de lipoproteínas e, dependendo do tipo de colesterol que levam, essas lipoproteínas são também chamadas simplesmente – e de modo bastante confuso – de HDL e LDL. Em resumo, os submarinos são chamados HDL e LDL e são diferentes das *cargas* de colesterol que levam, chamadas *colesterol HDL* e *colesterol LDL*. Segundo a teoria, as lipoproteínas HDL retiram o colesterol dos tecidos, inclusive das paredes arteriais, e o transportam para o fígado. A HDL, em outras palavras, tira o colesterol do corpo. A LDL, por sua vez, faz o contrário: as lipoproteínas LDL fixam o colesterol nas paredes arteriais. Por isso, devemos evitar índices altos de colesterol LDL e devemos buscar aumentar o nível de colesterol HDL. Se os índices de colesterol ou de lipoproteínas são capazes de prever um infarto futuro é uma questão sobre a qual as opiniões dos especialistas divergem.

Os nutricionistas se interessaram pelas frações HDL e LDL de colesterol porque, como você talvez se lembre, o grupo de Framingham, em 1977, e mais alguns estudos estavam dando a entender que o colesterol total não era, na realidade, um indicador confiável de doença cardíaca para a maioria das pessoas. É claro que ninguém fazia questão de divulgar esse resultado, pois ele solapava por completo a hipótese dieta-coração, que durante décadas prescrevera como objetivo principal das terapias a redução dos índices de colesterol total. Centenas de milhões de dólares haviam sido gastos na tentativa de provar que o colesterol total era o mais importante fator de risco; 10 mil e um artigos científicos haviam se concentrado no colesterol total, à exclusão de todos os demais aspectos biológicos das cardiopatias. O colesterol total fora a razão original pela qual se recomendara aos norte-americanos que reduzissem o consumo de gordura saturada – e de repente vinha à tona que, na grande maioria dos casos, ele não era um fator claro de risco. Essa realidade ainda não foi plenamente aceita pelos médicos e pelas instituições que dão recomendações médicas – e isso, dado o longo e eminente histórico do colesterol total, não chega a surpreender. Mas, se o colesterol total não era confiável como indicador de risco, o que poderia desempenhar esse papel?

A resposta, como se descobriu depois, é uma mistura complexa de outros fatores mensuráveis no sangue, entre os quais os triglicerídeos, o colesterol LDL e o colesterol HDL. Na realidade, uma das grandes surpresas dos estudos posteriores feitos em Framingham foi o colesterol "bom". Os líderes do estudo relataram que, tanto em homens quanto em mulheres entre 40 e 90 anos de idade, "de todas as lipoproteínas e lipídios medidos, o colesterol HDL é o que tem mais influência sobre o risco". As pessoas que tinham um índice baixo de colesterol HDL (abaixo de 35 mg/dl) apresentavam um índice de infarto oito vezes maior que as que tinham colesterol HDL alto (65 mg/dl ou mais)[16]. A correlação era "notável", segundo os autores, e, de todos os dados que eles obtiveram sobre o colesterol, constituía a "descoberta mais importante".

No entanto, quando os especialistas em alimentação e doenças começaram a deixar de lado o colesterol total, eles não se voltaram para o colesterol HDL. Pelo contrário, decidiram concentrar-se no colesterol LDL. Em 2002, o NCEP já considerava o colesterol LDL um "poderoso" fator de risco. A AHA e outras associações profissionais concordaram.

A situação era estranha: se havia tantos indícios em favor do uso do colesterol HDL como indicador, por que o NIH e a AHA preferiram o colesterol LDL? Há várias explicações. Uma delas é que alguns estudos epidemiológicos haviam estabelecido um vínculo entre a morte por doenças cardíacas e um índice de colesterol LDL alguns pontos percentuais acima do constatado em pessoas normais. Além disso, da-

---

16. Um índice de colesterol HDL superior a 60 mg/dl é considerado saudável, embora hoje a AHA já não estipule um nível recomendado.

dos obtidos em experimentos com animais mostravam que um aumento no colesterol LDL estava correlacionado com sinais de esclerose arterial. Em terceiro lugar, os cientistas Michael Brown e Joseph Goldstein, que depois ganharam o Prêmio Nobel por seu trabalho, publicaram dados instigantes demonstrando que pessoas que sofriam do transtorno genético hipercolesterolemia familiar tinham problemas nos receptores de colesterol LDL. Os cientistas aventaram a hipótese de que um mecanismo semelhante funcionasse em todos nós, e os especialistas da época consideraram essa ideia especialmente convincente.

A preferência pelo colesterol LDL em detrimento do HDL foi talvez também alimentada pelo multibilionário setor farmacêutico, que favorecia o colesterol LDL como alvo terapêutico. Os laboratórios farmacêuticos haviam feito inúmeras tentativas de encontrar um medicamento que fizesse subir o índice de colesterol HDL, mas todos os esforços haviam fracassado. Baixar o colesterol LDL, no entanto, era algo que eles sabiam fazer muito bem. O primeiro medicamento nessa linha, a lovastatina, foi descoberto na década de 1970 e deu origem a um universo bilionário de "estatinas": de lá para cá, já surgiram a fluvastatina, a pitavastatina, a pravastatina, a rosuvastatina, a sinvastatina e a atorvastatina. As estatinas movimentaram 956 bilhões de dólares pelo mundo afora somente em 2011.

Mas as estatinas guardam um segredo de polichinelo: embora elas realmente tenham certa eficácia na prevenção de mortes por doenças coronarianas, seu sucesso não está ligado somente a sua capacidade de baixar o colesterol LDL. As estatinas funcionam também de outra maneira, talvez reduzindo a inflamação; os pesquisadores não sabem. Esses outros mecanismos em potencial são chamados de "efeitos pleiotrópicos" das estatinas, e são discutidos habitualmente entre os cientistas. No entanto, na percepção do público, até há pouco tempo as estatinas estavam ligadas exclusivamente a seu poder de baixar o colesterol LDL, e ainda são, em geral, vendidas com base nesse benefício.

Havia mais uma justificativa cogente para favorecer o colesterol LDL: a saber, que os especialistas em alimentação e doença precisavam disso para salvar a hipótese dieta-coração. Resultados como os obtidos por Knopp estavam revelando que a dieta mais favorecida na época, com baixo teor de gordura em geral e de gordura saturada em particular, era capaz de melhorar os índices de colesterol LDL, mas invariavelmente piorava os de HDL. Era uma descoberta bastante incômoda, pois significava que a dieta escolhida talvez estivesse piorando o risco de doenças cardíacas. Para se livrar dessa situação comprometedora, os especialistas simplesmente ignoraram o colesterol HDL. O NIH financiou poucos estudos sobre a relação entre a dieta e o colesterol HDL e os pesquisadores se abstiveram de discutir o assunto em artigos científicos. Com efeito, sabe-se que alguns editores de periódicos científicos às vezes insistiam para que os pesquisadores excluíssem o colesterol HDL da seção de discussão dos resultados, justificando-se pela alegação de que ele não era um indicador biológico "oficial". "Se você não publica, não pode falar a respeito", contou-me um químico especializado em óleos. "Se quiser que a dieta de baixo teor de gordura seja o mocinho e a gordura saturada seja o vilão, basta omitir o HDL. Aí fica tudo redondo."

Os nutricionistas também ignoraram pesquisas nas quais o que mais contribuía para elevar o índice de colesterol HDL não era nem o vinho tinto nem os exercícios físicos, como costumamos pensar, mas a gordura saturada. Constatou-se que a ingestão de gordura saturada elevava o índice de colesterol HDL, e ela era o único alimento a ter esse efeito. "É uma questão séria. O fato de ignorar-se a elevação do colesterol HDL induzida pela gordura saturada faz com que esta pareça (em geral) bem pior do que realmente é" – isso foi escrito em 2004 por Meir Stampfer, epidemiologista da nutrição na Escola de Saúde Pública de Harvard. Um número cada vez maior de pesquisadores concorda com essa opinião; mas na década de 1990, quando estavam vindo a público as incômodas descobertas de Knopp e outros, a reação predominante a quem quer que levantasse o assunto do colesterol HDL e da dieta rica em carboidratos e pobre em gorduras consistia em tossir educadamente e olhar para o outro lado.

As mulheres da Boeing

Knopp foi, naqueles anos, um dos poucos pesquisadores que se interessou abertamente pelo colesterol HDL. Quando começou a estudar não só os funcionários da Boeing, mas também as funcionárias, descobriu que o colesterol HDL era quase um símbolo das diferenças entre os sexos em matéria de cardiopatias. Knopp deu às mulheres estudadas uma dieta desenvolvida pelo NCEP, que a burocracia do NIH criara somente para ajudar os norte-americanos a lutar contra o colesterol alto. O NCEP desenvolvera dois regimes: a Etapa 1 e a Etapa 2. O homem ou a mulher "em risco" entrava primeiro na dieta da Etapa 1 (onde a gordura saturada perfazia 10% das calorias). Se nem assim o colesterol baixasse, recomendava-se que passasse à Etapa 2 (menos de 7% de gordura saturada). Ambas as dietas recomendavam um limite de 30% de calorias na forma de gordura em geral.

Durante um ano, 700 funcionários da Boeing seguiram a dieta mais radical da Etapa 2. Os resultados mostraram que seus índices de colesterol LDL caíram – o que, em tese, era bom sinal –, mas entre as mulheres o índice de colesterol HDL também caiu entre 7% e 17%. Ou seja, o colesterol bom caiu num grau que, segundo os cálculos dos pesquisadores, implicava um aumento de 6% a 15% no risco de doença cardíaca para aquelas mulheres. As mudanças para os homens não foram tão negativas, mas as mulheres, após seguir as diretrizes mais rigorosas do NCEP durante um ano inteiro, aparentemente estavam correndo mais risco de ter um ataque cardíaco.

Os efeitos ruins da dieta sobre as mulheres alarmaram Knopp, mas ele constatou que ninguém queria discutir ou mesmo admitir a existência de suas descobertas, que foram publicadas em 2000. O estudo deparou, segundo ele, com a "mudez" da comunidade acadêmica. "Ninguém entendia aquilo." Ninguém contestou seus resultados, pois para tanto seria preciso estudar os dados, e ninguém tinha uma explicação. Assim, o chamado estudo BeFIT (Boeing Employees Fat Intervention Trial) foi quase completamente desconsiderado e excluído dos artigos de revisão sistemática sobre o assunto até época bem recente.

Mas, embora fossem impopulares, os resultados não eram anômalos: outros estudos constataram que as mulheres que adotam uma dieta de baixo teor de gordura tendem a sofrer uma queda do colesterol HDL quase um terço maior que a dos homens[17]. No estudo de Knopp, os triglicerídeos das mulheres também subiram mais. E quaisquer que sejam os benefícios da dieta de baixo teor de gordura – em especial, seu poder de reduzir o colesterol LDL –, eles tendem a acontecer menos nas mulheres. Knopp detalhou essas diferenças entre os sexos num artigo de revisão sistemática publicado em 2005, concluindo que a dieta de baixo teor de gordura não podia, na realidade, ser recomendada às mulheres, que talvez devessem pensar em explorar "intervenções dietéticas alternativas". Knopp aventou a hipótese de que as mulheres talvez precisem de uma dieta com menos carboidratos e mais gordura.

O estudo de Knopp bem poderia ter sido um divisor de águas. Depois que foi publicado, os especialistas poderiam ter alertado as mulheres para a possibilidade de que a adoção da dieta de baixo teor de gordura fosse, para elas, no mínimo uma recomendação prematura e inadvertidamente prejudicial. Afinal, sabe-se que as mulheres têm se mostrado especialmente conscienciosas na redução de calorias desde a década de 1970; de acordo com os dados do governo, elas se abstiveram da gordura em geral e da gordura saturada em particular com mais rigor do que os homens. As descobertas de Knopp davam a entender que, adotando uma dieta de baixo teor de gordura, as mulheres estavam, na verdade, traindo a própria saúde. Mesmo assim, a elite da nutrição não quis levar em conta esses sinais perturbadores. A maioria das mulheres não sabia – e ainda não sabe – que a dieta de baixo teor de gordura talvez aumente o risco de que elas venham a ter doenças cardíacas.

....
17. Um exemplo foi um estudo onde 103 adultos saudáveis, de 22 a 67 anos de idade (46 homens e 57 mulheres), alimentaram-se ou com a dieta da Etapa 1 do NCEP (9% de gorduras saturadas), ou com uma dieta "de baixo teor de gordura saturada" (5%), ou com uma dieta norte-americana média durante oito semanas. O colesterol total e o colesterol LDL caíram mais nas duas primeiras dietas que na terceira, mas o colesterol HDL caiu ainda mais especialmente para as mulheres (Stefanick et al., 2007).

Não há indícios que liguem a gordura ao câncer de mama

Outra crença muito disseminada sobre a saúde da mulher, e que no fim não foi corroborada pelas pesquisas científicas, é que a gordura na dieta causa câncer. Desde a década de 1980 que as autoridades de saúde recomendam às mulheres que reduzam o consumo de gordura a fim de evitar o câncer de mama – diretriz que se inseria, é claro, nas recomendações mais gerais contra a gordura na dieta para todas as pessoas e todos os tipos de câncer.

A ideia de que a gordura causaria câncer foi ventilada pela primeira vez nas audiências da comissão McGovern, em 1976, quando Gio Gori, diretor do National Cancer Institute (NCI), testemunhou que homens e mulheres no Japão tinham índices muito baixos de câncer de mama e câncer do cólon, índices que subiam rapidamente quando essas pessoas emigravam para os Estados Unidos. Gori mostrou gráficos nos quais se via que as linhas de consumo de gordura e de diagnósticos de câncer subiam juntas. "Agora, quero deixar bem claro que essa correlação é muito forte, mas correlação não implica causalidade", disse ele. "Não acho que ninguém possa afirmar, hoje, que a comida causa câncer." Ele pediu que se fizessem mais pesquisas. A comissão do Senado, no entanto, na pressa de resolver o maior número possível de problemas de saúde no país, passou por cima dessas ressalvas e deu a entender, em seu relatório, que uma dieta de baixo teor de gordura poderia ajudar a reduzir o risco de câncer. Ou seja, o câncer se tornou a segunda "doença assassina" que o Senado atribuiu ao consumo de gordura. E, como ocorreu com as cardiopatias, a adoção de uma hipótese específica pela comissão teve efeitos de ricochete por toda Washington.

Com base nas comparações internacionais que Gori fizera e de alguns dados de estudos com ratos, a hipótese gordura-câncer logo foi adotada e incorporada em relatórios do NCI (1979 e 1984), da Academia Nacional de Ciências (1982), da Sociedade Americana do Câncer (1984) e no Relatório sobre Nutrição e Saúde do Cirurgião-Geral (1988). Todos recomendavam uma dieta de baixo teor de gordura em geral e de gordura saturada em particular para evitar essa doença. Com efeito, a ideia de que a gordura causa câncer é uma das principais razões pelas quais uma dieta de baixo teor de gordura vem sendo formalmente recomendada pelo governo desde o fim da década de 1970.

A recomendação era especialmente cogente para as mulheres, pois, embora as doenças do coração não as preocupassem muito, uma vez que atingiam principalmente os homens de meia-idade, o câncer era motivo de preocupação até para as mulheres jovens – especialmente o câncer de mama.

Nós nos surpreendemos, portanto, ao saber que, em 1987, o epidemiologista Walter Willett, da Escola de Saúde Pública de Harvard, constatou não haver nenhuma correlação positiva entre o consumo de gordura e o câncer de mama entre as quase 90 mil enfermeiras que estava acompanhando havia cinco anos no Estudo da Saúde das Enfermeiras. Na verdade, Willett constatou o contrário: quanto mais gordura as enfermeiras comiam, sobretudo gordura saturada, menos probabilidade elas tinham de contrair câncer de mama. Os resultados se mantinham mesmo à medida que as mulheres envelheciam. Depois de 14 anos de estudo, Willett relatou que sua equipe não descobrira "indício algum" de que a redução do consumo de gordura em geral, ou de qualquer tipo particular de gordura, diminuísse o risco de câncer de mama. A gordura saturada, na verdade, parecia ter um efeito protetor. Todas essas conclusões partiam de correlações. Mas, embora a epidemiologia não possa demonstrar causalidade, ela *pode* ser usada para evidenciar a *ausência* de relação causal. Por exemplo: se um grande número de mulheres está ingerindo uma dieta com teor relativamente alto de gordura e não está contraindo câncer de mama, podemos, com bastante confiança, excluir a gordura na dieta do rol das possíveis causas do câncer.

No entanto, o NCI havia investido na hipótese gordura-câncer e não estava disposto a abandoná-la facilmente. Quando Willett publicou os resultados daquele que fora até então o maior estudo sobre mulheres e câncer de mama, Peter Greenwald, diretor da Divisão de Prevenção e Controle do Câncer do NCI, publicou um artigo no *Journal of the American Medical Association* (JAMA) intitulado "A hipótese da gordura na dieta e do câncer de mama está viva". Praticamente ignorou o estudo de Willett e apresentou um argumento baseado em dados de um estudo sobre ratos, em que uma "dieta rica em gordura e de alta caloria" claramente induzira tumores mamários. Ele tinha razão, e vários experimentos realizados com ratos confirmavam esse efeito. O que esqueceu de mencionar foi que as gorduras mais eficazes na produção de tumores eram as poli-insaturadas – as gorduras encontradas nos óleos vegetais, que os norte-americanos eram então aconselhados a comer. As gorduras saturadas ingeridas por ratos tinham pouco efeito, a menos que fossem suplementadas por esses óleos vegetais.

No que se refere a dados obtidos com seres humanos, em 2009 quase meio milhão de mulheres já haviam sido observadas em estudos feitos na Suécia, na Grécia, na França, na Espanha e na Itália, além de mais de 40 mil mulheres no pós-menopausa em um único estudo norte-americano. Em nenhum deles os pesquisadores haviam conseguido encontrar uma correlação entre o câncer de mama e a gordura animal. Os próprios estudos do NCI deram em nada – sendo o mais recente deles o Estudo de Intervenção na Nutrição Feminina, de 2006. Nesse estudo, os pesquisadores conseguiram fazer com que as mulheres reduzissem seu consumo de gordura para 15% do total de calorias ou menos, respondendo assim às críticas de que, em estudos anteriores, elas não haviam obtido bons resultados porque *não haviam reduzido o suficiente* sua ingestão de gordura. Porém, mesmo a 15%, o NCI não encontrou nenhuma correlação estatisticamente significativa entre a redução da ingestão de gordura – de qualquer tipo ou em qualquer quantidade – e uma redução dos índices de câncer de mama.

De acordo com aquele relatório de 500 páginas lançado pelo Fundo Mundial de Pesquisa do Câncer e o Instituto Americano de Pesquisa do Câncer em 2007, que fez a mais abrangente revisão sistemática de todo o material científico relacionado ao câncer publicado até então, não havia indícios "convincentes" e nem sequer "prováveis" de que uma dieta gorda aumentasse a probabilidade de ocorrência de qualquer tipo de câncer. Na verdade, os resultados de estudos desde meados da década de 1990 "tenderam, em geral, a enfraquecer a tese de que as gorduras e os óleos sejam causas diretas do câncer", segundo os autores.

Mesmo assim, em 2009, o NCI ainda favorecia a hipótese de que a gordura causa câncer. Arthur Schatzkin, que foi chefe da divisão de epidemiologia nutricional do NCI antes de morrer de câncer em 2011, me disse que, embora outros membros de seu departamento estivessem começando a tender para a ideia de que o açúcar e os carboidratos refinados fossem as mais prováveis causas dietéticas da doença, "minha opinião é que a hipótese gordura-câncer não está morta de modo algum". O problema, segundo ele, era que até então os estudos epidemiológicos não haviam utilizado questionários suficientemente precisos sobre a dieta dos sujeitos de pesquisa. Schatzkin previa que, apesar de tantas provas em contrário já obtidas, a hipótese favorecida por ele acabaria sendo confirmada. Em 2012, no entanto, quando conversei com Robert N. Hoover, o novo diretor do programa, ele reconheceu de imediato que as pesquisas sobre a hipótese gordura-câncer não haviam dado em nada. "Acho que agora estamos renunciando a uma hipótese que já foi forte e começando tudo de novo", disse-me. Em vez de tentar provar a hipótese gordura-câncer, declarou: "Estamos nos tornando mais agnósticos." Resumindo: em matéria de dieta e câncer, estamos de volta à estaca zero.

O maior estudo clínico sobre a dieta de baixo teor de gordura

Quando Knopp obteve a verba do NHLBI para estudar as funcionárias da Boeing, em meados da década de 1990, a mesma instituição reservou uma enorme quantia – 725 milhões de dólares – para outro experimento, o maior estudo clínico controlado e randomizado já feito sobre a dieta de baixo teor de gordura. Foi a Women's Health Initiative (WHI), que, além de arregimentar 49 mil mulheres na pós-menopausa para testar os efeitos da dieta de baixo teor de gordura, também destinou grupos de intervenção para a terapia de substituição hormonal e a suplementação de cálcio e vitamina D. Os pesquisadores da WHI prometeram que o estudo seria o ensaio clínico mais conclusivo de todos os tempos, não somente sobre a dieta de baixo teor de gordura, mas sobre a saúde feminina de maneira geral. Instruiu-se às mais de 20 mil mulheres do grupo de intervenção que diminuíssem o consumo de carne, ovos, manteiga, creme de leite, molhos para salada e outros alimentos ricos em gordura. (As mulheres restantes formavam o grupo de controle.) Segundo a revista *People*, uma participante chamada JoAnne Sether Menard, administradora na Universidade de Washington, disse que renunciara aos salgadinhos de pacote, sonhos, batatas fritas, queijo, creme azedo e molhos para salada, e que "não passo manteiga no pão há 10 anos". Além disso, as mulheres eram encorajadas a comer mais frutas, hortaliças e cereais integrais – em suma, praticamente a mesma dieta de baixo teor de gordura e semivegetariana que a AHA e o USDA recomendam hoje.

Quando foi lançado o WHI, em 1993, a dieta de baixo teor de gordura vinha sendo recomendada oficialmente pela AHA havia mais de 30 anos e pelo USDA havia quase 15 anos. No entanto, a WHI foi o primeiro estudo clínico de grande escala feito para saber se essa dieta realmente funcionava. Uma vez que a redução do consumo de gordura já era considerada saudável fazia tanto tempo, os resultados pareciam previsíveis: as participantes do estudo pensavam que bastava aderir à dieta para depois ouvir as boas notícias que já sabiam ser verdadeiras.

Os resultados, no entanto, publicados numa série de artigos no JAMA, não foram nem de longe como se esperava; todos ficaram assustados e perplexos. As mulheres estudadas haviam conseguido reduzir o consumo total de gordura de 37% para 29% do total de calorias, e o de gordura saturada de 12,4% para 9,5%. Haviam, aparentemente, alcançado todas as metas recomendadas, mas, depois de uma década de dieta, tinham tanta probabilidade quanto o grupo de controle de contrair câncer de mama, câncer do cólon e do reto, câncer do ovário e câncer do endométrio e de sofrer derrames ou mesmo doenças cardíacas. Para piorar, não perderam mais peso. Robert Thun, diretor de pesquisas epidemiológicas da Sociedade Americana do Câncer, disse ao *New York Times* que os resultados, no que se referia ao câncer e às doenças cardíacas, eram "completamente inexistentes".

A dieta de baixo teor de gordura finalmente foi levada ao banco dos réus no tribunal da ciência. Thun afirmou que a WHI "era o Rolls--Royce dos experimentos", de modo que deveria ser a "última palavra" sobre o assunto. No entanto, se Darwin tivesse deixado um exemplar de seu A *origem das espécies* numa reunião do grupo ultracatólico Opus Dei, ele teria sido recebido mais calorosamente que os artigos sobre a WHI publicados no JAMA. "A ausência de comentários foi ensurdecedora", Robert Knopp me disse. A única opção era a descrença. "Não sabemos o que fazer com alguns desses resultados", disse Tim Byers, um dos principais cientistas da WHI e membro do Centro de Ciências da Saúde da Universidade do Colorado. Afinal, todos já *sabiam* que comer muitas frutas e hortaliças e cortar a gordura eram as chaves da saúde na dieta, de modo que o raciocínio tinha de proceder de trás para a frente a partir daí.

A maioria concordou que talvez existissem falhas no estudo. As mulheres provavelmente não haviam mantido a dieta de baixo teor de gordura; além disso, como as mulheres norte-americanas já estavam comendo menos gordura de qualquer modo quando o estudo começou, na década de 1990 não havia diferenças suficientes entre o grupo de intervenção e o grupo de controle para que os resultados pudessem ser considerados significativos do ponto de vista estatístico. Outros criticaram a seleção das participantes e o fato de o experimento não ter feito distinção entre as gorduras "boas" – insaturadas – e as "más" – saturadas – na dieta das mulheres, bem como o fato de que as participantes não fizeram exercícios físicos em quantidade suficiente. Alguns, como Jacques Rossouw, diretor de projetos do NHLBI, inventavam múltiplas desculpas: o estudo "provavelmente foi muito curto, ou estudou mulheres velhas demais, ou mulheres muito saudáveis".

Além disso, sempre era possível culpar a mídia por ter simplificado em demasia a mensagem. Os jornais fizeram festa quando saíram os contraintuitivos resultados da WHI. "Empanturre-se!", gritavam as manchetes. "Esqueça tudo o que você já sabe sobre dieta!"

"Infelizmente, a ciência não funciona por meio de manchetes de jornal", comentou Marcia Stefanick, professora da Escola de Medicina da Universidade Stanford e chefe do comitê de direção da WHI. Segundo os pesquisadores da WHI, o que os jornalistas não perceberam foram as sutilezas das análises dos subgrupos, como o fato de um pequeno grupo de mulheres, que reduziram de modo mais drástico sua ingestão de gordura e seguiram os protocolos do estudo com a maior fidelidade possível, ter tido os índices mais baixos de câncer de mama. Embora esses resultados tenham dado a impressão de apontar na direção certa, é preciso observar que essas mulheres eram o grupo de "alta adesão" – grupo que segue as instruções e faz exatamente o que os médicos e diretores do estudo mandam fazer. São como os vegetarianos que discutimos no capítulo anterior, cuja saúde sempre parece melhor, mesmo que estejam tomando um placebo. O grupo de alta adesão parece mais saudável independentemente da intervenção, e, portanto, os resultados obtidos por eles não podem servir de base para nenhuma conclusão.

De qualquer modo, os cientistas geralmente não gostam de isolar e analisar os resultados de subgrupos (como o subgrupo de alta adesão), pois esses resultados são menos confiáveis do ponto de vista estatístico. Além disso, quando os autores isolam *no fim do estudo* um subgrupo que parece provar sua hipótese, ora, na opinião dos críticos, essa estratégia se assemelha a "desenhar o alvo ao redor do buraco de bala"[18].

Ou seja, é até possível que a cobertura jornalística da WHI tenha sido simplista. Os jornalistas talvez tenham, de propósito ou por simples preguiça, ignorado as análises dos subgrupos para as quais os comunicados da WHI tentavam chamar a atenção, mas esses jornalistas, apesar de seu simplismo, tinham razão. A WHI tinha sido o estudo

18. Mas mesmo as análises dos subgrupos ora apontam numa direção, ora em outra. Tomando como base o subgrupo das mulheres como cardiopatia diagnosticada no começo do estudo, o risco de desenvolverem complicações cardiovasculares foi 26% mais alto no grupo de intervenção do que entre as mulheres que não haviam mudado de dieta – um resultado estatisticamente significativo que foi omitido da tabela no relatório em que deveria constar. Além disso, no subgrupo das mulheres com risco de desenvolver diabetes, esse risco aumentou ao longo do estudo entre as mulheres que adotaram a dieta de baixo teor de gordura. Nenhuma das duas constatações, no entanto, foi incluída na seção de discussão do relatório, e, assim, não têm sido objeto de debate científico (Noakes, 2013).

maior e mais extenso sobre a dieta de baixo teor de gordura, e a dieta simplesmente não tinha funcionado. Tanto o estudo de Knopp antes dela quanto outros estudos subsequentes, como veremos no capítulo 10, confirmaram as descobertas da WHI. No conjunto, esses experimentos demonstram que a dieta de baixo teor de gordura é, na melhor das hipóteses, ineficaz contra as doenças; e, na pior, agrava os riscos de cardiopatia, diabetes e obesidade. A dieta padrão prescrita pela AHA nunca conseguiu produzir resultados melhores que as dietas com teor mais elevado de gordura.

Em 2008, uma revisão sistemática de todos os estudos sobre a dieta de baixo teor de gordura, feita pela Organização das Nações Unidas para Agricultura e Alimentação (FAO), concluiu que "não há indícios prováveis nem convincentes" de que um alto teor de gordura na alimentação cause doenças cardíacas ou câncer. Em 2013, na Suécia, um grupo consultivo de especialistas em saúde concluiu, depois de passar dois anos revendo 16 mil estudos, que a dieta de baixo teor de gordura era uma estratégia ineficaz para vencer tanto a obesidade como o diabetes. Portanto, a conclusão inescapável que se tira de todos os estudos feitos sobre essa dieta, que no conjunto custaram mais de 1 bilhão de dólares, é

"POR QUE AINDA ESTOU GORDA, SE TUDO QUE EU COMO É DE BAIXO TEOR DE GORDURA?"

que esse regime, que se tornou a dieta nacional norte-americana muito antes de ser adequadamente testado, representou, com quase toda certeza, um engano terrível para a saúde pública dos Estados Unidos.

"Cada vez mais se reconhece que a campanha em favor da diminuição do consumo de gordura foi baseada em poucos indícios científicos e talvez tenha inadvertidamente causado problemas de saúde", escreveu Frank Hu, professor de nutrição da Escola de Saúde Pública de Harvard em 2001. Com uma pilha cada vez maior de dados científicos acumulando em cima da mesa, as autoridades de saúde veem claramente a necessidade de atualizar suas recomendações. No entanto, é compreensível que não queiram propagandear uma radical mudança de curso depois de dar as mesmas recomendações durante 50 anos, e essa hesitação faz com que abordem o assunto de modo bastante vago. Tanto o USDA quanto a AHA, em suas listas mais recentes de diretrizes alimentares, eliminaram silenciosamente quaisquer prescrições específicas de porcentagem de gordura. E a prescrição de 30%-35% que estamos obedecendo há décadas? Desapareceu, assim como toda e qualquer discussão sobre o assunto em seus relatórios. Quanto de gordura devemos comer? Esses grupos já não nos dizem nada a respeito disso, e esse silêncio – é preciso dizê-lo – não tem nada a ver com a liderança clara e confiante que esperamos seja exercida pelas autoridades cujo dever seria nos ajudar a saber o que comer para combater as principais doenças de nossa época.

É claro que muitos de nós, que prestamos atenção ao que a ciência de fato tem a dizer, já há algum tempo voltamos a acolher a gordura em nossa dieta. Desistimos de saltear com spray de óleo de oliva, largamos de lado os pocheados e voltamos a temperar as saladas com molhos cremosos. E, se existe um lado bom daqueles tristes anos em que cortamos a gordura, é o seguinte: aprendemos que a gordura é a alma do sabor. Sem gordura, a comida não tem gosto e cozinhar é quase impossível. A gordura é essencial na cozinha para produzir crocância e espessar molhos. É crucial para que os sabores se fundam; torna leves e úmidos pães e bolos; e tem muitas outras funções que só ela pode desempenhar em tudo o que diz respeito a forno e fogão. Para satisfazer a essas importantes necessidades, os nutricionistas que haviam vivido a década de 1980 – em que a palavra de ordem era "quanto menos gordura, melhor" – e estavam em busca de uma solução encontraram um candidato aparentemente perfeito: o azeite de oliva. E essa foi uma das razões pelas quais, no comecinho da década de 1990, entrou em cena a "Dieta Mediterrânea".

7

A COMERCIALIZAÇÃO DA DIETA MEDITERRÂNEA: O QUE A CIÊNCIA TEM A DIZER?

A dieta mediterrânea é tão famosa e célebre hoje que mal precisa ser apresentada. Esse regime recomenda que a maior parte da energia do corpo seja obtida de hortaliças, frutas, leguminosas e cereais integrais. Frutos do mar e aves podem ser comidos várias vezes por semana, além de iogurte, sementes oleaginosas, ovos e queijo em quantidade moderada; a carne vermelha só entra em cena raramente e o leite nunca. A principal novidade dessa dieta para os norte-americanos foi a introdução do azeite de oliva, que se recomenda ser consumido em abundância. A dieta mediterrânea é saborosa e fez sucesso nos Estados Unidos. Foi tema de centenas de livros de receitas e recebeu mais cobertura da mídia do que qualquer estrela de Hollywood. Estudos recentes também mostram que, sob todos os aspectos, ela é mais saudável do que a dieta de baixo teor de gordura. Mas será mesmo que a dieta mediterrânea é um ideal nutricional, a dieta salvadora, como afirmam seus defensores?

É claro que a dieta mediterrânea com "d" e "m" minúsculos – a dieta de pão e peixe adotada por muitos povos do Mediterrâneo propriamente ditos – existe na Grécia, na Itália e na Espanha há muitos anos, mas a Dieta Mediterrânea com iniciais maiúsculas, o conceito e o programa nutricional endossados no mundo inteiro por cientistas e instituições oficiais, na verdade não existia antes de ser inventada pelos especialistas em nutrição.

Essa dieta com "D" maiúsculo começou a ser desenvolvida em meados da década de 1980 por duas cientistas inteligentes e ambiciosas, uma grega e a outra italiana, que deram um importante primeiro passo ao estabelecer a hipótese de que a alimentação tradicional de seus países teria o poder de proteger contra a obesidade e as doenças cardíacas. Uma dessas pesquisadoras era Antonia Trichopoulou, professora na Escola de Medicina da Universidade de Atenas, conhecida por muitos como "madrinha" da Dieta Mediterrânea por ter trabalhado mais que qualquer outra pessoa para conduzi-la à proeminência global. A ideia, segundo ela, teve uma origem simples. Trichopoulou era uma jovem médica que trabalhava no hospital da Escola de Medicina da Universidade de Atenas e aconselhava a seus pacientes com índices altos de colesterol que passassem a ingerir diversos óleos vegetais, pois era isso que a OMS, seguindo os passos da AHA, estava recomendando como forma de fugir do consumo de gorduras saturadas na batalha contra as doenças cardíacas.

Antonia Trichopoulou

Antonia Trichopoulou, a fundadora grega da "Dieta Mediterrânea". Ela se sentiu estimulada a agir quando viu oliveiras sendo derrubadas e todo um modo de vida tradicional desaparecendo.

Trichopoulou não questionou esses preceitos dietéticos até que "um dia um homem muito pobre veio ao hospital", como ela explica. "E disse: 'Doutora, estão me mandando comer óleo vegetal, mas estou acostumado com azeite de oliva! Não vou conseguir comer aquilo.'" Trichopoulou sabia que muitos gregos regavam todos seus alimentos com azeite de oliva e respeitava o lugar tradicional que esse ingrediente ocupava na cozinha grega há, talvez, milhares de anos. Muitas famílias gregas ainda cultivavam pequenos olivais no quintal para fazer seu próprio azeite. Mas, em razão da influência global da política nutricional norte-americana, que preferia óleos poli-insaturados como os de milho, açafroa e soja, o consumo de azeite de oliva na Grécia estava caindo. "Tínhamos começado a derrubar oliveiras", lamentou Trichopoulou. Dada a linhagem do azeite na cultura grega, Trichopoulou se perguntou se ele seria mesmo menos saudável que os óleos poli-insaturados que ela vinha promovendo. Teve a sensação intuitiva de que algo tão profundamente enraizado na história de seu país não poderia fazer tão mal.

E se propôs também uma pergunta mais ampla: será que o azeite de oliva não era apenas um elemento em toda uma tapeçaria de tradições dietéticas gregas que protegiam o povo contra as doenças cardíacas? Talvez essa dieta explicasse por que os gregos da década de 1950, na juventude de Trichopoulou, só perdiam para os dinamarqueses em matéria de expectativa de vida (pelo menos entre os países que tinham estatísticas desse tipo). Trichopoulou quis então quantificar o que os gregos de sua época comiam. Fazendo pesquisas sobre o tema, encontrou o famoso estudo dos Sete Países, de Ancel Keys, que era uma rica fonte de dados sobre a dieta da Grécia e da Itália naqueles anos do século XX.

Sabemos que Keys se sentira atraído pelos países do Mediterrâneo porque eles pareciam ser compatíveis com sua hipótese de que a gordura saturada causa doenças do coração. Os homens que ele estudara em sua primeira viagem à região, em 1953, tinham índices baixíssimos de doença cardíaca e pareciam não comer muita carne. Keys tinha uma preferência especial pela ilha de Creta, pois os gregos que moravam ali tinham a reputação de ser especialmente longevos. Quando a visitou pela primeira vez, surpreendeu-se ao "ver homens de 80 a 100 anos de idade indo trabalhar nos campos com uma enxada". Para Keys, cujos compatriotas morriam às multidões no auge da existência por causa de ataques cardíacos, os cretenses pareciam ser uma super-raça milagrosa.

Havia também algo de poético no fato de a Grécia, antigo berço da arte, da filosofia e da democracia, também fornecer à humanidade o ideal platônico de uma dieta saudável! Tudo se encaixava, e a bela e mítica ilha de Creta começou a irradiar certo maravilhamento para Keys e sua equipe. O próprio clima do local representou, para ele, uma gostosa fuga da rotina. Quando pôde abandonar o posto de professor visitante na Universidade de Oxford, onde sofria os rigores da "era de austeridade" que se seguira à Segunda Guerra Mundial na Inglaterra, ele ficou deslumbrado. "Vivíamos congelando em nossa casa sem calefação e estávamos cansados do racionamento de comida", escreveu. Atravessando a Europa de carro, ele e a esposa, Margaret, sentiram um alívio tremendo quando deixaram para trás o frígido norte e penetraram nos espaços amplos e ensolarados do sul da Itália: "Até a Suíça, dirigimos o tempo todo debaixo de uma tempestade de neve. [...] No lado italiano, o ar era fresco, as flores se abriam, os pássaros cantavam e o sol nos banhava enquanto, sentados ao ar livre, tomávamos nosso primeiro café expresso em Domodossola. Fomos invadidos por uma deliciosa sensação de calor."

Qualquer morador das regiões setentrionais que já tenha viajado à Itália reconhecerá essa sensação deliciosa causada pelo calor, pela beleza, pelas pessoas. E pela comida! Keys recordou-se do prazer que eles tinham em jantar: "Minestrone feito em casa" e uma variedade infinita de macarrões, "servidos com molho de tomate e queijo ralado", pão recém-saído do forno e "uma quantidade imensa de hortaliças frescas; [...] vinho do tipo que costumávamos chamar 'Dago Red'[1]" e, sempre, frutas frescas de sobremesa. Keys acabou construindo na Itália sua segunda residência, uma grande casa de campo sobre um penhasco que dava para o mar ao sul de Nápoles. "As montanhas atrás e o mar à frente, tudo banhado num sol cintilante – assim é o Mediterrâneo para nós", ele escreveu.

....
1. Gíria norte-americana que designa um vinho feito em casa, sobretudo por italianos. (N. do T.)

Ancel Keys e colegas passeando pelo sítio arqueológico de Cnossos

Ancel Keys e colegas em Creta. Os dados da pesquisa nutricional que fizeram na ilha serviram de fundamento para a Dieta Mediterrânea. Ancel Keys está no meio. O primeiro a partir da direita é Christos Aravanis, que dirigiu a fase grega do estudo dos Sete Países. À esquerda de Keys, de cabelos brancos, vê-se Paul Dudley White. O homem de braço estendido é um guia.

Nas idílicas ilhas de Creta e Corfu, bem como numa cidadezinha chamava Crevalcore, no sul da Itália, Keys colheu os dados dietéticos de seu estudo dos Sete Países. Com baixo consumo de gordura saturada e índices baixos de doença cardíaca, a população de Creta era a que melhor se encaixava em sua hipótese. Como vimos no capítulo 1, os dados sobre gordura saturada podem ter sido falseados pelo "problema da quaresma", que passou despercebido na época, mas Keys e os pesquisadores da dieta mediterrânea pressupuseram mesmo assim, com base nesses dados, que a dieta cretense preservava a vida. (No fim, constatou-se que os homens de Corfu sofriam altos índices de morte por doenças cardíacas apesar de comer a mesma quantidade de gordura saturada que os cretenses, mas os pesquisadores do assunto não procuraram explicar esse aparente paradoxo e, em geral, ignoraram esse subgrupo.) Para os nutricionistas que estudavam a nutrição mediterrânea, os ilhéus de Creta eram o subconjunto privilegiado. Acabaram se tornando as pedras de toque da dieta; os pesquisadores reiteradamente os citavam como detentores do segredo da longevidade.

O próprio Keys não identificou formalmente uma culinária "mediterrânea" quando publicou o estudo dos Sete Países, em 1970. Foi só mais tarde que passou a entender que os povos da Grécia e da Itália tinham um padrão alimentar especialmente saudável e exclusivo da região. Em 1975, ele relançou um livro de receitas publicado originalmente em 1959 com o título *Eat Well and Stay Well* [Coma bem e fique bem]. A nova edição sofreu poucas alterações e foi lançada como *Eat Well and Stay Well the Mediterranean Way* [Coma bem e fique bem do jeito mediterrâneo]. No entanto, a essa altura Keys já estava aposentado e não trabalhou muito para promover a ideia.

No fim das contas, a Dieta Mediterrânea foi promovida em grande medida pelos esforços de outras pessoas – especialmente Antonia Trichopoulou. Desenterrando os trabalhos de Keys sobre Creta, ela aventou a possibilidade de que aquele padrão de alimentação tivesse algo a ensinar ao resto do mundo. A partir de meados da década de 1980, começou a organizar conferências científicas sobre a dieta mediterrânea na Grécia. "Queríamos apenas levantar o assunto" da dieta, disse-me. O objetivo era saber se essa dieta poderia ser discutida em termos científicos "e se daquele mato sairia algum coelho". Realizadas em Delfos e em Atenas, essas primeiras conferências deram origem aos primeiros artigos acadêmicos sobre a dieta mediterrânea, escritos por historiadores, autoridades de instituições dedicadas à nutrição e cientistas.

Da Grécia à Itália

Quando Trichopoulou começou esse trabalho na Grécia, no fim da década de 1980, a cientista Anna Ferro-Luzzi estava tentando fazer o mesmo na Itália. Diretora de pesquisas no Instituto Nacional de Nutrição, em Roma, Ferro-Luzzi fora, na década de 1960, uma das peças-chave para a introdução do nutricionismo em seu país. "Tive de criar tudo sozinha", ela disse, lembrando do período em que os estudos em nutrição mal existiam na Itália. Em suas próprias palavras, ela nadara contra a corrente, pois os italianos desprezavam essa área da ciência, considerada "coisa de mulher – ficar na cozinha e cuidar da alimentação".

As contribuições científicas de Ferro-Luzzi para a criação da "Dieta Mediterrânea" se deram em duas frentes: ela criou um dos primeiros e mais importantes estudos sobre os "efeitos benéficos" do azeite de oliva sobre o coração e tentou elaborar um perfil o mais preciso possível dos componentes exatos da dieta dos países do Mediterrâneo. Ela e Trichopoulou decidiram adotar um conceito regional de dieta em detrimento do conceito nacional. Isso porque, desde o começo, as conferências contaram com o apoio da OMS, que tinha mais interesse em trabalhar em nível regional. Além disso, as duas mulheres tinham o mesmo receio: viam-se na linha de frente de uma batalha para defender um modo de vida ameaçado. Os moradores da orla europeia do Mediterrâneo estavam começando a comer em lanchonetes de *fast-food* num ritmo alarmante e a modernização parecia prestes a extinguir a culinária tradicional da região antes que ela fosse perfeitamente compreendida. Tanto para Trichopoulou quanto para Ferro-Luzzi, portanto, a questão era urgente. No entanto, a tarefa de definir uma Dieta Mediterrânea acabou se mostrando um pouco mais complicada do que Ferro-Luzzi esperava.

Quando começou a trabalhar, ela teve de se perguntar: será que a região mediterrânea já teve, em algum momento da história, uma dieta única? Os padrões alimentares variavam tanto de um país para outro, e mesmo dentro de cada país, que parecia quase impossível definir um padrão dietético geral com algum grau de precisão. De que modo uma coisa tão vaga poderia ser avaliada, que dirá promovida como um ideal? A esperança era demonstrar que a Dieta Mediterrânea era capaz de prevenir as doenças cardíacas; mas, se a dieta em si não se deixava definir, seria cientificamente impossível elaborar um teste adequado.

O próprio Keys reconheceu em seu livro de receitas que havia "diferenças substanciais" entre os hábitos alimentares das diversas regiões

Anna Ferro-Luzzi

Ferro-Luzzi, a criadora da "Dieta Mediterrânea" na Itália, ainda se pergunta se é possível dar a essa dieta uma definição adequada.

da orla mediterrânea. Os povos da França e da Espanha, por exemplo, "comiam duas vezes mais batatas que os gregos" e "os franceses comiam muito mais manteiga"[2]. Carnes e laticínios eram consumidos com muito menos frequência nos países do sul do que no norte. Com efeito, em cada local da região examinado por ele, havia diferenças na quantidade e no tipo de consumo de leite e laticínios, na quantidade e no tipo de carne, na quantidade e no tipo de hortaliças e sementes oleaginosas – em praticamente tudo.

Num meticuloso artigo que marcou época quando foi publicado, em 1989, Ferro-Luzzi tentou criar uma definição viável dos padrões nutricionais que caracterizavam os países europeus da orla do Mediterrâneo. A tentativa que ela fez foi a mais rigorosa de todas, mas no fim ela concluiu que a ideia de identificar uma dieta mediterrânea era "um

---
2. A visão que Keys tinha do Mediterrâneo era exclusivamente eurocêntrica. Falava apenas da Itália, da Grécia, da França, da Espanha e da Iugoslávia e não mencionava os países da África e do Levante que bordejam o Mar Mediterrâneo e que, em seu conjunto, têm sido excluídos da literatura sobre a dieta mediterrânea.

empreendimento impossível, pois os dados são inexistentes, incompletos ou muito agregados". Escreveu que o termo geral "dieta mediterrânea", "embora seja muito atraente, não deve ser usado na literatura científica até que a composição dessa dieta, tanto no que se refere aos alimentos que a integram quanto no que se refere aos nutrientes e não nutrientes, seja definida com mais clareza".

Apesar desses obstáculos, Ferro-Luzzi ainda acreditava que os alimentos modernos e altamente processados eram, obviamente, piores para a saúde. Por isso, trabalhou assiduamente para preservar a culinária tradicional de seu país. No entanto, não era fácil vender a ideia da Dieta Mediterrânea naquela época, pois o conceito nem sequer fazia sentido para os italianos. Eles não pensavam nem queriam pensar que seguiam qualquer tipo de "dieta"; simplesmente comiam. "E os burocratas não gostaram da ideia de 'medicalizar' uma dieta que sempre fora apenas um modo de vida espontâneo", ela explicou.

A abundância de azeite de oliva confronta a dieta de baixo teor de gordura

A ideia de que os esforços dessas duas mulheres viriam a culminar na exaltação da dieta mediterrânea pelo mundo afora e até em seu reconhecimento como "patrimônio cultural imaterial" da humanidade (título conferido pela Unesco em 2010) não parecia nada óbvia naqueles primeiros anos. Vários problemas, tanto políticos quanto científicos, davam a impressão de que impediriam a dieta de realizar as esperanças de suas primeiras promotoras. No front científico, o principal desafio que Ferro-Luzzi enfrentara – o de tentar reunir em um conceito único os hábitos alimentares díspares de tantos países e localidades – continuava à espera de uma solução. Os obstáculos ideológicos eram ainda maiores. A principal questão era a seguinte: de que modo uma dieta com abundância de azeite de oliva poderia triunfar num mundo dominado pelas diretrizes de baixo teor de gordura? Essa questão estava presente desde o começo, quando Keys observou que a "saudável" dieta cretense quase transbordava de gordura, a qual representava de 36% a 40% do total de calorias diárias. É claro que a gordura em questão era a do azeite de oliva. Segundo ele, as hortaliças eram servidas quase "nadando em óleo".

Quando Ferro-Luzzi e Trichopoulou começaram a congregar outros pesquisadores europeus em torno da ideia da dieta mediterrânea, na década de 1980, a maioria das autoridades de saúde concluiu que a quantidade de gordura nesse regime proposto era absurda. Tamanha quantidade de azeite de oliva conflitava com as diretrizes alimentares do mundo ocidental, onde a gordura era limitada a algo entre 20% e 30% do total de calorias. Os nutricionistas convencionais não conseguiam entender como os gregos, bebedores de gordura, conseguiam ser tão saudáveis. Reagindo a esse aparente paradoxo, Mark Hegsted, o professor de Harvard que conduziu a comissão McGovern e depois levou o USDA a publicar suas primeiras diretrizes alimentares, anunciou: "Não podem ser recomendadas dietas com alto teor de gordura." Com essa declaração, o *establishment* da nutrição marcava sua posição: era inconcebível permitir esse grau de consumo de gordura.

Opondo-se frontalmente a esse dogma monolítico, Trichopoulou liderou uma cruzada para que a Dieta Mediterrânea, em sua definição formal, previsse que 40% das calorias fossem fornecidas na forma de gordura. Essa quantidade talvez pareça relativamente alta, mas não era mais do que a maioria das populações ocidentais comia antes da adoção da dieta de baixo teor de gordura. Trichopoulou e outros pesquisadores empenharam esforços consideráveis para confirmar que essa cifra de 40% era uma representação mais ou menos exata dos hábitos alimentares tradicionais dos gregos. Em suas pesquisas, ela concluiu que era. E, depois, passou ainda mais tempo procurando combater a ideologia do baixo teor de gordura. Ela me disse: "Afirmei que isso *destruiria* a dieta da região. Na Grécia, nós sempre comemos daquele jeito. Não podemos recomendar menos gordura!"

Nesse pormenor, sua principal adversária era ninguém menos que Anna Ferro-Luzzi, que ficou do lado do baixo teor de gordura. Ela sabia que Keys havia constatado que o consumo de gordura era mais baixo na Itália do que na Grécia – ficava entre 22% e 26% das calorias. Esses números estavam mais próximos das recomendações internacionais e eram os mesmos de seu país, de modo que Ferro-Luzzi naturalmente os favorecia. Além disso, ela pôs os dados de Keys sob uma lente de aumento para ver se não conseguia encontrar algum furo na tese dos 40% de gordura. Concluiu que os dados dele, como todos os demais dados sobre a dieta grega daquele período, eram tão escassos e indignos de confiança[3] que havia "pouca base científica" para defender a tese de que a dieta grega algum dia tivera alto teor de gordura.

Hoje, sabemos que essa obsessão pela gordura total como causa de doenças era uma atitude míope e errônea, mas muitos anos ainda teriam de passar para que isso fosse compreendido. Nesse meio-tempo, a imensa maioria dos pesquisadores acreditava que gordura engorda e causa câncer e doenças cardíacas, fazendo com que os especialistas se preocupassem com a possibilidade de que o lado grego da dieta mediterrânea pudesse fazer muito mal à saúde. Não havia nenhuma conferência ou encontro em que a questão não fosse levantada, e ninguém a encarava de maneira neutra ou casual. Ferro-Luzzi e Trichopoulou eram as mais exaltadas. W. Philip T. James, atual diretor britânico da Força-Tarefa Internacional contra a Obesidade, conta: "Eu tinha de me sentar no meio para que elas parassem de brigar."[4]

Trichopoulou acabou prevalecendo por uma única razão: convenceu dois norte-americanos influentes a adotar sua tese. No fim, assim como a dieta de baixo teor de gordura se tornara famosa por causa de

---

3. Anna Ferro-Luzzi identificou muitos problemas metodológicos e técnicos nos dados de Keys, embora o tenha feito, segundo ela própria, com relutância, pois era amiga dele (Ferro-Luzzi, entrevista com a autora).

4. As discussões sobre porcentagens de gordura chegaram ao auge entre os pesquisadores europeus no ano 2000, durante a última reunião de planejamento de um projeto que visava estabelecer um conjunto único de diretrizes nutricionais para toda a União Europeia. A chamada "Eurodiet" envolveu 150 nutricionistas europeus durante dois anos; um acordo parecia possível até que "Anna e Antonia começaram a discutir sobre a quantidade de gordura admissível na dieta", lembra-se Philip James, um dos principais participantes. No fim, não se conseguiu chegar a um acordo e todo o projeto da Eurodiet caiu por terra (James, entrevista; Willett, entrevista com a autora, 3 ago. 2012).

Keys, a dieta mediterrânea precisou da adesão de personalidades fortes e influentes para fazer sucesso. Um deles foi Greg Drescher, membro fundador de um grupo chamado Oldways Preservation and Exchange Trust em Cambridge, Massachusetts, que se tornou o mais vigoroso promotor da dieta mediterrânea pelo mundo afora; o outro foi Walter C. Willett, professor de epidemiologia na Faculdade de Saúde Pública de Harvard, que se tornou um dos mais poderosos nutricionistas do mundo. As linhas de causalidade que redundavam no sucesso também funcionavam de trás para a frente. Assim como Keys, que se alçou à fama nas costas da dieta de baixo teor de gordura, Willett alcançou proeminência com a dieta mediterrânea.

Tanto Drescher quanto Willett viajaram a Atenas no fim da década de 1980 e, lá, ficaram na companhia de Trichopoulou. Ela e o marido, Dimitrios, que, como Willett, era epidemiologista em Harvard, hospedaram Willett em Atenas e levaram-no para jantar numa taverna local, cujo menu teria incluído charutinhos de folhas de uva e torta de espinafre. Para aquele filho de criadores de gado leiteiro que crescera em Michigan comendo o que ele próprio chamou de "insípida comida americana", esses pratos complexos e saborosos foram uma revelação. Trichopoulou se lembra: "Mostrei-lhe que era aquela comida simples que contribuía para a longevidade dos gregos." Além disso, ela o encorajou a promover essa estimulante dieta para melhorar a saúde dos norte-americanos.

Trichopoulou também desempenhou um papel na epifania mediterrânea de Drescher, que ouviu uma de suas primeiras conferências. "Todos os membros da plateia ficaram de queixo caído", ele conta. Ainda não haviam ouvido falar do obscuro grupo cretense de Keys, e Trichopoulou dizia que "os gregos, na década de 1960, comiam um monte de gordura mas ninguém sofria do coração. Como era possível?", Drescher se perguntava, perplexo.

Ele explica: "É preciso lembrar que, no fim da década de 1980, a voz mais respeitada em matéria de saúde e bem-estar era a de Dean Ornish", referindo-se ao guru que aconselhava os norte-americanos a comerem o mínimo possível de gordura. Drescher já trabalhara com Julia Child e Robert Mondavi e tinha, portanto, experiência em culinária. "A comunidade da culinária estava chocada e horrorizada [com as regras de Ornish], pois sabíamos que a gordura era essencial para o sabor e para uma refeição agradável", disse. "Aquilo nos deprimia. Ninguém queria ser malvado e servir algo que não fosse saudável, mas não sabíamos o que fazer para tudo funcionar." Drescher, interessado em saber mais sobre o assunto, foi tomar um café com Trichopoulou após a palestra. Ela recomendou que ele falasse com Willett.

Drescher e Willett acabaram unindo forças. Quanto mais estudavam, mais se davam conta de que uma dieta com maior teor de gordura, com o atraente potencial de fazer bem ao coração e embalada pela beleza mágica da Itália e da Grécia poderia vir a ter forte apelo nos Estados Unidos. Juntos, conseguiram tirar a dieta mediterrânea do gueto das conferências acadêmicas e lançá-la no horário nobre[5].

A Dieta Mediterrânea nos Estados Unidos: a construção da pirâmide

A primeira tarefa de Drescher e Willett consistia em resolver o problema que assediara a dieta desde o começo: como defini-la de maneira coerente. Trabalhando com uma equipe da qual faziam parte Marion Nestle (professora de política alimentar na Universidade de Nova York), Elisabeth Helsing (da OMS) e Dimitrios Trichopoulos (o marido de Antonia), eles tentaram definir uma dieta que tinha literalmente de tudo um pouco.

"Walter Willett foi a figura crucial", contou Drescher. "Ele deu à dieta o rigor científico de que ela precisava."

Um dos primeiros passos dados por Willett e sua equipe foi encolher a abrangência geográfica da dieta proposta, dando-lhe um tamanho mais administrável. Decidiu-se que a maior parte da região mediterrânea seria excluída, ou por ausência de dados ou porque os países em

---

5. O terceiro membro da equipe era K. Dun Gifford, que fora assessor dos senadores Edward Kennedy e Robert F. Kennedy e, depois, trabalhara com imóveis e investira em diversos restaurantes antes de se tornar fundador e presidente da Oldways. Gifford morreu em 2010.

questão – França, Portugal, Espanha e até o norte da Itália – não se encaixavam no modelo que se formara a partir de Creta e do sul da Itália. Só esses dois locais tinham uma dieta culinária mais ou menos parecida e apresentavam na década de 1960 um índice bem baixo de doenças cardíacas. Assim, para fins científicos, a equipe de Willett decidiu que a dieta mediterrânea seria baseada nesses lugares somente.

Willett também bateu o martelo sobre a quantidade total de gordura a ser recomendada. Foi persuadido pelos 40% de Antonia Trichopoulou porque, de acordo com os dados de Keys, essa quantidade de energia diária obtida da gordura era compatível com a saúde relativamente boa daquelas populações. Mas Willett não era um grande defensor do azeite de oliva. Recomendava que se usassem também os outros óleos vegetais, pois acreditava, como acreditam quase todos os especialistas em nutrição, que qualquer gordura é boa se vier na forma de óleo e não na forma sólida.

Em 1993, 150 dos maiores especialistas em nutrição da Europa e dos Estados Unidos reuniram-se em Cambridge, Massachusetts, para a primeira grande conferência sobre a Dieta Mediterrânea. Ancel Keys saiu da aposentadoria para comparecer; estavam lá Anna Ferro-Luzzi, Antonia Trichopoulou e até Dean Ornish. Havia muito tempo que esses especialistas viviam num mundo onde a dieta não era definida de acordo com os alimentos que a constituíam, mas de acordo com quantidades de nutrientes atomizados; não há dúvida de que estavam esperando a rodada normal de áridos *slides* científicos sobre o colesterol HDL e LDL e suas correlações tabuladas com diversos tipos de gordura comestível. Ao contrário, para seu prazer, foram regalados durante alguns dias com histórias sobre o azeite italiano e a vida rural nas ilhas gregas.

No terceiro dia, Willett subiu no palco e, sob uma torrente de aplausos, revelou a "Pirâmide da Dieta Mediterrânea". A pirâmide era estruturalmente baseada naquela que o USDA introduzira no ano anterior, e as duas tinham muito em comum: o largo degrau do meio era dedicado às frutas e hortaliças e a gigantesca base continha cereais e batatas. Na Dieta Mediterrânea, porém, algumas das outras faixas horizontais trocaram de lugar. A versão do USDA colocava as gorduras e óleos – "a serem consumidos com moderação" – no topo da pirâmide, ao passo que a de Willett atribuía ao azeite de oliva um generoso degrau médio. Essa era a grande notícia: tudo bem se a dieta tivesse bastante gordura! (Willett disse que sua pirâmide era melhor que a do USDA porque era "toda regada a azeite de oliva".) No topo da pirâmide dele estava a carne vermelha, a ser ingerida "poucas vezes por mês", com menos frequência que os doces. As demais proteínas de origem animal (peixes, aves e ovos) poderiam ser comidas apenas algumas vezes por semana, ao passo que na pirâmide do USDA poderiam ser comidas algumas vezes por dia.

Pirâmide do USDA

Gorduras, óleos e doces
CONSUMA COM MODERAÇÃO

CHAVE
◘ Gordura (natural ou acrescentada)
◘ Açúcares (acrescentados)
Estes símbolos representam as gorduras naturais e acrescentadas e os açúcares acrescentados aos alimentos

Grupo do leite, iogurte e queijo
2-3 PORÇÕES

Grupo de carne, aves, peixes, sementes de leguminosas, ovos e sementes oleaginosas
2-3 PORÇÕES

Grupo das hortaliças
3-5 PORÇÕES

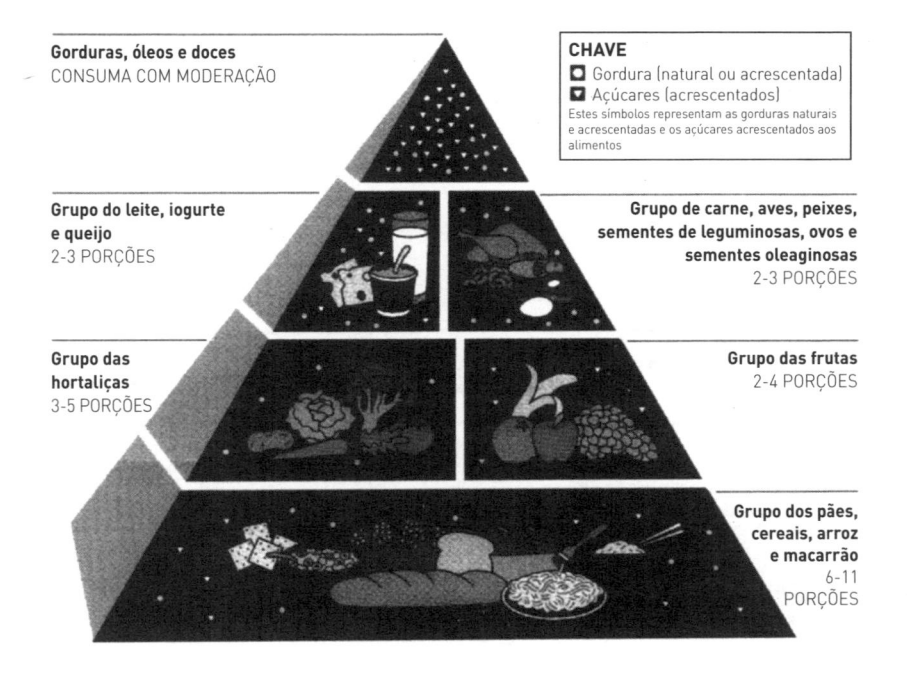

Grupo das frutas
2-4 PORÇÕES

Grupo dos pães, cereais, arroz e macarrão
6-11 PORÇÕES

Desde 1980 que as diretrizes alimentares do USDA recomendam uma dieta composta basicamente de carboidratos.

Pirâmide da Dieta Mediterrânea, 1993

A Dieta Mediterrânea Tradicional Ideal
Conceito preliminar

Este conceito preliminar de uma pirâmide que representa a Dieta Mediterrânea Tradicional Ideal se baseia nas tradições alimentares de Creta por volta de 1960, estruturadas à luz das pesquisas em nutrição em 1993. Variações dessa dieta ideal existiram tradicionalmente em outras partes da Grécia, em partes dos Bálcãs, partes da Itália, da Espanha e de Portugal, no sul da França, no norte da África (Marrocos e Tunísia, p. ex.), na Turquia e em partes do Levante (Líbano e Síria, p. ex.). A geografia da dieta tem íntima relação com as áreas tradicionais de cultivo da oliveira na região mediterrânea. Esta pirâmide é apresentada unicamente para fins de discussão e poderá vir a ser modificada.

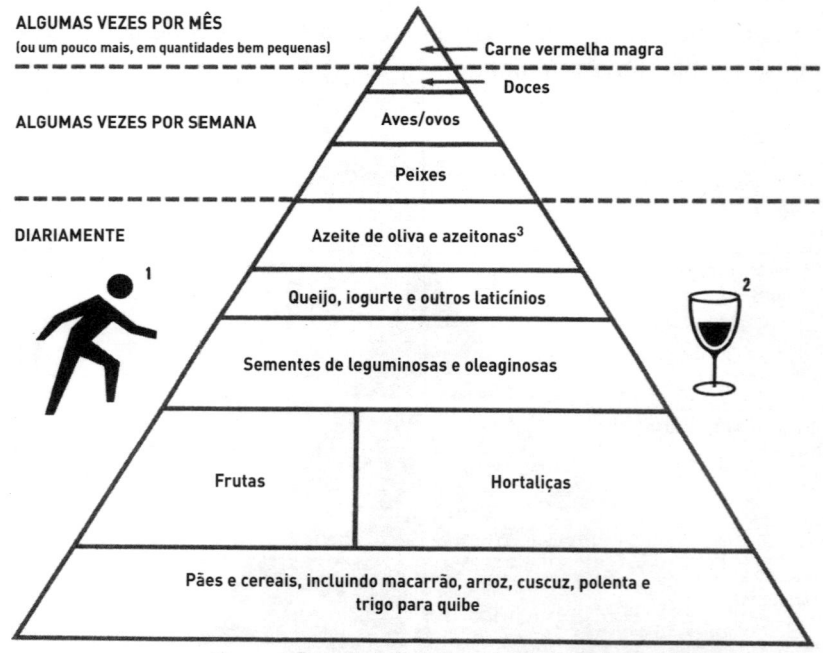

ALGUMAS VEZES POR MÊS
(ou um pouco mais, em quantidades bem pequenas) ← Carne vermelha magra
← Doces

ALGUMAS VEZES POR SEMANA
Aves/ovos
Peixes

DIARIAMENTE
Azeite de oliva e azeitonas[3]
Queijo, iogurte e outros laticínios
Sementes de leguminosas e oleaginosas
Frutas | Hortaliças
Pães e cereais, incluindo macarrão, arroz, cuscuz, polenta e trigo para quibe

Fonte: Conferência Internacional sobre as Dietas do Mediterrâneo, 1993

1. Indica a importância da atividade física regular.
2. Seguindo a tradição mediterrânea, o vinho pode ser consumido com moderação (1-2 taças por dia), principalmente às refeições; deve ser considerado opcional e evitado sempre que seu consumo possa pôr em risco quem o bebe ou outras pessoas.
3. O azeite de oliva, rico em gordura monoinsaturada e em antioxidantes, é a principal gordura consumida na região. Na dieta mediterrânea ideal, tradicional, a gordura pode chegar a perfazer 35%-40% do total de calorias, desde que a quantidade de gordura saturada fique abaixo de 7%-8% e a de gorduras poli-insaturadas fique entre 3% e 8%, sendo o restante suprido pela gordura monoinsaturada (na forma de azeite de oliva). Variações desta dieta em que a gordura total (mais uma vez, composta principalmente de azeite de oliva) não ultrapasse 30% – como na dieta tradicional do sul da Itália – podem ser igualmente ideais.

A primeira pirâmide da Dieta Mediterrânea, de 1993, era semelhante à do USDA, mas restringia ainda mais o consumo de carne vermelha, ao mesmo tempo que permitia um consumo generoso de azeite de oliva.

Será que essa representação da dieta mediterrânea ideal estava correta? Era difícil saber. Nem todos os presentes à conferência se apaixonaram pela ciência que a embasava. Marion Nestle, por exemplo, havia trabalhado em íntima associação com Willett durante os preparativos da conferência, mas no fim decidiu não apor sua assinatura à pirâmide. Ela me disse: "A ciência me parecia impressionista demais."

O que ela queria dizer é que não tinham feito nenhuma avaliação científica da dieta que justificasse as proporções dos diversos degraus da pirâmide. Ferro-Luzzi havia procurado quantificar a dieta mas desistira, considerando a tarefa impossível; depois disso, não se fizera nenhuma outra tentativa, nem havia sido realizado nenhum ensaio clínico sobre a Dieta Mediterrânea. Portanto, como Keys com sua hipótese dieta-coração, a equipe de Harvard divulgou sua ideia nutricional para o mundo baseada apenas em dados epidemiológicos. Do ponto de vista científico, os indícios eram bastante prematuros, donde o ceticismo de Nestle. Até Lawrence Kushi, um ex-pós-graduando de Willett que coescreveu com ele dois artigos que justificavam os benefícios da dieta mediterrânea para a saúde, me confidenciou que Nestle tinha "razão ao dizer que os indícios favoráveis [apresentados naqueles artigos] são um pouco impressionistas".

Os artigos científicos que a equipe de Willett redigiu para estabelecer a pirâmide não foram sujeitos ao processo normal de revisão paritária: tiveram apenas um revisor, não os dois ou três habituais. Isso porque esses artigos, junto com todas as atas da conferência de Cambridge, foram publicados num suplemento especial do *American Journal of Clinical Nutrition* que fora patrocinado por empresas de azeite de oliva. Suplementos patrocinados por interesses privados são comuns na área das pesquisas sobre alimentação e doenças, mas o patrocínio tende a passar despercebido para o leitor leigo, pois não é reconhecido nos próprios artigos[6].

No entanto, à medida que a Dieta Mediterrânea foi ganhando acolhimento do público e dos pesquisadores acadêmicos, tornou-se difícil

---

6. O leitor saberá que o artigo foi publicado num suplemento em razão do "S" que vem depois dos números de páginas (página "12S", p. ex.).

resistir a Willett e seus distintos colegas, organizados em torno de uma ideia sedutora e empolgante[7]. Uma nova rodada de conferências científicas sobre a Dieta Mediterrânea foi anunciada. A própria Ferro-Luzzi, que escrevera com rigor sobre seu ceticismo diante das possibilidades de definição básica da dieta, passou a integrar diversos conselhos internacionais ao lado de grandes especialistas de diversos locais do mundo. O momento de questionamento científico ficara para trás. "A mudança aconteceu quando passamos da ciência à política", explicou-me Ferro-Luzzi, descrevendo o que aconteceu depois da conferência de Cambridge, em 1993. "Divulgamos a pirâmide da dieta mediterrânea, que era um rascunho impreciso, mas dava alguma ideia do que era compatível com a boa saúde. Quando começamos a tratar de políticas públicas, esquecemos as minúcias. Esquecemos que as bases não eram muito sólidas, mas, pelo contrário, bastante precárias." Com efeito, quaisquer incertezas logo foram postas de lado. Depois que Willett apresentou a pirâmide em Cambridge, a maioria das pessoas supôs que todos os incômodos detalhes científicos já tivessem sido rigorosamente estudados e que a dieta já estava pronta para ser encarada de um ponto de vista mais amplo.

A febre de conferências sobre a Dieta Mediterrânea

A Dieta Mediterrânea alcançou rapidamente uma posição de destaque no mundo da nutrição, e é legítimo que se pergunte: como isso aconteceu? O que lhe deu um sucesso muito mais duradouro que tantas outras dietas populares na época, entre as quais a dieta da Zona, a de South Beach, a de Ornish e a de Atkins, que também prometiam uma melhora na saúde? Um dos motivos mais óbvios é que apenas a dieta mediterrânea era respaldada por professores de Harvard e por

---

[7]. Mais tarde, Willett registrou a pirâmide da Dieta Mediterrânea como marca comercial, dando-lhe o nome de Pirâmide Alimentar da Escola de Medicina de Harvard, e usou-a como base de seu livro campeão de vendas *Eat, Drink and Be Healthy: The Harvard Medical School Guide to Healthy Eating*. Nova York: Simon & Schuster, 2001.

uma pilha de artigos científicos que pareciam oferecer provas de suas propriedades preventivas e curativas. A promoção da Dieta Mediterrânea teve porém outro aspecto tão importante quanto esse, se não mais. Willett e Drescher, os aliados originais de Trichopoulou, continuaram a trabalhar em prol da Dieta Mediterrânea e desenvolveram toda uma nova estratégia que teve uma grande influência sobre os nutricionistas, a mídia e, por fim, o público.

O método consistia em convidar pesquisadores acadêmicos, críticos de gastronomia e autoridades de saúde para viver momentos paradisíacos: viajar de graça para algum país ensolarado à beira do glorioso mar Mediterrâneo a fim de comparecer a uma conferência científica. Na Itália, na Grécia e até na Tunísia, os cientistas se misturavam com autores de livros de receitas, chefes de cozinha, jornalistas e autoridades governamentais. Harvard proporcionava o prestígio científico e a Oldways resolvia as questões de dinheiro. Essas conferências aconte-

Walter Willett e Ancel Keys, Cambridge, Massachusetts, 1993

Ancel Keys, que criou o conceito da Dieta Mediterrânea, com Walter C. Willett, o professor de Harvard que a tornou famosa.

ram com regularidade ao longo de toda a década de 1990 e serviram, na prática, como veículo permanente de promoção da Dieta Mediterrânea.

A Oldways pretendia ser um "*think tank* de questões alimentares". Não resta dúvida de que quando foi fundada, em 1990, seus líderes eram inspirados por ideais elevados. Drescher e seus colegas queriam que os norte-americanos compreendessem os alimentos dentro de um contexto cultural e, acima de tudo, que os diálogos sobre o assunto no país deixassem de lado a questão dos nutrientes e a linguagem fria e distante da saúde pública para adotar a linguagem da *comida*. Afinal, ninguém nunca pediu "30% de gordura e 25% de proteína, por favor" para jantar. A pessoa comum simplesmente pede uma refeição, como macarrão com almôndegas. O movimento de promoção dos alimentos integrais se tornou famoso graças ao trabalho do escritor Michael Pollan, entre outros, mas a ideia original foi lançada pela Oldways por meio da dieta mediterrânea. O conceito era que a comida, envolvida na rica complexidade de uma culinária antiga, poderia ao mesmo tempo ter um sentido cultural, ser deliciosa ao paladar e, para unir o útil ao agradável, fazer bem à saúde.

Trabalhando para angariar apoio a essa ideia profunda, a Oldways organizou 50 conferências entre 1993 e 2004. Era fácil convencer as pessoas a participar desses retiros. É claro que o imenso apelo do Mediterrâneo influenciara Keys e seus colegas desde o começo, e seu fascínio pela região chegou a ecoar em seus trabalhos acadêmicos. Henry Blackburn, por exemplo, que trabalhava com Keys, escreveu no *American Journal of Cardiology*, em 1986, uma descrição do homem cretense "livre de risco coronariano" em que a linguagem, em se tratando de um artigo científico, assume um tom anormalmente lírico:

> Todos os dias, ele vai a pé para o trabalho e labuta sob a luz suave dessa Ilha Grega, em meio ao zumbido dos grilos e ao distante zurrar dos jumentos, na paz do seu país. [...] Na idade madura, senta-se sob a luz acobreada do sol grego, cujos raios inclinados envolvem a atmosfera numa rica aura de alfazema, a cor do céu e do mar Egeu. É belo, forte, bondoso e viril.

A beleza da paisagem e do estilo de vida, o povo e a dieta se uniam para produzir uma sensação única de maravilhamento. Blackburn admite que hoje sente vergonha do que escreveu naquele ensaio, mas diz que, na época: "Eu estava me sentindo muito romântico em relação a Creta. Me apaixonei pelo lugar." O próprio Keys foi passar a aposentadoria em sua casa de campo ao sul de Nápoles, onde cultivava árvores frutíferas[8].

Em retrospectiva, parece evidente que um longo caso de amor entre os nutricionistas mais influentes do século XX e a região do Mediterrâneo colaborou para determinar os rumos da ciência da nutrição. (Nós nos perguntamos se não teríamos mais informações sobre as dietas de outros povos longevos, como os mongóis e os siberianos, se os cientistas por acaso se sentissem atraídos por países sem acesso ao mar, cobertos de estepes desérticas e com um inverno longo e gelado. E o que teria acontecido se tivessem ido, por exemplo, à Alemanha, que também apresentava um índice baixo de doenças cardíacas no pós-guerra, mas tinha menos lugares banhados pelo sol para se realizarem conferências e onde o menu mais provável para o lanche seria *Sauerbraten* e *Blechkuchen*? Jamais saberemos.) Enquanto destino de viagem, o Mediterrâneo ganhava fácil. E assim como Keys e seu grupo original de pesquisadores haviam sido influenciados pelo amor às coisas mediterrâneas, a nova leva de especialistas também foi.

Em abril de 1997, quando a ilha de Creta explodia com a floração das íris selvagens cor de alfazema e das malvas roxas, alguns dos maiores nomes das áreas da alimentação e da nutrição integravam um grupo de 115 pessoas que se reuniu no Apollonia Beach Hotel, na cidade portuária de Heráclio. Walter Willett, Marion Nestle e Serge Renaud (o pai do "paradoxo francês"), bem como Christos Aravanis e Anastasios Dontas (os dois pesquisadores responsáveis pela fase grega do estudo dos Sete Países), estavam presentes, e também Peter Greenwald, dire-

---

8. Entre os vizinhos de Keys havia colegas seus que também construíram casas de campo. Ali residiam Flaminio Fidanza e Martii Karvonen, diretores do estudo dos Sete Países, além de Jeremiah Stamler. O grupo formou uma espécie de cooperativa no começo da década de 1960 e morava ali durante parte do ano. O local acabou se tornando um centro informal de encontros e festas científicas (Keys, 1983, pp. 23-4).

tor do NCI, cozinheiros famosos e críticos gastronômicos bem conhecidos, como Corby Kummer e Mimi Sheraton.

A vida do grupo durante aquela semana foi deliciosa. Palestras sérias e discussões de temas científicos, como "50 anos de estudos sobre a Dieta Mediterrânea" e "Gordura total na dieta – quais são os mais recentes resultados de estudos e meta-análises?", mesclavam-se com tópicos mais culturais como "Na terra de Perséfone e sua mãe, Deméter, deusa dos cereais". Houve excursões a museus e antigos palácios, além de sessões de degustação de vinhos e várias oficinas culinárias. Numa bela tarde, mulheres da região demonstraram como se cozinhava com os ingredientes e técnicas tradicionais de Creta. Renaud fez uma demonstração de preparo de *escargot*. Outra noite, o grupo foi levado de ônibus ao topo do monte Ida, o mais alto da ilha, e jantou enquanto o cometa Hale-Bopp estendia sua espetacular cauda no céu noturno.

"Foi fabuloso. Eu senti que tinha morrido e ido para o céu", conta Nestle. "Durante cinco anos, fui convidada a todos os eventos deles, sem exceção. [...] Nos reuníamos em lugares incríveis, que eu jamais poderia ter frequentado por mim mesma, e era tudo muitíssimo luxuoso. Era absolutamente incrível."

"Toda vez que nos sentávamos, a mesa estava posta com oito taças de vinho", lembra-se Laura Shapiro, então jornalista da *Newsweek*, que participou de várias viagens da Oldways. "Éramos cuidados e mimados num grau que eu jamais imaginara. Orquídeas sobre o travesseiro, a brisa suave entrando pelo terraço e tudo o mais."

Drescher, da Oldways, era o gênio criativo por trás da fusão da comida com a ciência da nutrição. "Acredito profundamente que devemos tentar criar programas que de algum modo transformem as pessoas e não sejam apenas uma sequência de slides e apresentações num auditório, seguidas de comida ruim", disse. Os cientistas, escritores, chefes e outros especialistas que estiveram presentes nos retiros educativos que Drescher organizou os contam entre as melhores conferências sobre alimentos de todos os tempos. "Aquelas pessoas nunca antes haviam estado juntas numa conferência. Isso era mais estonteante que os hotéis", diz Shapiro. "Era incrível ter todas aquelas potências intelectuais juntas numa sala!" As conferências eram verdadeiros festins regados a vinho, em meio a uma bela paisagem e conversas cordiais, e é fácil entender por que os pesquisadores e os escritores especializados faziam questão de não perder nenhuma daquelas ocasiões. Enquanto isso, transmitiam ao público de seus países natais opiniões favorabilíssimas sobre as virtudes da dieta mediterrânea.

"Embaixadores do azeite de oliva"

É claro, porém, que esses eventos eram caríssimos e precisavam de patrocínio. Foi por isso que, desde o começo, a Oldways estabeleceu uma relação de intimidade com o Conselho Oleícola Internacional (COI). Essa entidade, sediada em Madri, foi fundada pela ONU para controlar a qualidade do azeite de oliva e desenvolver "a economia da azeitona e do azeite em todo o mundo"; a maioria de seus países-membros situa-se na orla do mar Mediterrâneo[9].

Antes de se envolver com a Oldways, o COI havia tentado promover pesquisas simpáticas ao azeite de oliva financiando cientistas norte-americanos[10]. A comunidade dos pesquisadores acadêmicos estava ocupada em identificar o efeito de diversas gorduras sobre o colesterol no sangue; os chefes do COI imaginavam que o azeite de oliva seria validado por esse tipo de investigação, visto que investigações preliminares haviam demonstrado que os efeitos do azeite sobre o colesterol eram, em geral, neutros. No entanto, os estudos clínicos são coisa demorada e os resultados positivos não são garantidos, de modo que o COI

---
9. Na Grécia, chega a 60% a área de terra arável dedicada ao cultivo da oliveira. O azeite de oliva é o principal produto agrícola exportado pela Espanha e o segundo mais exportado pela Itália, depois do vinho.
10. O mais importante pesquisador acadêmico a receber verba do COI foi Scott M. Grundy, presidente do departamento de nutrição clínica do Centro Médico da Universidade do Texas do Sudoeste e um dos especialistas mais influentes da área da relação entre alimentação e doença ao longo dos últimos 50 anos. Ele fez um experimento sobre o azeite de oliva com Fred H. Mattson, químico que, após passar 30 anos na Procter & Gamble, tornou-se professor de medicina na Universidade da Califórnia em São Diego (o estudo resultante está relatado em Mattson e Grundy, 1985).

preferiu mudar de tática e ajudar a Oldways a promover o azeite de oliva de um jeito bem mais eficaz e atraente, ou seja, por meio das conferências sobre a Dieta Mediterrânea[11].

Naturalmente, todos esses eventos eram generosamente regados a azeite de oliva. Amostras de azeite eram escondidas em meio aos arranjos de flores e entregues aos participantes em sacolinhas especiais. Além disso, o azeite era sempre objeto de diversos painéis científicos.

"Era assim que funcionava", diz Drescher, explicando como as conferências eram financiadas. "Começávamos com o dinheiro do COI, mas depois trabalhávamos com o governo, que normalmente estava disposto a financiar a hospedagem. A companhia aérea nacional transportava as pessoas. Sempre que envolvemos o governo, ele ajuda a custear despesas." A Itália, a Grécia e a Espanha contribuíram. "Na verdade, tudo girava em torno de harmonizar os interesses desses países com as interessantes direções em que as pesquisas científicas estavam caminhando", explicou Drescher. Em outras palavras, os países promoviam sua economia proporcionando luxuosas regalias, visando comprar a boa opinião de especialistas que depois viriam a dar recomendações nutricionais ao grande público. Está claro que a estratégia funcionou.

As verbas do setor do azeite não eram um dado novo nas pesquisas sobre nutrição. A fase grega do estudo dos Sete Países recebera verbas da Elais (uma empresa grega produtora de azeite de oliva), do COI, do Conselho Consultivo da Azeitona do Estado da Califórnia e da Associação Grega de Indústrias e Processadores de Azeite de Oliva. A primeira parte do estudo fora financiada pelo NIH, mas quando o dinheiro acabou, segundo conta Henry Blackburn, Christos Aravanis – o principal cientista grego a participar do estudo – "não hesitou em pegar o telefone e passar o chapéu nas produtoras de azeite". Keys, de acordo com seus colegas, também "deu uma ajuda significativa na captação desses recursos". Quando publicou seu estudo, Keys só admitiu ter recebido duas subvenções desse tipo; numa publicação posterior, admitiu ter recebido apenas uma.

....
11. A primeira conferência sobre a Dieta Mediterrânea feita com verba do COI foi a realizada em Cambridge, Massachusetts, em 1993, quando Willett apresentou a pirâmide ao mundo.

Além dos interesses dos produtores de azeite de oliva, que era o primeiro ou o segundo produto agrícola mais importante da Itália, da Grécia e da Espanha, cada um desses países tinha frutas e hortaliças nacionais que poderiam lucrar caso fossem incluídas no menu da Dieta Mediterrânea da Oldways: o tomate na Itália, a batata na Grécia[12].

Na realidade, não havia diferença entre patrocinar as conferências da Oldways e o que esses setores já vinham fazendo em seus próprios países: na Itália, por exemplo, o setor agrícola desde muito cedo apoiara a campanha de saúde pública do governo, que, por meio de cartazes e comerciais de TV, aconselhava os cidadãos a "comer à moda mediterrânea". Ferro-Luzzi, baseando-se em parte nesse apelo comercial, conseguira convencer as autoridades de que esse tipo de campanha seria benéfica. "Eu disse a elas que o que era bom para os produtos agrícolas era bom para o povo", contou-me. A Espanha e a Grécia empenharam esforços semelhantes, assim como a própria União Europeia, que teria gasto 215 milhões de dólares ao longo de mais ou menos 10 anos em sua campanha de relações públicas em prol do azeite de oliva. Essas campanhas também bombardeavam os médicos europeus com boletins "científicos" sobre o azeite de oliva, levando alguns pesquisadores a se queixar de que o governo estava revestindo uma campanha de *marketing* com um disfarce científico.

No entanto, nada foi tão eficaz quanto as conferências da Oldways para influenciar a elite científica da Europa e dos Estados Unidos. Essas experiências revigorantes e luxuosas, misto de seminário científico, festa alimentar e celebração cultural, foram uma ideia genial e conseguiram alcançar as pessoas mais influentes do mundo da nutrição.

Nestle me revelou a contrapartida que tacitamente se esperava de quem comparecesse às conferências: "Esperava-se que cada jornalista que fosse a uma dessas viagens escrevesse sobre ela, e, caso não escre-

---

12. Alguns patrocinadores, porém, não se enquadravam na designação "mediterrânea". No Havaí, por exemplo, onde a Oldways levou os conferencistas ao vale de Waipi'o (que normalmente é inacessível e era, nas palavras de Drescher, "um inacreditável pedaço do paraíso"), parte da verba foi garantida pelo setor da macadâmia, embora essa árvore não exista na região do Mediterrâneo.

vesse, não era convidado para as demais. [...] Todos sabiam o que deviam fazer e ficavam contentes em fazê-lo! Se você está no Marrocos e lhe servem um jantar onde os garçons entram com pratos pegando fogo, você vai escrever sobre o assunto. Há muito sobre o que escrever!"

Em retrospectiva, no entanto, Nestle – autora de *Food Politics* [Política alimentar], uma obra seminal sobre como o setor alimentício influencia a política nutricional – reconhece que as conferências não eram tão inocentes quanto a maioria dos participantes imaginava. Ela me confidenciou: "Na época, aquilo parecia totalmente benigno. Mas era sedutor demais. A Oldways, em essência, era contratada como uma empresa de relações públicas. [...] E o objetivo era promover a dieta mediterrânea para acadêmicos como eu, que fui engolida pelo esquema."

Kushi, ex-aluno de Willett que hoje é diretor de política científica da Kaiser Permanente, disse que ele e os colegas sabiam que o dinheiro do azeite corria por trás das reuniões, mas "o fato de ele ser lavado por meio da Oldways o tornava um pouco mais palatável". Parece que os especialistas convidados pela Oldways eram tão arrebatados pela experiência que não se preocupavam com a possibilidade de tudo aquilo estar a serviço dos interesses de um setor econômico.

Para Laura Shapiro, da *Newsweek*, no fim ela não foi mais convidada para as conferências da Oldways porque "não consegui obedecer ao programa". Ela viajava de graça sem escrever reportagens explícitas sobre suas viagens. A certa altura, "a Oldways me chamou e disse que não podia mais justificar minha presença para seus patrocinadores".

Mas Shapiro também diz que, durante certo tempo, havia escrito sobre os benefícios do azeite de oliva para a saúde e havia promovido muito bem o programa da Dieta Mediterrânea. "Nós, da imprensa, éramos pequenos embaixadores do azeite de oliva enviados a todas as partes do mundo. Foi isso que a Oldways criou!"

E embora alguns desses "embaixadores" tenham caído em desgraça na Oldways[13], como ocorreu com Shapiro, sempre havia outros para

---

13. Ferro-Luzzi acredita que tenha sido dispensada pela Oldways porque abordava o aspecto científico da dieta de maneira exageradamente crítica. E Marion Nestle tam-

substituí-los. Dez anos de conferências organizadas pela Oldways elevaram a dieta à estratosfera do sucesso, onde permanece há décadas, sempre recebendo atenção da mídia e dos pesquisadores acadêmicos. Depois da publicação da pirâmide de Willett, o *New York Times* sozinho publicou mais de 650 artigos com as palavras "dieta mediterrânea" no título. E os pesquisadores em nutrição, prestando atenção constante à dieta, escreveram mais de mil artigos científicos sobre ela desde o começo da década de 1990. Os epidemiologistas do departamento chefiado por Willett na Escola de Saúde Pública de Harvard – dos quais sempre houve pelo menos um em todas as conferências da Oldways ao longo de toda a década de 1990 – publicaram quase 50 artigos, no conjunto, sobre a dieta mediterrânea. Dietas como a de South Beach e a da Zona, em comparação, que não foram introduzidas por cientistas universitários de elite nem promovidas por conferências no exterior, só foram tema de um punhado de artigos científicos. As dietas de Atkins e Ornish receberam um pouco mais de atenção dos especialistas, como veremos no capítulo 10.

Nancy Harmon Jenkins, uma das fundadoras da Oldways e autora de *The Mediterranean Diet Cookbook* [O livro de receitas da Dieta Mediterrânea], reconheceu em sua conversa comigo: "O setor da alimentação é particularmente vulnerável à corrupção, pois ganha-se muito dinheiro com comida e muita coisa depende do diálogo e principalmente das opiniões dos especialistas."[14]

---

bém caiu em desgraça numa disputa a respeito do financiamento do suplemento publicado no *American Journey of Clinical Nutrition* em 1993, cuja verba viera do COI. Nestle fechara o negócio com o COI num hotel de luxo no Havaí, episódio sobre o qual ela escreve em *Food Politics* e do qual hoje, segundo diz, se arrepende (Ferro-Luzzi, e-mail enviado à autora, 27 dez. 2013; Nestle, entrevista; Nestle, 2002, pp. 114-5).

14. A Oldways, por sua vez, perdeu o financiamento do COI em 2003 e de lá para cá organizou muito menos eventos. Em 2004, talvez movido pelo desespero, o grupo aceitou a Coca-Cola Company como novo cliente e durante quatro anos organizou conferências intituladas "Administrando a doçura" ou "Compreendendo a doçura". No rastro dessa opção infeliz, e como seria de esperar, o grupo perdeu parte de sua reputação entre os nutricionistas, e, em geral, o aspecto científico das mais recentes conferências organizadas por ele é apenas residual.

Os Estados Unidos dão as boas-vindas ao azeite de oliva

No fim, cada centavo gasto para cortejar as opiniões daqueles especialistas valeu a pena. Exaltada por cientistas, críticos de gastronomia e jornalistas, a Dieta Mediterrânea inundou revistas, livros de receitas e cozinhas do mundo inteiro; da noite para o dia, tornou-se a novidade do momento no mundo da nutrição. Os profissionais de saúde adoraram a dieta, pois permitia-lhes acrescentar algo de novo à familiar mensagem do "coma frutas e hortaliças". Além disso, a dieta mediterrânea ressaltava a beleza e o sabor dos alimentos – algo muito mais animador que o regime nutricional anterior, baseado na abnegação e na abstinência.

Os norte-americanos preocupados com sua saúde, que havia 30 anos vinham renunciando aos salteados e aos molhos em razão das recomendações da AHA e do USDA com sua dieta de baixo teor de gordura, acolheram de braços abertos a permissão de deliciar-se com esse novo modo de comer. *Qualquer* acréscimo de gordura à dieta representava uma melhora em relação à insípida dieta magra que durante tanto tempo eles se sentiram obrigados a ingerir. A popularidade da dieta mediterrânea subiu como um rojão porque as pessoas adoraram poder comer, sem culpa, todos aqueles alimentos gordos há tanto tempo banidos – azeitonas, abacate, sementes oleaginosas. Em comparação com a ausência total de gordura, os alimentos refogados em azeite de oliva tinham um gosto delicioso.

Sedutora, ensolarada, endossada por Harvard, a dieta mediterrânea ganhou as manchetes. Uma crítica gastronômica, em êxtase ao voltar de uma conferência, louvou "todos esses homens e mulheres, com tantas credenciais", que confirmavam que "as estradas do Mediterrâneo, ladeadas de ciprestes, conduziam a uma vida longa e livre de colesterol. [...] Até que enfim podemos unir o útil ao agradável". Molly O'Neill, do *New York Times*, escreveu um longo artigo depois da primeira conferência de Cambridge, com a esperança de que a dieta viesse a se tornar o "novo éden da nutrição".

Mesmo assim, os tradicionalistas tinham uma dificuldade tremenda para aceitar a ideia de que uma dieta saudável pudesse ter alto teor de gordura. O'Neill, no início, errou ao divulgar a novidade da dieta mediterrânea como meras "luvas de pelica envolvendo a realidade férrea de um regime magro". Esse erro era comum entre jornalistas e outros que durante tanto tempo haviam recitado o mantra do baixo teor de gordura. Do mesmo modo, a princípio, as grandes associações profissionais – a AHA, a Associação Americana de Medicina e outras – não deram apoio à dieta mediterrânea, e sempre pela mesma razão pela qual Hegsted a rejeitara: a dieta violava a antiga política americana de baixo teor de gordura.

O público norte-americano, por sua vez, teve de se virar sozinho para compatibilizar aquelas recomendações conflitantes. A julgar pelas estatísticas nacionais de consumo, continuou renunciando aos produtos de origem animal e consumindo mais frutas, hortaliças e cereais, como recomendavam tanto a pirâmide mediterrânea quanto a do USDA. No entanto, as pessoas passaram a comer mais peixe e mais sementes oleaginosas e a cozinhar com azeite de oliva. Na verdade, o consumo de azeite de oliva disparou nos Estados Unidos após o anúncio da pirâmide da Dieta Mediterrânea, e esse consumo por pessoa hoje é três vezes maior do que era em 1990.

Não resta dúvida de que a adoção do azeite de oliva representou uma melhora para a saúde em relação aos demais óleos vegetais que os norte-americanos vinham usando. Um dos perigos conhecidos desses óleos – de amendoim, açafroa, soja, girassol – é que eles oxidam facilmente em alta temperatura, motivo pelo qual seus frascos trazem estampado um alerta contra o excesso de aquecimento (como discutiremos no capítulo 9). O azeite de oliva, por sua vez, é mais estável e, portanto, melhor para o uso em fogão[15]. O azeite de oliva também tinha um apelo estético, pois é distribuído em belas garrafas de vidro escuro e vem com aromas e sabores da Itália, que muitos cozinheiros preferem à relativa insipidez dos óleos vegetais comuns em seus humil-

---

15. O azeite de oliva é uma gordura *mono*insaturada, ou seja, tem apenas uma ligação dupla ao longo de sua cadeia de átomos de carbono, ao passo que os demais óleos vegetais são *poli*-insaturados, ou seja, têm múltiplas ligações duplas, e todas elas podem reagir com o oxigênio.

des frascos de plástico. Por todas essas razões, foi respingando azeite de oliva sobre suas frigideiras, hortaliças e molhos que os norte-americanos deixaram de lado a dieta de baixo teor de gordura e adotaram um estilo mais "mediterrâneo" de alimentação.

O azeite de oliva e a dieta mediterrânea também pareciam ser a resposta perfeita a uma pergunta que os norte-americanos, ávidos por mais gordura, faziam sem sequer perceber: havia um sistema de promoção da boa saúde que também fosse agradável e prazeroso? A dieta mediterrânea ocupou confortavelmente esse nicho.

No entanto, ainda resta saber: será que a dieta mediterrânea é mesmo um elixir de saúde? Chegou a hora de examinarmos os dados científicos, começando pelos relativos ao azeite de oliva.

Longevidade: será o azeite o responsável?

Ao fruto da oliveira foram atribuídas, no decorrer das eras, inúmeras propriedades medicinais, religiosas e até mágicas. Os gregos da Antiguidade usavam seu óleo para ungir os corpos e Hipócrates prescreveu as folhas da oliveira como remédio para várias doenças, desde males da pele até problemas digestivos. Pelo fato de o azeite de oliva ser um elemento tão significativo das dietas grega e italiana em meados do século XX, e de Antonia Trichopoulou ter sentimentos tão fortes por esse produto tradicional de seu país (e também, sem dúvida, pelo fato de as empresas produtoras de azeite terem dado tantas contribuições financeiras às pesquisas em nutrição), os cientistas postularam desde o princípio que esse óleo era um dos fatores determinantes do vínculo entre as dietas e a longevidade.

Anna Ferro-Luzzi interessou-se pelos efeitos do azeite sobre a saúde não só por ele ser um dos elementos básicos da alimentação italiana, mas também porque fazia tempo que os pesquisadores norte-americanos vinham estudando exclusivamente as gorduras; essa opção de estudo, portanto, seria boa para ela do ponto de vista profissional. Com efeito, foi por meio de suas pesquisas sobre o azeite de oliva que Ferro-Luzzi acabou conhecendo Keys. "Nós nos tornamos bons amigos", ela diz; mas acrescenta que, de todos os "cientistas turrões" (todos do sexo masculino) com quem ela trabalhou ao longo dos anos, "Ancel era de longe o mais turrão: defendia suas opiniões até a morte". Mesmo assim, quando Ferro-Luzzi começou a conduzir um experimento sobre o azeite de oliva no vilarejo litorâneo de Cilento, ao sul de Nápoles, no começo da década de 1980, Keys foi inscrito como um dos conselheiros do estudo.

Durante 100 dias, Ferro-Luzzi registrou todos os alimentos ingeridos por 50 homens e mulheres. Escolheu esses aldeões porque eles ainda aderiam ao modo de vida tradicional e, nesse contexto, o azeite de oliva era praticamente a única gordura visível que usavam na culinária. A equipe de Ferro-Luzzi visitava cada casa pelo menos quatro vezes por dia e um dietista sentava-se com a família a cada refeição para ter certeza de que todos estavam comendo. Duas balanças foram instaladas em cada cozinha, para pesar ingredientes e alimentos pequenos e grandes. Se um membro da família comesse num restaurante ou na casa de um amigo, um membro da equipe visitava o local para determinar como a comida fora preparada. Além disso, visto que o experimento visava determinar o que aconteceria com os índices de colesterol no sangue quando os sujeitos de pesquisa trocassem as gorduras de origem vegetal pelas de origem animal (sendo a maior mudança a do azeite de oliva para a manteiga), Ferro-Luzzi fornecia às famílias, no começo de cada semana, toda a carne e os laticínios de que precisariam ao longo da semana. O estudo foi, portanto, um modelo de capricho, e demonstra o nível de compromisso necessário para fazer uma pesquisa significativa na área da nutrição.

Depois de seis semanas, Ferro-Luzzi constatou que o índice de colesterol LDL (o colesterol "ruim") havia subido imensos 19%, em média, quando os aldeões trocavam o azeite pela manteiga e outras gorduras saturadas. Esse resultado foi proclamado como um indício incrivelmente favorável ao azeite de oliva, e o estudo – o primeiro experimento conclusivo acerca dos efeitos do azeite de oliva sobre o colesterol – serviu tanto para firmar Ferro-Luzzi em sua área de atuação quanto para consolidar o azeite de oliva no papel de óleo "saudável para o coração"[16].

Enfocando os efeitos do azeite de oliva sobre o colesterol LDL, os pesquisadores o recomendaram como uma gordura saudável, boa para combater doenças, e nos anos seguintes dezenas de artigos sobre os possíveis efeitos curativos do azeite de oliva foram publicados. Infelizmente, a maioria desses supostos benefícios para a saúde não se confirmou. Os especialistas aventaram a hipótese de que o azeite de oliva pudesse prevenir o câncer de mama, por exemplo, mas os indícios favoráveis a essa ideia são, até agora, muito fracos. Esperava-se que o azeite de oliva reduzisse a pressão sanguínea, mas vários estudos sobre a questão tiveram resultados conflitantes.

No azeite "extravirgem", pesquisadores identificaram um sem-número de "não nutrientes", como antocianinas, flavonoides e polifenois, que, segundo se crê, são capazes de operar pequenos milagres. Estão presentes nas azeitonas porque elas têm cor escura, uma defesa desenvolvida ao longo de milhares de anos contra o calor do sol. Nem todos os efeitos desses não nutrientes foram explorados; no caso dos flavonoides, porém, grandes estudos clínicos com seres humanos foram incapazes de demonstrar qualquer tipo de benefício para a saúde.

Alguns dos dados citados com mais frequência para corroborar os benefícios do azeite de oliva para a saúde são os da fase grega da European Prospective Investigation into Cancer and Nutrition (EPIC), um grande estudo epidemiológico feito com mais de 28 mil voluntários e dirigido por Antonia Trichopoulou. Com base nos dados aí obtidos, Trichopoulou publicou em 2003 um artigo que marcou época. No *New England Journal of Medicine* (NEJM), ela concluiu que a adesão a uma "dieta mediterrânea tradicional", com "alta ingestão de azeite de oliva", estava correlacionada com uma "redução significativa e subs-

---

16. O estudo de Ferro-Luzzi também evidenciou que o índice de colesterol HDL (o colesterol "bom") subiu quando os sujeitos de pesquisa passaram a comer manteiga (um efeito especialmente marcante entre as mulheres), o que poderia dar a entender que a manteiga fosse a opção mais saudável. No entanto, como vimos, os especialistas escolheram como bioindicador privilegiado o colesterol LDL, não o HDL, de modo que essa descoberta de Ferro-Luzzi sobre o HDL passou em branco.

tancial da mortalidade geral". Ficamos perplexos, porém, ao constatar que, nesse estudo, Trichopoulou nunca chegou a medir o consumo de azeite de oliva dos sujeitos de pesquisa. O azeite não constava no questionário de frequência alimentar usado por ela, nem como alimento consumido diretamente, nem como gordura usada no fogão. Em vez disso, ela "estimou" seu uso a partir da lista de pratos que constavam no questionário, baseando-se em pressupostos acerca de como os gregos preparavam esses pratos[17]. Essa deficiência, no entanto, não foi mencionada no artigo publicado no *NEJM*, e o "azeite de oliva" é listado no texto sem nenhuma explicação de como as quantidades consumidas foram calculadas[18].

Em 2003, a Associação Americana do Azeite de Oliva, que representa os produtores de azeite, reuniu todos os dados disponíveis que supostamente demonstravam que o azeite tinha efeito protetor contra as cardiopatias e apresentou os estudos em questão à FDA. Os produtores tinham a esperança de ganhar o direito a estampar em suas embalagens uma declaração relativa à saúde – do tipo "uma dieta com bastante azeite de oliva pode prevenir as doenças cardíacas".

Mas a FDA não se deixou convencer. Dos 73 estudos apresentados, somente quatro foram considerados sólidos o suficiente do ponto de vista metodológico para serem examinados mais a fundo. (Os dados epidemiológicos, do tipo publicado por Willett e Trichopoulou, não demonstravam causalidade e, portanto, nem sequer foram incluídos na análise.) Os quatro estudos admissíveis eram ensaios clínicos em que grupos de homens tinham ingerido azeite de oliva durante quase um mês. No conjunto, esses ensaios mostravam que o azeite, em comparação com outras gorduras, poderia baixar o índice de colesterol LDL sem mexer no de HDL. A FDA, porém, declarou que não poderia conceder o direito a uma declaração de saúde com base numa amostra de

---

17. Trichopoulou também conduziu, com uma população menor, um estudo para verificar a validade de suas estimativas de consumo de azeite, mas os resultados só confirmaram a precisão do estudo maior num grau que ia de "moderado" a "fraco" (Katsovyanni et al., 1997, p. S120).

18. Em outra publicação de Trichopoulou baseada nesses dados, as palavras "azeite de oliva" constam no título (Psaltopoulou et al., 2004).

apenas 117 pessoas, todas elas jovens do sexo masculino. No conjunto, segundo a decisão do órgão, os dados disponíveis refletiam "um baixo nível de confiança entre os cientistas qualificados" quanto à hipótese de que o azeite de oliva prevenia as cardiopatias. (De lá para cá foram realizados mais alguns estudos clínicos sobre o azeite de oliva, mas eles pouco acrescentam à base de dados já existente, uma vez que são pequenos e seus resultados são conflitantes. Além disso, alguns estudos recentes com animais dão a entender que o azeite de oliva pode *provocar* doenças cardíacas, pois estimula a produção dos chamados ésteres do colesterol.)

Assim, os produtores de azeite só receberam permissão para afirmar que "dados científicos *limitados, mas não conclusivos*, dão a entender que o consumo de duas colheres de sopa de azeite de oliva por dia pode reduzir o risco de cardiopatias coronarianas em razão da gordura monoinsaturada presente no azeite". Como recomendação do caráter especial do azeite entre as gorduras e de seus poderes curativos, essa declaração não convencia.

A tepidez da FDA, no entanto, não impediu os pesquisadores de tentar encontrar outros meios de provar que o azeite de oliva era uma panaceia. Em 2005, por exemplo, criou-se muito entusiasmo em torno de um artigo publicado na revista *Nature*, onde se divulgava que o azeite de oliva contém uma substância anti-inflamatória então recém-descoberta. O biopsicólogo Gary Beauchamp havia percebido que o Lemsip, um remédio antigripal vendido no Reino Unido, irritava o fundo da garganta da mesma maneira que o azeite de oliva extravirgem. Com isso, "acendeu-se na minha cabeça a primeira e única lâmpada da minha vida", como ele gosta de dizer: a ideia de que o azeite de oliva e o ibuprofeno devem ter algum ingrediente em comum. Essa substância misteriosa era o oleocantal. Beauchamp afirmou que os efeitos anti-inflamatórios do ibuprofeno poderiam estar presentes também no azeite de oliva, mas, como observou um crítico, uma pessoa teria de consumir mais de duas xícaras de azeite de oliva a fim de ingerir uma dose de oleocantal equivalente àquela presente num comprimido de ibuprofeno para adultos; de todo modo, os experimentos de Beauchamp foram realizados num laboratório e não com seres humanos, portanto seus resultados devem ser considerados preliminares.

É só em virtude da imensa propaganda que se fez do azeite de oliva que essas descobertas decepcionantes podem parecer surpreendentes. Com efeito, "surpreendente" foi a palavra usada por dois cientistas espanhóis ao estudar os dados que supostamente demonstravam os efeitos benéficos do azeite para o coração e finalmente concluir, em 2011, que "não existem muitas provas".

O "ouro líquido" de Homero?

Quando pensamos que o azeite de oliva já existe há pelo menos 4 mil anos, tendemos a nos sentir mais tranquilos. Se ele não impulsiona a saúde humana, pelo menos não a prejudica, por mais que ainda não tenhamos conseguido constatar esse fato por meio de estudos científicos. Afinal, Homero o chamou de "ouro líquido"!

Mas chamou mesmo? Embora essa expressão apareça em inúmeros sites sobre o azeite de oliva, ela não consta em nenhuma tradução da *Odisseia* de Homero que encontrei. Na verdade, a passagem em questão na *Odisseia* diz algo muito diferente: Odisseu recebe "azeite de oliva *num frasco de ouro*" para friccionar no corpo. Aliás, nenhum dos textos helênicos menciona o consumo do azeite de oliva como parte da dieta. É verdade que o azeite é muito antigo, mas – como se descobriu – não era usado como alimento; era empregado sobretudo como cosmético, para ser friccionado no corpo em ritos religiosos e competições atléticas ou para aumentar a beleza física, tanto dos deuses quanto dos mortais.

Será que o uso do azeite de oliva como alimento remonta a época muito anterior ao século XX? Será verdade que ele era o "ingrediente dominante da dieta" e que seu uso remontava a "pelo menos 4 mil anos atrás", como afirmava Keys? Incrivelmente, parece que não. Em 1993, um historiador francês escreveu: "Há menos de 100 anos, as pessoas comuns de muitas regiões da Grécia ingeriam muito menos azeite do que hoje." O arqueólogo grego Yannis Hamilakis, que fez uma pesquisa extensa sobre o assunto, estudou particularmente a ilha de Creta e descobriu que, antes da era moderna, a oliveira era insignificante como cultivo de subsistência. A quantidade de azeite de oliva disponível para o camponês cretense medieval típico era, na realidade, "muito baixa", e a produção só aumentou em meados do século XVII, estimulada pelos governantes venezianos que pretendiam atender a uma crescente demanda industrial pelo azeite – sobretudo para a fabricação de sabão. Hamilakis conclui que, segundo os registros históricos e "apesar das ideias convencionalmente aceitas, não há quase nenhum dado que possa indicar com certeza" que o azeite de oliva era feito "para uso culinário" na Grécia antes do século XIX. Também na Espanha o azeite de oliva parece não ter sido consumido em quantidade substancial antes da década de 1880. E o mesmo parece ter acontecido no sul da Itália, onde uma estudiosa considera "duvidoso" que o azeite de oliva "tenha dado qualquer contribuição à alimentação em mais de 40 séculos". Uma análise do cultivo de árvores frutíferas no sul da Itália indica que o azeite de oliva "provavelmente era uma mercadoria escassa pelo menos até o século XVI e [...] seu uso principal, na época medieval, era nos rituais religiosos". Com efeito, segundo relatos históricos que remontam à Antiguidade, a gordura mais usada para culinária no Mediterrâneo, tanto entre os camponeses quanto entre os ricos, era a banha de porco.

Ou seja, parece que o azeite de oliva é, na realidade, um acréscimo relativamente recente à dieta mediterrânea e não um alimento antigo, apesar do tremendo esforço que as partes interessadas envidaram para contar com Homero em sua equipe de *marketing*.

O que seria "uma grande quantidade" de hortaliças? Tentativas de fazer ciência em cima da dieta mediterrânea

Mas, se a Dieta Mediterrânea previne as cardiopatias, como alegava originalmente Ancel Keys, e se o elemento operante não é o azeite de oliva, qual seria esse elemento? Seriam as frutas e as hortaliças ou a dieta como um todo? Pesquisadores se perguntaram se haveria um elemento protetor no folato das verduras silvestres que os cretenses comiam regularmente, ou na maior proporção de ácidos graxos ômega-3 na carne dos animais que comiam essas folhagens. Fizeram-se pesquisas em torno de todas essas possibilidades, mas não houve respostas conclusivas[19].

Trichopoulou chegou a aventar a hipótese de que os hábitos mediterrâneos de alimentação pudessem ter em seu conjunto um efeito sinergético não quantificável, que incorporaria também fatores como "o ambiente psicossocial, o clima ameno, a preservação da estrutura familiar estendida e até o hábito da sesta após o almoço na região mediterrânea"[20].

É importante identificar exatamente qual elemento da dieta mediterrânea é benéfico para a saúde, não apenas por motivos científicos, mas também por razões práticas de imensa consequência e importância. Quando Anna Ferro-Luzzi compareceu a um encontro internacional realizado no Japão em 2008, por exemplo, especialistas do mundo inteiro que aspiravam a adotar a dieta mediterrânea lhe perguntaram: "Quais frutas e hortaliças devemos cultivar? Você pode nos dizer, pelo menos, se devemos cultivar frutas *ou* hortaliças?" No fim, segundo Ferro-Luzzi: "Não soubemos dizer o que, exatamente, era mais importante [...] pois as pesquisas são vagas demais. Embora recomendemos

---

19. As provas científicas em favor do ômega-3 são as mais fortes: o efeito anti-inflamatório desses ácidos graxos de cadeia longa já foi bem demonstrado, embora estudos clínicos recentes, bastante grandes, não tenham conseguido confirmar que suplementos diários de EPA e DHA sejam capazes de reduzir o risco de ataque cardíaco. O EPA e o DHA são os ácidos graxos ômega-3 de cadeia longa encontrados na carne, em peixes e em ovos, mas não em vegetais, como a linhaça e certas algas, que contêm ácidos ômega-3 de cadeia mais curta, que os seres humanos não conseguem converter facilmente nas versões de cadeia longa. Considera-se que apenas os ômega-3 EPA e DHA de cadeia longa são benéficos para a saúde (Galan et al., 2010; Rauch, 2010; Kromhout, Giltay e Geleijnse, 2010; Plourde e Cunnane, 2007, sobre "não conseguem converter facilmente").

20. Dimitrious Trichopoulous analisou os dados do EPIC sobre quase 24 mil gregos do sexo masculino e constatou que o hábito da sesta estava correlacionado com uma taxa de morte por doenças cardíacas 37% *menor*. No entanto, vale notar que se trata apenas de uma correlação, e os autores do estudo observaram que o mesmo efeito pode ser obtido dormindo-se mais durante a noite (Naska et al., 2007, p. 2143).

que se comam mais frutas e hortaliças, isso não significa nada. Não é possível saber."[21]

É claro que Ferro-Luzzi identificara desde o começo o problema de encontrar uma definição firme para a dieta e vira esse problema ressurgir quando Willett apresentou formalmente a dieta, em 1993. Talvez essa dieta fosse muito complicada e tivesse um número muito grande de fatores para que pudesse ser definida com precisão suficiente para os estudos científicos. Essa dificuldade de definição não desapareceu, mesmo com os países mediterrâneos e os setores econômicos interessados despejando rios de dinheiro nas pesquisas. E essas não foram as últimas decepções em matéria de ciência.

Quando Walter Willett revelou a pirâmide mediterrânea, ainda não se fizera nenhum estudo clínico controlado da dieta. Os dados, portanto, limitavam-se a estudos epidemiológicos que, até há bem pouco tempo, eram as estrelas da base de indícios favoráveis à dieta mediterrânea. O primeiro desses estudos era, é claro, o estudo dos Sete Países original. Depois dele, o maior esforço foi o do estudo EPIC, com o setor grego de Trichopoulou. Tanto esse estudo como outros menores pareciam promissores, mas, por causa de sua estrutura, não podiam oferecer resultados definitivos (visto que a epidemiologia só mostra correlações); além disso, muitos de seus resultados eram contraditórios entre si. Vários estudos demonstraram, por exemplo, que os hábitos alimentares mediterrâneos estavam correlacionados com índices menores de diabetes, síndrome metabólica, asma, doença de Parkinson e obesidade, e esses resultados foram encorajadores. No entanto, quando Trichopoulou combinou os dados dos sujeitos de pesquisa gregos com os de outros países que também tinham feito parte do estudo EPIC – ao todo, cerca de 76.400 homens e mulheres idosos de nove países –, constatou que *não* havia correlação confiável da dieta mediterrânea com uma redução do risco de males coronarianos[22].

---

21. Mesmo dentro da categoria das frutas, as diversas espécies – banana, mirtilo, abacate etc. – têm diferentes composições de macronutrientes, fibras, antioxidantes e açúcares.
22. Trichopoulou descobriu uma correlação entre a dieta e uma redução muito pequena do risco de ataque cardíaco, ao passo que, na Alemanha, a situação se invertia.

Esses estudos epidemiológicos continuaram pagando o preço da definição vaga da dieta. No entanto, embora Ferro-Luzzi tivesse desistido definitivamente de encontrar uma solução para o problema, Trichopoulou continuou tentando. Em 1995, desenvolveu a Pontuação da Dieta Mediterrânea, que reduzia toda a dieta a oito fatores e atribuía um ponto a cada um[23]. A pessoa ganhava um ponto por comer uma quantidade "alta" de cada um dos grupos alimentares "protetores" (que eram: 1. hortaliças/batatas; 2. leguminosas/oleaginosas/outras sementes; 3. frutas; 4. cereais). Com isso obtinham-se quatro pontos no máximo. Outros três pontos, no máximo, poderiam ser obtidos comendo-se uma quantidade "baixa" de cada um dos grupos alimentares "não protetores" (5. uma proporção alta de azeite de oliva em relação às gorduras de origem animal; 6. laticínios; e 7. carnes e aves). O item 8 era o álcool, e a pessoa marcava um ponto nesse item caso atingisse um padrão médio de consumo.

A pontuação de Trichopoulou simplificou drasticamente o estudo da dieta mediterrânea, e os cientistas a adoraram. De lá para cá, pelo menos 20 outros índices semelhantes foram introduzidos, contendo de sete a 16 grupos alimentares. Mas nem todos estão convictos de que isso é útil. Numa grande revisão sistemática de todos esses índices, um grupo de professores da Universidade de Barcelona expressou suas dúvidas. O que significa, por exemplo, uma "grande quantidade" de hortaliças, e o que é "pouca" carne?[24] Além disso, esse tipo de índice pressu-

---

Além disso, a alimentação dos sujeitos de pesquisa foi definida como uma dieta mediterrânea "modificada", pois, segundo observou um crítico, não continha apenas azeite de oliva, mas também outros óleos vegetais. Trichopoulou explicou que o objetivo da análise era simplesmente estudar as gorduras *não saturadas*, categoria que compreende ambos os tipos de óleo. Mas não resta dúvida de que, se o estudo não distinguiu expressamente o azeite de oliva, foi porque sua própria estrutura não o permitia (Vos, 2005, p. 1329: "segundo observou um crítico").

23. Trichopoulou baseou a quantidade recomendada de cada item nos hábitos de consumo de 182 homens e mulheres idosos de um vilarejo grego remoto. Ela estudou essas pessoas em 1995 e partiu do princípio de que eles comiam de acordo com sua dieta tradicional (Trichopoulou et al., 1995).

24. Esses pesquisadores também se perguntaram se um índice derivado do estudo dos habitantes idosos de um povoado nas montanhas gregas poderia ser aplicado a um grupo completamente diferente, como o dos espanhóis jovens.

põe, sem nenhuma base científica, que cada componente contribui para as doenças cardíacas exatamente na mesma proporção. No entanto, será que podemos afirmar que uma pessoa que não come hortaliças (menos 1 ponto) e outra que não come oleaginosas (também menos 1 ponto) aumentaram seu risco exatamente na mesma quantidade? Não existe prova científica alguma em favor dessa ideia.

Uma voz crítica ainda mais contundente é a de Andy R. Ness, presidente do departamento de epidemiologia da Universidade de Bristol. Ele me disse que, além de todos os outros problemas, os índices "não levam em conta a ingestão total de energia [as calorias], ao passo que, em todos os outros estudos que fazemos nessa área, consideramos a quantidade de alimentos que as pessoas ingerem". Em geral, segundo ele, o pensamento crítico que caracteriza esses índices é "lamentável".

Trichopoulou alega em sua defesa que seus esforços pelo menos produziram algum progresso, e isso é verdade. O que parece inevitável é que o fato de a dieta resistir a uma definição clara tornou imprescindível esse tipo de ciência pouco rigorosa – e abriu a porta para as paixões e as parcialidades.

"Nós, da equipa da Escola de Medicina de Atenas, queremos manter o que foi desenvolvido aqui ao longo de incontáveis gerações. Esse é nosso grito de guerra!" Essas palavras me foram ditas por Trichopoulou, e essa declaração parece confirmar a opinião de seus colegas: de que ela é tão motivada pelo desejo de fazer boa ciência quanto pelo amor à "Mãe Grécia". "Antonia talvez seja culpada, como todos nós, de pensar com o coração" – é o que diz sua ex-colega Elisabet Helsing, que, na qualidade de consultora de nutrição da OMS-Europa, esteve envolvida em todos os trabalhos preliminares sobre a dieta mediterrânea. "Nesta área, muitos de nós não éramos governados pela cabeça, mas pelo coração. As provas nunca foram muito fortes." Ou, como escreveu em 2003 Frank B. Hu, um epidemiologista de Harvard que se tornou naquele momento uma voz dissonante, a dieta mediterrânea "sempre foi tão rodeada de mitos quanto de dados científicos".

O litoral mediterrâneo da Índia: problemas dos estudos clínicos

Ainda havia a possibilidade de que estudos clínicos bem conduzidos, capazes de evidenciar causalidade, pudessem mostrar que a dieta mediterrânea era superior. Onde estavam esses estudos? Havia alguns, é certo, mas o problema é que eles eram mediterrâneos somente na *aparência*, o que não os impediu de servir como cavalos de batalha para a dieta e ser citados de modo amplo e insistente. Vale a pena, portanto, examiná-los sumariamente, mesmo que seja apenas para mostrar até que ponto os nutricionistas se dispõem a torcer os dados a fim de apoiar a hipótese favorecida por eles.

O primeiro, cujos resultados foram publicados em 1994, foi o Estudo de Dieta e Coração de Lyon. Pesquisadores de um hospital dedicado a doenças cardiovasculares em Lyon, na França, tomaram um conjunto de 600 pessoas de meia-idade (quase todos homens) que haviam sofrido infarto nos seis meses anteriores e dividiram-no em dois grupos iguais. Os membros do grupo de controle limitaram-se a seguir os conselhos habituais dos médicos, ao passo que os outros seguiram um regime de estilo mediterrâneo. Os pesquisadores queriam imitar a dieta cretense da década de 1960, mas não encontraram meio algum de convencer os franceses a adotar o azeite de oliva, pois eles não estavam familiarizados com o sabor. Assim, no lugar do azeite, formularam uma margarina especial de óleo de canola e forneciam-na de graça aos sujeitos de pesquisa, embaladas em potes, a cada dois meses. Os membros do grupo de intervenção também foram aconselhados a ingerir uma dieta "de tipo mediterrâneo", com mais peixe, carne branca em vez de carne vermelha (e menos carne em geral) e mais frutas e hortaliças.

Depois de mais ou menos dois anos, os membros do grupo que comia a margarina especial haviam sofrido três infartos fatais e cinco não fatais, ao passo que os demais haviam sofrido 16 fatais e 17 não fatais. As mortes devidas a outras causas também foram mais baixas no grupo que comia a margarina especial (oito em comparação com 20 no grupo de controle). As diferenças de sobrevivência entre os dois grupos eram tão marcantes que os pesquisadores terminaram prematuramente o experimento a fim de prescrever a dieta mediterrânea a todos. E durante quase 30 anos o estudo de Lyon foi a grande estrela do time, citado em toda parte como prova principal em favor da eficácia da dieta.

No entanto, o estudo tinha problemas metodológicos suficientes para dar o que pensar a qualquer pessoa sensata. Para começar, era pequeno (nas palavras de um dos pesquisadores, "desesperadamente fraco", o que significa que não tinha sujeitos de pesquisa em quantidade suficiente). Além disso, com exceção da margarina, as mudanças na alimentação dos membros do grupo de intervenção foram mínimas. Em comparação com o grupo de controle, comiam um pouco a mais de peixe – uma pequena anchova a mais por dia –, além de o equivalente a uma cenoura pequena e meia maçã pequena a mais como consumo diário de hortaliças e frutas. E é possível, no fim, que a diferença fosse inexistente, pois apenas um pequeno número de membros do grupo de controle teve sua dieta efetivamente avaliada – uma falha terrível, dado que a variável estudada era exatamente a dieta[25].

----

25. Esses problemas estão descritos num artigo escrito para a AHA, que se viu na incômoda posição de ter de conciliar a dieta de baixo teor de gordura que ela mesma recomendava com o sucesso da dieta relativamente gorda usada no estudo de Lyon. Os autores concluíram que a dieta de Lyon "tinha sido tão mal avaliada em ambos os grupos" que "é possível levantar dúvidas sobre o papel da dieta" na explicação dos "resultados relatados". Segundo eles, é muito possível que os melhores índices de saúde constatados no grupo experimental fossem devidos inteiramente ao chamado "efeito de intervenção". Isso se refere ao modo positivo com que um sujeito de pesquisa reage às intervenções, como uma aula de aconselhamento alimentar ou mesmo um pouco a mais de atenção que lhe é dada pelos administradores. Essa reação positiva invariavelmente resulta num resultado melhor para quem a apresenta em comparação com os demais sujeitos. É para evitar esse efeito que os estudos clínicos são organizados de modo a procurar proporcionar experiências iguais para os membros do grupo de intervenção e do grupo de controle. No caso do estudo de Lyon, no entanto, os membros do grupo de intervenção receberam, no começo, uma atenção personalizada e instruções alimentares detalhadas; depois, em razão da entrega das margarinas, eram lembrados semanalmente de sua participação no estudo, ao passo que o grupo de controle não foi objeto de nenhuma intervenção desse tipo. Num dos primeiros artigos sobre o estudo, que aliás não foi citado nos resultados finais, os próprios pesquisadores reconheceram essas diferenças significativas na experiência subjetiva dos membros dos dois grupos (Kris-Etherton et al., 2001, "um artigo escrito para a AHA"; de Logheril et al., 1994; de Logheril et al., 1997).

A grande diferença entre os dois grupos era a margarina especial. O que ela continha? Infelizmente para a dieta mediterrânea, seu perfil lipídico era completamente diferente do perfil do azeite de oliva. A margarina tinha alto teor de ácido alfa-linolênico, um ácido graxo poli-insaturado ômega-3 encontrado em sementes oleaginosas e outros óleos vegetais, ao passo que o azeite de oliva contém um ácido graxo monoinsaturado chamado ácido oleico. Essas gorduras têm estruturas químicas completamente diferentes e, por isso, são diferentes também seus efeitos sobre os seres humanos. Assim, quaisquer que sejam as lições a tirar do Estudo da Dieta e Coração de Lyon, elas não têm nada a ver com a dieta mediterrânea.

Além do estudo de Lyon, há mais um estudo clínico que durante muitos anos foi amplamente promovido pelos especialistas como prova conclusiva da dieta mediterrânea, visto que parecia demonstrar os benefícios de uma dieta com grande quantidade de alimentos de origem vegetal e baixo teor de gordura saturada. Como em Lyon, os pesquisadores intervieram nas dietas de pessoas de meia-idade que haviam recentemente sofrido infarto. Um grupo adotou uma dieta "que continha groselha-da-índia, uva, maçã, laranja-lima, banana, limão siciliano, uva-passa, bael (marmelo-da-índia), melão-cantalupo, cebola, alho, *Trichosanthes*, sementes e folhas de feno-grego, cogumelos, maxixe, porongo, raiz de lótus, feijão-de-bengala e feijão-preto [...] e óleos de soja e girassol".

Parece a dieta cretense de 1960? Não muito. O médico Ram B. Singh parece ter realizado esse experimento em instalações anexas a sua casa em Moradabad, Índia, no fim da década de 1980. Em tese, os limites impostos pela dieta à carne e aos ovos e sua abundância de frutas e hortaliças justificavam sua caracterização como uma dieta de "tipo mediterrâneo", e é assim que os especialistas tendem a descrevê-la na literatura. Os óleos vegetais usados têm pouco em comum com o azeite de oliva e os demais alimentos eram muito diferentes, mas esses detalhes foram, em geral, ignorados. Assim, o Estudo do Coração Indo-Mediterrâneo – nome sugestivo pelo qual o estudo foi chamado durante muitos anos – foi amplamente citado como corroboração da dieta mediterrânea.

No fim, contudo, descobriu-se que o trabalho de Singh tinha tantos problemas – os diários alimentares dos participantes parecem ter sido forjados, os índices de colesterol no sangue foram calculados através de métodos obsoletos, entre outras questões – que o prestigioso *British Medical Journal* (*BMJ*), que publicara em primeira mão um dos estudos, teve de fazer uma prolongada investigação sobre o assunto, que acabou sendo publicada com o título de "Suspeita de fraude em pesquisa", acompanhada por um estudo estatístico cuja conclusão era que os dados de Singh haviam sido "forjados ou alterados". Os editores do *MBJ* expressaram sérias ressalvas quanto ao estudo, mas não chegaram a excluí-lo[26].

Anos depois, no entanto, o estudo de Singh ainda estava sendo incluído nas revisões sistemáticas da literatura sobre a Dieta Mediterrânea, inclusive numa revisão muito influente elaborada por Lluís Serra-Majem em 2006. Diretor da Fundação Dieta Mediterrânea – que, sediada em Madri, é o grupo internacional mais importante a promover a dieta hoje[27] –, Serra-Majem tinha todos os motivos do mundo para dar ênfase às conclusões positivas, mas mesmo assim fez questão de me dizer: "Temos de agir com cuidado, caso contrário não teremos credibilidade." Com efeito, em sua revisão sistemática da literatura, ele descartou vários estudos por serem muito pequenos ou metodologicamente fracos. Alguns pesquisadores, por exemplo, chamavam uma dieta de "mediterrânea" pelo simples fato de conter azeite de oliva, alguns gramas a mais de nozes ou duas taças de vinho. Quando lhe perguntei sobre o fato de ter incluído o estudo de Singh, ele me confessou: "Eu quis deixar

---

26. Parece que Singh apresentara os dados como se viessem de vários estudos clínicos e conseguira publicá-los em vários periódicos de prestígio, entre os quais *Lancet*, *American Journal of Clinical Nutrition* e *American Journal of Cardiology*. No conjunto, ele foi o primeiro autor de artigos que pretendia fazer o relatório de 25 ensaios clínicos realizados entre 1990 e 1994 – um número alto demais para ser possível –, sendo esse um dos motivos pelos quais seus trabalhos foram considerados suspeitos (White, 2005, p. 281).

27. Sua fundação é financiada pelo Instituto Espanhol de Agricultura e pelos setores interessados, entre os quais a Danone e a Kellogg's. Serra-Majem fala com franqueza sobre as motivações: "O interesse deles é promover os produtos mediterrâneos"; mas acrescenta que, na falta de verbas oficiais, ele seria incapaz de fazer pesquisas sem a ajuda de grupos comerciais privados (Serra-Majem, entrevista com a autora, 2 ago. 2008; <http://dietamediterranea.com/directorio-mediterraneo/enlaces/mediterraneos/>).

a porta aberta para aquele estudo [...] mas me senti meio mal, como se estivesse num tribunal e percebesse que uma das minhas testemunhas não é tão boa."

Como muitos autores de revisões sistemáticas anteriores, Serra-Majem incluiu no rol de estudos revistos o ensaio italiano GISSI-Prevenzione, que, apesar de ser amplamente citado como indício favorável à Dieta Mediterrânea, na verdade visava testar a eficácia dos suplementos de óleo de peixe e vitamina E; os participantes simplesmente comiam algo *parecido* com a Dieta Mediterrânea. Porém, por não ser essa a intervenção visada pelo estudo, os pesquisadores tiveram de mudar retroativamente a hipótese de trabalho a fim de incluir conclusões sobre a dieta em seus resultados. E alterar uma hipótese *a posteriori* não é um procedimento considerado aceitável na ciência, visto que introduz a possibilidade de uma parcialidade dos pesquisadores. Quaisquer conclusões a que assim se chegue são consideradas fracas, na melhor das hipóteses.

Está claro que Serra-Majem tem interesse em concluir que a dieta mediterrânea tem corroboração científica; afinal, foi ele quem entregou à Unesco, em nome da Espanha, da Grécia, do Marrocos e da Itália, a solicitação para que a dieta fosse reconhecida como patrimônio cultural imaterial da humanidade. Mas não convém eleger um indivíduo específico como único culpado de exagerar a interpretação dos dados; a citação dúbia desses ensaios clínicos simplesmente tornou-se a norma entre os pesquisadores da área. Coletivamente, com o correr do tempo, as falhas dos estudos desapareceram de vista e tudo o que restou foram os resultados aparentemente favoráveis. Assim, um conjunto de dados que parecia justificar determinadas recomendações dietéticas inscreveu-se de modo mais ou menos indelével nos registros históricos. O mesmo "efeito manada" caracterizou o pensamento daquela imensa maioria de pesquisadores que exageraram a interpretação de dados científicos a fim de favorecer a dieta de baixo teor de gordura. A decisão tácita e coletiva de fechar os olhos para as deficiências dos dados foi uma estratégia necessária para a sobrevivência dessas duas dietas oficiais.

Um teste da verdadeira Dieta Mediterrânea

É natural que os especialistas em nutrição tenham se animado ao obter resultados de estudos sobre a dieta de verdade – não sobre os efeitos de uma margarina especial nem da comida indiana, mas de algo que se aproximasse um pouco mais da verdadeira dieta mediterrânea.

O primeiro estudo desse tipo foi realizado em Israel em 2008. Foi concebido de maneira correta e rigorosa e contava com uma equipe internacional de professores, entre eles o epidemiologista Meir Stampfer, da Escola de Saúde Pública de Harvard. Esses pesquisadores selecionaram 322 pessoas de meia-idade moderadamente obesas, homens na maioria, e alimentaram cada uma delas com um de três tipos de dieta: uma com baixo teor de carboidratos, uma com baixo teor de gordura e uma mediterrânea[28]. Refeições especialmente preparadas foram servidas numa lanchonete no local de trabalho, o que permitia um controle maior sobre a quantidade de alimento ingerido. E o experimento durou dois anos, período bastante longo para um estudo que envolvia a preparação e o fornecimento de comida.

Durante todo o estudo, constatou-se que as pessoas que comiam a dieta mediterrânea corriam menos risco de ter doenças cardíacas do que as que comiam a dieta com baixo teor de gordura. Em comparação com o grupo de baixo teor de gordura, o grupo mediterrâneo sempre teve índices menores de triglicerídeos, colesterol "ruim" (LDL), proteína C-reativa (um indicador de inflamação crônica) e insulina (um indicador de diabetes), bem como índices mais elevados de colesterol "bom" (HDL). Também perderam mais peso – cerca de 4,5 quilos, em média, ao longo de dois anos, em comparação com 3 quilos do grupo de baixo teor de gordura. Ou seja, a dieta mediterrânea parecia melhor

---

28. A dieta "mediterrânea" que os pesquisadores usaram baseava-se na pirâmide de Walter Willett; era "rica em hortaliças e pobre em carne, sendo a carne bovina e ovina substituída por aves e peixes". Seu valor calórico total era baixo (1.500 calorias para as mulheres e 1.800 para os homens) e o objetivo era que não mais de 35% desse total fosse proporcionado por gorduras; as principais fontes de gordura acrescentada naturalmente presente nos alimentos eram de 30 a 45 gramas de azeite de oliva e um punhado de sementes oleaginosas (de cinco a sete, ou seja, menos de 20 gramas) por dia.

que a dieta de baixo teor de gordura sob todos os pontos de vista. Stampfer chegou a dizer: "Por isso, minha conclusão conservadora é a seguinte: não comece com uma dieta de baixo teor de gordura." Essas palavras teriam sido impensáveis no começo dos anos 2000, quando o estudo foi concebido.

Não há dúvida de que esses resultados são positivos para a tão querida dieta mediterrânea. Mas será que dão a entender que ela é a melhor dieta de todas? Stampfer enfatiza que as pessoas que seguiram essa dieta tiveram mais facilidade para aderir a ela, o que é importante. Mas isso talvez seja devido ao fato de os sujeitos de pesquisa serem israelenses, de modo que aquela era a culinária local. Na verdade, o que Stampfer não gosta de divulgar é o incrível sucesso do *terceiro* grupo do estudo: o dos sujeitos que ingeriram uma dieta com baixo teor de carboidratos e teor de gordura relativamente alto. Esse grupo, no fim das contas, era o mais saudável de todos. Perderam ainda mais peso (5,5 quilos) e seus bioindicadores de doença cardíaca eram ainda melhores: o índice de triglicerídeos era mais baixo e o colesterol HDL era muito mais alto que o dos outros dois grupos. Só o colesterol LDL parecia melhor para o grupo da dieta mediterrânea, mas já vimos que esse biomarcador é menos confiável do que antes se imaginava. Por isso, embora essa descoberta não tenha chamado a atenção de quase ninguém, na realidade não resta dúvida de que a dieta de baixo teor de carboidratos foi melhor do que a dieta de baixo teor de gordura e a dieta mediterrânea.

Em seguida, em 2013, foi publicado um estudo espanhol que ganhou manchetes no mundo inteiro e deu a impressão de confirmar de uma vez por todas o caráter saudável da dieta mediterrânea. Esse estudo, chamado Prevención con Dieta Mediterránea ou PREDIMED, foi organizado por uma equipe da qual fazia parte Serra-Majem. Nesse projeto faraônico, 7.447 homens e mulheres de 55 a 80 anos foram divididos em três grupos. Dois grupos tinham de ingerir uma dieta mediterrânea e eram responsáveis por cozinhar e preparar suas próprias refeições. Um dos grupos mediterrâneos recebeu porções extras de azeite de oliva extravirgem, ao passo que o outro recebeu porções de sementes oleaginosas – tudo fornecido de graça aos participantes. Um terceiro grupo não recebeu alimentos de graça e serviu de grupo de controle[29].

Depois de um período de estudo mediano de cinco anos, 109 membros do grupo de controle haviam sofrido um "evento cardiovascular" (derrame, infarto ou morte decorrente de cardiopatia), em comparação com 96 no grupo da dieta mediterrânea com mais azeite e menos 83 no grupo da dieta mediterrânea com mais oleaginosas. O *New York Times* estampou na primeira página: "Cientistas provam que a Dieta Mediterrânea previne infartos e derrames".

No entanto, se examinarmos o grupo de controle do PREDIMED, veremos que seus membros não estavam se alimentando com a dieta espanhola comum. Pelo contrário, estavam seguindo uma dieta de baixo teor de gordura, que havia décadas se tornara o padrão internacional. Aconselhou-se a esse grupo que evitasse ovos, oleaginosas, peixes gordos, óleos e alimentos gordos de todo tipo. Sabemos, porém, que essa dieta já foi extensamente estudada, inclusive na WHI, o maior estudo clínico dietético de todos os tempos. E já se demonstrou de forma mais que convincente que essa dieta não tem a menor capacidade de combater as doenças cardíacas, o câncer e a obesidade. Portanto, assim como o estudo israelense, o PREDIMED demonstrou apenas que a dieta mediterrânea é melhor que a *dieta de baixo teor de gordura*[30].

Se o estudo israelense jamais tivesse sido realizado, todos poderiam supor que a opção mediterrânea do PREDIMED é o melhor regime possível para a saúde. No entanto, o terceiro grupo do estudo israelense,

---

29. Nesse estudo, empregou-se uma "pontuação de dieta mediterrânea" do mesmo tipo que a inventada por Trichopoulou (ver p. 249) a fim de avaliar em que medida os sujeitos de pesquisa estavam aderindo à dieta. A pontuação media 14 itens para os grupos de dieta mediterrânea e 9 itens para o grupo de controle. O consumo de certos alimentos, como os ovos, teve de ser desconsiderado, pois era preciso limitar a quantidade de itens a formar a pontuação (Estruch et al., 2013, pp. 24, 26).

30. Alguns críticos chamaram a atenção para essa questão e observaram também que o agrupamento de vários fatores sob a rubrica "saúde cardiovascular" obscureceu o fato de que os membros dos grupos de dieta mediterrânea não sofreram menos infartos do que os do grupo de controle. A única descoberta significativa fora uma diminuição no número de derrames, mas tratava-se de uma redução absoluta "pequena" que só fora observada no primeiro ano do estudo (Opie, 2013).

o de baixo teor de carboidratos, evidenciou que havia uma terceira opção ainda melhor. (Estudos anteriores mais curtos evidenciaram a mesma coisa, como veremos no capítulo 10.) É muito possível que a dieta mediterrânea tenha se mostrado melhor que a dieta de baixo teor de gordura pelo simples fato de proporcionar *mais gordura*, uma vez que a maior diferença entre os grupos mediterrâneos e o grupo de controle era a quantidade de azeite de oliva e sementes oleaginosas que os primeiros ingeriam. Que glória há em ser melhor que o fracassado regime de baixo teor de gordura promovido pela AHA e pelo USDA?

É perfeitamente possível que *qualquer* dieta nacional seja melhor que a dieta de baixo teor de gordura. Talvez a dieta tradicional chilena ou holandesa, por exemplo, ou de qualquer país onde se consumam alimentos tradicionais e não refinados, promova menos eventos cardiovasculares em comparação com uma dieta magra. Não sabemos, pois esses experimentos nunca foram realizados. Apenas a dieta mediterrânea foi extensamente estudada. Com seus muitos dias ensolarados, ela monopolizou a paisagem científica.

Por que os cretenses eram longevos? Uma reconsideração

Embora seja preciso escarafunchar os apêndices do PREDIMED para descobrir este fato, todos os grupos do estudo ingeriram a mesma quantidade de gordura saturada. Ou seja, comeram a mesma quantidade de gordura presente em alimentos como carne, ovos queijo e outros do mesmo tipo. Antes de os resultados serem publicados, Serra-Majem me disse: "Bem, acho que o problema não é a gordura saturada."

Mesmo? Nesse caso, Keys e sua equipe provavelmente estavam errados quando concluíram que o baixo índice de doenças observado na Grécia e na Itália era devido à ausência de gorduras de origem animal. Esses pesquisadores estavam predispostos a concluir que o problema é a gordura saturada. Assim, será possível que tenham deixado passar em branco outros aspectos da dieta que talvez expliquem melhor a ausência de cardiopatias entre esses povos longevos? Vale a pena reexaminar o estudo dos Sete Países para formar uma nova opinião.

Além do "problema da quaresma" (ver p. 49) e do fato de Keys ter observado aquela população durante um período pouco característico, ou seja, na época de carestia do pós-guerra, o estudo que ele fez em Creta teve outros problemas igualmente perturbadores. Em especial, parece que a amostra consistia apenas num punhado de pessoas. Keys concebeu o estudo tendo em mente duas fontes de informações alimentares: questionários escritos respondidos por uma quantidade maior de pessoas – no caso dos gregos, 655 homens – e a coleta de duplicatas dos alimentos ingeridos no decorrer de uma semana por uma amostra humana muito menor. Essa coleta tinha o objetivo de verificar a acuidade das respostas dadas no questionário. Lamentavelmente, não houve concordância entre os dois conjuntos de informações. As duas fontes de dados dietéticos deram resultados diferentes, impossíveis de conciliar. Keys supôs, então, que os homens cretenses estavam dando respostas inexatas aos questionários – e tomou uma decisão surpreendente. Embora seja necessário ler cuidadosamente nas entrelinhas para descobri-lo, Keys simplesmente descartou os dados dos questionários respondidos por 655 homens em Corfu e em Creta[31]. Com isso, só restou uma fonte de dados dietéticos a ser usada em seus cálculos: os alimentos coletados em uma amostra menor de homens. Essas refeições foram coletadas em três ocasiões diferentes em Creta e em uma ocasião em Corfu. Na verdade, Keys foi a Corfu duas vezes, mas teve de descartar um dos conjuntos de dados porque algumas gorduras ha-

---

31. Em artigos escritos no fim da carreira, Keys revela sua insatisfação com os questionários de alimentação como instrumento de pesquisa em nutrição: "Quando apenas se interrogam as pessoas sobre sua alimentação, as respostas, de vez em quando, necessariamente refletem as ideias que elas têm dos próprios estereótipos; elas tendem a repetir as mesmas respostas, quer correspondam à realidade, quer não." Sem os dados do questionário, no entanto, Keys não tinha registro algum de quais haviam sido os alimentos efetivamente ingeridos. Quando seus colegas procuraram descrever como era a dieta cretense na vida real, numa das primeiras conferências sobre a dieta mediterrânea organizado por Trichopoulou, eles escreveram que os resultados dos questionários haviam sido "perdidos" e que, portanto, tinham de fazer o possível para reconstruir a dieta a partir do texto do artigo original de Keys sobre a dieta grega. Uma das dificuldades era que Keys não tinha sequer mencionado o consumo de frutas e hortaliças em Creta (Keys, Aravanis e Sdrin, 1966, p. 585; Kromhout et al., 1989; Kromhout e Bloemberg em Kromhout, Menotti e Blackburn, 2002, p. 63).

viam sido "destruídas durante o processamento". Outras gorduras foram absorvidas pelos recipientes de argila usados para acondicionar as amostras. No fim das contas, somente os alimentos de 30 a 33 homens foram colhidos como amostra em Creta, e de 34 homens em Corfu.

Foram esses homens, portanto, que fundaram a Dieta Mediterrânea. As refeições que eles tomaram no decorrer de umas poucas semanas, há 50 anos, influenciaram todo o curso da história da nutrição no hemisfério ocidental. Uma amostra desse tamanho não é nem pode ser representativa dos 8,375 milhões de gregos ou mesmo dos 438 mil cretenses que havia em 1961. Segundo um conjunto padrão de fórmulas estatísticas, Keys precisaria de uma amostra de 384 pessoas em cada ilha, e ele realmente dispunha dessa amostra antes de resolver descartar os dados dos questionários.

Mesmo assim, em suas primeiras publicações, Keys fez questão de dar a nítida impressão de que havia baseado seus cálculos nos dados de alimentação dos 655 cretenses que estudou. Essa impressão errônea tem sido reproduzida em toda a literatura científica.

Quando falei por telefone com Sander Greenland, um grande especialista em epidemiologia nutricional da Universidade da Califórnia, e lhe perguntei sobre a quantidade de homens cuja alimentação havia sido analisada em Creta (33 homens), quase consegui vê-lo arregalar os olhos. "Se os dados dos 33 corresponderam perfeitamente à hipótese prevista", ele me disse, "a fraude é uma das possibilidades." E explicou: pequenos conjuntos de dados que "parecem bons demais" são um dos sinais clássicos de possível fraude. "Em outras palavras, esses dados de Keys são precários como uma cabana de pastor no meio de um terremoto cretense."

Na década de 1980, muito tempo depois de Keys ter publicado os dados, os líderes do estudo dos Sete Países reconheceram que, mesmo dentro dessa amostra minúscula, as variações entre as visitas foram tão grandes que não seria possível chegar a conclusões específicas sobre a dieta com base nos dados obtidos. Mas há muito que essa ressalva foi relegada à lata de lixo da história.

Depois, em cima desses dados precaríssimos, Walter Willett construiu sua pirâmide. Sua equipe de pesquisadores tinha um vínculo ainda mais frágil com a realidade original da dieta cretense da década de 1960. A pirâmide não contém leite fresco, por exemplo, mas isso parece não corresponder aos fatos. Numa conferência da Oldways, em 2008, dirigi a membros da equipe original de Harvard uma pergunta sobre esse lapso; eles estavam no palco e eu na plateia. Levantei a mão e falei: poucos anos antes de a pirâmide ser divulgada, Keys tinha publicado um artigo onde afirmava que o cretense médio consumia cerca de 240 mililitros (1 xícara) de leite fresco por dia, sobretudo de cabra, mas também de vaca, e isso era bem mais do que se recomendava aos norte-americanos que bebessem. Perguntei: por que essa informação não foi incorporada à pirâmide? Willett chegou a citar esse artigo de Keys[32], mas depois explicou que havia excluído o leite mesmo assim porque "ele tem um teor muito alto de ácidos graxos saturados, que se acredita causarem cardiopatia crônica". O medo da gordura saturada parecia atropelar todas as demais considerações e até mesmo os dados reais sobre o consumo de leite. Ao responder a minha pergunta, a equipe de Cambridge se lembrou somente do que Willett afirmara 15 anos antes: responderam que o leite "não era consumido pela maioria" dos moradores da ilha.

Outra imprecisão histórica da pirâmide da Dieta Mediterrânea é a quase ausência de carne vermelha. Isso é paradoxal, pois os cretenses, na verdade, *preferiam* esse tipo de carne. "A carne consumida em Creta é principalmente a caprina, a bovina e a ovina, com um ou outro frango ou coelho. Em Corfu, as carnes mais consumidas são a bovina e a de vitela", Keys escreveu. Um levantamento anterior sobre a dieta cretense revelara a mesma coisa. E é dificílimo encontrar um livro de receitas ou um texto histórico sobre a Itália, a Espanha e a Grécia que não deixe claro o quanto as populações desses países gostavam mais da carne de cordeiro, cabrito e vaca do que da carne de aves. Os gregos da Antiguidade tampouco se banqueteavam com frango. A *Ilíada* escreve da seguinte

---

32. Com efeito, o artigo de Keys é o *único* que a equipe de Willett cita para documentar o consumo de leite na época (sua outra fonte principal era um estudo no qual "leite e queijo" estavam unidos numa categoria única) (Kushi, Lenart e Willett, 1995, p. 1410S).

maneira o jantar que Aquiles oferece a Odisseu: "Pátroclo montou uma grande mesa à luz das chamas e pôs sobre ela os lombos de uma ovelha, de uma cabra gorda e de um grande javali selvagem, rico em banha."

Nesse caso, como foi que a pirâmide da Dieta Mediterrânea recomendou o inverso: aves algumas vezes por semana e carne vermelha poucas vezes *por mês*? Afinal, a recomendação de baixíssimo consumo de carne vermelha era, como escreveu Willett, uma das "grandes marcas distintivas" de sua pirâmide.

A resposta, em parte, é que Keys simplesmente moeu todos os alimentos que os cretenses comiam e enviou a mistura a seu laboratório em Minnesota para ser analisada. Os dados resultantes não eram uma lista de pratos ou ingredientes, como caramujos, lombo de cordeiro, fígado. Era, antes, uma lista de macronutrientes: gorduras saturadas, gorduras monoinsaturadas, proteínas, carboidratos e assim por diante. O conteúdo de gordura saturada era baixo, provavelmente porque Keys coletou um terço dos dados cretenses durante o jejum da quaresma, quando o consumo de produtos de origem animal é praticamente proibido. No entanto, em seu artigo sobre a carne, Willett e seus colegas não citam nenhum dos artigos originais de Keys sobre os alimentos efetivamente ingeridos. Willett me contou que se baseou em suas próprias descobertas epidemiológicas sobre a carne vermelha e que, nas consultas que fez ao trabalho de Keys, só verificou o perfil dos macronutrientes e, em seguida, escolheu a carne de aves por ela ser a que mais se aproxima da especificação de baixo teor de gordura saturada[33].

Um belo salto. Além de a escolha do frango como maior fonte de carne não ter base alguma na história da dieta mediterrânea, é natural nos perguntarmos se o frango tem o mesmo efeito que os cordeiros e cabritos cretenses sobre a saúde. Em comparação com o frango, por

---

33. A equipe de Willett cita apenas um estudo para apoiar a recomendação de frango: seu próprio Estudo da Saúde das Enfermeiras, que indicava uma correlação entre índices menores de cardiopatia e consumo maior de uma categoria chamada "frango e peixe". A correlação observada pode, portanto, ser devida ao peixe e não ao frango. Os demais dados que Willett e sua equipe citam para apoiar a escolha do frango não são, na verdade, pró-frango, mas anticarne vermelha, e quase todos os estudos empregados para respaldar sua escolha foram estudos epidemiológicos.

exemplo, a carne vermelha tem muito mais vitaminas B12 e B6, além dos nutrientes selênio, tiamina, riboflavina e ferro.

Portanto, parece que Willett e sua equipe escolheram o frango porque já estavam convictos de que a carne vermelha faz mal à saúde e tinham por certo que ela não poderia fazer parte de uma dieta saudável. Recomendar carne de cordeiro e carne bovina, para não mencionar carne caprina, teria sido inconcebível, ao passo que a promoção do frango se encaixava nos padrões aceitáveis.

Assim, parece que os seguidores da dieta mediterrânea se apoiam sobre dados coletados por Keys na Grécia do pós-guerra em um grupo minúsculo de homens, em parte durante a quaresma, e depois distorcidos pela equipe de Willett, que, como tantos especialistas, tinha uma predisposição contra a gordura saturada. Está claríssimo que os cretenses da década de 1960 bebiam mais leite e comiam mais carne vermelha do que fomos induzidos a crer. E tem mais: essa dieta, mesmo com esses acréscimos, não era muito querida pelos cretenses da época.

Na verdade, Keys foi precedido em Creta por outro epidemiologista: Leland G. Allbaugh, que fora contratado pela Fundação Rockefeller de Nova York para fazer estudos sobre o "subdesenvolvimento". Creta foi selecionada por causa de sua economia pré-industrializada, que havia sido duramente atingida pela guerra. Na tentativa de compreender o custo humano da carestia, Allbaugh fez um estudo cabal da dieta cretense e, como Keys, constatou que ela "consistia principalmente em alimentos de origem vegetal, com predomínio de cereais, hortaliças, frutas e azeite de oliva" e "somente pequena quantidade" de carne, peixe e ovos. No entanto, Allbaugh revela uma realidade assustadora: longe de adorar esse exemplo perfeito da dieta mediterrânea, os cretenses detestavam sua alimentação cotidiana. "Passamos a maior parte do tempo com fome", disse um deles. Quando lhes perguntavam de que maneira sua dieta poderia ser melhorada, "72% das famílias a quem se fez a pergunta responderam que carne pura, ou com um cereal, era seu 'alimento favorito'." Era evidente que eles haviam comido mais carne antes da guerra e agora sofriam por sua ausência.

O mesmo acontecia com os camponeses da Calábria, no pé da bota italiana, que Ferro-Luzzi visitara na década de 1970 e a quem descrevera como seguidores de uma dieta mediterrânea praticamente "ideal", rica em verduras e azeite de oliva e com pouquíssima carne. Mas, de acordo com Vito Teti, um historiador local que escreveu sobre esse período, os camponeses e os trabalhadores rurais calabreses consideravam essa dieta uma maldição da pobreza e manifestavam um desprezo infinito pelas hortaliças, consideradas "não muito nutritivas". A coisa ia além de um simples "não gostar". A dieta predominantemente vegetariana era considerada insuficiente para a nutrição e até insalubre, sendo essa a principal razão pela qual a quaresma era tão odiada. Uma revisão rigorosa de dados levantados em estudos anteriores levou Teti a concluir que os calabreses "consideram a falta de comida [...] quase totalmente vegetariana, como causa [...] de mortalidade em casos ligados à nutrição, da baixa estatura dos indivíduos, de sua fraqueza física, sua baixa capacidade de trabalho e sua debilidade psicológica". Com efeito, na década de 1960, 18% dos homens do sul da Itália tinham "baixa estatura" (menos de 1,57 metro), em comparação com apenas 5% dos homens do norte, onde se ingeriam mais alimentos de origem animal. Os calabreses cuja altura foi medida quando se apresentaram para o serviço militar entre 1920 e 1960 eram, em média, os homens mais baixos do país. Teti nos diz que, para melhorar sua situação, os calabreses, como os cretenses, queriam apenas uma coisa: "O que esses camponeses desejavam, acima de qualquer outra coisa, era carne. [...] O homem robusto, alto e 'erótico' era aquele que tinha comido carne."

Evidentemente, é possível que esses camponeses estivessem errados de desejar carne. Se tinham baixa estatura e passavam a maior parte do tempo doentes e com fome, como registra Teti, será que a carne era mesmo o ingrediente mágico que poderia ter resolvido esses problemas? Ou será que um atendimento médico de melhor qualidade, mais higiene ou algum outro tipo de alimento não seria melhor para eles?[34]

---

34. A história nos dá uma dica, pois a tradição mediterrânea de gosto pela carne tem uma longa linhagem e remonta a gregos e romanos da Antiguidade. Segundo os estudiosos que analisaram os textos de Homero, os heróis helênicos comiam carne quase exclusivamente, sempre com muito pão e vinho. Homero menciona hortaliças e frutas raríssimas vezes, pois elas eram "consideradas inferiores à dignidade dos deuses e dos heróis" (Yonge, 1854, p. 41).

Um nutricionista moderno diria que, se esses desejos dos pobres fossem satisfeitos, eles ficariam com a saúde ainda pior. No entanto, as tendências históricas dão a entender que os camponeses provavelmente tinham razão. À medida que a Itália e a Grécia foram ficando mais prósperas depois da guerra, começaram a deixar para trás a dieta vegetariana. Entre 1960 e 1990, os homens italianos passaram a comer, em média, 10 vezes mais carne, sendo essa de longe a maior mudança ocorrida na dieta italiana nesse período; no entanto, a explosão do índice de cardiopatias, que se esperaria ocorrer em paralelo, simplesmente não aconteceu. Pelo contrário, as cardiopatias declinaram. E a altura média do homem italiano nesse período aumentou quase 7,5 centímetros.

O mesmo aconteceu na Espanha: de 1960 para cá, o consumo de carne e gordura disparou, ao passo que as mortes por doenças cardíacas despencaram. Com efeito, a morte por causas coronarianas caiu pela metade na Espanha nos últimos 30 anos, ao passo que o consumo de gordura saturada num período mais ou menos semelhante aumentou em mais de 50%.

As tendências são idênticas na França e na Suíça, cujas populações há muito tempo comem uma grande quantidade de gordura saturada e, apesar disso, nunca sofreram muito com as doenças cardíacas. Os suíços comiam 20% mais gorduras de origem animal em 1976 do que em 1951, ao passo que as mortes por cardiopatias e hipertensão caíram 13% para os homens e 40% para as mulheres. Embora nenhuma dessas tendências possa ser atribuída ao aumento na ingestão de carne, elas contradizem a ideia de que a carne e a gordura saturada são as *causas* dessas doenças crônicas.

Essa aparente contradição vale até para a ilha de Creta. Christos Aravanis, líder da fase grega do estudo dos Sete Países, voltou a Creta em 1980, duas décadas depois do estudo inicial. Nessa viagem, constatou que os agricultores estavam comendo 54% a mais de gordura saturada, e, no entanto, o índice de infarto continuava extraordinariamente baixo.

Lluís Serra-Majem, da Fundação Dieta Mediterrânea, tem a seu favor o fato de ter levado em conta esses fatos inconvenientes para a dieta que promoveu. Ele reconhece que, apesar do aumento "espetacular" do consumo de carne e da queda do consumo de vinho e azeite de oliva, os espanhóis estão, sem sombra de dúvida, mais saudáveis hoje do que há 30 anos[35]. Num artigo publicado em 2004 e intitulado "A definição da Dieta Mediterrânea precisa ser atualizada?", Serra-Majem conclui timidamente: "Os dados favoráveis a [...] certos tipos de carne, tradicionalmente vistos sob uma luz pouco favorável, indicam que as recomendações desses produtos devem ser reavaliadas."

No fim, quando Keys isolou o baixo consumo de gordura de origem animal como fator principal da boa saúde dos cretenses, ele encontrou o que esperava encontrar, mas é improvável que tivesse razão. Sua observação de que uma dieta com baixo teor de gordura saturada era compatível com um índice mínimo de cardiopatia talvez fosse verdadeira em 1960, mas já não era em 1990. E esse erro original parece ter sido multiplicado por mil no decorrer das décadas seguintes, por obra de cientistas que herdaram as parcialidades alimentares de Keys. Sem dúvida, os camponeses de Creta ou da Calábria estranhariam o fato de *socialites* de Nova York e estrelas de Hollywood – e, com efeito, a maioria dos povos mais ricos do planeta – estarem tentando reproduzir a dieta de uma população afligida pela guerra e desesperada para melhorar de vida.

Esses aparentes paradoxos são irritantes, mas a verdade é que uma explicação alternativa para a relativa ausência de cardiopatias em Creta sempre esteve disponível: a ausência quase completa de açúcar na dieta cretense. Segundo a descrição de Allbaugh, os cretenses "não servem sobremesas – com a exceção de frutas frescas da estação. [...] Bolo é servido raramente e torta, quase nunca". Vimos que, no estudo dos Sete Países, o consumo de "doces" tinha correlação mais estreita com os índices de cardiopatia do que qualquer outra variável alimen-

---

35. Serra-Majem propôs a hipótese de que a redução do tabagismo e do consumo de sal entre os homens sejam fatores dessa melhora, ou que a melhora do atendimento médico esteja ajudando as pessoas a sobreviverem aos ataques cardíacos. No entanto, Simon Capewell, professor de epidemiologia clínica na Universidade de Liverpool, realizou análises detalhadas sobre essa segunda possibilidade e descobriu que somente de 25% a 50% da queda no número de mortes por ataque cardíaco nas últimas décadas podem ser explicadas pela melhora do atendimento médico na maioria dos países, inclusive a Itália (Palmieri et al., 2010; Capewell e O'Flaherty, 2008; Serra--Majem, entrevista com a autora).

tar: os doces abundavam na Finlândia e na Holanda, onde os índices de cardiopatia eram maiores, ao passo que os líderes do estudo observaram que "mal se comem doces na Iugoslávia, na Grécia e no Japão", onde tais índices eram baixos. E essas observações continuaram válidas com o correr do tempo. Na Espanha, por exemplo, a ingestão de açúcar e outros carboidratos caiu drasticamente entre 1960 e 1990, assim como caíram os índices de cardiopatia, ao passo que o consumo de carne subiu. O consumo de açúcar na Itália, que sempre foi baixo, caiu ainda mais nesse período.

Tudo isso nos faz pensar se a relação entre a dieta mediterrânea e a saúde não se deve ao fato de ela ser pobre em açúcar. O aumento no consumo de carne vermelha na região ao longo das últimas décadas não parece ter sido um fator de doenças, ao passo que o açúcar é uma explicação possível – e mesmo plausível – e se encaixa nas observações.

Devemos ser todos mediterrâneos?

Os pesquisadores não naturais do Mediterrâneo estudaram a dieta mediterrânea porque tinham esperança de aprender o segredo da boa saúde e porque se sentiam atraídos pela beleza e pelo romantismo da região. Nessa busca, foram embalados pelo dinheiro do azeite. E os pesquisadores *naturais* do Mediterrâneo estudaram a dieta porque tinham esperança de salvar não somente sua saúde, mas também suas tradições queridas, que estavam desaparecendo. Como Serra-Majem me contou: "Para nós isso é muito importante, pois não se trata apenas de uma receita de nutrição, mas também de um modo de vida. A dieta mediterrânea não são meros nutrientes, mas toda uma cultura." Trata-se de um belo sentimento, e não é difícil simpatizar com pessoas que temem a homogeneização e a destruição de seu patrimônio cultural. Mas também devemos nos perguntar: será que as outras sociedades também não têm o direito de perpetuar sua cultura por meio da culinária local? Os suecos devem abandonar as receitas de seus avós, à base de manteiga? Os alemães devem renunciar à linguiça? Os chilenos, os holandeses e seus descendentes nos Estados Unidos devem desistir de suas dietas nacionais porque um bando de especialistas lhes manda comer como os gregos e os italianos? Caso se façam alguns estudos, é muito provável que outras dietas nacionais venham a se revelar melhores que a dieta de baixo teor de gordura, como aconteceu com a dieta mediterrânea. E valeria a pena explorar essas outras dietas, por uma razão muito especial: as tradições alimentares de cada pessoa incorporam receitas transmitidas há muitas gerações e um patrimônio cultural exclusivo.

Pelo fato de os Estados Unidos serem um país de imigração e de tantos norte-americanos terem perdido seu vínculo com a culinária tradicional de seus antepassados, os norte-americanos talvez sejam mais suscetíveis aos conselhos de especialistas em nutrição. Esses especialistas nos sugeriram um jeito muito gostoso de comer, mas também podemos nos perguntar: devemos ser todos mediterrâneos?

Não há dúvida de que a dieta mediterrânea foi, de certo modo, uma coisa boa. Afinal, ela ofereceu alívio num período particularmente austero e restritivo da culinária norte-americana. Ofereceu um corretivo às políticas errôneas que promoviam o corte no consumo de gordura e manifestou uma atitude mais tranquila em relação à gordura na dieta. Mesmo que a antiguidade do uso do azeite de oliva não resista a um exame atento, ele é um óleo relativamente estável que não se oxida com facilidade e, portanto, é com certeza uma alternativa mais saudável aos óleos eminentemente instáveis de soja, milho e outros. É fato, ainda, que os seres humanos consomem azeite de oliva há mais tempo do que consomem os óleos que forram as prateleiras dos supermercados hoje. Por outro lado, um dos aspectos mais perturbadores da pirâmide da Dieta Mediterrânea é que ela intensificou nos norte-americanos a fobia de gorduras de origem animal, acelerando o abandono desses antigos alimentos e a adoção dos óleos vegetais. E esse resultado pode ter causado a nossa saúde um prejuízo que parece grave, mas que ainda não foi bem pesquisado – porque os especialistas, em vez de empreender esse estudo, estão há muito obcecados pelos supostos perigos da ingestão de carne, leite e seus derivados.

8

SAEM DE CENA AS GORDURAS SATURADAS, ENTRAM AS GORDURAS TRANS

O azeite de oliva foi a grande solução para quem cozinhava em casa e queria escapar da dieta de restrição de gordura. Para as indústrias alimentícias que produziam alimentos processados, no entanto, o azeite era muito caro. Então, quando essas empresas se viram diante do movimento – orquestrado pelo governo – para que removessem a gordura saturada de seus produtos, elas se voltaram para os demais óleos vegetais. Para substituir gorduras saturadas como a banha e o sebo, que são sólidas em temperatura ambiente, esses óleos vegetais tinham de ser endurecidos, e o único método para isso era a hidrogenação. O processo de hidrogenação é a alquimia que transforma um líquido num sólido e abriu para esses óleos um sem-número de novas possibilidades de uso, permitindo que fossem empregados em todos os casos em que antes se utilizavam gorduras sólidas de origem animal. Já vimos como a margarina veio a substituir a manteiga, por exemplo, e como a Crisco, um produto completamente novo, entrou no mercado norte-americano em 1911 para substituir as gorduras animais usadas em forno e fogão. As margarinas e a Crisco foram campeãs de vendas na primeira metade do século XX.

No entanto, você talvez também se lembre que o processo de hidrogenação produz ácidos graxos trans. Após a introdução dos óleos hidrogenados, passaram-se 90 anos até que a FDA reconhecesse que as gorduras trans têm efeitos questionáveis sobre a saúde humana. E embora estejamos acostumados com a lentidão com que a FDA exerce sua função de garantir a segurança alimentar da nação, isso não nos impede de afirmar que as gorduras hidrogenadas deveriam ter sido examinadas com mais presteza, visto que, no fim da década de 1980, já representavam 8% das calorias consumidas pelos norte-americanos. Por que passamos tanto tempo sabendo tão pouco sobre as gorduras hidrogenadas? Se examinarmos de que modo as empresas alimentícias e as produtoras de óleos vegetais trabalharam para influenciar as pesquisas científicas sobre as gorduras trans, aprenderemos muito sobre o modo de agir do setor alimentício quando tenta direcionar o pensamento dos especialistas e, no fim, a opinião pública. Na verdade, as estratégias do COI para influenciar nossa maneira de ver o azeite de oliva eram bem pouco sofisticadas em comparação com as táticas de alto nível empregadas rotineiramente pelas empresas produtoras de óleos comestíveis.

No fim da década de 1970 e em razão do sucesso da hipótese dieta-coração, o movimento para que as gorduras saturadas fossem eliminadas da alimentação norte-americana se intensificou. Em decorrência disso, as gorduras hidrogenadas passaram a ser usadas não somente para fazer Crisco e margarina, mas em quase todos os produtos alimentares processados. No fim da década de 1980, com efeito, esses óleos endurecidos já haviam se tornado a espinha dorsal de todo o setor alimentício e eram usados na imensa maioria de bolachas, biscoitos, salgadinhos, margarinas e demais gorduras alimentares sólidas, bem como em produtos fritos, congelados e assados. Estavam nos supermercados e restaurantes, nas padarias, nos refeitórios escolares, nos estádios, nos parques de diversões e por aí afora[1].

Todos os fabricantes de alimentos, desde as maiores empresas transnacionais até a padaria da esquina, começaram a depender das gordu-

---

1. O óleo só é hidrogenado em parte, e por isso é chamado "gordura *parcialmente* hidrogenada". Quanto mais hidrogenação, mais sólida a gordura e maior seu conteúdo de ácidos graxos trans. Embora os termos "gorduras trans", "ácidos graxos trans", "gordura hidrogenada" e "gordura parcialmente hidrogenada" não sejam sinônimos, vamos, por conveniência, usar todos no mesmo sentido.

ras hidrogenadas porque elas são mais baratas que a manteiga e a banha e, além disso, são bem versáteis. Dependendo do nível de hidrogenação do óleo, são adequadas para uma imensa variedade de produtos alimentares.

Os óleos endurecidos são excelentes, por exemplo, para criar biscoitos que derretem na boca, bolachas crocantes, bolinhos úmidos e massas folhadas. O fato de terem cristais de gordura relativamente pequenos significa que as gorduras alimentares sólidas feitas desses óleos prendem bolinhas de ar de tamanho menor que permanecem por mais tempo na massa e produzem bolos mais fofos. Um doce de chocolate pode ser preparado especialmente para derreter na boca e não nas mãos. Uma hidrogenação menos intensa produziria um chocolate menos rígido a ser usado como cobertura de bolo, por exemplo, ao passo que uma gordura mais hidrogenada tornaria mais dura a camada exterior de bombons de chocolate. Caso se usassem óleos vegetais em sua preparação, as camadas individuais da massa folhada se juntariam, ao passo que o produto hidrogenado as mantém separadas, aeradas e crocantes. Nas margarinas, as gorduras parcialmente hidrogenadas são pastosas em temperatura ambiente ou fria sem que tendam a se liquefazer. As gorduras hidrogenadas permitem que os *muffins* e outros bolos assados permaneçam úmidos e se conservem por mais tempo.

As gorduras hidrogenadas também são excelentes para fritar alimentos como rosquinhas, batatas *chips*, iscas de frango e batatas fritas cortadas em palitos. Elas não soltam fumaça na temperatura normal de fritura (pois não se oxidam facilmente) e podem ser reutilizadas repetidas vezes.

Em resumo, as gorduras parcialmente hidrogenadas eram um Zelig infinitamente adaptável e assumiram o papel de elementos fundamentais nas grandes empresas do setor de alimentos.

Gorduras trans para dar e vender

Como na maioria das histórias que já contamos, boa parte das pessoas e instituições que promoveram as gorduras trans nos Estados Unidos estava coberta de excelentes intenções e se baseava na versão oficial dos melhores conhecimentos científicos então disponíveis. Nesse caso, uma vez que o NIH haviam declarado que a gordura saturada era o principal perigo alimentar, qual outra intenção seria melhor que a de fazer todo o possível para erradicar essa gordura da dieta norte-americana? Encorajar os fabricantes de alimentos a trocar as gorduras de origem animal por gorduras vegetais hidrogenadas parecia um curso de ação ideal. Afinal, as consequências das gorduras trans para a saúde eram mal conhecidas na época.

Uma das forças mais bem intencionadas que tentava convencer as pessoas a trocar as gorduras saturadas por gorduras trans era o Center for Science in the Public Interest (CSPI), sediado em Washington. No ramo de alimentos, o CSPI é a mais poderosa associação de consumidores do país. Comandado pelo microbiólogo Michael Jacobson, há muito tempo o CSPI está na linha de frente dos esforços para obrigar a FDA a cuidar melhor do que os norte-americanos comem. Jacobson é tão poderoso que as empresas alimentícias chegam a enviar representantes a seu escritório a fim de obter a "bênção" dele para novos produtos alimentícios, antes de introduzi-los no mercado – um nível de servilismo considerado necessário desde o fim da década de 1980, quando o CSPI conseguiu, sozinho, destruir as perspectivas de mercado de uma nova gordura alimentar (chamada Olestra) que a Procter & Gamble vinha desenvolvendo havia mais de 10 anos. O CSPI fez *lobby* na FDA para que os produtos que contivessem Olestra estampassem, no rótulo, um alerta para a possibilidade de "incontinência fecal" – sem dúvida, um adeus definitivo à possibilidade de sucesso de qualquer produto alimentar.

Em se tratando de gorduras saturadas, o CSPI, como todas as demais organizações de saúde nos Estados Unidos, concordava plenamente com a ideia de que elas causavam doenças cardíacas. Com efeito, Jacobson fez da eliminação das gorduras saturadas uma de suas maiores prioridades em sua relação com os órgãos federais de Washington; em 1984, ele lançou uma imensa campanha de propaganda e envio de cartas intitulada "Ataque à gordura saturada". O CSPI encorajou empresas de *fast-food*, como o Burger King e o McDonald's, a trocar o sebo bovino por óleo de soja parcialmente hidrogenado em suas operações de fritura de batatas. O Centro afirmava que as gorduras saturadas deveriam ser substituídas por gorduras hidrogenadas "saudáveis" e citava indícios de que as gorduras hidrogenadas tinham um efeito relativamente benigno sobre o colesterol em comparação com as saturadas. Assim, em matéria de dieta e doenças cardíacas, o grupo concluiu que as gorduras hidrogenadas "não eram mau negócio". Em razão das insistências públicas do CSPI ao longo de toda a década de 1980, todas as grandes cadeias de *fast-food* deixaram de usar sebo, banha suína e azeite de dendê para fritar batatas e os trocaram por óleo de soja parcialmente hidrogenado.

Outra campanha do CSPI convenceu os cinemas de todo o país a trocar a manteiga e o óleo de coco com que se fazia pipoca por gorduras parcialmente hidrogenadas. Na opinião do CSPI, tratava-se de "uma grande vantagem para as artérias norte-americanas". Não se sabia muito sobre essas gorduras hidrogenadas quando o CSPI as recomendava, mas, na década de 1980, todos já conviviam havia tanto tempo com a hipótese dieta-coração que a imensa maioria dos nutricionistas acreditava piamente que *qualquer* outro tipo de gordura era melhor que a gordura saturada.

Outra força que impulsionava as empresas alimentícias a trocar as gorduras saturadas por óleos hidrogenados era um milionário solitário de Omaha, estado de Nebraska, chamado Philip Sokolof. Apesar de não ser cientista nem especialista na área de nutrição, Sokolof teve um impacto desproporcional sobre o setor alimentício norte-americano. Depois de sofrer um infarto quase fatal com menos de 50 anos, ele se aposentou e assumiu a missão de informar os norte-americanos sobre os perigos da gordura saturada. Seu alvo principal não eram as gorduras de origem animal, mas os óleos de coco e de dendê, que as empresas alimentícias usavam amplamente em seus produtos processados. Esses óleos tropicais têm um conteúdo alto – ou altíssimo, como depois se constatou – de gorduras saturadas. Metade do azeite de dendê é composto de gorduras saturadas, assim como 86% do óleo da semente do

Anúncio de Sokolof publicado no *New York Times*, 1º de novembro de 1988

THE NEW YORK TIMES, TUESDAY, NOVEMBER 1, 1988 — A29

O ENVENENAMENTO*
DOS ESTADOS UNIDOS!

National Heart Savers Association
4601 South 75th Street
Omaha, Nebraska 68127
(402) 339-3813

Caros amigos,

Quem está envenenando os Estados Unidos? As indústrias alimentícias que usam gorduras saturadas!

Mais de 50% dos norte-americanos têm um índice de colesterol excessivamente alto. A ingestão de gorduras saturadas faz aumentar demais o colesterol... E o colesterol alto causa infarto.

Hoje, um grande número de indústrias alimentícias usa em seus produtos as gorduras mais saturadas – o óleo de coco e o azeite de dendê –, cientes das consequências negativas para a saúde do consumidor.

O azeite de dendê tem 25% a mais de gordura saturada do que a banha de porco!

O óleo de coco tem 100% a mais de gordura saturada do que a banha de porco!

Já contatamos todas as grandes indústrias alimentícias e pedimos que parem de usar esses ingredientes potencialmente perigosos, pois eles intensificam a probabilidade de infarto em metade da população adulta.

Porém, apesar de nossos alertas e dos avisos de todas as organizações de saúde mais importantes, poucas empresas nos ouviram.

Nossos clamores quase não tiveram resposta. É óbvio que as prioridades dessas empresas não são sua saúde.

É PRECISO FAZER ALGUMA COISA.

A única preocupação da NHSA é sua saúde. Não seja vítima das gorduras saturadas, que têm a tendência intrínseca de elevar o índice de colesterol.

Nós lhe imploramos: não compre produtos que contenham óleo de coco ou azeite de dendê.

SUA VIDA ESTÁ EM JOGO!

Cordialmente,
National Heart Savers Association
Phil Sokolof, Presidente

* **VENENO:** s 1. Substância dotada da tendência intrínseca de destruir a vida ou prejudicar a saúde.
[Dicionário Random House]

ESTE ANÚNCIO É UM SERVIÇO PÚBLICO DA NHSA.

Nos anos 1980, uma série de anúncios publicada nos jornais norte-americanos descrevia de forma imprecisa os óleos tropicais como uma ameaça à saúde.

dendê e 92% do óleo de coco. (O azeite de dendê é extraído da polpa do dendê, e é, portanto, diferente do óleo extraído da semente desse fruto.) Esses números metiam medo num público que há muito vinha sofrendo lavagem cerebral para se convencer dos males da gordura saturada. E, se o público ainda não soubesse o suficiente para ter medo, Sokolof fazia questão de informá-lo. (De lá para cá, os estudos científicos sobre esses óleos evoluíram e hoje se crê que o risco cardíaco associado a eles é mínimo.)

Sokolof fundou um grupo chamado National Heart Saver Association (NHSA), financiou-o com seu próprio dinheiro (que não era pouco) e dirigiu-o praticamente sozinho. A partir de 1988, publicou uma série de anúncios de página inteira em grandes jornais do país, com uma manchete alarmante em letras garrafais: "O ENVENENAMENTO DOS ESTADOS UNIDOS!" Quem estava envenenando os Estados Unidos? "As indústrias alimentícias que usam gorduras saturadas!", dizia o anúncio. E prosseguia: "Já contatamos todas as grandes indústrias alimentícias e pedimos que parem de usar esses ingredientes potencialmente perigosos, pois eles intensificam a probabilidade de infarto [...] Nossos clamores quase não tiveram resposta [...] É PRECISO FAZER ALGUMA COISA."

O anúncio de Sokolof trazia as imagens de produtos que, na época, eram feitos com óleo de coco: Crisco, Cracklin' Oat Bran da Kellogg's, Triscuit da Nabisco, biscoitos Sunshine Hydrox, Club Crackers da Keebler, o creme Cremora sem leite, o Coffee-mate da Carnation e o famoso Goldfish da Pepperidge Farm.

Sokolof diz que publicou os anúncios porque enviara "milhares de cartas" às empresas alimentícias, pedindo-lhes com insistência que eliminassem os óleos tropicais de seus produtos, mas recebera "somente umas poucas respostas". Os executivos das empresas – como é natural – não ligavam de volta, de modo que Sokolof, irritado, decidiu que sua melhor opção era uma campanha para envergonhar essa gente. Depois da publicação dos anúncios, Sokolof relatou que suas ligações "eram repassadas diretamente ao vice-presidente". O mais importante é que as indústrias alimentícias começaram a mudar, substituindo o azeite de dendê em seus produtos por gorduras trans. Quando algumas empresas (como a Nabisco) se mostravam relutantes, Sokolof publicava uma nova rodada de anúncios. Ele publicou esses anúncios em três ocasiões e, no fim, sem dúvida sua mensagem foi ouvida: o país inteiro entendeu que os óleos tropicais eram uma ameaça. Os anúncios, segundo ele, foram seu "maior triunfo".

A soja americana move guerra contra os óleos tropicais

Embora sua tática fosse teatral, Sokolof estava reproduzindo a opinião predominante entre os especialistas sobre a gordura saturada; depois do infarto, ele simplesmente infundiu um pouco de paixão nas diretrizes alimentares do governo. Tudo indica que Sokolof trabalhava sozinho e, como o CSPI, tinha motivações elevadas. Mas ele talvez não soubesse que seus esforços vinham reforçar uma cruzada muito maior e mais perniciosa contra os óleos tropicais, motivada não pelo bem público, mas pelo lucro. Essa campanha muito mais complexa estava sendo movida em silêncio pela American Soybean Association (ASA), representante do setor que mais tinha a ganhar com a promoção das gorduras hidrogenadas.

A imensa maioria das gorduras hidrogenadas consumidas pelos norte-americanos é feita de soja, e isso é assim desde a década de 1960 (o processo de mecanização da extração do óleo de soja foi inventado em 1911). Como todos os outros setores econômicos, os agricultores que plantam soja e as empresas que a beneficiam vivem à espreita de possíveis competidores. Seus rivais tropicais – o óleo de coco das Filipinas e o azeite de dendê da Malásia – há muito apareciam no radar das indústrias. Na década de 1930, esses óleos estrangeiros já haviam invadido os Estados Unidos a tal ponto que a ASA se mobilizara para enxotá-los de lá, e convenceu o Congresso a sobrecarregá-los com pesados tributos. Foi a primeira "guerra dos óleos tropicais". Quando ela terminou, em 1948, David G. Wing, presidente da ASA, declarou: "Queremos conservar este mercado." E o conservaram durante quase

Consumo de óleo vegetal nos Estados Unidos, 1909-99

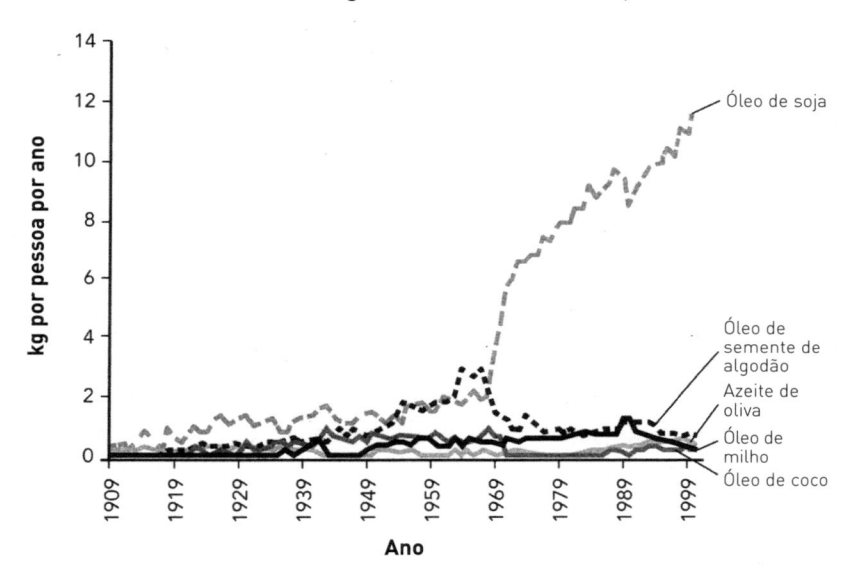

Fonte: Tanya L. Blasbalg et al., "Changes in Consumption of Omega-3 and Omega-6 Fatty Acids in the United States During the 20th Century". *American Journal of Clinical Nutrition*, v. 93, n. 5, fig. 1C, p. 954, maio 2011.

Hoje, os norte-americanos consomem mil vezes mais óleo de soja do que em 1909. Essa foi a maior mudança ocorrida na dieta americana nesse período.

40 anos, até a década de 1980, quando a importação de óleos tropicais voltou a aumentar no país. Então, a ASA voltou à guerra.

O motivo, como sempre, era financeiro: "Nossa verdadeira preocupação era que elas [as importações] estavam corroendo nossos lucros", lembra-se Steven Drake, um dos maiores executivos da ASA em meados da década de 1980. A quantidade importada na época era pequena: juntos, o óleo de coco e o azeite de dendê representavam apenas de 4% a 10% de gorduras e óleos consumidos nos Estados Unidos, de acordo com diferentes estimativas. Mesmo assim, a ASA via-se na obrigação de defender seu produto, o óleo de soja, que era muito usado em alimentos manufaturados e nas lanchonetes e restaurantes norte-americanos.

O azeite de dendê importado da Malásia apavorava o setor americano da soja, pois podia-se fazer com ele tudo o que era feito com o óleo de soja, mas a um preço 15% mais barato. O azeite de dendê representava, portanto, uma ameaça terrível – na verdade, a única ameaça real – ao setor da soja.

A fim de expulsar novamente os óleos tropicais do mercado, Drake coordenou, entre 1986 e 1989, uma verdadeira campanha de difamação. De sua sede, em St. Louis, a ASA distribuía discursos e folhetos, publicava anúncios e cartuns em jornais e lançava campanhas de envio de cartas para empresas alimentícias e autoridades do governo com o objetivo de insistir no mesmo ponto em que Sokolof insistia: os óleos tropicais não deveriam ser usados pelas indústrias alimentícias norte-americanas, pois tinham alto teor de gorduras saturadas[2].

O outro ponto em que a ASA insistia era que, uma vez que os "óleos" tropicais são, na verdade, sólidos em temperatura ambiente, o fato de serem chamados de óleos pode ser encarado como propaganda enganosa. Drake se lembra: "Um de nossos funcionários inventou o nome 'banha vegetal' para designá-los."

Alguns dos kits de "Combate à gordura" distribuídos pela ASA pelo país afora incluíam um folheto de título assustador: "Sua ignorância sobre as gorduras tropicais pode matar você!" Ao lado, via-se a imagem de um coco com um pavio aceso. Outra propaganda anunciava: "Conheça o homem que está querendo tirar você do mercado." O *Wall Street Journal* descrevia assim a imagem do anúncio: "um milionário de um país tropical, de aparência suspeita", com um charuto numa mão e uma água de coco na outra, sentado ao lado de um barril de azeite de dendê. De terno branco e chapéu-panamá, "sua forma larga preenche completamente a poltrona de vime, de espaldar altíssimo, onde está sentado". Moral da história: essa malvada figura asiática, fazendo fortuna com seu óleo tropical, representava uma ameaça ao plantador de soja norte-americano. A imagem era tão ofensiva que quando chegou à Malásia, em 1987, houve protestos em frente à embaixada norte-

---

2. Drake afirma que a ASA trabalhava independentemente de Sokolof e do CSPI.

-americana. "A imagem foi considerada racista", reconhece Drake. "Para falar a verdade, nós nem pensamos nisso."
A ASA se dirigia exclusivamente ao público norte-americano. Durante toda a segunda metade da década de 1980, Drake e seus colegas despenderam um tempo enorme fazendo *lobby* em vários órgãos em Washington, especialmente os que tinham poder para regulamentar ou impor tributos ao azeite de dendê. O objetivo era que o Congresso ou a FDA mandassem que os óleos tropicais fossem marcados como "gorduras saturadas" nos rótulos dos produtos. Esperava-se assim desferir um golpe fatal contra eles numa sociedade obcecada pela nutrição e temerosa de todas as gorduras de origem animal.

Em defesa dos óleos tropicais

O pânico tomou conta da Malásia, pois os produtores de azeite de dendê sabiam que o rótulo de "gordura saturada" macularia seu produto da pior maneira possível. O azeite de dendê na Malásia era como o azeite de oliva na Grécia: reverenciado pelas riquezas que trazia ao país, era um dos produtos mais essenciais da economia nacional, com alto envolvimento estatal na produção. Somente de 5% a 10% do azeite de dendê malasiano era exportado para os Estados Unidos na década de 1980, mas a política alimentar norte-americana tinha tamanha influência internacional que os malasianos temiam, com razão, que uma lei no sentido de tornar obrigatória a rotulagem do azeite de dendê teria efeito paralisante sobre as vendas do produto em todo o mundo.

"Decidimos lutar pelo azeite de dendê lançando mão da ciência", disse Tan Sri Augustine Ong, diretor geral do Palm Oil Research Institute of Malaysia (PORIM), instituição semipública encarregada de defender essa mercadoria em todo o mundo. Ong se formara em química orgânica pelo King's College de Londres e fora professor de química na Universidade da Malásia antes de entrar no PORIM. Dedicado à ciência, adotou a crença bastante ingênua de que uma apresentação franca dos fatos científicos seria suficiente para garantir uma visão favorável do azeite de dendê.

Esses fatos, como Ong os conhecia, eram os seguintes: o azeite de dendê é uma rica fonte de vitamina E, tocoferóis e betacaroteno, todos considerados saudáveis em sua forma natural. Estudos preliminares davam a entender que o azeite de dendê protegia contra a trombose. E o mais importante para uma comunidade de pesquisadores obcecada pelos efeitos das gorduras sobre o colesterol: nos primeiros estudos clínicos, demonstrara-se que o azeite de dendê atua como os demais óleos vegetais, baixando o colesterol total. Por essa razão, os editores do periódico *Nutrition Reviews* escreveram em 1987 que o azeite de dendê "não se comporta" como as outras gorduras saturadas, que, tipicamente, aumentam os índices de colesterol total. Ong chamou a atenção para essa constatação positiva, que ele sabia ser importante para seus colegas norte-americanos.

Também chamou a atenção para um dado muito simples: era pouco provável que o azeite de dendê ou o óleo de coco contribuíssem para as doenças cardíacas, pois havia milhares de anos que essas gorduras saturadas ocupavam lugar de destaque na dieta das populações do Sudeste Asiático, onde as cardiopatias eram raras. Em 1981, por exemplo, pesquisadores descobriram que as cardiopatias eram praticamente desconhecidas entre grupos de moradores de atóis da Polinésia que tiravam do coco uma porção imensa das calorias que ingeriam e chegavam a obter *dois terços* do total de calorias do óleo de coco – sem sinais significativos de doença cardíaca. Também na Malásia e nas Filipinas, onde as pessoas ingeriam grande quantidade de azeite de dendê e óleo de coco, os índices de cardiopatia eram mais baixos que nos países ocidentais.

Armado com esses dados, Ong chefiou uma delegação de seis malasianos do PORIM que percorreu os Estados Unidos em 1987 e visitou meia dúzia de cidades, onde apresentaram seminários para um público de jornalistas, autoridades, cientistas e executivos de empresas alimentícias. Ong discorria sobre os tópicos científicos mencionados acima e concluía que o debate era, na verdade, "uma questão comercial disfarçada de questão de saúde".

Embora não tenha sempre sido recebido de forma amistosa nos Estados Unidos, Ong conseguiu convencer uma pessoa importante:

Richard J. Ronk, gerente do Centro de Segurança Alimentar e Nutrição Aplicada da FDA. Atribui-se ao testemunho de Ronk no Congresso, em 1987, o fato de tanto o Senado quanto a Câmara dos Deputados terem decidido abandonar os projetos de lei pelos quais os óleos tropicais seriam rotulados como gorduras saturadas. Ou seja, Ong ganhou aquela batalha, mas a guerra não havia terminado. Nem a ASA, nem o CSPI, nem Sokolof desistiram. E não somente os malasianos, mas também todo o setor alimentício dos Estados Unidos estava tremendo de medo do que eles poderiam fazer.

Do ponto de vista das grandes indústrias alimentícias, a publicidade negativa sobre os óleos tropicais, um ingrediente essencial dos alimentos processados, era algo quase sem precedentes. Os anúncios de Sokolof, as audiências no Congresso, as campanhas de envio de cartas e várias outras táticas contrárias aos óleos tropicais somaram-se e acabaram por formar um verdadeiro tsunami de más notícias. "Todos os dias, recebemos pilhas de cartas de tudo quanto é lugar", confessou ao *New York Times* um porta-voz da Keebler Company. "Nossa preocupação é com os consumidores norte-americanos e com a saúde deles, e eles estão nos dizendo que não querem [os óleos tropicais]." Assim, as indústrias alimentícias cederam: em 1989, a General Mills, a Quaker Oats, a Borden, a Pepperidge Farm, a Keebler, a Purina e a Pillsbury declararam que eliminariam os óleos tropicais de suas linhas de produção.

Com efeito, as empresas tinham tanto medo de que seus produtos encalhassem nas prateleiras que praticamente imploraram para que o público norte-americano tivesse paciência. "Estamos tentando removê-los da maior quantidade possível de biscoitos e bolachas", declarou em 1989 uma porta-voz da Nabisco. No entanto, havia certos produtos, como os Triscuits, que continham azeite de dendê e não poderiam ser modificados sem que a qualidade e o sabor fossem sacrificados. Tampouco o salgadinho Bugles, da General Mills, ficaria igual sem o óleo de coco. Stephen Garthwaite, vice-presidente de pesquisa e desenvolvimento da General Mills, tentou explicar: "Quando se elimina um ingrediente, como o óleo de coco, provavelmente se modificam 200 ou 300 sabores. A probabilidade de reproduzi-los quimicamente com exatidão é praticamente igual a zero. Nossa esperança é que eles se aproximem o suficiente para que nosso sistema sensorial e nosso paladar pensem que são iguais." No fim, a Nabisco conseguiu eliminar os óleos tropicais de quase todos os seus produtos.

Para o público norte-americano, a consequência foi que, para quase todos os produtos alimentares de todas as empresas, esses óleos tropicais foram substituídos por óleo de soja parcialmente hidrogenado. Pessoas que na época trabalhavam como executivos em empresas do setor alimentício dizem que quase todas as mais de 900 mil toneladas anuais de óleos tropicais eliminadas dos alimentos norte-americanos no fim da década de 1980 foram substituídas, quilo a quilo, por óleos hidrogenados que continham gorduras trans.

Quando as empresas norte-americanas cederam à ASA, a Sokolof e ao CSPI, os únicos que ainda lutavam em defesa dos óleos tropicais eram os malasianos. Mas eram estrangeiros e tinham um objetivo claramente comercial, de modo que parecia garantido que não venceriam. Mais nuvens negras se acumularam sobre Ong e sua equipe em 1989, quando o Congresso pôs de novo em discussão a possibilidade de rotular os óleos tropicais como gorduras saturadas. Ong confessa que se desesperou. Decidiu então pôr em ação uma arma que, segundo parece, sempre relutara em empregar. Chamava-a de sua opção "nuclear" – sua "bomba de hidrogênio".

O "hidrogênio" era, é claro, uma referência à gordura hidrogenada, ou seja, às gorduras trans. Copiando a tática de Sokolof, Ong publicou anúncios de página inteira em grandes jornais do país em 1989, afirmando que o azeite de dendê "não exige endurecimento artificial ou hidrogenação", processo que "parece promover a saturação e cria ácidos graxos trans". O anúncio prosseguia: "Aproximadamente 70% do óleo de soja consumido nos Estados Unidos são hidrogenados." Naquela época, o conhecimento do público norte-americano sobre a hidrogenação era rigorosamente igual a zero, mas – e a ASA sabia disso – a coisa não soava bem e os malasianos poderiam, a qualquer momento, deixar as insinuações de lado e revelar a verdade nua e crua. Os pesquisadores da área sabiam que alguns estudos haviam levantado questões perturbadoras sobre as gorduras trans encontradas nos óleos hidrogenados; esses dados não haviam sido muito divulgados, mas poderiam vir a ser. Os anúncios representavam um tiro de alerta.

Drake disse que os anúncios dos malasianos "assustaram" a ASA. Outro acontecimento que "realmente nos abalou", acrescentou ele, foi o fato de ele e outras autoridades da ASA terem sido convidados para uma reunião com executivos da Procter & Gamble. "Eles nos malharam por sermos negativos e criticarmos determinado óleo", diz Drake. "No fim, o que eles queriam era ter flexibilidade para o usar o óleo que bem entendessem em seus produtos, e não gostavam da ideia de estarmos atacando um óleo específico."

No fim, a ASA voltou atrás. Lars Wiedermann, um químico de lipídios que trabalhava para a ASA na Ásia naquela época, me disse que toda a campanha movida pela ASA fora "tecnicamente falha e representou, desde o começo, uma tremenda falta de cavalheirismo". No fim, em meados de 1989, os dois lados firmaram uma trégua. Os malasianos ficariam de bico fechado sobre a hidrogenação e a ASA poria fim ao lobby contra os óleos tropicais em Washington, bem como a todos os esforços publicitários que visassem retratar o azeite de dendê como uma gordura saturada. Depois desse acordo, um porta-voz da ASA declarou que os esforços do grupo para "informar" o público sobre os óleos tropicais estavam encerrados e que "era hora de passar a veicular algo mais positivo sobre [os méritos] do óleo de soja". Também lamentou o fato de a ASA ter "causado tremenda comoção" nos países do Sudeste Asiático. Segundo uma reportagem do *Wall Street Journal*, uma "amarga querela de dois anos" chegara ao fim.

No entanto, tudo isso aconteceu tarde demais para o azeite de dendê, que já estava a caminho de ser completamente eliminado da cadeia de produção alimentar norte-americana. Ninguém mais confiava no azeite de dendê e no óleo de coco. Para o público, o resultado de todos os esforços do CSPI, da ASA e de Philip Sokolof foi que todos os alimentos processados à venda nos supermercados, todas as porções de batatas fritas e iscas de frango em todas as lanchonetes e todos os pacotes de pipoca vendidos nos cinemas passaram a ser feitos ou preparados com gorduras parcialmente hidrogenadas, que continham ácidos graxos trans. A usurpação do espaço que antes fora ocupado pelas gorduras saturadas – sebo, banha, manteiga e, agora, azeite de dendê – estava completa.

Nos anos seguintes, o uso dessas gorduras hidrogenadas baratas e versáteis continuou aumentando. "Acredite se quiser, mas, na época, nós queríamos um produto com *mais* gorduras trans para chegarmos a um ponto de fusão mais definido, que é melhor para alguns produtos, como massa folhada." Foi o que me explicou Ron Harris, químico de lipídios aposentado que havia trabalhado não somente com a Anderson, Clayton & Co., mas também com a Kraft e a Nabisco. "Durante 30 a 40 anos, o setor fez de tudo para aumentar a quantidade de gorduras trans", confirmou um especialista em gorduras trans do USDA. E Walter Farr, um executivo da Kraft Foods, da Wesson Oils e de muitas outras empresas do ramo de alimentos, me disse: "Aumentávamos de propósito a quantidade de gorduras trans porque elas produziam as melhores margarinas e gorduras alimentares sólidas [...] e também as melhores gorduras para cobertura, como as usadas em coberturas de chocolate com chantilly." Farr, que começou a trabalhar na área em meados da década de 1960, afirma: "Ao longo de minha carreira, assisti a um crescimento imenso do setor alimentício, e todo esse crescimento foi uma consequência da hidrogenação! Era para uso doméstico, com certeza, mas mais ainda para uso industrial. A coisa crescia a uma velocidade assustadora!"

Em 2001, os norte-americanos consumiram mais de 8 milhões de toneladas de óleo de soja – mais de 80% de todas as gorduras ingeridas nos Estados Unidos. A maior parte desse óleo era parcialmente hidrogenada e continha uma quantidade imensa de gorduras trans.

Uma cortina de fumaça pseudocientífica obscurece a verdade sobre as gorduras trans

Mesmo uma quantidade tão grande não era considerada preocupante em relação à saúde, pois todas as descobertas científicas perturbadoras sobre essas gorduras haviam sido devidamente ocultadas. Nas décadas de 1920 e 1930, quando a ciência da nutrição ainda engatinhava, os nutricionistas não tinham opinião alguma sobre as gorduras parcialmente hidrogenadas. Na verdade, foi só em 1929 que vieram a descobrir que a Crisco continha algo chamado "ácidos graxos trans", ou seja, mais de uma década depois do lançamento do produto.

Além disso, as poucas descobertas científicas publicadas eram contraditórias entre si. Em 1933, por exemplo, um experimento estudou o metabolismo das gorduras hidrogenadas em ratos e concluiu que as gorduras trans "não são, de modo algum, reprováveis como ingrediente alimentar". Em outras palavras, não eram boas, mas também não eram más. No mesmo ano, entretanto, outro cientista constatou que ratos que comiam uma margarina com gorduras trans cresciam mais devagar que outros que comiam óleo de soja não hidrogenado ou manteiga. No decorrer dos anos seguintes, dois outros estudos chegaram ao mesmo yin-yang de resultados conflitantes. Havia indícios a favor dos dois lados.

O que decidiu a questão e fundamentou a percepção inicial de que as gorduras trans eram benignas, permitindo assim que os óleos hidrogenados fluíssem livremente pela cadeia de produção alimentar durante os 40 anos seguintes, foi um estudo de 1944. A conclusão desse experimento foi que ratos alimentados durante três meses com margarina não sofreram prejuízo em seu crescimento, sua fertilidade e sua capacidade de lactação. Embora o estudo tenha sido patrocinado pela Best Foods, uma fabricante de margarina, essas descobertas aparentemente positivas apuseram um selo de salubridade às gorduras trans. Quem deu o toque final nessa ideia foi Harry J. Deuel, o próprio diretor do experimento, que havia recebido verbas da Best Foods. Num artigo de opinião, ele declarou que a margarina não apenas era saudável como também poderia ser considerada equivalente à manteiga em matéria de nutrição – um exagero extraordinário em termos científicos, pois mesmo naquela época já se sabia que os perfis de ácidos graxos dessas duas gorduras alimentares eram completamente diferentes.

Em 1952, a invenção da cromatografia gasosa já permitira que os perfis lipídicos das gorduras hidrogenadas fossem analisados com muito mais precisão. Mesmo assim, as empresas de alimentos não pareciam dispostas a adquirir um conhecimento mais exato sobre seus próprios produtos – ao menos publicamente. Na época, a única análise publicada sobre as gorduras trans usando esse novo método foi feita por um doutorando egípcio chamado Ahmed Fahmy Mabrouk na Universidade do Estado de Ohio, em 1956. De acordo com ele, as gorduras hidrogenadas continham uma mistura "quase desesperadamente complexa" de ácidos graxos conhecidos e desconhecidos. "Estamos consumindo quase 450 mil toneladas de ácidos graxos trans", declarou Mabrouk em sua conclusão. "Felizmente, por enquanto não há indícios de que esses ácidos singulares sejam prejudiciais sob qualquer aspecto." Felizmente para quem?

Em 1961, Ancel Keys voltou a atenção para as gorduras trans. Num dos experimentos que fez com internos de hospitais psiquiátricos, ele descobriu que as gorduras hidrogenadas não somente aumentavam o colesterol total, que se supunha ser um fator de risco para cardiopatias, como também aumentavam drasticamente o índice de triglicerídeos, os quais, como vimos no capítulo 3, tinham um vínculo comprovado com as doenças cardíacas e a diabetes. Eram descobertas inquietantes, para dizer o mínimo, e a Procter & Gamble, a primeira empresa a introduzir as gorduras hidrogenadas nos Estados Unidos com a Crisco, em 1911, correu para defender seu ingrediente mais famoso. Fez então o que a Best Foods havia feito uma década antes, numa manobra que veio a se tornar a tática padrão das grandes indústrias alimentícias na área da ciência da nutrição: sempre que surgiam resultados negativos de um ingrediente importante, as empresas financiavam estudos para provar o contrário. Joseph T. Judd, bioquímico do USDA e um dos principais pesquisadores sobre gorduras trans, explica: "A literatura científica era inundada por estudos contraditórios, de modo que ninguém pudesse chegar a uma conclusão firme." Era publicado um estudo que evidenciava efeitos ruins das gorduras trans; "mas, para cada estudo que evidenciava efeitos ruins, havia outro estudo que evidenciava o oposto – um estudo financiado pelo setor alimentício", disse ele. A geração de muitas descobertas científicas conflitantes era uma tática que o setor alimentício empregava com grande eficácia, pois o clima de incerteza é adequado para que um ingrediente questionável possa ser utilizado.

Essa também parecia ser a estratégia da P&G em 1962, quando, reagindo às descobertas negativas de Keys, fez um estudo nos laboratórios da própria empresa em Cincinnati, Ohio. Naturalmente, o experimento da P&G contradisse os resultados de Keys e se tornou a última palavra em matéria de gorduras hidrogenadas nos 15 anos seguintes. Os pesquisadores, Keys inclusive, deixaram de lado o tema das gorduras trans e tomaram outro rumo. Afinal, estávamos em 1962 – o ano em que a AHA fez sua primeira recomendação de uma dieta de baixo teor de gordura e toda a comunidade de pesquisas sobre a relação entre alimentação e doenças se voltou para as gorduras saturadas. Ficaram em segundo plano, assim, os aspectos potencialmente insalubres dos óleos vegetais, que os norte-americanos estavam sendo encorajados a ingerir em quantidade cada vez maior.

O mundo solitário da pesquisa em gorduras trans

Com isso, nos vinte anos seguintes, a pesquisa acadêmica sobre gorduras trans foi feita praticamente por uma única pessoa: Fred A. Kummerow, professor de bioquímica na Universidade de Illinois, em Urbana-Champaign. No decorrer da carreira, ele publicou mais de 70 artigos sobre gorduras trans, mais que qualquer outro cientista no mundo inteiro. Esses artigos traziam algumas descobertas importantes e inquietantes sobre a relação entre as gorduras trans e a saúde e, na época, causaram calafrios no setor alimentício. Para que as empresas alimentícias pudessem continuar usando o ingrediente que mais lhes fazia falta, estava claro que precisariam desacreditar Kummerow e suas descobertas, e foi exatamente isso que aconteceu.

Kummerow publicou seu primeiro estudo na revista *Science*, em 1957. Relatou que examinara elementos da autópsia de 24 cadáveres humanos e encontrara gorduras trans acumuladas em tecidos do corpo inteiro: no fígado, nas artérias, no tecido adiposo e, em grande quantidade, no coração. Ácidos graxos alojados em tecidos são um sinal de que não estão sendo plenamente metabolizados. O artigo de Kummerow concluía que "parece necessário" determinar os efeitos das gorduras trans sobre o processo metabólico normal[3].

No começo da carreira, Kummerow era – e gosta de afirmá-lo – "um figurão" em matéria de pesquisas sobre alimentação e doenças. Presidia a Associação do Coração de Illinois, era ativo na AHA em nível nacional e ocupava um cargo de direção na American Oil Chemists' Society (AOCS), o grupo mais prestigiado do país na área da química dos óleos comestíveis. O NIH regularmente destinava verbas a seus trabalhos, de modo que a carreira de Kummerow era claramente promissora. No entanto, quando se aventurou pela questão das gorduras trans, não percebeu o tamanho do poder do setor econômico que estava enfrentando. Embora fosse confiante, Kummerow era ingênuo em matéria de política. Sabia que a AHA recebia milhões de dólares de apoio das indústrias alimentícias cujos óleos vegetais ela endossava; e chegou a criticar o diretor médico da AHA, Campbell Moses, por posar com um frasco de óleo Crisco num filme educativo da AHA feito em 1969. Mas ele não compreendia a força profunda dessa aliança e o quão rapidamente seria derrubado por tentar desafiá-la.

....

3. As suspeitas de Kummerow em relação às gorduras trans haviam sido despertadas pela crença de que elas simplesmente não são naturais – ou seja, literalmente não são encontradas na natureza. Algumas ocorrem naturalmente na carne e no leite de ruminantes como os veados e o gado bovino: são as chamadas "gorduras trans dos ruminantes". São feitas exatamente dos mesmos átomos que as gorduras trans encontradas em óleos hidrogenados, mas há uma pequena diferença geométrica – uma ligação dupla está num lado diferente da molécula – que, porém, não se reflete na fórmula química. Essa pequena distinção seria talvez suficiente para que a gordura trans dos ruminantes se comportasse de maneira diferente no corpo. Kummerow demonstrou essa diferença num experimento realizado em 1979 e pesquisas subsequentes mostraram que essas gorduras dos ruminantes não têm, na maior parte, os efeitos prejudiciais à saúde que decorrem das gorduras trans produzidas industrialmente. A FDA, no entanto, quando quis regulamentar as gorduras trans, rejeitou os argumentos dos setores da carne e do leite que buscavam que as gorduras dos ruminantes fossem excluídas da nova regulamentação. A FDA explicou que só se baseava nas fórmulas químicas para emitir suas regulamentações (Lawson e Kummerow, 1979; Bendsen et al., 2011).

Como vimos, a AHA começou a recomendar a "dieta prudente", pobre em gordura saturada e rica em óleos vegetais, em 1961. Para as indústrias alimentícias, dava na mesma que esses óleos fossem líquidos ou endurecidos pela hidrogenação; nas embalagens norte-americanas, todos eram listados do mesmo modo, sob a rubrica "óleo líquido". Essa simplificação vinha a calhar para o setor alimentício, pois os óleos hidrogenados poderiam assim disfarçar-se de óleos poli-insaturados – os óleos altamente desejáveis que a AHA endossava para prevenir as doenças cardíacas. O fato de a palavra "hidrogenado" não ter de constar nas embalagens ocultou as gorduras trans do olhar dos consumidores durante muitos anos.

Kummerow propôs que as gorduras trans saíssem desse esconderijo e que um alerta a respeito delas fosse incluído no novo conjunto de diretrizes alimentares da AHA, a sair em 1968. Queria que o público pudesse saber duas coisas: primeiro, que as margarinas *continham* óleos parcialmente hidrogenados; e, segundo, que não se demonstrara que esses óleos endurecidos fazem baixar o colesterol total (na forma líquida, os óleos poli-insaturados efetivamente baixam o colesterol total, apesar de que, como agora sabemos, o colesterol total não é um indicador eficaz de doença cardíaca na maioria das pessoas). Moses, supervisor do comitê da AHA do qual Kummerow participava, concordou com ele acerca do alerta sobre as gorduras trans e mandou imprimir 150 mil panfletos de diretrizes alimentares para serem distribuídos.

Foi então que aconteceu uma reviravolta espantosa. Moses havia enviado uma cópia preliminar das diretrizes para o Institute for Shortening and Edible Oils (ISEO), o grupo que fazia lobby em favor do setor dos óleos. Por motivos óbvios, o grupo objetou. Não queria que nada fosse revelado da existência desse ingrediente potencialmente prejudicial à saúde. Sabemos que Moses era muito próximo do setor alimentício (afinal, ele aparecera num anúncio da Crisco), e parece que então decidiu mandar destruir todos os 150 mil panfletos já impressos e imprimir, no lugar deles, uma nova versão das diretrizes. De todo modo, existem duas versões das diretrizes de 1968: uma com o alerta dos óleos hidrogenados, outra sem ele. Foi mais um exemplo da capacidade do setor alimentícios de influenciar a opinião científica na própria fonte.

Para a AHA, que durante quase 40 anos – ou seja, mesmo depois que todas as demais associações de saúde haviam emitido seus alertas – não disse mais nenhuma palavra acerca dos possíveis efeitos das gorduras parcialmente hidrogenadas sobre a saúde humana, essa meia-volta pode ser entendida como um ato de covardia. Um alerta dos efeitos das gorduras trans sobre o colesterol talvez fosse prematuro, pois os dados ainda não estavam completamente claros. Mas será que os guardiões da saúde cardiovascular da nação não deveriam ter pelo menos apoiado a plena divulgação dos ingredientes?

Kummerow tornou-se então *persona non grata* na AHA. "Depois disso, nunca mais fui inscrito em nenhuma comissão da associação do coração", contou-me. O grupo o ajudara em sua carreira e chegara a dar-lhe dinheiro para que construísse seu laboratório, em 1959, "mas eu não pensava como eles", lamentou-se Kummerow. Mesmo assim, instigado a prosseguir em sua quixotesca cruzada a despeito do prejuízo à carreira, Kummerow começou a fazer importantes pesquisas sobre as gorduras trans e, durante décadas, trabalhou nessa área praticamente sozinho. Ao longo desse período, ele e uns poucos colegas fizeram algumas descobertas inquietantes.

Para começar, confirmaram o estudo original de Kummerow acerca de como as gorduras trans se "acumulam" no tecido adiposo. Ou seja, esses ácidos graxos artificiais substituíam os ácidos graxos normais em todas as células do corpo. Vale a pena saber que os ácidos graxos não se acumulam no corpo apenas na forma de gordura; também servem de matéria-prima para a construção de todas as membranas celulares. E essas membranas não são simples envoltórios, como saquinhos plásticos. Assemelham-se mais às sentinelas que patrulham uma fronteira movimentada, regulando tudo o que entra e sai da célula. Também controlam quem pode ficar na fronteira, *dentro* da membrana. Kummerow descobriu que, quando os ácidos graxos trans ocupam posições nas membranas celulares, se comportam como agentes estrangeiros que não operam de acordo com o plano normal.

Kummerow também demonstrou que a ocorrência de ácidos graxos não naturais nas membranas celulares pode ter um efeito negativo sobre a calcificação. Ele pôs células de cordões umbilicais de molho em diversos tipos de gordura e constatou que as colocadas em óleos hidrogenados absorviam mais cálcio. O cálcio é excelente quando está no leite, mas, dentro das células, ele produz calcificação, que não é um estado desejável para as artérias. Existe uma correlação entre doenças cardíacas e um índice elevado de cálcio nos vasos sanguíneos.

Em 1977, por fim, o bioquímico Randall Wood, colega de Kummerow, fez outra descoberta importante: a hidrogenação de um óleo não produz apenas gorduras trans, mas também remove quatro ácidos graxos que ocorrem naturalmente no óleo e os substitui por cerca de 50 ácidos graxos não naturais. "Não sabemos; alguns desses isômeros cis obtidos pelo processo de hidrogenação parcial podem ser piores que os trans! Talvez sejam eles os culpados!", Wood me disse[4].

"Ninguém fez experiências com eles", confirmou David Kritchevsky, químico orgânico que foi um dos mais influentes pesquisadores sobre a relação entre alimentação e doenças no século XX e a quem entrevistei antes de sua morte, em 2006. "Não sabemos quais desses ácidos fazem mal e nem o que há de ruim neles. Randall Wood tentou durante anos obter verbas para fazer esse estudo, mas não conseguiu. Talvez um desses isômeros possa nos matar, mas não sabemos qual deles."

Essas descobertas eram todas significativas e preocupantes. Não comprovaram nenhuma ligação com doenças em seres humanos, mas mostraram que o funcionamento básico das células e, portanto, a fisiologia humana normal poderiam ser alterados pelas gorduras trans. As gorduras saturadas haviam sido condenadas no tribunal da opinião científica a partir de provas biológicas muito mais fracas. Os trabalhos de Kummerow, portanto, deveriam ter soado um sinal de alarme e estimulado novos estudos. Mas Kummerow e Wood depararam com uma

---

4. Isômeros são moléculas que contêm o mesmo número e o mesmo tipo de átomo (têm a mesma fórmula química), mas seus átomos se dispõem de maneira diferente. A diferença entre os isômeros "cis" e os isômeros "trans" está no tipo de ligação dupla: a ligação "cis" produz uma molécula em forma de U, ao passo que a ligação "trans" produz um ziguezague, como já se descreveu.

verdadeira muralha de silêncio. Durante 40 anos, do fim da década de 1950 ao começo dos anos 1990, poucos colegas se dignaram sequer a trocar cartas com eles. Os dois mal conseguiam publicar artigos. E Kummerow, embora tenha tentado, não conseguiu levantar fundos para congressos científicos onde fossem discutidas as gorduras trans, por um motivo óbvio: quem financia esses encontros são, em geral, interesses privados, e os interesses em questão não queriam nem de longe que esse assunto fosse discutido. Nem a Associação Americana do Leite financiou estudos sobre as gorduras trans, pois algumas indústrias associadas também fabricavam margarina. Na verdade, nenhuma grande conferência científica sobre as gorduras trans foi realizada desde o dia em que a Crisco introduziu as gorduras hidrogenadas no mercado, em 1911, até o ano de 2005[5].

As grandes empresas reagem

As grandes empresas que fabricavam e empregavam gorduras hidrogenadas controlavam a tal ponto as opiniões científicas sobre as gorduras trans que Kummerow nunca chegou a ter alguma chance de prevalecer. Essas empresas eram as fabricantes de margarina e de óleos comestíveis, como a P&G, a Anderson, Clayton & Co. e a Corn Products Company. Todas elas tinham laboratórios e químicos a seu dispor. Os mais influentes entre eles eram convidados a participar da prestigiosa comissão técnica da ISEO, o grupo de *lobby* que havia influenciado Moses na AHA. Essa comissão, pequena mas importante, era a guardiã científica de todo o setor de gorduras e óleos. A defesa da reputação dos óleos hidrogenados, uma das principais mercadorias do setor, esteve em primeiro lugar em sua lista de prioridades durante décadas.

....
5. Uma reunião fechada, que durou um dia inteiro, foi promovida pela Kraft General Foods em Toronto, no Canadá, em 1991, e não há dúvida de que outros encontros semelhantes ocorreram, mas a primeira grande conferência científica aberta ao público foi realizada em Copenhague pela Sociedade Dinamarquesa de Nutrição em 2005. Em 2006, a AHA organizou a primeira conferência norte-americana sobre gorduras trans.

"Nossa missão era exatamente preservar as gorduras trans da mácula de descobertas científicas negativas", explica Lars H. Wiedermann, químico de lipídios na gigantesca Swift & Co., que participou da comissão da ISEO na década de 1970. Outro membro da comissão era Thomas H. Applewhite, químico orgânico e especialista em fisiologia botânica que dirigiu o setor de pesquisas da Kraft durante muitos anos e, depois de se aposentar, me disse em tom de desafio: "Uma coisa é certa: eu era o chefe da quadrilha das trans."

Sob a direção de Applewhite, a comissão estava encarregada de ficar à espreita de artigos científicos como o de Kummerow, que pudessem manchar a reputação das gorduras trans. Então, Applewhite e sua equipe disparavam contestações acadêmicas. Também iam a conferências e faziam perguntas mordazes nos períodos de discussão, com a intenção de lançar dúvidas sobre todos os aspectos de qualquer experimento sobre gorduras trans que tivesse a mais remota possibilidade de ter resultados críticos. Wiedermann se lembra de ter ido atrás de Kummerow: "Nós o perseguimos em três ou quatro conferências. Nosso objetivo era nos sentar na plateia e, quando ele parasse de falar, fazer um monte de perguntas."

Eles intimidavam Kummerow – especialmente Applewhite, um homem alto e de voz trovejante. "Ele se levantava com um pulo e fazia questões. Era muito agressivo", lembra-se Kummerow. Em sua opinião, aquilo ia "além do tipo de intercâmbio respeitoso que se espera de cientistas". Randall Wood teve a mesma experiência. "Applewhite e Hunter [...] sua ação principal eram as conferências, onde o resumo do artigo já havia sido publicado há muito tempo, de modo que sabiam o que íamos dizer", lembra-se Wood. "Às vezes, durante o tempo de perguntas e respostas, eles nos encurralavam com algo que, em muitos casos, não tinha a mais remota relação com o que estávamos falando." Tendo deparado com essas críticas mordazes tanto em conferências quanto em revistas científicas, Wood acabou desistindo completamente de estudar as gorduras trans. "Era uma área de estudos que não trazia recompensa alguma. Era muito difícil fazer algum progresso sem nenhum tipo de apoio", lamenta-se ele.

O momento de maior conflito entre Kummerow e o ISEO aconteceu em 1974, quando ele apresentou os resultados de um estudo que conduzira com miniporcos. Escolhera esses animais porque são onívoros como os seres humanos e, por isso, são considerados modelos adequados para estudar o desenvolvimento da aterosclerose. Kummerow constatou que, ao alimentar um grupo de porcos com gorduras trans, suas lesões arteriais cresceram mais rápido do que as de um grupo alimentado com gordura do leite, sebo bovino ou um óleo vegetal sem gorduras trans. O grupo que ingeriu gorduras trans também acusou mais depósitos de colesterol e gordura nas paredes arteriais. Como era de esperar, quando Kummerow apresentou os dados numa conferência, em 1974, "o setor entrou em convulsão", como descreveu-me um químico do USDA que estava presente na ocasião. "O setor alimentício percebeu que, caso se estabelecesse um vínculo entre as gorduras trans e as doenças cardíacas, era o fim do esquema."

O estudo de Kummerow tinha algumas falhas, que a equipe técnica do ISEO fez questão de ressaltar em todas as oportunidades[6]. "Despendemos muito tempo, dinheiro e energia para refutar o trabalho dele", disse-me Wiedermann. E explicou que "uma pesquisa malfeita, quando publicada, passa a fazer parte dos anais da ciência e é capaz de causar prejuízos irrecuperáveis". Ressaltou que "não somos bichos-papões que andam por aí aterrorizando pobres cientistas indefesos que contam tostões para fazer suas pesquisas". Já vira muitos trabalhos malfeitos apresentados como pesquisas científicas sérias, e é por isso que não considerava "nem errado nem imoral 'contestá-los'".

....

6. A crítica ao estudo de Kummerow com porcos era que à dieta com alto teor de gorduras trans faltava um dos ácidos graxos essenciais (ácido linoleico) necessários para o crescimento normal. Quando a Swift & Co. reproduziu o estudo na Universidade de Wisconsin, dessa vez com mais ácido linoleico, o efeito aterosclerótico das gorduras trans desapareceu. Não se sabe, no entanto, se esse segundo estudo refletia melhor a realidade da alimentação norte-americana, uma vez que dietas parecidas com a que Kummerow deu aos porcos pareciam possíveis, se não comuns, nos Estados Unidos, especialmente quando se leva em conta que o processo de hidrogenação destrói o ácido linoleico presente no óleo (assim, as margarinas com alto teor de gorduras trans têm "naturalmente" um baixo teor de ácido linoleico). O experimento de Kummerow pode ter identificado um perigo real a que os norte-americanos estavam sujeitos, mas o consenso geral se posicionou contra suas descobertas.

Kummerow, por sua vez, nunca desistiu. Em 2013, com 98 anos de idade, ele ainda publicava artigos e pressionava a FDA a banir completamente as gorduras trans da cadeia de produção de alimentos nos Estados Unidos. Em 2014, em parte como reação à petição de Kummerow, a FDA parece estar a ponto de fazer isso.

Durante muitos anos, além de Kummerow, a única outra pessoa a fazer pesquisas sobre gorduras trans nos desertos da ciência foi Mary G. Enig, bioquímica nutricional da Universidade de Maryland, que desde o fim da década de 1970 vinha estudando essas gorduras independentemente de Kummerow. Em 1978, ela fez "soar o alarme" no ISEO quando publicou um artigo que documentava uma suposta correlação entre as gorduras trans e os índices de câncer. Tratava-se apenas de uma correlação, que, como sabemos, não é prova de causalidade, e Enig era apenas uma pesquisadora em tempo parcial numa universidade de segunda classe, mas o ISEO mesmo assim identificou o estudo como uma ameaça ao setor dos óleos. (O vínculo entre as gorduras trans e o câncer foi estudado em profundidade de lá para cá, mas nunca se constatou a existência de uma relação de causa e efeito entre eles.)

Para contestar o artigo de Enig sobre o câncer, Applewhite conseguiu publicar *três* Cartas ao Editor altamente críticas. Além disso, ele e alguns colegas fizeram uma visita a Enig. Ela lembra: "Aquela turma do ISEO veio me ver, e estavam vermelhos de raiva." Além de Applewhite, a "turma" incluía Siert Frederick Riepma, presidente da Associação Nacional dos Fabricantes de Margarina, e autoridades da Lever Brothers e da Central Soya, duas empresas produtoras de óleo de soja. Enig descreve a conversa: "Eles disseram que mantinham vigilância cerrada para impedir artigos como o meu de serem publicados, e não sabiam como ele conseguira passar despercebido."

Embora não tivesse muito cacife profissional, Enig se recusou a fazer o papel de mulherzinha obediente. Pelo contrário, parecia gostar de assumir posições pouco ortodoxas e defendê-las com a máxima obstinação. Não tinha muito tato e nenhum interesse de cortejar seus colegas, talvez porque soubesse que, de todo modo, nunca seria convidada para se filiar ao clube exclusivamente masculino dos químicos de lipídios. E a maioria deles a entendia exatamente dessa maneira. Embora muitos reconhecessem que ela tinha razão de questionar a precisão dos dados sobre gorduras trans, os químicos do setor de óleos a consideravam radical. "Pirada", "paranoica", "transtornada" e "fanática" – essas foram algumas das palavras com que a descreveram para mim. Applewhite, por sua vez, trabalhava no setor de óleos desde a década de 1960 e era um líder entre seus colegas[7].

Ao longo das décadas de 1980 e 1990 e à medida que as gorduras trans foram sendo estudadas e discutidas com mais franqueza, o debate científico cada vez mais se polarizou entre Enig e Applewhite. Ela provocava de lá e ele vociferava daqui. Numa conferência realizada em 1995 em San Antonio, no Texas, a discussão se prolongou acaloradamente por quase 10 minutos. "Foi uma agonia assistir àquilo. Todos nós estávamos constrangidos", disse um dos presentes. Outro comentou: "A interação entre eles era muito diferente das discordâncias científicas normais com que estávamos acostumados."

Um importante impasse aconteceu em 1985, numa reunião que ocorreu como fruto de uma das primeiras tentativas do governo de analisar a sério a existência dos óleos hidrogenados e seus possíveis efeitos sobre a saúde. Durante a maior parte do século XX, o governo norte-americano nada dissera sobre esse ingrediente: o NIH estava obcecado pela gordura saturada e pelo colesterol, ao passo que a FDA não chegou a se interessar por ele, talvez porque o ISEO fizesse questão de manter relações íntimas com a agência: durante décadas, o instituto dos óleos foi buscar seus presidentes diretamente no departamento jurídico da FDA[8].

No fim, porém, os óleos hidrogenados foram abarcados por uma iniciativa do presidente Nixon, que, em 1969, mandou que se prepa-

---
7. Entre outras coisas, Thomas Applewhite foi presidente da AOCS em 1977 e foi escolhido pela John Wiley & Sons em 1985 para organizar um volume do *Bailey's Industrial Oil and Fat Products*, a mais importante referência em matéria de química dos óleos.

8. Malcolm R. Stephens, comissário assistente da FDA, foi presidente do ISEO de 1966 a 1971, e William W. Goodrich, advogado-chefe da FDA, presidiu o ISEO de 1971 a 1984. Ambos haviam trabalhado por mais de 30 anos na FDA antes de passar ao ISEO.

rasse uma lista de ingredientes alimentares "Reconhecidos como seguros de modo geral". A FDA, em resposta, encomendou em 1976 uma primeira avaliação sobre o óleo de soja hidrogenado e entregou a tarefa à Federation of American Societies for Experimental Biology (FASEB), uma associação sem fins lucrativos que atualmente agrega 21 sociedades de pesquisas biomédicas. O painel de especialistas escolhido tinha pouquíssima experiência em lipídios, de modo que a revisão sistemática empreendida por eles não encontrou – previsivelmente – "nenhum sinal" de que as gorduras hidrogenadas representassem "uma ameaça ao público". Os autores chamaram a atenção para a perturbadora descoberta de Kummerow, de que "as funções das membranas celulares podem ser afetadas pela incorporação de ácidos graxos trans"; também descreveram cinco experimentos, de um total de oito, nos quais se demonstrava que a gordura hidrogenada aumentava o colesterol total mais que os óleos comuns. Sem dar nenhuma explicação, entretanto, deixaram todas essas preocupações de lado.

Em 1985, quando a FDA pediu à FASEB que reexaminasse a questão, Enig teve medo de que a segunda revisão fosse tão superficial quanto a primeira. Para começar, nem ela nem Kummerow haviam sido convidados para integrar o painel de especialistas, embora Kummerow fosse um dos maiores pesquisadores vivos sobre as gorduras trans.

No entanto, dessa vez o painel contava com especialistas mais afeitos ao assunto, entre os quais vários cientistas com opiniões diversas sobre as gorduras trans. Estavam presentes tanto a estrela da Procter & Gamble, Fred Mattson, quanto o crítico Randall Wood. Esses especialistas revisitaram boa parte das descobertas críticas que haviam sido examinadas pelo painel anterior e ponderaram também novas preocupações, como o fato de a hidrogenação não criar somente gorduras trans, mas também as dúzias de ácidos graxos artificiais que Wood identificara. No final, contudo, o relatório mais uma vez deixou de lado todas as ressalvas e concluiu que a presença de gorduras trans na dieta não tinha nenhum efeito prejudicial sobre a saúde.

Visto não fazer parte da comissão, Enig teve de se contentar em participar das perguntas abertas ao público numa das reuniões do painel. Sua maior preocupação era que o painel da FASEB não reconhecesse a quantidade real de gorduras trans que os norte-americanos estavam ingerindo. O grupo de especialistas vinha tratando dessa questão, pois alguns dos efeitos negativos sobre a saúde ligados às gorduras trans dependiam da quantidade consumida. Armada com sua própria interpretação dos dados, Enig disse aos especialistas reunidos que havia "erros graves" no banco de dados nacional sobre alimentos em que eles se baseavam para determinar a quantidade consumida. Em suas próprias análises, ela constatara que o conteúdo de gorduras trans na dieta norte-americana era de duas a quatro vezes maior que o oficialmente reconhecido, o que significava que os norte-americanos estavam ingerindo uma quantidade muito maior dessas gorduras do que os especialistas imaginavam[9].

Applewhite, em comunicações com seus colegas, continuou fazendo críticas severas ao trabalho de Enig. Tudo não passava de uma "falácia", escreveu, "repleta de citações equivocadas e erros flagrantes, bem como de parcialidade na seleção dos 'fatos'". Seu tom de desprezo e zombaria pode ser visto como um eco do tom de Ancel Keys. Assim como Keys esmagara todo questionamento da hipótese dieta-coração 10 anos antes, Applewhite agora fazia a mesma coisa com as gorduras trans. Enig, Kummerow e alguns outros pesquisadores na área haviam sido indubitavelmente derrotados por Applewhite e seus colegas do ISEO. A tática de enviar múltiplas cartas críticas, questionar impiedosamente os resultados e contestar as conclusões de modo implacável foi bem-sucedida, e a quase total ausência de pesquisas em gorduras trans entre as décadas de 1960 e 1990 foi devida em grande medida à atuação do ISEO.

Assim, todas as primeiras ideias sobre gorduras trans provenientes das pesquisas de Kummerow e mais alguns cientistas, que deveriam

---

9. Enig havia sido contratada pelo USDA para medir o conteúdo de gorduras trans dos alimentos. O órgão também pensava que o principal banco de dados do governo a respeito dos padrões de consumo de alimentos, chamado National Health and Nutrition Examination Surveys (NHANES), era problemático no que se referia às gorduras trans. Até o começo da década de 1990, Enig e sua equipe da Universidade de Maryland eram os únicos pesquisadores acadêmicos que tentavam determinar com precisão o conteúdo de gorduras trans nos alimentos.

ter sido debatidas e dissecadas num intercâmbio de mentes inteligentes, em vez disso morreram antes de chegar à praia. David Ozonoff, cientista ambiental da Universidade de Boston, observou certa vez: "Uma ideia pode ser comparada a um organismo vivo. Precisa ser continuamente nutrida com os recursos que lhe permitam crescer e se reproduzir. Num ambiente hostil que lhe nega suas necessidades materiais, as ideias científicas tendem a definhar e morrer." Não há dúvida de que foi essa lenta asfixia da pesquisa científica que aconteceu com os primeiros estudos sobre gorduras trans.

Qual a quantidade de gorduras trans que os norte-americanos consumiam?

A questão que Enig apresentara diante do painel da FASEB se tornou o ponto mais debatido pelos pesquisadores na década de 1980: qual a quantidade de gorduras trans que os norte-americanos efetivamente consumiam? Na reunião da FASEB, os interesses das indústrias alimentícias haviam sido defendidos por J. Edward Hunter, químico na Procter & Gamble e antigo colega de Thomas Applewhite. Em seu artigo, ele afirmava que, com base em suas análises, podia-se concluir sem fugir à sensatez que cada norte-americano ingeria apenas de três a sete gramas de gorduras trans por dia. Enig afirmava que havia um erro nos cálculos de Hunter, pois os números do banco de dados NHANES, do governo, eram irremediavelmente imprecisos. Ela observou, por exemplo, que, segundo a lista do NHANES, a Crisco e as margarinas continham zero grama de gorduras trans, ao passo que na realidade essas gorduras respondiam por 22% do total de calorias ou mais. Segundo as medidas de Enig, um saquinho pequeno de salgadinhos de queijo continha de três a seis gramas de gorduras trans; um *muffin* tinha quase quatro gramas; e, dependendo da marca, um pacote de bolachinhas de chocolate tinha até 11,5 gramas.

Beverly B. Teter, colega de Enig, declarou: "Num estudo que fiz sobre o leite materno, dei a uma mãe lactante duas rosquinhas da

Dunkin' Donuts, um pacote de salgadinhos de queijo e um pacotinho de biscoitos Pepperidge Farm. Se ela comesse tudo, seriam mais de 20 gramas de gorduras trans só ali. E há muitas pessoas que comem dessas maneira. Por isso sabemos que muita gente estava comendo bem mais que os três a sete gramas que o pessoal do setor alimentício alegava." Teter descobriu que essas gorduras trans apareciam no leite materno numa quantidade proporcional à consumida pela mãe em sua alimentação.

Enig estimava que, na melhor das hipóteses, o americano médio consumia 12 gramas por dia de gorduras trans, ou seja, de duas a quatro vezes mais do que na estimativa de Hunter. Diante dessas opiniões divergentes, o painel da FASEB simplesmente decidiu ignorar a intervenção de Enig. Sem explicação, anexou a análise de Hunter a seu relatório oficial de 1985, mas não mencionou a de Enig.

Essas estimativas de consumo deram origem a acaloradas discussões e acabaram se tornando o foco de outro painel de especialistas, estabelecido pela FASEB em 1986 para apresentar uma opinião sobre as gorduras trans ao Congresso, que estava cogitando exigir que todas as gorduras fossem explicitadas nos rótulos dos alimentos processados. Muita coisa estava em jogo, portanto. Numa troca de cartas com a FASEB, Enig insistiu em que o banco de dados do NHANES precisava ser corrigido antes que qualquer decisão política fosse tomada. Applewhite e Hunter, representando o ISEO, procuraram retratá-la como uma fanática desequilibrada: "Ninguém, a não ser Enig, contestou a validade dos [...] dados", escreveram. Enig levantava "questionamentos sem nenhuma base e substância" sobre os "imaginários" efeitos fisiológicos das gorduras trans; e eles ainda enfatizaram que "os ácidos graxos trans não causam dano algum a humanos ou animais que consumam uma dieta balanceada".

Enig, por sua vez, perguntou publicamente, numa carta veiculada num pequeno periódico do setor, por que o ISEO se preocupava tanto com a quantidade de gorduras trans consumidas se seus cientistas realmente acreditavam que ela não fazia nenhum mal à saúde. A resposta era que as gorduras trans *têm*, sim, consequências negativas para a saúde, consequências que poderiam ser vistas por qualquer um que lesse até mesmo a exígua literatura científica da época. Para o setor alimentício, porém, essa questão era uma caixa de Pandora que, se possível, não deveria ser aberta jamais.

Abre-se a caixa de Pandora

O começo do fim das gorduras trans não foi decretado por nenhum cientista americano, pois os críticos das gorduras trans entre os pesquisadores americanos haviam sido marginalizados. Esse fim nasceu na Holanda, com os cientistas Martijn B. Katan, biólogo molecular e professor de nutrição na Universidade Wageningen, e Ronald Mensink, seu aluno de pós-graduação. "Foi com Mensink e Katan que o barulho começou", resmungou Hunter, da Procter & Gamble.

Katan é um dos cientistas europeus mais respeitados e influentes no universo da nutrição e tem fortes vínculos com pesquisadores nos Estados Unidos. Em meados de 1980, autoridades da Fundação do Coração da Holanda haviam lido os trabalhos de Enig e Kummerow e haviam se assustado. Pediram então a Katan que desse uma olhada no assunto.

Katan visitou seu amigo Onno Korver, diretor de nutrição na gigante Unilever, cuja sede fica em Roterdam, e pediu-lhe que financiasse um experimento sobre como as gorduras trans afetam os índices de colesterol. Estudos anteriores haviam medido o impacto das gorduras trans sobre o colesterol total, mas àquela altura já era possível medir também os colesteróis LDL e HDL. Korver explica que se interessou pela proposta porque "começamos a perceber que os dados científicos sobre gorduras trans eram exíguos e contraditórios. Então, seguindo o lema 'conheça o seu produto', começamos a nos perguntar como arranjar mais dados." Mesmo assim, ainda segundo Korver: "Foi preciso um pouco de persuasão para convencer a Unilever a bancar a pesquisa, pois o ambiente estava tranquilo para as gorduras trans. Por que correr o risco de despertar um dragão adormecido?"

Katan fez um experimento em que 34 mulheres e 25 homens foram alimentados com dietas cujo conteúdo de gordura variava. Numa dieta, 10% das calorias eram de gorduras trans; em outra, 10% eram de azeite de oliva[10]; e um terceiro grupo ingeria uma margarina especial com alto teor de gordura saturada. Os sujeitos de pesquisa adotaram todas as dietas sucessivamente, permanecendo durante três semanas em cada uma.

Mensink e Katan constataram que a dieta com alto teor de gorduras trans não apenas fazia aumentar o colesterol LDL em comparação com o azeite de oliva, mas também baixava o colesterol HDL. "Pensei que o efeito sobre o HDL estivesse incorreto, pois nenhuma gordura *abaixa* o índice de colesterol HDL", Katan me disse. (A gordura saturada, do tipo encontrado principalmente em alimentos de origem animal, *aumenta* o índice de colesterol HDL, mas os especialistas em nutrição vêm ignorando sistematicamente esse efeito há muitos anos, pois as gorduras saturadas são consideradas, em geral, pouco saudáveis.) Esse potencial efeito das gorduras trans, de baixar o colesterol HDL, não chegou a ser confirmado, mas no começo parecia ser um importante ponto contra esse ingrediente.

Para a perplexidade das indústrias alimentícias e do setor de óleos comestíveis, grandes jornais dos Estados Unidos fizeram reportagens sobre o estudo de Mensink e Katan, interpretando-o como uma condenação dos óleos hidrogenados; em 1990, a Associated Press publicou a seguinte manchete: "Os ácidos graxos da margarina causam preocupação". As descobertas foram um choque para todos, especialmente para as grandes associações de saúde, que havia décadas vinham recomendando a margarina como uma alternativa mais saudável que a manteiga.

Como era de esperar, o ISEO atacou o trabalho de Mensink e Katan. O presidente do grupo escreveu uma carta ao editor do *New England Journal of Medicine* criticando vários aspectos da metodologia do estudo e dando a entender que a quantidade de gorduras trans ingerida era grande demais para ser representativa do que acontecia com a população em geral. Porém, os cientistas do setor não se alarmaram demais – pelo menos a princípio. "Seria preciso que todo um corpo de

---

10. Esse óleo foi escolhido em razão de seus efeitos relativamente neutros sobre o colesterol HDL e LDL.

conhecimento sobre aquele efeito se acumulasse. Um único estudo nunca é totalmente convincente", disse Hunter.

"Senti que meus colegas americanos, especialmente os diretamente ligados ao setor alimentício, não iam acreditar em nada" do que se descobrira dos efeitos sobre os colesteróis LDL e HDL, diz Katan. "Mas éramos cientistas de verdade, não tínhamos nenhuma parcialidade forte, e eles deveriam ter percebido que algo estava acontecendo."

Esse "algo" foi confirmado em vários estudos de atualização coordenados por Katan e outros ao longo dos cinco anos seguintes, embora a dúvida sobre a metodologia persistisse. Os especialistas do ISEO assinalaram, por exemplo, que em vários estudos os sujeitos de pesquisa haviam sido alimentados com gorduras parcialmente hidrogenadas e não com gorduras trans em estado puro, de modo que os efeitos observados sobre o colesterol LDL poderiam ser causados pelos outros isômeros artificiais dos ácidos graxos criados durante a hidrogenação. Esse ponto é crucial, pois, como vimos, o processo de hidrogenação dos óleos produz dezenas de isômeros além das gorduras trans. Pouco se sabe sobre esses ácidos graxos adicionais, e até hoje as pesquisas científicas não fizeram nenhuma tentativa de isolar os efeitos das gorduras trans dos efeitos desses outros isômeros.

Essas e outras dúvidas, significativas sobre os indícios contrários às gorduras trans, suscitavam questionamentos reais a respeito do impacto negativo dessas gorduras sobre a saúde. Esse impacto se devia somente aos efeitos sobre o colesterol ou haveria algo mais? Assim, os químicos do setor de óleos comestíveis continuaram a defender as gorduras hidrogenadas com base em fundamentos científicos aparentemente legítimos.

Em 1992, o número de estudos sobre as gorduras trans e o colesterol era ainda muito baixo, mas os indícios acumulados foram suficientes para que a Unilever anunciasse que ia eliminar as gorduras parcialmente hidrogenadas da maioria de seus produtos num prazo de três anos. "Tínhamos sete grandes instalações de hidrogenação em fábricas de margarina em toda a Europa, e tivemos de fechar todas elas", diz Korver. A Unilever tem tamanha liderança no setor de alimentos na

Europa que muitas outras empresas seguiram seu exemplo e adotaram o azeite de dendê. Na Europa, "o setor estava aberto para a mudança", observa Katan. "Nos Estados Unidos, o setor realmente se recusou a arredar pé."

Em vez disso, o setor alimentício norte-americano decidiu financiar seu próprio estudo para refutar as descobertas negativas de Katan e outros. A maioria dos cientistas do setor ainda acreditava que as gorduras trans não faziam mal à saúde (afinal, os efeitos sobre os colesteróis LDL e HDL não eram tão drásticos) e queriam recuperar o controle sobre o discurso científico sobre o assunto. Passou-se o chapéu entre as indústrias e mais de 1 milhão de dólares foram levantados entre diversos fabricantes de alimentos, associações de produtores de soja e, como não poderia deixar de ser, o ISEO[11].

Essa é outra tática comum que as indústrias alimentícias sempre usaram para direcionar a opinião científica sobre alimentos: pagam cientistas respeitados em instituições de prestígio para conduzir estudos cujo objetivo é chegar a resultados positivos a respeito de seus produtos. A Best Foods deu o pontapé inicial desse jogo quando financiou estudos para provar desde o início que as gorduras hidrogenadas eram seguras para consumo, e de lá para cá a Unilever e outros gigantes do setor de óleos influenciaram toda a ciência dos óleos vegetais no mesmo sentido. Do ponto de vista do pesquisador, receber dinheiro de um setor econômico interessado é uma coisa incômoda; mas, visto que na área da nutrição as verbas para pesquisa são escassas e os experimentos são caros, essa prática é considerada um mal necessário. "Todos nós recebemos dinheiro das indústrias", disse-me Robert J. Nicolosi, bioquímico e pesquisador de gorduras trans na Universidade de Massachusetts em Lowell. "Mas assinamos um acordo prévio dizendo que a indústria não pode, em hipótese alguma, influenciar o modo como publicamos nossos resultados. O problema é sempre a percepção do

---

11. Entre os que contribuíram podemos mencionar o Nabisco Food Group, a Associação Nacional de Fabricantes de Margarina, a Associação dos Salgadinhos, a Mallinckrodt Specialty Chemicals, o Conselho Unificado da Soja, os conselhos estaduais da soja de Maryland, Ohio, Carolina do Norte, Illinois, Michigan, Minnesota e Indiana e a Associação Nacional dos Produtos de Semente de Algodão.

público. Mas nós revelamos o que descobrimos, e isso é tudo o que podemos fazer."

No entanto, quando uma empresa alimentícia fornece verbas a um cientista universitário, ela tem a expectativa de obter resultados que favoreçam seus produtos. Gerald McNeill, diretor de pesquisas na Loders Croklaan, uma gigante do setor de óleos comestíveis, me contou como a coisa funciona. "Digamos que eu seja uma grande produtora de margarina e queira afirmar que meu produto faz bem à saúde", explicou. A empresa procura um membro da elite da nutrição – um professor universitário que tenha boas relações com a AHA e o NIH, por exemplo – e lhe dá verbas para que ele realize um estudo clínico. Às vezes, os cientistas da própria empresa ajudam o pesquisador acadêmico a projetar os métodos de estudo, a fim de assegurar resultados positivos ou, no mínimo, garantir que não haja resultados negativos. McNeill exclama: "Pode ter certeza: por 250 mil dólares, você vai obter os resultados que você quer!" De fato, em várias revisões sistemáticas já se demonstrou que os estudos financiados por setores econômicos interessados têm muito mais possibilidade de dar resultados favoráveis a esses setores em comparação com os estudos que não contam com tais fontes de financiamento. O setor alimentício também estabelece relações com pesquisadores acadêmicos de outras maneiras: pagando suas despesas de viagem, por exemplo, ou pagando-lhes honorários para dar palestras. McNeill diz: "Todas as empresas fazem isso, pois quem não faz está fora do jogo."

No caso em pauta, a fim de refutar Mensink e Katan, o setor de óleos comestíveis decidiu financiar um experimento no reputado laboratório de lipídios do USDA, cujo encarregado era o bioquímico Joseph T. Judd. Judd era um cientista rigoroso e todos concordavam, pelo menos, que os resultados obtidos por ele seriam inatacáveis.

Judd fez diversos estudos clínicos sobre as gorduras trans, mas o primeiro, realizado em 1994, foi o mais importante. No refeitório do USDA, Judd forneceu refeições especialmente preparadas para 29 homens e 29 mulheres seguindo quatro dietas diferentes que eles adotaram sucessivamente, permanecendo em cada uma durante seis semanas.

Uma dieta tinha alto teor de azeite de oliva; a segunda tinha uma quantidade "moderada" de gorduras trans (3,8% da energia); a terceira tinha quantidade "alta" de gorduras trans (6,6% da energia); e a última tinha alto teor de gorduras saturadas. Os resultados medidos foram os índices de colesterol HDL, colesterol LDL e colesterol total. A Kraft, por cortesia de Thomas Applewhite, forneceu as gorduras.

Judd estava ciente de que todos esperavam que suas descobertas contradissessem as de Katan e, assim, as "neutralizassem". Era assim que o setor de alimentos funcionava. Na busca de obter um resultado que todos seriam obrigados a aceitar, Judd tomou uma medida incomum: permitiu que os cientistas diretamente ligados ao setor alimentício o ajudassem a projetar o protocolo do estudo, ainda antes de decidirem financiá-lo.

No entanto, quando chegaram os resultados, para espanto geral eles não refutaram as descobertas de Katan. Pelo contrário, Judd as confirmou. A dieta com alto teor de gorduras trans causou uma "pequena redução" do colesterol HDL, um pouco menor que a constatada por Katan, e um aumento significativo do colesterol LDL. Infelizmente para a extensa lista de empresas que financiaram a empreitada, os "estudos de Judd" se tornaram o caso mais famoso de um tiro no pé por parte do setor de alimentos. "Quando entreguei meu relatório, a única reação foi o silêncio!", lembra-se Judd. "Eles sabiam que o estudo tinha sido bem-feito. Queriam saber a verdade, e penso que foi isso que conseguiram [...] mas é claro que não foi o que eles esperavam que se descobrisse."

Os estudos de Judd representaram, para muitos cientistas, um momento único, que entrou para a história. Foram uma luta de Davi contra Golias, um triunfo da ciência sobre o comércio. "O próprio setor alimentício projetou o estudo, e pá! Tomou um tapa na cara", alegra-se K. C. Hayes, biólogo da nutrição na Universidade Brandeis que estuda gorduras e óleos há 35 anos. O pessoal do setor, por sua vez, não ficou muito feliz. "O setor ficou preocupado", reconhece Hunter. Ele foi um dos que mais promoveram os estudos de Judd, mas, quando os resultados se mostraram desfavoráveis à Procter & Gamble, foi transferido para outro departamento.

"Preocupação é um eufemismo", disse Michael Mudd, então vice-presidente de assuntos corporativos da Kraft, que na época produzia inúmeros produtos com alto teor de gorduras trans, inclusive os biscoitos Ritz e os Triscuits. "O setor estava em pânico, especialmente as empresas mais especializadas em produtos de forno." Em meados da década de 1990, depois de os estudos de Judd terem sido publicados, as gorduras trans se tornaram "durante certo tempo o assunto da moda", contou-me Mudd. "Esse tema absorveu toda a nossa atenção e concentração." O setor se pôs à espera das consequências. Será que o Congresso ou a FDA atacariam as gorduras trans? "Começou-se a especular sobre quando a rotulagem se tornaria obrigatória e complicaria as coisas", disse Mudd. "Mas nada disso aconteceu. O escândalo público não se concretizou."

Como os efeitos sobre os colesteróis LDL e HDL não eram drásticos[12], as empresas do setor alimentício pensaram que ainda seriam capazes de levar a melhor no universo da opinião científica. Para tanto, financiaram mais uma rodada de revisão sistemática dos estudos sobre gorduras trans, feita dessa vez pelo International Life Sciences Institute (ILSI), uma associação custeada pelo setor. E dessa vez os resultados saíram mais de acordo com o que o setor desejava. O relatório concluiu que, pelo fato de os indícios serem mínimos e conflitantes, as gorduras trans ainda podiam ser consideradas seguras. Ele foi escrito "da perspectiva do *setor alimentício*", disse Penny Kris-Etherton, codiretora da revisão sistemática e influente professora de nutrição na Universidade Penn State: as empresas alimentícias queriam saber se os dados científicos sobre as gorduras trans indicavam que seus produtos deveriam ser modificados ou não. Apesar disso, ela e outros luminares acadêmicos assinaram embaixo desse esforço e, então, o relatório foi encarado por outros cientistas como uma fonte de dados sólida e confiável, que exonerava as gorduras trans. Com efeito, o relatório foi citado nesse

---

12. Nunca se demonstrou de modo confiável que o efeito sobre o colesterol HDL realmente acontecesse, e o efeito sobre o colesterol LDL era pequeno: um aumento de 7,5 mg/dl para cada 5% de aumento da proporção de gorduras trans sobre o total de calorias, ou seja, um aumento de cerca de 7% no colesterol LDL para o americano médio (FDA, 2003, p. 41.448, "um aumento de 7,5 mg/dl").

sentido pelos membros do próprio painel do ILSI. Katan, por outro lado, entendeu o relatório como "simples elemento do sistema de controle de danos do setor alimentício" e considerou que ele "não fazia justiça" aos dados.

No fim, a razão pela qual as gorduras trans perderam sua reputação, foram banidas de inúmeras cidades e estados do país e entraram para a história como tema da mais importante regulamentação alimentar produzida pela FDA em tempos recentes não foi, paradoxalmente, o surgimento de dados novos. O que aconteceu foi que a pressão pública contra essas gorduras aumentou. Várias forças cerraram fileiras contra as gorduras trans e empurraram-nas para o papel de grande vilã do mundo das gorduras. Entre essas forças havia outro cavaleiro solitário, dessa vez sediado em San Francisco. Havia também o CSPI e, quem diria, um vulto bastante conhecido da elite da nutrição, um pesquisador que, como Ancel Keys, abancou-se sobre uma montanha de dados epidemiológicos e usou esses dados para mudar o curso da história da nutrição – como Keys havia feito com as gorduras saturadas. Estamos falando do professor Walter C. Willett, da Universidade Harvard, que se tornara famoso no mundo da nutrição ao introduzir a dieta mediterrânea e cujo perfil se reforçou com a condenação das gorduras trans. Quando fez com que essas gorduras fossem oficialmente condenadas, Willett praticamente decretou sua quase total erradicação das cadeias de produção alimentar. E esse resultado poderia até ter sido positivo se os substitutos da gorduras trans não tivessem efeitos ainda piores sobre a saúde humana.

9

SAEM DE CENA AS GORDURAS TRANS, ENTRA ALGO PIOR?

De certo modo, o epidemiologista Walter Willett, de Harvard, não poderia ser mais diferente de Ancel Keys. Willett fala baixo e é educado, delicado e dócil; com seu imenso bigode e sua indefectível cordialidade, ele não parecia talhado para subir ao ápice do mundo da nutrição. No entanto, sua voz é uma das mais influentes na área há 20 anos. Como vimos, foi ele a força principal por trás da dieta mediterrânea, tendo apresentado a pirâmide dessa dieta em Cambridge, em 1993. No mesmo ano, ele fez um anúncio importante sobre as gorduras trans.

Esse anúncio foi baseado nos dados de seu Estudo da Saúde das Enfermeiras, que vinha coletando dados alimentares de cerca de 100 mil enfermeiras desde 1976 – o maior estudo já feito em toda a história da nutrição. Como Keys, Willett deriva seu poder do fato de ser diretor de um estudo que produz mais dados que qualquer outro em sua área – muito embora não possa provar causalidade, mas apenas correlação, como qualquer outro estudo epidemiológico. E, também como Keys, Willett sempre tendeu a apresentar essa ressalva em letras miúdas, ao mesmo tempo que anunciava seus resultados positivos com voz muito mais confiante. Essa voz, para completar, é amplificada pelo alto-falante do setor de relações públicas da Universidade Harvard.

Dessa maneira, Willett promoveu muitas ideias que foram adotadas como recomendações de saúde pública com base somente nos dados do estudo das enfermeiras. As mais significativas foram as recomendações de que as mulheres fizessem terapia de reposição hormonal (TRH) na pós-menopausa e de que toda a população tomasse suplementos de vitamina E. Ambas essas recomendações foram amplamente divulgadas e adotadas, mas depois tiveram de ser retratadas, pois os estudos clínicos realizados não confirmaram as correlações constatadas no estudo das enfermeiras; pelo contrário, quando devidamente submetidas a estudos clínicos, provou-se que tanto a TRH quanto a suplementação de vitamina E são *perigosas* para a saúde. Ficou claro que os dados das enfermeiras haviam sido usados prematuramente para se formularem essas recomendações. Quando Willett fez seu anúncio sobre as gorduras trans, um estudo clínico já havia sido realizado – o de Mensink e Katan –, mas ainda não fora reproduzido. Willett, assim, mais uma vez apoiou-se principalmente nos dados do Estudo da Saúde das Enfermeiras para lançar sua acusação contra as gorduras trans.

Atiçado pelos trabalhos de Mary Enig, Willett começara a reunir dados sobre o consumo de gorduras trans em 90 mil sujeitos de pesquisa já em 1980. Doze anos depois, examinou os dados e constatou que a ingestão de gorduras trans estava correlacionada com um aumento do risco de doença cardíaca. Willett publicou essa descoberta no *Lancet* em 1993, mas seu artigo não recebeu muita atenção. No ano seguinte, Willett e um colega escreveram um artigo de opinião: de acordo com seus cálculos, as gorduras trans estavam causando incríveis 30 mil mortes por ano em razão de doenças cardíacas nos Estados Unidos. O *press release* de Harvard que acompanhava o artigo trazia a informação mais forte: declarava que uma mulher que comesse quatro ou mais colheres de sopa de margarina por dia corria um risco 50% maior de contrair doença cardíaca. Isso chamou a atenção de todos. Os jornais rapidamente reproduziram esses números em artigos de primeira página e as notícias correram o mundo. O artigo de Willett não tinha sido objeto de revisão paritária, pois era um artigo de opinião. Ouviram-se, por isso, algumas queixas legítimas sobre a metodologia que ele usara para calcular o número de 30 mil. Mas essas ressalvas figuravam apenas como obscuras notas de rodapé em meio às manchetes alarmantes.

"Enquanto eu viver, nunca vou me esquecer disso", disse Michael Mudd, então vice-presidente da Kraft e hoje aposentado. "Eu estava assistindo ao noticiário da ABC num domingo à noite. De repente apareceu Walter Willett dizendo que a margarina mata 30 mil pessoas por ano. Foi um terremoto no setor alimentício."

"Foi um mês infame, de que sempre vou me lembrar. Dali em diante, tudo só piorou", lembra-se Rick Cristol, ex-presidente da Associação de Fabricantes de Margarina. "O setor alimentício explodiu como uma bomba atômica", diz Katan.

Na Dinamarca, um dia depois de divulgado o cálculo das 30 mil mortes, o Conselho Dinamarquês de Nutrição, que é uma organização paragovernamental, realizou uma reunião de emergência para anunciar os resultados chocantes de Willett – um fato sem precedentes que, em si e por si, deu imensa publicidade à questão. A partir daquele dia, a associação se tornou líder mundial na divulgação das gorduras trans como um perigo à saúde, e o parlamento dinamarquês foi convencido a aprovar a primeira proibição às gorduras trans em todo o mundo: a partir de 2003, nenhum alimento poderia conter mais de 2% de gorduras trans como porcentual do total de gordura[1]. Essa foi a medida mais drástica tomada por qualquer governo no mundo inteiro.

Tudo que aconteceu na Dinamarca foi desencadeado pelos cálculos de Willett. O número de 30 mil mortes também estimulou o CSPI a pedir à FDA que as gorduras trans fossem obrigatoriamente relacionadas nos rótulos dos produtos, norma que foi efetivamente promulgada em 2003. Foram as supostas 30 mil mortes que chamaram a atenção para as gorduras trans e mudaram a percepção dessas gorduras pelo público. Foi essa a explosão que precipitou a queda desse ingrediente.

---
1. A publicidade negativa sobre as gorduras trans continuou forte na Dinamarca. Em 2004, quando se descobriu que uma loja da rede 7-Eleven vendia uma rosquinha que tinha 6% de gorduras trans, o gerente geral da franquia apareceu em rede nacional de televisão para garantir ao público que as rosquinhas seriam removidas das prateleiras das lojas em 24 horas (L'Abbé, Stender e Skeaff, 2009, p. S53).

"Com inteligência e entusiasmo, ele foi muito além dos próprios dados"

No entanto, em relação aos dados de que efetivamente dispunha, Willett estava numa posição muito mais precária do que o público imagina. O número a que ele chegou era baseado na capacidade das gorduras trans de aumentar o colesterol LDL e, ao mesmo tempo, diminuir o HDL, mas seu artigo não apresenta cálculos detalhados de nenhuma espécie. E o trabalho de Willett, por incrível que pareça, não conta com o apoio de muitos cientistas.

Alguns meses depois de publicar a cifra mágica de 30 mil, Willett foi convidado para uma conferência do Fórum de Toxicologia, uma associação sem fins lucrativos cujo objetivo é promover diálogos inteligentes sobre potenciais toxinas. As reuniões são fechadas e tendem a ser pequenas, juntando na mesma sala representantes graduados de empresas e cientistas do governo e da academia. A reunião de julho de 1994, realizada em Aspen, no Colorado, tinha o objetivo de dissecar os indícios por trás da afirmação de Willett de que as gorduras trans causam doenças cardíacas.

Depois que Willett fez uma longa apresentação ao grupo e expôs suas descobertas epidemiológicas, Samuel Shapiro, diretor do Centro de Epidemiologia Slone da Universidade de Boston, se levantou para refutá-las. A principal alegação de Shapiro era que os sujeitos de pesquisa que pensassem que tinham doenças cardíacas teriam maior probabilidade de trocar a manteiga pela margarina, pois era esse o conselho dos médicos aos grupos de risco desde a década de 1960. Assim, quando morria um sujeito de pesquisa que ingeria grande quantidade de gorduras trans, como os investigadores poderiam saber se eram as gorduras que haviam causado sua morte ou se a pessoa já tinha uma doença cardíaca e fora esse fato que o levara a comer mais margarina? Em outras palavras, comer margarina talvez não fosse a causa, mas um *efeito* da cardiopatia. Esse problema se chama "confusão por indicação" e, de acordo com Shapiro, era "um dilema central" em qualquer tentativa de usar a epidemiologia para provar causa e efeito.

Além disso, para diversos críticos que se manifestaram no decorrer dos anos, o Estudo da Saúde das Enfermeiras sempre tivera problemas básicos e conhecidos por qualquer epidemiologista; Shapiro também tratou dessas questões. Mostrou, por exemplo, o quanto é difícil fazer ajustes para eliminar os muitos fatores de confusão – outros aspectos da dieta e do estilo de vida que possam confundir os resultados –, como o uso de suplementos multivitamínicos, a prática vigorosa de exercícios físicos e o consumo de açúcar. Segundo Shapiro, ninguém sabe exatamente o quanto cada um desses fatores pode afetar as doenças cardíacas; assim, mesmo que os autores do estudo afirmem estar "fazendo ajustes estatísticos", é impossível que esses ajustes sejam precisos.

E mais: o simples ato de medir qualquer um desses fatores de estilo de vida com alguma precisão é imensamente difícil. É por isso que o Questionário de Frequência Alimentar (QFA) usado para obter informações sobre a dieta das enfermeiras é foco de controvérsias há tanto tempo. A ideia de que cada uma das enfermeiras fosse capaz de registrar ou se lembrar com precisão do que comera ao longo do *ano* passado parece questionável até para um leigo. Por exemplo: quantas vezes você acha que comeu "pêssego, damasco ou ameixa" ao longo do ano passado? Vinte vezes? Cinquenta? Faça uma estimativa, escreva um número e passe para a pergunta seguinte – são cerca de 200 ao todo.

Com efeito, sempre que os pesquisadores tentaram validar o QFA, os resultados obtidos foram desanimadores. A própria equipe de Willett constatou que, ao preencher o questionário, a capacidade de uma pessoa recordar a maioria dos tipos de gordura que comera era de "fraca" a "muito fraca". Em 2003, uma equipe internacional coordenada pelo NCI concluiu que o QFA de Willett "não pode ser recomendado" para avaliar a relação entre calorias ou ingestão de proteínas e as doenças.

Além disso, há muitas outras possíveis fontes de erro no QFA: a estimativa de quantidades de alimento, a estimativa de frequência de consumo, a tendência de pôr um número maior ou menor para dar a impressão de estar comendo melhor e os possíveis erros nas tabelas de conversão de alimentos para nutrientes. Essa lista, diga-se, é apenas parcial.

Cada item preenchido no questionário é o que se chama, em estatística, de "variável de previsão". Qualquer estatístico lhe dirá que, para que se possa estabelecer uma relação entre qualquer dessas variáveis e determinado resultado de saúde, ela precisa ser medida sem erros. Um grande número de variáveis de previsão imprecisas com mais de uma variável de resultado (os diversos problemas de saúde – Willett coleta dados sobre cerca de 50) é praticamente uma receita de desastre em matéria de confiabilidade estatística.

Seria até possível ignorar essas falhas, segundo Shapiro, se as gorduras trans tivessem um impacto gigantesco – se fizessem o risco aumentar 30 vezes, por exemplo, que é a magnitude da diferença entre os fumantes inveterados e os não fumantes no que se refere ao risco de câncer de pulmão. Nesse caso, os erros de viés e de confusão desapareceriam diante da força da correlação, e esta se tornaria praticamente inegável. Mas Shapiro notou que o efeito das gorduras trans acusado pelo Estudo da Saúde das Enfermeiras era pequeno: o risco não chegava sequer ao dobro[2].

Shapiro concluiu, na ocasião, que o estudo de Willett "não conseguira" excluir as possíveis causas de viés e confusão e que os indícios epidemiológicos, por si sós, não forneciam "nenhuma justificativa" para a declaração de Willett de que as gorduras trans causam doenças coronarianas.

Willett ficou em pé para se defender. Observou que seus controles estatísticos haviam excluído "uma série imensa de fatores de confusão [...] tanto fatores de estilo de vida quanto outros fatores conhecidos que aumentam o risco de doenças cardíacas", e que mesmo assim o efeito das gorduras trans se mantinha. O resultado, segundo ele, lhe dava confiança para afirmar que qualquer efeito residual de confusão seria muito pequeno. Além disso, ele disse que boa parte das gorduras trans que medira estava em biscoitos, que "não são algo que começamos a comer quando pensamos que temos uma doença cardíaca"[3].

....
2. Com efeito, um ano depois de Willett publicar suas descobertas sobre as gorduras trans, dois grandes estudos de observação feitos na Europa não demonstraram relação *alguma* entre as gorduras trans e os índices de infarto ou de morte súbita por doença cardíaca (Aro et al., 1995; Roberts et al., 1995).
3. Um dado interessante: Willett constatou que as gorduras trans de pães e comidas como biscoitos, salgadinhos etc. eram as *mais* responsáveis pelo aumento do risco de

Os presentes não se convenceram. Richard Hall, químico orgânico e funcionário antigo da McCormick & Company, fabricante de especiarias e temperos, lembra: "Todos nós estávamos acostumados com dados mais sólidos do que os produzidos habitualmente pela epidemiologia. Walter Willett é um cara convincente e bem falante, mas só enquanto não paramos e nos perguntamos: até que ponto seus dados realmente apoiam suas conclusões? Minha impressão é que, com inteligência e entusiasmo, ele foi muito além dos próprios dados." Michael Pariza, diretor do Instituto de Pesquisa de Alimentos na Universidade de Wisconsin-Madison e presidente da conferência, disse: "Acho que muitos saíram da sala pensando que Willett havia exagerado em suas conclusões."

No entanto, Willett prevaleceu. Assim como Ancel Keys ficou famoso demonizando as gorduras saturadas, Willett ganhou publicidade ao condenar as gorduras trans. E a semelhança não para por aí. Willett, como Keys, aparece com frequência nos meios de comunicação: escreveu uma matéria de capa para a *Newsweek* e volta e meia está na televisão. Também tem relações íntimas com importantes periódicos científicos. No caso das gorduras trans, o *New England Journal of Medicine*, cuja sede fica em Boston, onde Willett mora, não deixou o assunto morrer e publicou um grande número de artigos ao longo dos anos, a maioria deles escritos por Willett e seus colegas. E, também como Keys, Willett publica artigos – em grande número. Em 1993, por exemplo, o mesmo ano em que foi publicado seu primeiro artigo sobre as gorduras trans, ele publicou mais 32 artigos sobre o estudo das enfermeiras – um número astronômico. (Um estudo clínico, por exemplo, gera apenas um ou dois artigos depois de muitos meses ou até anos de trabalho.)

O que permite a Willett publicar tanto é a quantidade imensa de variáveis em seu banco de dados. Ele é capaz de estabelecer uma relação entre qualquer alimento ou variável de estilo de vida em sua lista e os

---

doença cardíaca observado; porém, como não fez o controle estatístico da ingestão de carboidratos, é muito possível que o efeito geral observado por ele tenha sido devido, ao menos em parte, aos carboidratos.

índices de morte por diversas doenças. Esse exercício é capaz de gerar, sem esforço, um número imenso de especulações sobre o que causa ou não causa doenças. Um cálculo de probabilidades nos diz que é inevitável surgir um resultado. Caso se façam 100 perguntas, cinco delas terão relevância estatística – aleatoriamente. Os estatísticos chamam esse problema de "comparações múltiplas" ou "testes múltiplos". "O simples número de perguntas feitas garante que você tenha algum resultado", diz S. Stanley Young, estatístico do Instituto Nacional de Ciências Estatísticas que escreveu sobre o assunto. "Muitos deles, porém, serão falsos."

Alguns cientistas chegaram a comparar dados apenas para mostrar como é fácil produzir associações falsas desse tipo. Examinando os signos astrológicos de 10,6 milhões de habitantes da província canadense de Ontário, por exemplo, os pesquisadores descobriram que as pessoas nascidas sob o signo de Leão tinham mais probabilidade de sofrer hemorragia gastrintestinal, ao passo que os sagitarianos eram mais suscetíveis a fraturas no braço. Essas correlações atendiam aos critérios matemáticos tradicionais de "relevância estatística", mas eram completamente aleatórias e simplesmente desapareciam quando se faziam ajustes estatísticos para corrigir o problema das "comparações múltiplas".

Por todas essas razões, muitos especialistas em nutrição criticam o trabalho de Willett. "A justificativa da conclusão de 30 mil mortes é precaríssima", disse Bob Nicolosi, que presidiu à revisão sistemática do ILSI. "Mas Willett venceu, pois ele gosta de vencer." Os epidemiologistas podem dar pistas importantes, mas muitos pesquisadores pensam que Willett exagera nas conclusões que tira de seus estudos, pois os usa, na prática, para demonstrar causa e efeito.

Apesar de tudo isso, Willett mudou a situação das gorduras trans nos Estados Unidos. Ao grupo de especialistas reunidos em Aspen, ele disse: "Estamos, na realidade, fazendo um experimento muito grande, não controlado e não monitorado com toda a população do país." O mesmo poderia ser dito do aumento gigantesco do consumo de óleos vegetais ao longo do século XX – ou, por que não, da dieta de baixo teor de gordura. Essas duas coisas, sem ser submetidas a testes adequados, foram recomendadas aos norte-americanos como a melhor prevenção possível contra as doenças cardíacas. Mas já faziam parte das diretrizes alimentares oficiais havia tanto tempo que uma mudança de direção a seu respeito era muito menos plausível. Somente a versão endurecida desses óleos, contendo gorduras trans, foi posta em questão.

As gorduras trans se tornam o novo vilão da dieta

Walter Willett literalmente moveu uma campanha contra as gorduras trans. Em 2006, eu o vi num comício de rua em Nova York, perto do lugar onde os vereadores estavam debatendo uma possível proibição da comercialização de gorduras trans em toda a cidade. Era um dia frio e ventoso do fim de outubro e fiquei surpresa quando o vi subir numa tribuna. Willett fez um gesto e o povo se aproximou. "As gorduras trans são um tipo de veneno para o metabolismo!", declarou. Ouviram-se aplausos. Ele afirmava que as gorduras trans não causavam apenas doenças cardíacas. "Talvez o diabetes seja um efeito delas, e existem fortes indícios de um vínculo com o sobrepeso e a obesidade", informou ao público – embora essas afirmações tivessem, e ainda tenham, pouquíssimo respaldo científico. "Então, esta medida é muito importante. Parabéns à secretaria de Saúde da cidade de Nova York!", concluiu.

O organizador do comício contra as gorduras trans foi o CSPI, a associação de Michael Jacobson. Embora o CSPI tenha a princípio *estimulado* as empresas a adotar as gorduras trans na década de 1980, quando o inimigo público número um eram os óleos tropicais, 10 anos depois o grupo mudara totalmente de rumo. Em vez de dizer que as gorduras trans "não eram mau negócio", rotularam-nas de "Trans: a gordura fantasma" na capa do informativo da associação, de grande circulação.

Jacobson era muito influente, qualquer que fosse a direção para a qual se voltasse; e as gorduras trans, reencarnadas agora como gorduras más, representavam o combustível perfeito para sua associação. O vínculo com um professor de Harvard tornou o CSPI praticamente invencível nessa questão. Jacobson disse que "Walter Willett desempenhou um papel *muito* significativo" na obrigatoriedade de discriminação das gorduras trans nos rótulos dos produtos. "Nunca deixou de falar claramente sobre o assunto, fala bem e tem conhecimento. Por isso, ele foi o elemento-chave."

A petição do CSPI na FDA, feita em 1994, deu resultado. Em 1999, a FDA publicou uma "proposta de norma" para que as gorduras trans fossem acrescentadas à lista de ingredientes que devem ser identificados nos rótulos de alimentos. Todas as empresas e associações ligadas aos alimentos, desde o ISEO, a Associação Nacional de Confeiteiros e a Associação Nacional de Fabricantes de Margarina até o McDonald's e a ConAgra Foods, enviaram cartas comentando a proposta, a maioria das quais se opunha à regulamentação. Fred Kummerow, Mary Enig e outros cientistas e grupos de defesa dos consumidores também mandaram cartas; a FDA recebeu 2.020 cartas ao todo.

Buscando a orientação de especialistas, a FDA pediu ao Institute of Medicine (IOM), integrante da Academia Nacional de Ciências, que elaborasse um limite recomendado para o consumo de gorduras trans[4]. Uma vez que os estudos haviam sempre indicado que as gorduras trans aumentam o colesterol LDL (os efeitos sobre o HDL não eram tão claros), o painel de especialistas do IOM recomendou que o limite superior fosse fixado em "zero"[5]. Willett usou toda a sua influência na FDA para que o nível recomendado de ingestão fosse zero, mas a FDA rejeitou a ideia, explicando que isso depreciaria demais as gorduras trans nos rótulos dos alimentos. Willett e o CSPI também se decepcio-

---

4. Esse "valor diário recomendado" foi elaborado por uma comissão permanente do IOM que reunia a elite do mundo da nutrição – pessoas como Ronald Krauss, Penny Kris-Etherton, Alice Lichtenstein, Scott Grundy e Eric Rimm.

5. Os cientistas ligados ao setor alimentício atacaram a proposta de limite "zero", pois nenhum estudo clínico havia examinado o consumo de gorduras trans num valor inferior a 4% do total de calorias. O painel do IOM havia se baseado num gráfico desenhado por um membro da equipe de Willett, o epidemiologista nutricional Albert Ascherio, que só marcara nele os resultados de todos os estudos conduzidos com quantidades maiores de gorduras trans e projetara a linha de volta até o valor zero. Ascherio pressupunha que a relação entre a quantidade de gorduras trans ingerida e seus efeitos sobre o colesterol fosse sempre linear – um pressuposto que o setor alimentício, com razão, contestou (Ascherio et al., 1999; para uma crítica a Ascherio, ver Hunter, 2006).

naram em sua intenção de listar as gorduras trans como um tipo de gordura saturada. Excluindo essa possibilidade, a FDA ficou do lado da maioria de especialistas que disse que a junção das duas categorias seria "cientificamente imprecisa e induziria a erro, pois as gorduras *trans* e as *saturadas* são diferentes do ponto de vista químico, funcional e fisiológico".

Em 2003, a norma foi finalmente promulgada. Ela determinava que, a partir de 1º de janeiro de 2006, as gorduras trans tivessem uma linha só para elas na tabela de informação nutricional nos rótulos de todos os alimentos embalados. A FDA considerara os indícios científicos "suficientes" para concluir que as gorduras trans contribuíam para as cardiopatias. O fato de aumentarem o índice de colesterol LDL era o principal argumento contra elas, pois, para os especialistas convencionais em alimentação e doença, esse era o principal fator de risco. Os outros indícios – as descobertas epidemiológicas de Willett e os trabalhos de Kummerow sobre os efeitos das gorduras trans sobre a membrana celular – foram considerados secundários[6, 7].

Não há dúvida de que essa norma da FDA foi um grande acontecimento para a agência, visto que, embora a FDA seja o principal órgão de defesa dos norte-americanos contra alimentos perigosos ou contaminados, há muito tempo que ela sofre de falta de dinheiro e de cientistas para cumprir direito sua função. Nesse caso, porém, a FDA emitiu um decreto memorável que impôs transformações a todo o setor alimentício. É justo afirmar que, nos Estados Unidos, poucas coisas tendem a provocar tantas mudanças no setor alimentício quanto a

----

6. A norma afirma que excluiu de suas alegações os estudos do efeito de diminuição do HDL porque os Institutos Nacionais de Saúde preferiam o LDL ao HDL como fator de risco para doenças cardíacas.

7. Um dos problemas permanentes da norma é que ela permite que qualquer ingrediente cuja quantidade não chegue a 0,5 grama por porção seja listados como "0 grama". Muitas empresas reduziram as porções de seus produtos para que certos ingredientes ficassem logo abaixo do limite de 0,5 grama. "O tamanho das porções era o grande negócio", contou-me Bob Wainright, vice-presidente da Cargill, uma grande fabricante de óleos comestíveis. A FDA justificou o limite de 0,5 grama dizendo que ele era compatível com as normas de rotulagem de outros tipos de gordura, o que parece justo (FDA, 2003, p. 41463).

obrigatoriedade de listar um ingrediente no rótulo do produto. Compreendi isso vivamente quando, um dia, sentei-me no escritório de Mark Matlock, vice-presidente sênior da Archer Daniels Midland (ADM), que me descreveu como são criados os produtos alimentícios. "Tudo começa com o que a empresa quer que conste na tabela de informações nutricionais", ele disse. "Será que querem escrever 'baixo teor de gordura saturada', por exemplo?"[8] Para isso, é preciso que a quantidade de gordura saturada por porção seja de 1 grama ou menos. A partir desse dado se cria o alimento de trás para a frente. Quando vi Matlock, por exemplo, ele estava trabalhando com um fabricante de alimentos que queria determinada quantidade de gordura e a afirmação "baixo teor de colesterol" para um novo doce. A partir desses critérios, a equipe de Matlock desenvolveu um pudim de chocolate sem leite que atendesse àquelas especificações.

Sem a regulamentação da FDA sobre gorduras trans, a imensa maioria das empresas não teria feito absolutamente nada. Mesmo depois de Willett publicar sua teoria das 30 mil mortes, as empresas alimentícias não viam por que gastar muito dinheiro para trocar as gorduras trans por algum ingrediente desconhecido em seus produtos. "O esforço de eliminar as trans não era sério de maneira alguma", disse Farr, o consultor que trabalhou na Kraft e na Wesson Oil. "Ninguém sabia o que ia acontecer. Por isso, eles ficaram à espera até que a mudança fosse necessária." Com poucas exceções, essa é a história que ouvi de muitos membros do setor alimentício. Talvez seja Bruce Holub, nutricionista da Universidade de Guelph, no Canadá, quem o tenha expressado de maneira mais eloquente: "Algumas empresas começaram a evitar as gorduras trans quando ficaram sabendo das descobertas científicas, há muitos anos. Outras esperaram até que tivessem de confessá-las." De um jeito ou de outro, no entanto, o decreto da FDA deu às indústrias de alimentos muito o que fazer.

---

8. Essas afirmações sobre saúde que constam nas embalagens dos alimentos foram regulamentadas pela FDA em 1990. Em 2003, o órgão abrandou as exigências de provas científicas para que tais declarações constem nas embalagens: agora elas podem ser baseadas em "indícios inconclusivos", ao passo que antes era preciso demonstrar um "consenso científico significativo" para que se pudesse estampar uma afirmação.

No dia em que esse decreto foi promulgado, havia gorduras parcialmente hidrogenadas em cerca de 42.720 produtos alimentícios processados, o que incluía 100% das bolachas *crackers*, 95% dos biscoitos, 85% dos pães, 75% das misturas para bolo, 70% dos salgadinhos, 65% das margarinas e 65% das massas de torta, coberturas e pingos de chocolate. A mudança seria uma tarefa hercúlea, a maior que o setor alimentício norte-americano já confrontara.

A grande reformulação das gorduras

Quando as gorduras trans tiveram de ser removidas dos produtos alimentícios, o problema fundamental que as indústrias encararam foi não ter outra opção de gordura sólida para usar em seus produtos. Não podiam voltar a usar gorduras saturadas, porque, depois de décadas de treinamento, os frequentadores dos supermercados já estavam habituados a virar os pacotes para examinar o teor de gordura saturada, e as indústrias alimentícias sabiam que qualquer aumento nesse teor, mesmo que fosse de 0,5 grama, poderia fazê-las perder clientes. "Todos são sensíveis ao teor de gordura saturada. Essa é nossa realidade básica", disse Mark Matlock, da ADM, refletindo a opinião de todo o setor.

No entanto, como vimos, sem uma gordura sólida em temperatura ambiente é quase impossível fazer a maioria dos produtos alimentares processados. Quando a Marie Callender tentou usar óleo de soja líquido em suas refeições congeladas, por exemplo, o óleo se acumulou sob as batatas assadas e fez com que o molho não parasse em cima da carne, deixando-a seca e sem sabor. "Não era muito atraente", diz Pat Verduin, vice-presidente sênior de qualidade e desenvolvimento de produto na ConAgra. As gorduras sólidas são necessárias para a estrutura, a textura e a longevidade dos alimentos. Para cozinhar e assar, uma gordura dura é essencial.

Ao longo da história, a banha suína, a manteiga e o sebo dos bovinos haviam sido usados nas cozinhas domésticas para tarefas de forno e fogão. E eram esses ingredientes que as grandes fabricantes de comida usavam originalmente, além do azeite de dendê e do óleo de coco. Depois, no entanto, quase todo o setor adotou as gorduras parcialmente hidrogenadas. Quando se chegou à conclusão de que os ácidos graxos trans presentes nessas gorduras faziam mal à saúde, as empresas alimentícias ficaram sem opções. Não dispunham de nenhuma gordura sólida aceitável para fazer muitos de seus produtos.

As indústrias alimentícias europeias enfrentaram o mesmo dilema, mas pelo menos podiam adotar os óleos tropicais, pois os europeus não haviam sido expostos à mesma quantidade de publicidade negativa que os norte-americanos no que se referia a esses produtos de importação. Martijn Katan, o bioquímico holandês, disse: "Nos Estados Unidos, as empresas deram um tiro no próprio pé, pois poderiam ter usado um pouco de azeite de dendê para dar alguma solidez à gordura. Mas, lá, azeite de dendê era pior que arsênico."

Com medo do azeite de dendê e proibido de retomar o uso de gorduras de origem animal, o setor alimentício tinha diante de si um desafio imenso. Precisava descobrir como fritar, cozinhar e assar sem gorduras sólidas, e esse desafio pôs de novo em ação, nas diversas indústrias, os mesmos laboratórios que haviam inventado as gorduras trans – para inventar um tipo completamente novo de gordura.

Para as empresas alimentícias, a complexidade dessa tarefa era enorme e o risco que corriam a cada alimento reformulado fazia os executivos arrancarem os cabelos. "Quando se muda o óleo, percebe-se a diferença!", exclamou Gil Leveille, ex-vice-presidente de serviços técnicos de pesquisa na Nabisco, que ajudara a supervisionar a transição do azeite de dendê para as gorduras hidrogenadas na década de 1980 e se lembra de como foi ter de enfrentar o mesmo desafio de reformulação 15 anos depois: "A perspectiva de ter de fazer tudo de novo para nos livrarmos das gorduras trans, e desta vez com menos opções, era um pesadelo para nós e para todas as outras empresas."

Harold Midttun, padeiro-chefe da Au Bon Pain, observa: "Não basta tirar a gordura trans. É preciso saber quais novos ingredientes acrescentar. E, pior, é preciso fazer isso sem que o consumidor perceba." Na massa simples de *muffin*, por exemplo, Midttun substituiu a gordura hidrogenada por óleo de canola líquido, mas isso mudou a textura do produto e reduziu seu prazo de validade, que era de nove semanas no congelador. Midttun usou um monoglicerídeo para garantir a durabilidade, acrescentou proteína de soja, farelo de aveia e linhaça moída para melhorar a textura e mudou o método de fermentação. Cada passo desses foi definido à base de tentativa e erro. Mudttun disse: "Removemos um ingrediente – a gordura alimentar sólida – e tivemos de acrescentar seis para substituí-lo." Essas soluções complexas, envolvendo misturas artificiais de diversos ingredientes, foram necessárias na maioria dos casos de reformulação de produtos, mas é preciso lembrar que isso nunca teria acontecido se o setor alimentício tivesse continuado a usar manteiga, banha e sebo.

O biscoito Oreo deu uma dor de cabeça toda especial à Kraft Nabisco[9]. Com seu recheio cremoso e branco entre dois *wafers* crocantes de chocolate, o Oreo é o que no setor se conhece como uma marca de "patrimônio". Quando se mexe num produto desses, corre-se o risco de perder muitos clientes. A mudança pode ser perigosa – lembra da Nova Coca-Cola! "Um biscoito Oreo tem de ter gosto de Oreo", disse Kris Charles, executivo da empresa. O recheio cremoso original era feito com banha, mas as campanhas contra as gorduras de origem animal em meados da década de 1990 haviam obrigado a empresa a trocá-la por gordura parcialmente hidrogenada. Agora, a Kraft estava tendo dificuldade para remover essas gorduras sem ter a opção de voltar a usar banha. Com uma das receitas experimentadas, o recheio cremoso derreteu durante o transporte. E os *wafers* de chocolate tendiam a quebrar.

A reformulação do biscoito Oreo foi estressante também por outra razão: em 1º de maio de 2003, o biscoito foi citado numa ação judicial – uma jogada corajosa de um advogado de San Francisco chamado Stephen Joseph, que decidiu, sozinho, processar a Kraft Foods North America. Como Sokolof, ele não estava preocupado com dinheiro: queria, isto sim, que se proibissem a venda e o *marketing* de biscoitos

---

9. A Kraft Foods e a Nabisco se fundiram e operaram como uma só empresa entre 2001 e 2011, sob o controle da Philip Morris Companies.

Oreo para as crianças na Califórnia, pois esses biscoitos continham gorduras trans, fato que, na época, o público em geral desconhecia (a obrigatoriedade da especificação no rótulo só entraria em vigor três anos depois). A ação movida por Joseph gerou grande publicidade nacional e até internacional. Cem mil pessoas visitaram o site de Joseph, <bantransfats.com>, e ele recebeu milhares de e-mails, principalmente de mulheres que, segundo ele, estavam "profundamente preocupadas e furiosas com as gorduras trans e a ausência de especificação no rótulo". Duas semanas depois da divulgação dessa ação na Justiça, Joseph concluiu que já não podia, de boa-fé, dizer ao juiz que a existência e o perigo das gorduras trans não eram de conhecimento comum, e, por isso, desistiu da ação.

Naquelas duas semanas, no entanto, Joseph conseguira, sem nenhuma ajuda, tornar as gorduras trans conhecidas em todos os lares norte-americanos. E embora a Kraft já tivesse começado a reformular o biscoito Oreo antes da ação, ela acelerou seus esforços. No fim, acabou usando uma mistura de gorduras para fazer o recheio cremoso, incluindo um pouco de azeite de dendê. E, segundo consta, a Kraft gastou ao todo mais de 30 mil horas e fez 125 testes simplesmente para reformular o Oreo e deixá-lo do jeito que deveria ser.

Os óleos que substituíram as gorduras trans

O mais incrível de tudo é que, apesar de todo o trabalho envolvido nessa imensa transformação de um setor produtivo, não se sabe se, hoje, os norte-americanos estão ingerindo gorduras mais saudáveis. Boa parte das alternativas às gorduras trans são simplesmente óleos vegetais, às vezes em variedades novas e não testadas, que talvez sejam ainda menos saudáveis que as gorduras parcialmente hidrogenadas às quais agora estamos dando adeus.

O ônus de encontrar alternativas para as gorduras trans não recaiu sobre os fabricantes de alimentos nem sobre as lanchonetes de *fast-food*, que não fabricam seus próprios ingredientes, mas sobre os grandes fornecedores de óleos comestíveis: Cargill, Archer Daniels Midland, Dow Chemical Company, Loders Croklaan, Unilever e Bungee. Ao contrário das indústrias alimentícias, que esperaram para ver no que daria o processo de regulamentação das gorduras trans, as grandes empresas de óleos comestíveis haviam tentado se antecipar ao decreto da FDA.

O setor enfrentava o mesmo problema que enfrentara havia 100 anos: como endurecer um óleo para que ele seja funcional em forno e fogão e não se oxide facilmente? A hidrogenação resolvera esses problemas para o século XX; agora, com a hidrogenação parcial fora de questão, eram necessárias novas soluções.

Uma nova gordura que saiu dos laboratórios das indústrias é feita por um processo chamado interesterificação, palavra que, se poupa as artérias, não facilita a pronúncia. Os químicos de lipídios vinham trabalhando esporadicamente nesse novo tipo de gordura havia décadas e intensificaram seus esforços no fim dos anos 1970, quando o trabalho de Kummerow expôs pela primeira vez os potenciais perigos das gorduras trans para a saúde[10].

Para compreender a interesterificação, há ainda outro detalhe de química dos lipídios que precisamos conhecer. Todas as cadeias de ácidos graxos são embaladas em pacotes de três, unidas por uma molécula de "glicerol" na base, que tem a forma de um tridente. Esses tridentes são os triglicerídeos de que já ouvimos falar: as gorduras que flutuam soltas em nossa corrente sanguínea e que, quando se multiplicam, são um fator de risco para doenças cardíacas. A interesterificação acontece quando se troca a ordem das cadeias de ácidos graxos ligadas aos tridentes. Mas, como explica Gill Leveille, ela não é uma ciência exata. "A interesterificação atua como uma espécie de martelada, pois ela distribui aleatoriamente todos os ácidos graxos no glicerol e produz uma grande quantidade de novos triglicerídeos", muitos dos quais nos são completamente desconhecidos. Em 2013, o processo de interesterificação das gorduras ainda era caro demais para ser usado na maioria das cadeias

---

10. Parte das pesquisas sobre gorduras interesterificadas foram feitas no USDA, à espera do dia em que uma substituição seria necessária (Gary List, entrevista com a autora, 15 fev. 2008).

de produção de alimentos, mas, de lá para cá, ele passou a ser largamente empregado. Por isso, Leveille e outros estão apreensivos com os possíveis efeitos dessas novas gorduras sobre a saúde. "Simplesmente não sabemos", ele conclui. "Elas podem ser as novas gorduras trans; realmente precisamos examiná-las e compreendê-las." E é claro que, do mesmo modo que os consumidores não sabiam que estavam comendo gorduras trans, eles agora não sabem que estão comendo gorduras interesterificadas, visto que, nos Estados Unidos, estas figuram nos rótulos apenas como "óleo" (em geral, "óleo de soja").

A rancidez nos óleos vegetais é causada por um tipo de ácido graxo chamado ácido linolênico, cuja quantidade era reduzida pelo processo de hidrogenação. Uma ideia interessante para a minimização do ácido linolênico é a alteração do óleo em sua própria origem, mediante a seleção de uma soja que produza óleos cujo teor de ácido linolênico seja *naturalmente* baixo. Walter Fehr, especialista em seleção botânica na Universidade do Estado de Iowa, trabalha com essa ideia desde a década de 1960. No entanto, mesmo depois de o decreto da FDA entrar em vigor e de as empresas estarem desesperadamente à procura de novos óleos, somente 1% do território plantado com soja nos Estados Unidos tinha a soja com baixo teor de ácido linolênico. Essa soja não era especialmente lucrativa para os agricultores e exigia um trabalho extra para ficar separada da soja comum e evitar a trans-contaminação. Por isso, em geral, a nova soja com baixo teor de ácido linolênico ainda não teve a chance de mostrar a que veio.

Em época mais recente, algumas empresas produziram, por engenharia genética, uma soja que, além de baixo teor de ácido linolênico, tem alto teor de ácido oleico (o ácido graxo característico do azeite). O óleo feito com essa soja é bastante estável, mas ainda é raro em 2013.

Há também soluções quimicamente complexas que não são gorduras, mas atuam como gorduras (os "substitutos da gordura"). Um exemplo são as misturas de lecitina e triestearato de sorbitano, as quais formam um gel que atua como emulsificante; outro exemplo são os modificadores de hábito cristalino. A empresa dinamarquesa Danisco criou uma gordura alimentar sólida sem gorduras trans usando uma combinação de emulsificantes e um óleo de modo a formar um "sistema de gel" que imita, do ponto de vista funcional, o papel das gorduras sólidas em biscoitos, bolachas e tortilhas. Está claro que essas soluções não são naturais, e talvez o melhor que se possa dizer a seu respeito é que elas parecem funcionar.

Há, por fim, o óleo de girassol. A safra de girassol era minúscula nos Estados Unidos, pois suas sementes eram empregadas sobretudo como tira-gosto e comida de passarinho. No começo da década de 1990, as empresas de óleos comestíveis começaram a comprar a produção de agricultores que plantavam um novo tipo de girassol cujas sementes tinham alto teor de ácido oleico, de modo que o óleo se tornasse estável o suficiente para ser usado em frituras. Em 2007, quase 90% da safra norte-americana de girassol era composta dessa nova variedade, que produz um óleo chamado NuSun. Trata-se de uma transformação extraordinária, mas a quantidade de óleo produzida ainda é pequena, e a maior parte dela é adquirida pela Frito-Lay, a gigante do setor de salgadinhos de pacote. (Para crédito da Frito-Lay, que produz os salgadinhos Ruffles, Fritos, Rold Gold, Cheetos, Doritos e Tostitos, deve-se dizer que ela foi pioneira na eliminação das gorduras trans desde antes de o decreto da FDA entrar em vigor.)

O principal problema de todas essas novas gorduras e substitutos da gordura criados pelos laboratórios do setor alimentício é que seus efeitos sobre a saúde mal foram estudados. Em alguns casos, realizaram-se estudos clínicos apenas para ter certeza de que os novos óleos não tenham efeitos adversos sobre os indicadores de colesterol LDL e colesterol HDL, mas o colesterol é apenas uma parte de um conjunto muito mais complexo de efeitos fisiológicos que os alimentos podem ter sobre o corpo humano.

Além disso, visto que todas essas novas gorduras se mostraram decepcionantes, cada uma a seu modo – ou são muito caras, ou muito raras, ou difíceis de usar –, as indústrias alimentícias têm de encontrar maneiras de compensar os problemas com que deparam. Em alguns casos, usam gorduras *totalmente* hidrogenadas (em vez de empregar o método tradicional de hidrogenação *parcial*). Cria-se assim uma gordura sólida que, paradoxalmente, elimina todas as gorduras trans. Ela pode ser misturada com óleo para criar um produto mais maleável, mas o resultado tem gosto de cera, que claramente não colabora para despertar o apetite. Em outros casos, os fabricantes silenciosamente reintroduziram em seus produtos um substituto já conhecido: o azeite de dendê. As pesquisas feitas nos últimos 20 anos mitigaram as preocupações suscitadas durante as "guerras dos óleos tropicais"; o azeite de dendê talvez seja até benéfico para a saúde sob alguns aspectos, mas a percepção pública permanece negativa desde aquela época. No entanto, pelo fato de não terem outras opções viáveis, os fabricantes estão usado azeite de dendê de qualquer maneira e as importações vêm crescendo. Em 2012, as empresas norte-americanas importaram mais de 1,13 milhão de toneladas de azeite de dendê, cerca de cinco vezes mais que na década de 1980, quando os produtores de soja norte-americanos lançaram sua campanha contra os óleos tropicais.

Uma terceira alternativa de que as indústrias alimentícias dispõem, barata e livre de gorduras trans, são os óleos comuns. Eles vazam do alimento e rançam facilmente, como sabemos, e por isso não podem ser empregados na maioria dos alimentos embalados. Mas podem ser usados para fritar e cozinhar em restaurantes, lanchonetes e outros pontos de venda de alimentos; por isso, em meados dos anos 2000, quando os perigos das gorduras trans para a saúde se tornaram conhecidos em todo o país, os óleos líquidos começaram a ser usados nesses ambientes.

Infelizmente, a complicada história desses óleos ainda não teve um final feliz. Vimos que, na década de 1980, o NIH realizou uma série de oficinas para estudar o fato de que, nos primeiros estudos clínicos feitos com dietas de alto teor de óleo de soja, os sujeitos de pesquisa morriam de câncer num índice alarmante. Também havia uma correlação entre o consumo desse óleo e pedras na vesícula. Uma grande quantidade de pesquisas subsequentes demonstraram que esses tipos de óleo, com alto teor de uma espécie de ácido graxo chamada ômega-6, competem com o ômega-3 (que é mais saudável) na ocupação de posições importantíssimas em todas as membranas celulares do corpo, inclusive as do cérebro. O tsunami de ácidos graxos ômega-6 que entraram em nosso corpo por meio dos óleos vegetais parece ter literalmente afogado o ômega-3 (cujo suprimento permaneceu relativamente constante ao longo do último século).

Hoje, uma grande quantidade de literatura já documenta os resultados preliminares dessas pesquisas: ao passo que os ácidos graxos ômega-3 combatem o tipo de inflamação envolvida nas doenças cardíacas, os ômega-6 a promovem. Num tom mais especulativo, as pesquisas feitas nas últimas décadas evidenciam um vínculo entre os ácidos graxos ômega-6 e a depressão e demais transtornos do humor. Vimos que, nos primeiros estudos clínicos, os sujeitos de pesquisa que comiam muito óleo de soja também enfrentavam um índice maior de morte por suicídio e violência, fato que nunca foi explicado. Pelo fato de esses estudos não terem sido bem controlados, todos os seus resultados, tanto positivos quanto negativos, devem ser encarados com certo ceticismo. Mas é fantástico que, embora os óleos vegetais constituam cerca de 8% de todas as calorias consumidas pelos norte-americanos, nenhum estudo clínico bem controlado que teste seu impacto geral sobre a saúde, e não apenas seus efeitos sobre o colesterol, tenha sido jamais conduzido[11]. E a revisão mais recente que a AHA empreendeu sobre os óleos vegetais, em 2009, resultou na recomendação de que o público os consumisse em quantidade ainda maior ("pelo menos" de 5% a 10% do total de calorias), em razão de sua capacidade de baixar os índices de colesterol total e colesterol LDL[12].

Como discutimos no capítulo 3 e tornaremos a ver no próximo capítulo, esses indicadores não são confiáveis para prever ataques cardíacos na maioria das pessoas. Além disso, o colesterol é apenas um aspecto dos efeitos dos ácidos graxos ômega- 6, ou de quaisquer outros, sobre a saúde humana. A inflamação e o funcionamento das membra-

---

11. O primeiro estudo desse tipo está sendo realizado no NIH por Christopher E. Ramsden.
12. William S. Harris, presidente da comissão da AHA que escreveu essa revisão, estava recebendo na época uma verba de pesquisa "significativa" da Monsanto, uma das maiores produtoras de óleo de soja em todo o mundo (Harris et al., 2009, p. 4).

nas celulares podem ser igualmente importantes, se não mais, e os dados de que já dispomos dão a entender que essas coisas são afetadas negativamente pelos óleos vegetais. As descobertas inexplicadas da relação entre óleos vegetais e violência são outro dado preocupante. Uma avaliação cabal da influência dos óleos vegetais sobre a saúde é de importância crucial, pois os norte-americanos os ingerem em grande quantidade, de modo que seu impacto potencial – na forma interesterificada, hidrogenada ou simples – é evidentemente imenso.

Óleos tóxicos quando aquecidos

No fim de 2012, quando eu pesquisava as últimas notícias sobre substitutos das gorduras trans, Gerald McNeill, vice-presidente da Loders Croklaan – uma das maiores fornecedoras de óleos comestíveis para os Estados Unidos –, disse algo que me deu calafrios. Explicou que as redes de *fast-food*, como McDonald's, Burger King e Wendy's, haviam trocado os óleos hidrogenados por óleos vegetais em estado natural. "Quando esses óleos são aquecidos, criam-se produtos oxidativos tóxicos", ele disse. "Uma dessas substâncias é um composto chamado aldeído, que afeta o DNA. Outra é o formaldeído, que é extremamente tóxico."

Aldeído? Formaldeído? Não é isso que se usa para preservar cadáveres?

Continuando, ele me contou que esses óleos aquecidos e oxidados formam polímeros que criam "uma gosma espessa" no fundo da fritadeira e entopem os esgotos. "É pegajoso, horrível! Como uma poção de bruxa!", exclamou. As gorduras parcialmente hidrogenadas, por outro lado, eram duráveis e estáveis nas fritadeiras, e por isso, evidentemente, eram preferidas. O sebo, gordura que o McDonald's usava originalmente em suas frituras, era ainda mais estável.

A empresa de McNeill era subsidiária de uma gigantesca multinacional malasiana que vendia azeite de dendê, por isso me perguntei, a princípio, se ele não estaria apenas denegrindo a concorrência. Liguei então para Robert Ryther, cientista de alta patente na Ecolab, um peso-pesado da limpeza industrial que presta serviços a quase todos os restaurantes de *fast-food* nos Estados Unidos, e ele me confirmou a questão da "gosma". "Ela se acumula em tudo. Parece verniz [...] às vezes é uma camada duríssima e transparente e, às vezes, um material pegajoso, como o lubrificante branco de silicone usado nos motores de automóvel, com uma textura parecida com a da Crisco." A gosma, de acordo com ele, resulta do vapor quente de óleo que sai da fritadeira e se acumula em todas as superfícies frias do restaurante – batedeiras, fornos, coifas, pisos e paredes. Ela começa a se acumular em um dia. Ryther diz: "Quando entramos numa lanchonete, os funcionários literalmente dizem que estão há três semanas tentando se livrar desse material, usando desde raspagem com espátula até jato de areia."

Ryther me contou que esses subprodutos instáveis dos óleos também se acumulam nos uniformes dos funcionários, que, quando aquecidos em secadoras, às vezes sofrem combustão espontânea, como já se verificou. Acontecia de os uniformes pegarem fogo nas caçambas dos caminhões que os levavam para a limpeza. Ryther revelou que, mesmo depois de lavadas e passadas, as roupas às vezes pegavam fogo, "pois os produtos da oxidação continuam reagindo, em quantidades muito pequenas. É impossível eliminá-los 100%, e eles geram calor." Ryther começou a constatar o problema em 2007, pouco depois de as lanchonetes se livrarem das gorduras trans e passarem a trabalhar com óleos vegetais líquidos em suas fritadeiras.

Ryther desenvolveu um produto chamado Exelerato ZTF, que converte o "verniz" a sua forma original de óleo para que possa ser removido. O processo porém é mais caro que as soluções anteriores, e também usa substâncias químicas mais fortes, de modo que não pode ser aplicado por funcionários não qualificados. E, de acordo com Ryther, quase todos os restaurantes, grandes e pequenos, estão tendo de lidar com isso. "O McDonald's tem esse problema. Quem quer que tenha uma fritadeira tem esse problema."[13]

....
13. O McDonald's e o Burger King listam os óleos vegetais como ingredientes em seus sites, mas não confirmaram os problemas de limpeza.

Uma questão óbvia é saber se essa substância também não pode afetar os pulmões de clientes e funcionários[14]. Com efeito, constatou-se que os índices de câncer do trato respiratório são mais altos entre chefes de cozinha e funcionários de restaurantes na Inglaterra e na Suíça, onde esse assunto já foi estudado[15]. No entanto, esses estudos não identificaram o tipo de gordura usado nas cozinhas, e os resultados são confusos porque os próprios fogões também emitem micropartículas nocivas. Apesar disso, o relatório mais graduado já elaborado até hoje sobre a relação entre o câncer e os óleos aquecidos, publicado em 2010 pela International Agency for Research on Cancer (IARC), que integra a OMS, concluiu que as emissões de óleos de fritura nas temperaturas tipicamente usadas em restaurantes são "provavelmente" carcinogênicas para o ser humano.

O problema, como sabemos, é que os óleos vegetais se oxidam facilmente. O calor acelera a reação de oxidação, especialmente quando os óleos são aquecidos por um período de várias horas, o que costuma acontecer nas fritadeiras de restaurantes. O ácido linoleico presente nos óleos desencadeia uma reação em cadeia. Esse ácido constitui 30% do óleo de amendoim, 52% do óleo de soja e 60% do óleo de milho, e quando degradado pela oxidação produz substâncias como radicais livres, triglicerídeos degradados e outras; numa análise específica, um total de 130 compostos voláteis foram isolados num único pedaço de frango frito[16]. E, embora o relatório do IARC tenha estudado os efei-

---

14. Embora as pessoas passem, em média, apenas 1,8% de seu tempo em restaurantes, é aí que, de acordo com uma análise, recebem cerca de 11% de sua exposição total a partículas potencialmente nocivas transportadas pelo ar (Wallace e Ott, 2011).

15. Uma equipe taiwanesa, formada por biólogos moleculares, toxicologistas e químicos, foi formada devido à preocupação provocada pelos altos índices de câncer do pulmão entre mulheres moradoras de Xangai, Singapura, Hong Kong e Taiwan. A equipe começou a investigar a possibilidade de os óleos de cozinha aquecidos estarem desempenhando um papel nesse problema, uma vez que é comum, em Taiwan, cozinhar com óleos vegetais em espaços não ventilados. (Algumas análises mostram que, também nos Estados Unidos, mulheres que nunca fumaram têm um índice de câncer de pulmão mais alto que os homens.) (Zhong et al., set. 1999; Zhong et al., ago. 1999; Young et al., 2010.)

16. Os produtos não naturais da oxidação dos óleos aquecidos ainda estão sendo descobertos. Além de radicais livres e aldeídos, entre esses compostos encontram-se deri-

tos das partículas transportadas pelo ar, não disse nada sobre as substâncias absorvidas pelos alimentos fritos nesses óleos. Parece provável que o impacto desses produtos da oxidação seja ainda maior quando eles são ingeridos – e digeridos.

Os químicos de lipídios começaram a descobrir esses compostos em meados da década de 1940, quando os óleos vegetais começaram a ser largamente usados. Publicaram então um grande número de trabalhos demonstrando que os óleos de linhaça, milho e especialmente soja, quando aquecidos, são tóxicos para ratos e causam restrições de crescimento, diarreia, aumento do tamanho do fígado, úlcera gástrica e deficiência cardíaca nesses animais, levando-os ainda à morte prematura. Num experimento, encontrou-se uma substância "semelhante a um verniz" nas fezes dos ratos – que fazia com que os próprios animais "ficassem grudados no piso de tela" de suas gaiolas. Em alguns desses experimentos, o óleo foi aquecido a uma temperatura mais alta que a comumente usada nas fritadeiras de restaurantes, mas o "verniz" era provavelmente um produto da oxidação da mesma família daquele encontrado nos restaurantes de *fast-food* de épocas recentes.

Seria de imaginar que essas descobertas perturbadores, feitas há tanto tempo, tivessem gerado muito mais pesquisas e discussões, especialmente depois que a AHA começou a recomendar ao público esses óleos poli-insaturados, em 1961. No entanto, um dos únicos pesquisadores norte-americanos a alertar as autoridades para que não corressem para recomendar os óleos foi o químico Denham Harman, criador da hipótese de que os radicais livres são um fator de envelhecimento. A literatura científica sobre os efeitos negativos desses produtos da oxidação era tão convincente, segundo escreveu Harman numa carta ao *Lancet* em 1957, que "o atual entusiasmo" pelos óleos insaturados deveria "ser coibido" até que se fizessem novos estudos sobre os possíveis efeitos adversos dessa mudança alimentar.

---

vados do esterol, um sem-número de substâncias formadas por triglicerídeos degradados e outros produtos oxidados da decomposição. Há também outros compostos químicos não naturais criados por outros processos: hidrólise, isomerização e polimerização (Zhang et al., 2012).

No entanto, de lá para cá as publicações e as conferências internacionais sobre o tema foram raras, apesar de as pesquisas continuarem dando resultados preocupantes. Num simpósio sobre o tema ao qual compareceram cientistas do setor alimentício, realizado em 1972, equipes japonesas de químicos de alimentos relataram que o óleo de soja aquecido produzia compostos "altamente tóxicos" para ratos. Um patologista da Universidade Columbia também relatou que ratos alimentados com óleos "fracamente oxidados" sofreram lesões no fígado e no coração, ao passo que ratos alimentados com sebo, banha, gorduras do leite e gordura de frango não tiveram essas lesões. A maior parte dessas pesquisas foi publicada em periódicos obscuros e altamente técnicos, que os nutricionistas raramente leem; nos Estados Unidos, de todo modo, os pesquisadores sobre a relação entre alimentação e doença estavam focados quase exclusivamente no colesterol.

O interesse por esses produtos da oxidação aumentou na década de 1990, quando uma substância especialmente tóxica, chamada 4-hidroxinonenal (HNE), foi identificada por um grupo de pesquisadores da Universidade de Sena, na Itália. Esse é um dos aldeídos que Gerald McNeill mencionara. Atribui-se ao bioquímico austríaco Hermann Esterbauer o crédito pela descoberta da categoria geral dos aldeídos em 1964; em 1991, ele fez uma revisão sistemática desse campo específico de estudos. Sua revisão é considerada um marco e, para falar a verdade, é assustadora. Esterbauer repassa todos os indícios de que os aldeídos são extremamente reativos do ponto de vista químico, causam "rápida morte celular", interferem no DNA e no RNA e perturbam o funcionamento básico das células. Lista meticulosamente todas as pesquisas feitas até então que haviam demonstrado que os aldeídos causam estresse oxidativo extremo para todos os tipos de tecido, com "uma grande diversidade de efeitos deletérios" à saúde, todos os quais tinham "certa probabilidade" de ocorrer dentro dos níveis habituais de consumo dessas substâncias pelo ser humano.

Os aldeídos são "compostos *muito* reativos", diz a bioquímica A. Saari Csallany, nascida na Hungria, que estudou com Esterbauer e é a principal pesquisadora desses compostos nos Estados Unidos. "Reagem constantemente. Num piscar de olhos, eles se decompõem e se transformam em outra coisa." Na verdade, um dos motivos pelos quais os aldeídos não eram muito estudados até época relativamente recente é que era difícil medi-los com precisão, e por isso os pesquisadores não sabiam que eles ocorriam em grande quantidade, como de fato ocorrem. Csallany refinou os métodos de detecção do HNE e mostrou que essa substância é produzida por diversos óleos vegetais em temperaturas bem mais baixas que as usadas para fritar e muito antes de os óleos começarem a soltar cheiro e a fumegar, que são os sinais de alerta geralmente empregados para determinar que já não estão bons[17]. Muitos produtos da oxidação, como o HNE, não são detectados pelos testes costumeiros que os restaurantes empregam para controlar seus óleos.

Em um de seus projetos recentes, Csallany comprou batatas fritas em seis restaurantes de *fast-food* de Minneapolis localizados nos arredores de seu laboratório, na Universidade de Minnesota, e descobriu que era muito fácil uma pessoa comer "bastante" desses compostos tóxicos (13,52 µg de HNE por 100 gramas de fritas). Ela gostaria de fazer mais estudos, mas diz que o NIH e o USDA demonstram pouquíssimo interesse em destinar verbas a esse tema.

As pesquisas proliferaram sobretudo na Europa na última década. Os indícios mais confiáveis agora dão a entender que o HNE é um fator de aterosclerose. É o que diz Giuseppi Poli, bioquímico da Universidade de Turim e um dos fundadores do Clube Internacional do 4-HNE em 2002, que agora se reúne a cada dois anos. O HNE causa a oxidação do colesterol LDL, e é isso que se considera perigoso nesse tipo de colesterol. Segundo Poli, os indícios que implicam o HNE no desenvolvimento de doenças neurodegenerativas, como o mal de Alzheimer, também são fortes. Além disso, o HNE cria estresse oxidativo no corpo humano com tamanha frequência que chega a ser usado como indicador formal do processo.

Esse tipo de estresse foi observado num experimento feito com ratos, que foram alimentados com um tipo de aldeído chamado acro-

---

[17]. A temperatura recomendada de fritura é de 180ºC, mas um estudo realizado por um importante bioquímico constatou que os restaurantes quase sempre fritam seus alimentos em temperatura mais alta (Firestone, 1993).

leína, cujo nome deriva do aroma desagradável emitido quando ele é produzido por um óleo superaquecido. A acroleína também está presente na fumaça de cigarro. O efeito sobre ratos alimentados com acroleína foi drástico: eles sofreram lesões do trato gastrintestinal e também uma reação generalizada chamada "resposta de fase aguda", uma tentativa desesperada do corpo de evitar o choque séptico[18]. Os indicadores de inflamação e outros sinais de infecção aguda subiam drasticamente – chegando a aumentar 100 vezes. Daniel J. Conklin, o fisiologista cardiovascular que fez esse experimento, me disse que ficou "atordoado" ao descobrir que a dose necessária para produzir essa resposta em algum grau era totalmente compatível com a quantidade de acroleína consumida diariamente, sobretudo pelas pessoas que comem alimentos fritos.

Os aldeídos ainda não foram oficialmente classificados como toxinas, mas, mesmo assim, muitos pesquisadores têm tomado o cuidado de não usar essas substâncias em experimentos com seres humanos[19]. Uma das exceções foi um estudo clínico feito na Nova Zelândia com pacientes diabéticos. Os pacientes alimentados com óleo de açafroa sujeito a "estresse térmico" apresentaram índices significativamente mais altos de indicadores de estresse oxidativo em comparação com os que consumiam azeite de oliva. Na verdade, tem-se constatado reiteradamente que os produtos da oxidação do azeite de oliva são em número muito menor do que os dos óleos poli-insaturados, como os de soja e milho. Vimos que o azeite de oliva é uma gordura monoinsaturada e, como tal, tem apenas uma ligação dupla capaz de reagir com o oxigênio, ao passo que os demais óleos vegetais são poli-insaturados e têm

---

18. Embora os sintomas exteriores desse tipo de choque não sejam marcantes, mudanças significativas ocorrem dentro do corpo, causando um aumento dramático dos indicadores proinflamatórios e de alguns tipos de colesterol, ao lado de uma queda nos índices de proteína total e de albumina no sangue.

19. A classificação de uma substância como toxina geralmente é feita com base em experimentos realizados em animais. Os dados diretamente referentes a seres humanos podem ser obtidos por meio de estudos epidemiológicos, mas os epidemiologistas ainda não estudaram a questão dos óleos aquecidos em fritadeiras de restaurantes, uma vez que o uso desses óleos só se disseminou depois que entrou em vigor o decreto da FDA, em 2006.

muitas ligações duplas. No entanto, as gorduras que geram o menor número de produtos da oxidação são aquelas sem nenhuma ligação dupla: as gorduras saturadas encontradas no sebo, na banha, no óleo de coco e na manteiga.

Em 2008, Csallany apresentou suas descobertas aos colegas, na maioria funcionários de empresas alimentícias, numa conferência da American Oil Chemists' Society (AOCS), em Salt Lake City. "Primeiro eles ficaram assustados; depois, nada", ela disse. Em Londres, uma equipe de pesquisadores tem tentado alertar as pessoas para o problema pelos meios de comunicação e em conferências profissionais. A equipe escreveu uma carta ao periódico *Food Chemistry* em 1999, com o título "Alerta: os poli-insaturados sujeitos a estresse térmico são prejudiciais à saúde", seguida de um artigo cujo objetivo era "alertar o setor de serviços alimentares" para o problema. Mas eles também depararam com uma ausência quase total de interesse. Os outros pesquisadores da área são biólogos moleculares ou bioquímicos, que estão muito afastados do estudo de alimentos propriamente ditos e do planejamento de políticas de saúde; quando perguntei a Rudolf Jörg Schaur, outro fundador do Clube do HNE, se os cientistas estavam preocupados com o uso cada vez mais frequente de óleos sem gorduras trans nos restaurantes, ele me escreveu em resposta: "Como não sou químico de alimentos, não sei."

Em 2006, a União Europeia formou um grupo internacional de pesquisadores para compreender melhor os produtos da oxidação dos lipídios e seus efeitos sobre a saúde. Mas Mark Matlock, da ADM, me disse que não havia nada que o setor pudesse fazer a respeito da produção de aldeídos nos óleos. Alguns restaurantes usavam óleos especiais, com baixo teor de ácido linoleico e alto teor de ácido oleico, mas o óleo comum (geralmente de soja ou de canola) continuava sendo a opção mais barata. Kathleen Warner, química de lipídios que trabalhou no USDA durante mais de 30 anos e também dirigiu a comissão de óleos aquecidos da AOCS por muito tempo, me disse que a melhor solução consistia em "torcer" para que os restaurantes filtrassem e trocassem seus óleos de fritura com frequência e tivessem bons sistemas de ventilação.

As grandes redes de *fast-food* também empregam técnicas sofisticadas, como substituir o ar acima das fritadeiras por um "cobertor de nitrogênio" e usar pequenos campos elétricos para minimizar os produtos da oxidação. Warner, porém, confirmou que os aldeídos são "tóxicos" e representam, portanto, um problema. Poli, cofundador do Clube do HNE, disse não entender por que os nutricionistas vivem tão preocupados com o colesterol, uma molécula vital que desempenha tantas funções biológicas no corpo, ao passo que ignoram o HNE, uma molécula potencialmente "assassina". Lars Wiedermann, que também é químico de lipídios há muito tempo e trabalhou em várias empresas do setor alimentício desde o começo da década de 1950, entre elas a Kraft e a Swift & Co., me disse que os aldeídos e outros produtos tóxicos precisam ser levados à atenção do público: "Com certeza, alguém ainda vai descobrir o quanto são mortíferos os óleos usados para fritar", disse.

Mark Matlock, da ADM, me disse que o setor está esperando para ver se a FDA se interessa pelo assunto, uma vez que ela é o único órgão que pode designar oficialmente uma substância como uma "toxina". Assim, pedi para conversar com os cientistas da FDA. Depois de meses em silêncio, sua assessoria de imprensa finalmente respondeu que, embora a agência estivesse ciente de que certos produtos de oxidação, como os "aldeídos insaturados alfa-beta", podem se formar em óleos poli-insaturados aquecidos, ainda não dispunha de informações suficientes acerca de seus efeitos sobre a saúde. Será que a agência estava trabalhando para obter mais informações? Ainda não. Por ora, parece que a FDA não está interessada em saber mais sobre os óleos que constituem a principal alternativa às gorduras trans em alimentos assados e fritos, que os norte-americanos consomem à razão de centenas de milhares de toneladas por ano[20].

....
20. No fim de 2013, no dia em que a FDA – graças, em parte a uma petição de Fred Kummerow – propôs a proibição total de todas as gorduras trans, Kummerow me disse que conhecia o problema dos produtos da oxidação dos óleos poli-insaturados; na verdade, ele próprio havia feito algumas das primeiras pesquisas sobre o assunto, na década de 1950. Ele disse que o fato de restaurantes e lanchonetes estarem agora usando óleos comuns em suas operações de fritura era uma "infelicidade", e sugeriu que o McDonald's e o Burger King começassem a gratinar as batatas, em vez de fritá-las (Kummerow, entrevista com a autora, 7 nov. 2013).

No entanto, a FDA vem, *sim*, investigando outros compostos estranhos que surgem nos óleos vegetais durante o processamento: os ésteres do monocloropropano diol e do glicidol, que também são produzidos pelo calor e já foram alvo de regulamentação por parte da Autoridade Europeia de Segurança Alimentar em razão de seu potencial de causar câncer, doenças dos rins, entre outros problemas. Embora ocorram somente em quantidades mínimas, Matlock me disse que empresas como a ADM ainda estão trabalhando para eliminá-los. A história se repete? Mais uma vez, nós nos confrontamos com as consequências desconhecidas dos óleos vegetais para a saúde, um século depois de eles terem sido introduzidos nos Estados Unidos.

Desde os primeiros estudos clínicos na década de 1940, quando se constatou que uma alimentação com alto teor de gordura poli-insaturada aumenta a mortalidade por câncer, até as descobertas mais "recentes" de que sua oxidação produz substâncias altamente tóxicas, os óleos poli-insaturados sempre foram problemáticos para a saúde. Mesmo assim, seu uso se multiplicou mais do que o de qualquer outro alimento ao longo do século XX, graças, em grande medida, às recomendações dos especialistas de que aumentássemos o uso desses óleos em nossa alimentação.

Há mais de 60 anos que se recomenda aos norte-americanos que comam óleos vegetais poli-insaturados em vez de gorduras animais. Essa recomendação se baseia num fato único: os óleos vegetais fazem baixar o índice de colesterol total (e, como depois se descobriu, de colesterol LDL). O fato de os óleos vegetais também criarem produtos tóxicos quando aquecidos e desencadearem efeitos inflamatórios ligados às doenças cardíacas são aparentemente menos importantes para os nutricionistas convencionais, que ainda enfocam o colesterol obsessivamente. A maioria dos norte-americanos não percebe que todas as recomendações alimentares que lhes são dadas baseiam-se numa gama estreitíssima de considerações de saúde, e tampouco sabe que grandes empresas de óleos comestíveis vêm há muito tempo fornecendo verbas a instituições supostamente confiáveis, como a AHA, assim como a escolas de medicina e de saúde pública. E, embora os cientistas que trabalham em grandes indústrias alimentícias possam compreender os problemas dos óleos insaturados, eles não dispõem de alternativas com que trabalhar devido ao estigma que paira sobre as gorduras saturadas. Assim, todos endossam o conselho de usar óleos vegetais, tanto em casa quanto em cozinhas industriais.

No começo do século XX, consumíamos sobretudo gorduras saturadas; depois adotamos as gorduras parcialmente hidrogenadas e, por fim, os óleos poli-insaturados. Inadvertidamente, portanto, fomos arrastados por uma corrente de acontecimentos que começou com a eliminação das gorduras de origem animal e terminou com a presença de aldeídos em nossa comida. Não é grande consolo saber que a FDA está a ponto de proibir completamente o uso de gorduras trans, pois isso tornará ainda mais comuns as gorduras poli-instauradas e os produtos de sua oxidação. Restaurantes caseiros, lanchonetes fora das grandes redes e padarias de esquina começarão então a seguir os passos dos grandes restaurantes de *fast-food*, eliminando as gorduras trans, mas não terão tantas condições de aplicar padrões rigorosos de troca dos óleos e ventilação do ambiente. Apesar da boa intenção original que estava por trás da eliminação das gorduras saturadas, e da subsequente boa intenção por trás da eliminação das gorduras trans, parece que, em relação à saúde, nós só pulamos da frigideira para o fogo.

A solução talvez esteja no retorno às sólidas e estáveis gorduras de origem animal, como a banha suína e a manteiga, que não contêm nenhum isômero misterioso nem entopem as membranas celulares – como fazem as gorduras trans –, nem tampouco se oxidam como os óleos vegetais. Desse ponto de vista, as gorduras saturadas, que também aumentam o índice de colesterol HDL, começam a afigurar-se alternativas benéficas. Quem dera elas também não aumentassem os índices de colesterol LDL, o colesterol "ruim"! Esse continua sendo o principal indício contrário ao uso dessas gorduras. Contudo, assim como tantas outras verdades "científicas" em que acreditamos, mas que começam a cair por terra quando as submetemos a um exame minucioso, é possível que esse efeito de aumentar o colesterol LDL não seja uma certeza tão incontroversa.

10

POR QUE A GORDURA SATURADA NOS FAZ BEM

O repúdio às gorduras saturadas teve duas consequências inesperadas. A primeira, como vimos, foi a adoção dos óleos vegetais. A segunda, talvez ainda mais prejudicial, foi a outra grande mudança alimentar que aconteceu na segunda metade do século XX: a substituição das gorduras por carboidratos em nossa dieta. Em vez de carne, leite, ovos e queijo – que por muito tempo foram as grandes estrelas das refeições nos países ocidentais –, os norte-americanos agora comem muito mais macarrão, pão, cereais e leguminosas, além de mais frutas e hortaliças que em qualquer outra época. Afinal, o USDA situou os carboidratos na base de sua pirâmide alimentar e a dieta mediterrânea fez a mesma coisa, instruindo o público a comer de seis a 11 porções de cereais por dia, de duas a quatro porções de frutas e de três a cinco porções de hortaliças, de modo que os carboidratos totalizassem de 45% a 65% de todas as calorias ingeridas. A AHA fez a mesma recomendação, e os norte-americanos seguiram docilmente essa diretriz. De 1971 a 2000, aumentaram seu consumo de carboidratos em quase 25%, segundo estatísticas dos Centers for Disease Control and Prevention (CDC); conseguiram, ainda, atender à meta do USDA de reduzir o consumo de gorduras para 35% do total de calorias, ou menos.

As autoridades de saúde veem essas mudanças como um passo na direção correta e, conforme os anos passam, a mensagem oficial tem permanecido sempre a mesma: as diretrizes alimentares mais recentes emitidas pelo USDA, em 2010, continuam a insistir em que os norte--americanos centrem sua alimentação numa "dieta de base vegetal que privilegie as hortaliças, as leguminosas cozidas, as frutas, os cereais integrais, as sementes oleaginosas e outras sementes".

Nas décadas recentes, a voz mais famosa – ou infame – a clamar no deserto promovendo o ponto de vista contrário foi a do dr. Robert C. Atkins, um cardiologista de Nova York. Em 1972, o livro *Dr. Atkins' Diet Revolution* [A revolução alimentar do dr. Atkins] foi publicado e se tornou um campeão de vendas da noite para o dia; foi reimpresso mais de 28 vezes e teve mais de 10 milhões de exemplares vendidos em todo o mundo. Os nutricionistas adeptos da doutrina convencional sempre desprezaram Atkins e sua recomendação de aumento do consumo de gordura, chamando-o de "médico da moda" e acusando-o de imperícia ou coisas ainda piores, mas a abordagem dele se firmou por um motivo muito simples: a "dieta Atkins" parecia funcionar.

Com base em sua experiência direta junto aos pacientes, Atkins acreditava que a carne, os ovos, o creme de leite e o queijo, então já exilados para o longínquo topo da pirâmide alimentar, eram os alimentos mais saudáveis. A dieta que leva seu nome era, mal comparando, uma inversão da pirâmide do USDA: tinha alto teor de gordura e baixo teor de carboidratos. Atkins acreditava que essa dieta não só ajudava as pessoas a perder peso como também combatia as cardiopatias, o diabetes e, talvez, outras doenças crônicas.

A dieta Atkins mudou um pouco ao longo dos anos, mas sua fase de "indução" sempre foi rígida, admitindo um consumo máximo de cinco a 20 gramas de carboidratos por dia, ou seja, meia fatia de pão, embora Atkins permitisse um aumento desse consumo depois de o paciente chegar ao peso que desejava. O restante da dieta eram proteínas e gorduras, com pelo menos duas vezes mais gorduras que proteínas. Para seguir essa prescrição, os pacientes de Atkins comiam principalmente alimentos de origem animal – carne, queijo, ovos –, por eles serem as únicas fontes de alimento (com exceção das sementes oleaginosas) em que a proteína e a gordura constam naturalmente nessa proporção.

Atkins entrou nesse caminho quando, ainda jovem, viu-se às voltas com a expansão de sua própria circunferência abdominal. Foi à biblioteca da faculdade de medicina e encontrou um experimento sobre uma dieta com baixo teor de carboidratos, realizado em 1963 por dois médicos da Escola de Medicina da Universidade de Wisconsin. A dieta foi um sucesso tremendo, primeiro para ele e depois para seus pacientes. Atkins aperfeiçoou o artigo do Wisconsin, aumentou-o e transformou-o num artigo publicado na revista *Vogue* (durante certo tempo, sua dieta foi chamada "dieta da *Vogue*"). Depois, publicou a dieta em forma de livro.

À medida que a dieta com baixo teor de carboidratos e alto teor de gorduras foi se popularizando, os nova-iorquinos começaram a lotar o consultório de Atkins, que logo escreveu outros livros campeões de vendas acerca de suas ideias sobre a nutrição saudável. Em 1989, criou uma empresa bem-sucedida que vendia suplementos alimentares de baixo teor de carboidratos, entre eles a Barra Atkins, macarrão com baixo teor de carboidrato e bebidas com alto teor de gordura; a empresa chegou a faturar milhões de dólares por ano. No entanto, mesmo

NÃO ENTENDO. O QUE MAIS EXISTE ALÉM DA PROTEÍNA E DA GORDURA?

depois de conquistar fama e fortuna, Atkins nunca conseguiu obter o respeito dos colegas e dos pesquisadores acadêmicos que influenciavam as políticas de saúde pública. Isso o entristecia.

A principal razão dessa rejeição era que, quando Atkins apareceu em cena, a hipótese dieta-coração já estava havia uma década no centro das atenções do *establishment* científico, e as ideias de Atkins contrariavam a visão dominante, focada na redução das gorduras. Sua dieta, rica em gorduras e pobre em carboidratos, parecia ridiculamente insalubre para pesquisadores e médicos que já acreditavam que a gordura em geral, e a gordura saturada em particular, eram substâncias assassinas. Nas audiências da comissão McGovern, em 1977, o famoso nutricionista Frederick J. Stare, professor em Harvard, disse que o objetivo de Atkins era o "dinheiro instantâneo" e que ele vendia um regime radical e "da moda". Sua dieta era "perigosa" e "o autor que faz essa sugestão [é] culpado de imperícia no exercício da profissão". A Associação Dietética Americana declarou que o regime de Atkins era "o pesadelo dos nutricionistas".

Atkins também confrontou o entusiasmo cada vez maior dos norte-americanos pela dieta diametralmente oposta à dele: uma alimentação semivegetariana e com baixíssimo teor de gordura, cujo mais eminente defensor era Dean Ornish, outro médico especializado em dieta que se tornou famoso no fim do século XX. Os dois médicos tinham muito em comum: ambos ganharam milhões de dólares com seus livros; Atkins apareceu na capa da *Time* e Ornish, na da *Newsweek*. Atkins tinha um movimentado consultório no centro de Manhattan e uma casa na elegante South Hampton, onde passava os fins de semana; Ornish tinha – e ainda tem – consultórios na abastada cidade litorânea de Sausalito, Califórnia, da qual basta atravessar a ponte Golden Gate para se chegar a San Francisco. Como é possível que ambos tenham feito tanto sucesso oferecendo soluções tão diametralmente opostas para que as pessoas levassem uma vida saudável, livre de doenças?

A começar da década de 1970, a realidade nos Estados Unidos era que a saúde geral da nação já estava piorando por causa da incapacidade da dieta com baixo teor de gordura de prevenir as cardiopatias e a obesidade, e as pessoas estavam desesperadas por uma alternativa, para um lado ou para o outro. Atkins e Ornish partilhavam a tese de que a dieta da AHA era imprudente; Atkins chegou a cunhar o termo "diabesidade" (*diabesity*) para designar os males do diabetes e da obesidade, que surgiam juntos para assolar a humanidade no fim do século XX. A incidência cada vez maior dessas doenças abriu espaço para o surgimento de ideias alternativas sobre nutrição saudável, e tanto Atkins quanto Ornish aproveitaram essa oportunidade. As soluções que eles preconizavam eram tão diferentes quanto possível. Como o casal da antiga cantiga de roda inglesa, um pedia mais gordura e o outro pedia menos[1].

Em 2000, os dois médicos rivais se encontraram em Washington para um debate transmitido pela CNN num programa especial chamado "Quem quer ser um médico milionário especializado em dietas?". De um lado estava Atkins, que comia um omelete de três ovos com duas tiras de bacon no café da manhã; do outro estava Ornish, com suas frutas e hortaliças e suas críticas certeiras a Atkins: "Eu adoraria poder dizer às pessoas que um regime de emagrecimento à base de torresmo, bacon e linguiça faz bem à saúde, mas a verdade é que não faz"; e completou: "Também se pode perder peso fazendo quimioterapia, mas eu não recomendo esse método."

Ornish acusava a dieta de Atkins de causar impotência e mau hálito. Suas tiradas astutas acertaram o alvo e deixaram Atkins apoplético. "Tratei 50 mil pacientes com uma dieta de alto teor proteico", gaguejou ele, "e todos me dizem que sua vida sexual está melhor do que nunca!"

O grande problema de Atkins é que ele nunca fizera pesquisas para dar respaldo a suas teses em matéria de alimentação. Enquanto Ornish conseguira publicar vários artigos sobre um estudo clínico minúsculo e ambíguo no *Journal of the American Medical Association* (como dissemos no capítulo 6), a dieta Atkins só fora tema de uns poucos

---

1. Uma canção infantil inglesa diz: *Jack Sprat could eat no fat,/ His wife could eat no lean./ And so between them both, you see,/ They licked the platter clean* ("Jack Sprat não podia comer gordura/ E sua esposa não comia nada magro./ Os dois juntos, então,/ Rasparam o prato"). (N. do T.)

estudos de pouca abrangência e com resultados desencorajadores. Para defender sua dieta, tudo o que ele tinha eram os relatos dos pacientes: prontuários cheios de dezenas de milhares de supostas histórias de sucesso. Certa vez, Atkins disse a Larry King: "Nunca fiz um estudo porque sou um médico praticante. Tudo o que faço é tratar as pessoas." Ele praticamente implorou aos especialistas que viessem e examinassem os prontuários de seus pacientes, mas ninguém se dignou atender a esse pedido até que ele estivesse próximo da aposentadoria.

Outra coisa que não o ajudou foi que, num mundo onde a política e as relações interpessoais serviam tantas vezes de leme para dar direção ao navio da ciência, Atkins não tinha a polidez e a astúcia necessárias para transmitir suas ideias. Ao passo que Ornish cultivava o poder com sutileza, Atkins se indispunha com todos. Sua personalidade rabugenta e suscetível o atrapalhava. "Nas entrevistas, ele dizia que a Associação Médica Americana é má ou que os nutricionistas são burros!", disse Abby Bloch, pesquisadora de nutrição no Hospital Memorial Sloan Kettering e ex-diretora de pesquisas na Fundação de Pesquisas Robert C. e Veronica Atkins. "É claro que ele se indispunha com todo o público. Era um para-raios." De acordo com Bloch, seu hábito de falar por meio de hipérboles também irritava seus colegas cientistas. "Ele dizia: 'Já tratei 60 mil pacientes e nunca tive um problema.' Os médicos sentiam arrepios ao ouvir isso. Quando ele se afirmava capaz de curar o diabetes, a gente quase via a pressão sanguínea dos médicos subindo."

Bloch diz que, se Atkins fosse mais paciente e tivesse mais astúcia política, talvez tivesse conquistado mais espaço. Mas nem Pete Ahrens, muito mais judicioso e respeitado, conseguiu mudar a opinião de seus colegas adeptos da doutrina nutricional convencional. Essa doutrina estava por demais arraigada. No fim, apesar dos ricos conhecimentos práticos de que Atkins dispunha em matéria de ajudar as pessoas a perder peso e, talvez, evitar as cardiopatias, ele não foi levado a sério pelos pesquisadores acadêmicos até depois da virada do século XXI.

Em abril de 2003, aos 72 anos, Atkins escorregou no gelo ao sair de seu consultório em Manhattan, bateu a cabeça e entrou em coma.

Morreu uma semana depois. Logo correram rumores sobre a causa de sua morte: teria sido um "ataque cardíaco", e divulgou-se que ele era obeso – o que não era verdade². Dois anos depois, quando a empresa de suplementos alimentares de Atkins abriu falência (liquidada, ao que parece, por erros de gestão e pela queda do interesse pela dieta de baixo teor de carboidratos após a morte de seu principal defensor), os especialistas que detestavam as opiniões dele apresentaram esses acontecimentos como uma pá de cal lançada sobre sua dieta. A falência, em especial, foi entendida como uma confirmação de que a dieta de baixo teor de gordura finalmente prevalecera sobre a de baixo teor de carboidratos. Alice Lichtenstein, professora da Universidade Tufts, me disse em 2007: "Já era. A Atkins abriu falência. As pessoas deixaram para trás a fase do baixo teor de carboidratos."

Isso é o que ela queria, mas não era verdade. A fama de Atkins era tão grande que seu nome se tornou praticamente sinônimo da dieta de baixo teor de carboidratos nos Estados Unidos e sua morte não fez, no fim, baixar a popularidade dela. O próprio sucesso da dieta em matéria de emagrecimento a manteve viva, ainda que de forma clandestina. Na realidade, a história desse tipo de regime alimentar é muito mais antiga do que se supõe. A crença de que os carboidratos engordam e as dietas ricas em gordura são saudáveis é anterior a Atkins e, depois dele, logo encontrou outros defensores mais inseridos no sistema. O nome "Atkins" é o que a maioria dos norte-americanos associa a essa dieta, mas outras pessoas desenvolveram e aperfeiçoaram essa ideia muito antes dele e também depois de sua morte.

---

2. A morte de Atkins foi tão controversa quanto sua atividade em vida. Seus críticos publicaram um suposto vazamento do setor de autópsias da cidade de Nova York revelando que Atkins sofria de uma doença cardíaca, mas não ficou claro se essa doença se devia à nutrição ou era resultado de uma infecção contraída numa viagem ao Extremo Oriente, como afirmou o cardiologista do próprio Atkins. Os críticos também chamaram a atenção para o fato de que, na certidão de óbito, o peso de Atkins foi dado como 117 quilos, indicando que ele era obeso; no entanto, quando da internação, seu peso era de 88 quilos, e sua viúva deu a plausível explicação de que o rápido ganho de peso ocorrera devido à retenção de líquidos durante o coma (anônimo, "Death of a Diet Doctor", 2004).

O nascimento da dieta de baixo teor de carboidratos[3]

Um dos relatos mais antigos e mais famosos sobre o uso da dieta de baixo teor de carboidratos para perder peso consta num fino panfleto de 1863 escrito por um agente funerário aposentado de Londres chamado William Banting. Sua *Letter on Corpulence, Adressed to the Public* [Carta sobre a corpulência, endereçada ao público] foi o *Dr. Atkins' Diet Revolution* de sua época e vendeu 63 mil exemplares somente na Inglaterra, além de ter tido "alta circulação" na França, na Alemanha e nos Estados Unidos. O livrinho de Banting começava assim: "De todos os parasitas que afetam a raça humana, não conheço nem concebo nenhum mais aflitivo que a Obesidade." Banting conta que, aos 66 anos e com 1,65 metro de altura, ele pesava mais de 90 quilos e sofria de problemas de visão e audição, hérnia abdominal, fraqueza nos joelhos e tornozelos, acidez estomacal e indigestão. Para perder peso, seus médicos lhe fizeram as mesmas duas recomendações feitas hoje: que ele fizesse mais exercícios – hábito que adotou, remando por duas horas todas as manhãs – e reduzisse a ingestão de calorias. Banting constatou, no entanto, que os exercícios faziam aumentar seu apetite, de modo que o corte de calorias o deixava exausto.

Em 1862, quando começou a perder a audição, Banting pediu a opinião do famoso otocirurgião londrino William Harvey, para quem o excesso de gordura ao redor do ouvido provavelmente estava exercendo pressão sobre as tubas auditivas. Harvey decidiu prescrever a Banting uma dieta de baixo teor de carboidratos. Ele sabia que os criadores de gado às vezes alimentavam seus animais com uma dieta rica em açúcares e amido para engordá-los, e também adivinhou, corretamente, que poderia haver uma relação entre a obesidade e o diabetes, o qual, na época, era comumente tratado na França por meio de uma dieta sem carboidratos. Assim, Banting começou a fazer três refeições por dia de carne, peixe e carne de caça e passou a evitar a maior parte dos alimentos que contivesse açúcar e amidos, sobretudo pão, leite (por causa de seu

---

3. A história dos praticantes desse tipo de dieta foi contada pela primeira vez por Gary Taubes em *Good Calories, Bad Calories* (2007).

conteúdo de açúcar na forma de lactose), cerveja, balas, doces e raízes em geral. Banting perdeu 20 quilos em um ano e afirmou estar se sentindo extremamente bem, tendo se livrado de todos os seus sintomas físicos. Na quarta edição de seu livro, publicada em 1869, Banting relatou que já havia perdido 22,5 quilos e considerava "extraordinário" seu estado geral de saúde. Escreveu: "Com efeito, conheço poucos homens que, aos 72 anos de idade, tenham tão poucas queixas." Banting morreu aos 81 anos, ou seja, numa idade bem mais avançada do que a expectativa de vida média para os ingleses da época.

Depois de sua morte, versões da dieta de Banting foram adotadas por pesquisadores e médicos europeus, que as usavam para tratar seus pacientes. Nos Estados Unidos, Sir William Osler, médico mundialmente famoso no fim do século XIX e um dos fundadores do Hospital Johns Hopkins, promoveu uma versão dessa dieta num importantíssimo compêndio de medicina que publicou em 1892. Um médico londrino chamado Nathaniel Yorke-Davis usou uma variação da dieta de baixo teor de carboidratos para tratar a obesidade do presidente William Taft a partir de 1905, ajudando-o a perder mais de 31 quilos. Embora muitos outros médicos, nos primeiros anos do século XX, mandassem seus pacientes restringir o consumo total de calorias e não apenas as ingeridas na forma de carboidratos, a dieta de baixo teor de carboidratos sempre esteve presente e foi "redescoberta" várias vezes ao longo dos séculos XX e XXI.

Em 1919, um especialista em medicina interna chamado Blake Donaldson, cujo consultório ficava em Long Island, descobriu essa dieta de forma independente. Segundo relata em sua autobiografia *Strong Medicine* [Remédio forte], de 1961, ele estava frustrado com sua incapacidade de ajudar os pacientes obesos a perder peso por meio da simples restrição calórica. Descobriu a dieta de alto teor de gordura ao consultar especialistas do Museu Americano de História Natural, em Manhattan, que lhe disseram que os inuítes viviam praticamente sem doenças à base das "carnes mais gordas que fossem capazes de caçar". Donaldson decidiu fazer a experiência. Proibindo todo o açúcar e toda a farinha, prescrevia principalmente carne a seus pacientes: carne gorda, três vezes por dia. Concluiu que talvez houvesse um "limite superior de ingestão de carne" acima do qual as pessoas não conseguissem mais perder peso, "mas nunca encontrei esse limite"[4].

Donaldson sempre afirmou que seus pacientes – cerca de 17 mil no decorrer de 40 anos – se davam muito bem com seu regime e perdiam de 900 a 1.350 gramas por semana sem sentir fome. O ponto importante, segundo ele, era que, ao contrário do que ocorria em outros "tratamentos antiobesidade", como o de restrição calórica, seus pacientes eram capazes não só de emagrecer como também de não voltar a engordar.

Em 1944, quando Donaldson deu uma palestra sobre sua dieta num hospital de Nova York, um dos médicos da plateia era Alfred Pennington, contratado pela E. I. du Pont de Nemours and Company. Como muitas outras empresas na década de 1940, a DuPont estava preocupada com a epidemia de doenças cardíacas que assolava seus executivos de meia-idade. Ao observar que a maioria dos doentes era obesa ou estava acima do peso ideal, Pennington e seus colegas entenderam que o primeiro passo da cura seria um programa de emagrecimento. Os executivos foram submetidos a várias dietas baseadas na contagem de calorias e a um regime de exercícios físicos, mas, quando esses métodos fracassaram, Pennington decidiu experimentar a abordagem que ele próprio empregara, com sucesso, depois de ouvir a palestra de Donaldson.

A dieta de Pennington não estabelecia um limite para o total de calorias. Os 20 executivos selecionados por ele (todos homens) ingeriam, em média, mais de 3 mil calorias por dia, que incluíam 170 gramas de carne, 57 gramas de gordura e não mais de 80 calorias de carboidratos

---

[4]. Em meados da década de 1970, Elliot Danforth, da Universidade de Vermont, conduziu uma série de experimentos de superalimentação com diferentes tipos de alimento e concluiu que era quase impossível comer demais com uma dieta à base de carne. Seus sujeitos de pesquisa foram colocados diante de pilhas de costeletas de porco e foram simplesmente incapazes de consumi-las. "É muito difícil comer demais com a dieta Atkins, pois ela nos sacia", disse Danforth. Por outro lado, ele constatou que era muito fácil as pessoas comerem demais ao se alimentarem de carboidratos como biscoitos, salgadinhos e cereais (Danforth, entrevista com a autora, 12 jan. 2009).

em cada uma das três refeições diárias. Segundo a descrição de Pennington, os executivos "não sentem fome entre as refeições [...] e sentem um aumento da energia física e da sensação de bem-estar". Apesar de comer tanto, eles perdiam de três a 4,5 quilos por mês.

Pennington escreveu muito sobre o tema da obesidade. Não se contentou em ver seus pacientes perderem peso, mas procurou compreender *por que* a dieta de baixo teor de carboidratos funcionava. Qualquer hipótese proposta teria de levar em conta que a resposta não era a restrição calórica, pois os pacientes de Pennington não pareciam ingerir menos calorias que o normal; em alguns casos, ingeriam mais. "A explicação, qualquer que seja," escreveu Pennington, "parece ser muito mais profunda." Ele desenterrou pesquisas feitas por cientistas alemães e austríacos das décadas de 1920 e 1930, que haviam identificado os hormônios como motores da obesidade. Esses pesquisadores haviam elaborado uma hipótese completamente nova sobre como as pessoas engordavam – uma hipótese que não tinha nada a ver com comer demais e fazer exercícios de menos, como costumamos acreditar. Concluíram que a obesidade era um transtorno metabólico em que o tecido adiposo começa a acumular gordura, impedindo o processo normal pelo qual ela é liberada e usada para gerar energia.

O primeiro passo para a compreensão desse transtorno metabólico consiste em sabermos que nosso tecido adiposo não é uma zona morta e inerte, mas um foco de atividade hormonal e metabólica. Dia e noite, o corpo acumula e libera gorduras de acordo com a necessidade, como se fossem depósitos e retiradas numa conta bancária. Quando comemos, fazemos um depósito, que depois pode ser retirado quando não estamos comendo, ou seja, entre as refeições ou durante o sono noturno. Desse ponto de vista, a gordura é apenas uma reserva de energia de que o corpo dispõe para quando não há alimento disponível a curto prazo, como se fossem barras energéticas que levamos no bolso. Nas pessoas que sofrem desse transtorno metabólico, entretanto, os depósitos continuam, mas a função retirada deixa de funcionar: o corpo literalmente se recusa a liberar sua gordura. Esta se torna então um Godzilla, sugando energia e convertendo-a em mais gordura, sempre às custas dos músculos, do cérebro, do coração e de todas as demais necessidades corpóreas.

Os pesquisadores alemães e austríacos começaram a acreditar que os responsáveis últimos pelo acúmulo de gordura eram os hormônios. Afinal, os hormônios explicavam por que as mulheres ganham peso na gravidez e depois da menopausa e por que as adolescentes acumulam gordura e os adolescentes desenvolvem a musculatura quando chegam à puberdade. Pesquisas com animais feitas a partir do fim da década de 1930 confirmaram várias vezes essa ideia. Os cientistas alteraram os níveis hormonais em ratos provocando lesões no hipotálamo (o centro de controle dos hormônios no cérebro), fazendo com que ganhassem muito peso praticamente da noite para o dia. Esses ratos não se limitavam a comer seu alimento; "atacavam-no" e "devoravam-no" com um "apetite voraz, leonino". Resultados semelhantes foram constatados em cães, gatos e macacos. Mesmo *seres humanos* com tumores no hipotálamo às vezes ganhavam peso rapidamente e em grande proporção. Cita-se o caso da "esposa de um jardineiro", de 57 anos de idade, que em 1946 ficou obesa no prazo de um ano.

O estudo dos hormônios, chamado endocrinologia, revelara em 1921 que a insulina, um hormônio produzido pelo pâncreas, parecia ser a principal causadora do acúmulo de gordura. Em 1923, os médicos já engordavam crianças excessivamente magras aplicando-lhes injeções de insulina. Os clínicos conseguiam fazer os pacientes ganhar até 2,7 quilos por semana mandando-lhes ingerir refeições com alto teor de carboidratos depois de tomar insulina. O mesmo se constatou em experimentos com animais[5]. O outro lado da moeda era que um ani-

---
5. Fizeram-se, por exemplo, experimentos com ratos que sofreram lesões cirúrgicas no núcleo ventromedial do hipotálamo. O índice de insulina dos ratos aumentava drasticamente poucos segundos após a cirurgia, e os animais engordavam na mesma proporção em que aumentava a quantidade de insulina circulando em seu sangue. Como os pesquisadores sabiam que era a insulina que engordava os ratos? Quando rompiam o nervo vago dos ratos, que liga o hipotálamo ao pâncreas, já não havia liberação de insulina e os ratos não engordavam (Han e Frohman, 1970; Hustvedt e Løvø, 1972; a teoria – baseada nestes trabalhos – de que o hipotálamo tem papel de destaque no controle da fome foi desenvolvida em Powley, 1977).

mal privado de insulina, após a remoção do pâncreas, não conseguia engordar por mais que comesse e acabava morrendo de desnutrição.

O corpo secreta insulina sempre que se ingerem carboidratos. Quando estes são comidos ocasionalmente, o corpo tem tempo de se recuperar entre os picos de secreção de insulina. As células adiposas têm a oportunidade de liberar a gordura acumulada e os músculos podem usar essa gordura como combustível. No entanto, quando se ingerem carboidratos ao longo de todo o dia na forma de refeições, petiscos e bebidas, o índice de insulina na corrente sanguínea permanece elevado e a gordura permanece constantemente aprisionada nas células. Acumula-se em excesso e não é queimada. Pennington descreve o que, segundo essa teoria, aconteceria com quem comesse uma dieta com restrição de carboidratos: a ausência de carboidratos permitiria que a gordura saísse do tecido adiposo, não sendo mais aprisionada ali pela insulina circulante; essa gordura poderia então ser aproveitada como fonte de energia. A pessoa perderia peso, não necessariamente por comer menos, mas porque a ausência de insulina permitiria que as células adiposas liberassem a gordura e as células musculares a consumissem.

Essas ideias faziam parte de todo um tesouro de pesquisas sobre hormônios e obesidade feitas antes da Segunda Guerra Mundial e recuperadas por Pennington. A guerra dispersou pelo mundo os cientistas alemães e austríacos, e, pelo fato de a língua franca da ciência ter então deixado de ser o alemão para se tornar o inglês, boa parte das pesquisas iniciais sobre essa "hipótese alternativa" quanto às causas da obesidade acabou sendo esquecida.

Em 1953, Pennington fez uma revisão sistemática desse extenso conjunto de pesquisas para o *New England Journal of Medicine* num artigo intitulado "Uma reorientação sobre a obesidade"[6]. Foi nesse mesmo ano que Ancel Keys propôs pela primeira vez a ideia de que a causa das doenças crônicas não eram os carboidratos, mas as gorduras – teo-

---

6. Um obstetra chamado Herman Taller, nascido na Hungria e instalado no Brooklyn, em Nova York, leu os artigos de Pennington e começou a tratar suas pacientes com a dieta de baixo teor de carboidratos na década de 1950. Também escreveu um livro campeão de vendas intitulado *Calories Don't Count* (Nova York: Simon & Schuster, 1961).

ria que, evidentemente, só prevaleceu devido à proeminência de que Keys gozava em sua área, ao passo que a de Pennington ficou esquecida até outro dia. A teoria de Keys não diferia da teoria de Pennington apenas por atribuir outra identidade ao grande vilão da alimentação; as duas hipóteses também eram redondamente diferentes no que tange à qualidade das pesquisas científicas que as respaldavam. Ao passo que a análise de Pennington se baseava numa compreensão sutil dos sistemas biológicos do ser humano, reunindo dados da endocrinologia e da bioquímica, a de Keys se apoiava quase por completo em estatísticas internacionais rudimentares que pareciam estabelecer um elo entre a gordura e as doenças cardíacas. Suas conclusões se baseavam numa correlação estatística e não, como as de Pennington, na experiência clínica dos médicos e num entendimento profundo da fisiologia e da biologia humanas.

A ideia de que a gordura provoca obesidade se alicerçava, além disso, em outra generalidade que não tinha nada a ver com a biologia humana: Keys e outros pensavam que, uma vez que a gordura contém mais calorias por grama que as proteínas e os carboidratos, ela deve engordar as pessoas. Segundo essa tese, as pessoas que consomem gordura demais acabam ingerindo uma quantidade excessiva de calorias – uma espécie de erro aritmético cometido por falta de comunicação entre o estômago e o cérebro. Mas esse pressuposto não tinha base experimental quando Keys o propôs, e continua não tendo. A principal vantagem intelectual dessa ideia é sua simplicidade. Isso significa que, a todas as outras razões já aventadas para explicar por que as ideias de Keys tiveram tamanha circulação no mundo da nutrição, podemos acrescentar mais uma: os nutricionistas e os cardiologistas que buscavam respostas descomplicadas devem ter achado a abordagem matemática de Keys mais fácil de entender que a ideia complexa de Pennington sobre um desequilíbrio hormonal. No entanto, como já vimos, não é pequena a quantidade de indícios que contradizem a ideia de que a gordura na dieta causa obesidade, assim como quase não há provas do papel da gordura nas cardiopatias. Será que a alternativa identificada por Pennington – os carboidratos – poderia ser também um fator no desenvolvimento das doenças cardíacas?

Os carboidratos e as doenças crônicas

Uma das revelações mais impressionantes de Blake Donaldson foi sua observação de que os pacientes submetidos a uma dieta de baixo teor de carboidratos não só perdiam peso como também assistiam ao desaparecimento dos sintomas de *outras* doenças: doenças cardíacas, arteriosclerose, hipertensão, osteoartrite, pedras na vesícula e diabetes – conhecidas na primeira metade do século XX como o "sexteto da obesidade", pois se observava que esses seis males ocorriam com mais frequência entre pessoas obesas do que entre as constitucionalmente magras. (Mais tarde, a maioria desses sintomas foi agrupada na designação "síndrome X", também chamada síndrome metabólica; ver a nota 17 na p. 368.) Donaldson constatou ser "cada vez menos necessário recorrer a medicamentos" para combater essas doenças nos pacientes que adotaram sua dieta de carne. Quando os carboidratos eram substituídos pela gordura, tudo parecia melhorar. Infelizmente, esse é o tipo de alegação que os charlatães fazem a respeito de suas curas milagrosas e, por isso, essas dietas foram manchadas pela pecha de charlatanismo. Mesmo assim, uma das observações mais comuns sobre a dieta de alto teor de gordura e baixo teor de carboidratos é que ela parece curar um número impressionante de problemas de saúde, e isso vem sendo repetido desde a época de Banting, no começo da década de 1860.

Muitos médicos que observaram o processo pelo qual populações primitivas começaram a comer os carboidratos que constam na dieta moderna também concluíram que esses alimentos podem causar cardiopatias, diabetes e até câncer. O médico alemão Otto Schaefer, por exemplo, visitou em 1951 os inuítes do Ártico, famosos por seu carnivorismo. A população que ele encontrou na Ilha de Baffin não importava nenhum alimento ocidental e ainda ingeria uma dieta inteiramente composta de carne e gordura, com petiscos deliciosos como intestino de foca, olhos de peixe e salvelino-do-ártico "costurado ainda cru em peles de foca e exposto ao sol de dois a três dias".

Em algumas regiões do Ártico, a Companhia da Baía de Hudson começara a distribuir uma carga anual de comida, composta principalmente de farinha, biscoitos, chá e melado. Mas nem todas as comunidades dispunham dessas mercadorias, de modo que Schaefer pôde comparar as que recebiam um influxo de alimentos ocidentais e as que não recebiam.

Schaefer percebeu que onde os inuítes comiam "de acordo com os antigos costumes nativos" a boa saúde parecia prevalecer. Depois de examinar 4 mil inuítes canadenses, Schaefer relatou que não viu nenhum sinal de deficiência de vitaminas ou minerais apesar da absoluta ausência de frutas e hortaliças na dieta deles. Além disso, a falta de luz durante o inverno não produzia deficiência de vitamina D. A anemia por falta de ferro era igualmente desconhecida, "visto que uma boa parte da dieta deles consiste em carne e peixe frescos, comidos sobretudo crus e congelados".

Com base em suas próprias observações e nos dados coligidos em Edmonton e num sanatório próximo, Schaefer concluiu que asma, úlcera, gota, câncer, problemas cardiovasculares, diabetes e colite ulcerativa eram problemas quase inexistentes entre os inuítes que se alimentavam de acordo com sua dieta tradicional, assim como a hipertensão e as doenças psicossomáticas. Viu apenas dois casos de pressão sanguínea superior a 100 mmHg e constatou que a arteriosclerose era menos comum entre os inuítes idosos do que entre os canadenses brancos idosos. As cardiopatias, escreveu ele, "parecem não existir em esquimós com menos de 60 anos de idade".

Por outro lado, toda vez que os inuítes comiam carboidratos em vez dos alimentos tradicionais, sua saúde decaía. Grande número de mulheres e crianças sofria de anemia; e Schaefer constatou então o primeiro caso de diabetes, do qual até então não se tivera notícia no Ártico canadense, num inuíte que comia esses alimentos "civilizados". Encontrou também infecções crônicas de ouvido e problemas dentários. Em alguns casos, as cáries dentárias eram tão severas que os inuítes fabricavam, para si próprios, dentaduras de marfim de morsa[7]. Para

---
7. As cáries dentárias e o estreitamento da estrutura facial, fazendo com que os dentes se juntem dentro da boca, foram alguns dos muitos problemas de saúde vistos em sociedades onde os carboidratos refinados haviam acabado de ser introduzidos. Essa

Schaefer parecia óbvio que os inuítes, adaptados havia muito tempo à dieta de gorduras e proteínas, eram incapazes de suportar os amidos e os açúcares que lhes haviam sido apresentados.

Numa aldeia chamada Iqaluit, onde Schaefer constatou que o consumo de alimentos tradicionais era o menor de todos, a saúde dos inuítes era também a pior que já vira. Ele observou que o consumo de uma grande quantidade de açúcar, que foi se desenvolvendo ao longo de séculos nos países ocidentais, "ocorreu bem abruptamente nos últimos 20 anos para os esquimós canadenses". Schaefer viu uma geração inteira perder para sempre seu modo de vida e sua saúde. Toda vez que os inuítes desistiam de comer carne, substituíam-na por carboidratos. Em Iqaluit, cujos moradores comiam salgadinhos de batata e tomavam refrigerante, ele disse a um jornal local que as mudanças alimentares representavam quase um "genocídio autoinfligido".

Schaefer não foi o único a observar essa transição dietética e seu vínculo com as doenças crônicas. O capitão-cirurgião Thomas L. Cleave, da Real Marinha Britânica, presenciara o mesmo fenômeno em tantas regiões remotas para as quais viajara no começo do século XX que chamava todas as doenças crônicas de "doenças sacarinas", pois a manifestação de boa parte delas acompanhava a introdução dos carboidratos refinados – sobretudo o açúcar e a farinha branca. As cargas de açúcar refinado haviam começado a chegar às praias de Cleave quando a Inglaterra começou a colonizar ilhas do Caribe na década de 1670. Naquela época, os ingleses passaram de um consumo anual de 1,8 quilo de açúcar por pessoa por ano em 1710 para mais de 9 quilos na década de 1790 – cinco vezes mais[8].

A segunda metade do século XVIII também assistiu, na Inglaterra, àqueles que parecem ter sido os primeiros casos de doenças cardíacas

---

informação vem de Weston A. Price, que viajou pelo mundo no começo do século XX e documentou muitas populações que então passavam por essas "transições nutricionais" (Price [1939], 2004).

8. A explosão da ingestão de açúcar na Inglaterra coincidiu exatamente com o aumento da popularidade do consumo de chá, o que dá a entender que o costume de tomar chá atuava como uma espécie de veículo do consumo de açúcar (Walvin, 1997, pp. 119-20 e 129-31).

registrados no país. Pelo fato de naquele período animais como vacas e ovelhas terem sido selecionados para engordarem cada vez mais – em pinturas, parecem quase esféricos –, a explicação mais comum para o surgimento das doenças cardíacas nessa época é a carne gorda e não o açúcar[9]. Nos 100 anos seguintes, entretanto, o consumo médio de carne permaneceu o mesmo ou até caiu, enquanto os índices de cardiopatia subiram. O único elemento da dieta que acompanhou o aumento das doenças cardíacas foi o açúcar. No fim do século XIX, o inglês médio comia cerca de 36 quilos de açúcar por ano. (Para podermos fazer uma comparação: no fim do século XX, o setor alimentício norte-americano já despejava no mercado mais de 68 quilos de açúcar por ano por pessoa, incluindo nesse número o xarope de milho com alto teor de frutose.)

A outra grande doença crônica cujo aparecimento parece coincidir com o surgimento dos carboidratos refinados é o câncer. Em populações isoladas como os inuítes, o câncer deixou de ser algo extremamente raro e se tornou uma das principais causas de morte. Essa mudança ocorre sempre que essas populações começam a consumir açúcar e farinha branca. Segundo o jornalista e historiador britânico J. Ellis Barker, a documentação desse aumento astronômico na incidência do câncer não era fraca nem "se restringia a uma ou duas opiniões recebidas de médicos que habitassem os sertões da África ou da Ásia". Em seu livro *Cancer: How It Is Caused; How It Can Be Prevented* [Câncer: sua causa e prevenção], de 1924, ele procurou demonstrar que os dados disponíveis abrangiam uma literatura imensa com relatos e estudos do mundo inteiro, muitos deles publicados originalmente no *British Journal of Medicine* e no *Lancet*, dois periódicos altamente respeitados, ou em periódicos locais como o *East African Medical*

---

9. Outros carboidratos refinados, além do açúcar, começaram a ter participação cada vez maior na dieta naquela época. É o caso da farinha branca, que substituiu a integral com o desenvolvimento das técnicas de moagem, e dos demais cereais (nem todos refinados). Outra mudança alimentar que pode ter contribuído para as doenças cardíacas foi uma mudança na alimentação do gado, que deixou de comer capim e passou a comer ração de cereais. Isso teria modificado a composição dos ácidos graxos da carne (Michaels, 2001, pp. 50-3).

Journal. Quase todos os relatos que ele coligiu dão apoio à tese de que o câncer, como também outras doenças crônicas, não existia nas populações primitivas isoladas e só apareceu com a chegada dos carboidratos ocidentais.

George Prentice, um médico que conviveu com povos isolados da África Central do Sul no começo do século XX, fez uma longa lista de doenças que tendiam a aparecer nessas populações quase simultaneamente (algumas das quais foram depois incluídas por Donaldson em seu "sexteto da obesidade"): doenças cardiovasculares, hipertensão e derrame, câncer, obesidade, diabetes melito, cárie dentária, doenças periodontais, apendicite, úlcera péptica, diverticulite, pedras na vesícula, hemorroidas, constipação e varizes.

Quando essas doenças surgiam, surgiam todas juntas. E inevitavelmente surgiam quando as populações isoladas eram expostas pela primeira vez de modo contínuo aos alimentos ocidentais. O que o Ocidente levou para essas populações remotas? A história que os nutricionistas tradicionalmente nos contam é que o mundo industrializado levou consigo "dietas de alto teor de gordura e alta densidade energética, com uma quantia substancial de alimentos de origem animal". Essa citação é de um relatório de 2002, da OMS, que reflete a visão convencional. No entanto, relatos históricos como os de Schaefer e outros parecem deixar claro que as exportações ocidentais para os países mais pobres, desde os primeiros tempos, consistiam somente em alimentos que pudessem ser facilmente empacotados e preservados. Isso excluía a carne, o leite e os derivados deste, pois estragavam facilmente, embora a banha suína fosse uma exceção ocasional. Mas não: o que chegava a todas as populações que pudessem ser alcançadas pelos comerciantes ocidentais eram quatro mercadorias altamente populares e fáceis de transportar: açúcar, melado, farinha branca e arroz branco. Em outras palavras: carboidratos refinados. Esses alimentos ocidentais levavam doenças consigo, de modo que essas doenças passaram a ser chamadas "doenças ocidentais" ou "doenças da civilização".

Enfim um teste científico da dieta Atkins

À luz dessas observações, é compreensível que uma dieta *sem* tais carboidratos afaste essas doenças. Foi essa, em essência, a ideia de Atkins que as autoridades da área da nutrição, acostumadas a pensar que o problema é a gordura e não os carboidratos da dieta, desconsideraram. Mas as pessoas que adotaram essa dieta, de Banting a Atkins, viram uma grande melhora na saúde quando eliminaram a farinha, o açúcar e outros carboidratos da alimentação. O problema é que, uma vez eliminados os carboidratos, é inevitável que se adote uma dieta de alto teor de gordura, e supõe-se que a gordura cause doença cardíaca. Ao longo deste livro, exploramos os dados históricos que indicam que uma dieta rica em gordura é compatível com a saúde humana; mas, para que os modernos pesquisadores em medicina possam ter certeza disso, precisam recorrer a estudos clínicos – experimentos capazes de verificar se uma dieta rica em gordura em geral e gordura saturada em particular pode prolongar a vida, como afirmavam Atkins e seus predecessores, ou se pode nos matar prematuramente, como insistiam Keys e seus colegas.

Foi somente no fim da década de 1990 que a dieta popularizada por Robert Atkins finalmente atraiu a atenção de um pequeno grupo de pesquisadores, que começaram a conduzir experimentos capazes de descobrir a verdade sobre essa questão. Esses pesquisadores haviam chegado à dieta de baixo teor de carboidratos por diferentes vias – quer praticando medicina, quer lendo a literatura científica. O médico e pesquisador Eric Westman, da Universidade Duke, por exemplo, tinha um paciente que veio vê-lo e disse: "Doutor, estou comendo apenas bife com ovos!" – e se gabou de melhoras no índice de colesterol. Westman foi o primeiro médico/pesquisador a aceitar a oferta de Atkins de examinar todos os seus prontuários. Visitou o consultório de Atkins no fim da década de 1990 e se impressionou com seu histórico de sucesso em ajudar os pacientes a perder peso e melhorar a saúde. Mas disse a Atkins: "Preciso de uma prova científica." Westman sabia que, para dar sentido a todos aqueles relatos empíricos, era preciso que se realizassem ensaios clínicos randomizados, que constituem a prova científica por excelência em matéria de medicina. Então, junto com alguns colegas espalhados pelo país, ele começou a fazer esses ensaios.

Esses pesquisadores que então estavam ingressando na área eram jovens e não conheciam o tamanho do buraco profissional em que estavam se metendo. Gary Foster, por exemplo, professor de psicologia na Universidade Temple, que participou de um estudo paradigmático de comparação entre diversas dietas em 2003, não suspeitava que a inclusão do regime de Atkins em seu estudo fosse gerar tanta polêmica. "Lembro-me que, numa reunião pública, um cientista famoso ficou em pé e disse: 'Estou absolutamente enojado pelo fato de o NIH gastar meu dinheiro num estudo da dieta Atkins'", ele me contou. Outros presentes aplaudiram. Segundo Foster, dada a hostilidade do NIH às dietas ricas em gordura, foi incrível que ele e seus colegas tenham chegado a receber verbas. Na verdade, foi preciso que as obtivessem pela "porta dos fundos" – a divisão de medicina alternativa desse órgão, a mesma que estuda a acupuntura[10].

O NIH nunca chegou a abrir sequer a porta dos fundos para Stephen Phinney, um médico e bioquímico da nutrição. Phinney começara a fazer experimentos com dietas de alto teor de gordura e baixo teor de carboidratos no começo da década de 1980; o tema virou, para ele, uma obsessão. Ao contrário de Foster, Phinney entregou-se por completo a essa linha de pesquisas, embora esse interesse o tenha transformado, como ele mesmo diz, num "herege" dentro de sua área de atuação. Durante mais de 20 anos, ele disse ter apresentado propostas de estudo que o NIH recusou reiteradamente por "razões que não eram sérias".

O colega mais próximo de Phinney nessas pesquisas tem sido Jeff Volek, da Universidade de Connecticut. Como Phinney, Volek é adepto dos exercícios físicos. Especialista em cinesiologia, foi campeão de halterofilismo no estado de Indiana aos 32 anos de idade, ao passo que Phinney sempre gostou de ciclismo, caminhadas e esqui. Juntos, os

....
10. Mais tarde, Foster optou pela prudência profissional e decidiu abafar a importância de todos os dados positivos que descobrira no grupo que seguira a dieta Atkins em seu estudo.

dois abordaram de maneira nova o estudo da nutrição. Em vez de entender a dieta de alto teor de gordura como um método de perda de peso ou, talvez, de prevenção das doenças cardíacas, eles se interessavam mais por ela como um meio para chegar ao melhor desempenho físico possível. O fato de nunca terem integrado os departamentos de nutrição das universidades foi algo que os ajudou, pois não conheciam a fundo a hipótese dieta-coração. Isso pode ter colaborado para que eles concebessem ideias alternativas com mais facilidade.

Volek sabia que atletas e levantadores de peso costumam ingerir uma dieta rica em gordura e proteína e pobre em carboidratos, para maximizar o desenvolvimento muscular e reduzir a gordura do corpo. Porém, a fim de obter o máximo desempenho em esforços prolongados, como o de uma maratona, imaginava-se que os atletas deviam comer muitos carboidratos na noite anterior. Foi essa a primeira ideia que Phinney quis testar. "Tínhamos certeza de que iríamos provar que o conceito de acumular carboidratos estava *correto*", ele me disse. Para sua surpresa, constatou o contrário: os atletas com quem fez experimentos atingiam seu melhor desempenho com uma ingestão de carboidratos quase igual a zero. Na ausência de glicogênio (a forma pela qual a glicose é armazenada nos músculos e no fígado), o corpo passava a usar como combustível certas moléculas chamadas corpos cetônicos, derivadas dos ácidos graxos que circulam pelo sangue.

Phinney e Volek descobriram que nosso corpo pode ser entendido como um equivalente fisiológico de um automóvel híbrido, que pode usar mais de uma fonte de combustível: quando não podemos queimar a energia dos carboidratos, queimamos nossos estoques de gordura[11]. Phinney pôde, assim, refutar uma das principais críticas dirigidas con-

---

11. Quando o corpo passa a usar como combustível os ácidos graxos na forma de cetonas, entra num estado chamado "cetose". Um dos medos que pairam ao redor da dieta Atkins é o de que essas cetonas sejam tóxicas, visto que circulam em níveis perigosamente altos em pessoas que sofrem de diabetes e não controlam a doença (esse problema se chama "cetoacidose"). No entanto, as cetonas encontradas nos adeptos da dieta de baixo teor de carboidratos permanecem num índice de cinco a 10 vezes mais baixo que o dos diabéticos, e, nesse nível, demonstrou-se que as cetonas não causam dano.

tra a dieta Atkins: a saber, a de que o funcionamento básico do corpo exige a ingestão de pelo menos 100 gramas de glicose por dia[12]. Na verdade, sabe-se há mais de 50 anos – embora esse dado seja habitualmente esquecido ou ignorado – que nosso corpo não precisa de carboidratos e pode se sustentar perfeitamente bem, se não melhor, à base de cetonas. A pequena quantidade de glicose necessária para certos tecidos corporais – o cristalino do olho e os glóbulos vermelhos do sangue, por exemplo – pode ser criada pelo fígado a partir dos aminoácidos que integram as proteínas que consumimos.

Phinney também conseguiu refutar outros argumentos supostamente contrários à dieta de Atkins, que haviam surgido em decorrência de alguns estudos pequenos feitos na década de 1970. Esses estudos constataram que a dieta causava dor de cabeça, como Ornish mencionava, e também vertigens, perda de água, constipação e perda de energia, um conjunto de sintomas comumente chamado de "gripe Atkins". Phinney conseguiu demonstrar que todos esses efeitos tinham relação com o período de transição que ocorria quando as pessoas abandonavam a dieta habitual e adotavam a de baixo teor de carboidratos. Esse período de transição pode durar de duas a três semanas, no decorrer das quais grandes mudanças metabólicas ocorrem no organismo, à medida que os tecidos corporais se adaptam para usar as cetonas como fonte de energia. Entre outras coisas, os rins expelem água e sal, e Phinney demonstrou ser esse fenômeno que causa a tontura e a constipação que afeta alguns praticantes da dieta Atkins[13]. A solução de

---

12. Em 1999, um grupo internacional estabeleceu que a quantidade mínima de glicose era de 150 gramas por dia. Esse número é derivado do antigo valor recomendado de ingestão mínima, que se supunha ser de 100 gramas, com mais 50 gramas arbitrariamente acrescentados como "margem de segurança" (Bier et al., 1999, S177-S178).

13. De acordo com um dos primeiros estudos sobre a dieta Atkins, que parecia condená-la, a perda de sal e potássio era o calcanhar de Aquiles do regime. Em 1980, pesquisadores da Universidade Yale alimentaram seus sujeitos de pesquisa principalmente com carne de peru, que infelizmente perdia boa parte de seu conteúdo de sal e potássio durante o cozimento. Sem um suprimento adequado desses nutrientes essenciais, os sujeitos de pesquisa apresentaram vários sintomas desagradáveis e os autores do estudo concluíram que a dieta em si era fundamentalmente falha. A explicação mais provável, porém, é que essa versão específica da dieta, com peru cozido, era desprovida de nutrientes essenciais (DeHaven et al., 1980).

Phinney para esses problemas da transição era o consumo de várias xícaras de caldo de carne todos os dias.

A perda inicial de água também induziu os críticos a adotar a tese errônea de que toda a redução de peso causada pela dieta era devida à perda de água, e não de gordura[14]. Mas os trabalhos de Phinney, Volek e outros demonstraram que os quilos perdidos na dieta ao longo de um período mais prolongado decorriam da diminuição das reservas de gordura, não da perda de água. No começo do século XXI, esses pesquisadores conseguiram, assim, desacreditar muitas interpretações equivocadas criadas pelos primeiros estudos científicos sobre a dieta, estudos esses que, por serem curtos demais, enfocaram unicamente os problemas da fase de transição. Os pesquisadores também confirmaram que a promessa original da dieta, de perda de peso, correspondia à realidade. Nos estudos em que a dieta Atkins foi comparada com a dieta padrão de restrição de calorias recomendada pela AHA, os sujeitos de pesquisa perderam muito mais peso na dieta de baixo teor de carboidratos, e a proporção de perda de gordura em relação à perda de massa muscular era maior.

Além disso, esses mesmos cientistas conseguiram demonstrar que a saúde cardiovascular não era prejudicada pela dieta Atkins – aliás, muito pelo contrário. Em diversos estudos e levando-se em conta praticamente todos os indicadores medidos, demonstrou-se que a dieta de alto teor de gordura diminuía o risco de cardiopatia e diabetes em comparação com a dieta de baixo teor de gordura em geral, e de gordura saturada em particular, que a AHA recomendava aos norte-americanos havia tanto tempo. Em mais de 15 ensaios clínicos bem controlados comandados por Volek depois do ano 2000, esse pesquisador constatou que a dieta Atkins provoca o aumento do colesterol HDL e a queda dos triglicerídeos, da pressão sanguínea e dos indicadores de inflamação. Demonstrou-se ainda que a capacidade de dilatação dos vasos san-

---

14. O estudo mais comumente citado como "prova" desse ponto durou apenas 10 dias; supôs-se erroneamente que a perda de água durante esse período inicial era o único tipo de perda de peso que ocorria com a adoção da dieta Atkins (Yang e Van Itallie, 1976).

guíneos (chamada "função endotelial", que muitos especialistas creem ser um indicador de risco de infarto) melhora com a dieta de baixo teor de carboidratos em comparação com a dieta de baixo teor de gordura. Volek, surpreso e cético diante dos resultados, se perguntou se todas essas vantagens não se deviam à simples perda de peso, visto que seus sujeitos de pesquisa sempre emagreciam quando adotavam a dieta Atkins. Assim, realizou novos experimentos em que manteve constante o peso dos sujeitos de pesquisa. Também nesse caso constatou que a dieta de baixo teor de carboidratos provocava as mesmas melhoras.

Outros 12 estudos clínicos foram feitos nesse período por Westman, o médico da Universidade Duke que examinara os prontuários de Atkins. Westman se interessava particularmente pelos efeitos da dieta sobre o diabetes de tipo 2 (associado ao sobrepeso e à obesidade). A restrição de carboidratos fora recomendada por alguns médicos como "cura" para o diabetes desde o século XIX, mas os ensaios de Westman foram alguns dos primeiros a dar um amparo científico sólido a esse tratamento[15]. Westman descobriu que a redução dos carboidratos e sua substituição por gordura era bastante eficaz para administrar o diabetes; em alguns casos, a doença entrava em franca remissão, e os níveis de glicose e insulina no sangue desses pacientes se normalizavam a tal ponto que eles podiam deixar de tomar medicamentos. Com base nesses trabalhos, Westman e seus colegas defenderam veementemente a ideia de que a dieta oficial de baixo teor de gordura, que em geral precisa ser acompanhada de medicamentos para "funcionar", deve ser trocada por um regime de baixo teor de carboidratos no papel de

....
15. Harvey, o médico de Banting, derivou em parte a ideia de uma dieta de baixo teor de carboidratos do relato de que médicos franceses estavam usando esse tratamento para o diabetes. O primeiro caso registrado de uso desse tratamento nos Estados Unidos parece ter sido o trabalho de Elliott Proctor Joslin, médico formado em Harvard e Yale, que entre 1893 e 1916 submetia seus pacientes diabéticos a uma dieta em que somente 10% das calorias eram dadas por carboidratos. Em época mais recente, essa abordagem foi redescoberta e desenvolvida por Mary Vernon, clínica geral da cidade de Lawrence, estado do Kansas; e por Richard K. Bernstein, médico em Mamaroneck, estado de Nova York, que também é autor de *The Diabetes Diet: Dr. Bernstein's Low--Carboidrate Solution* [Dieta para o diabetes: a solução de baixo teor de carboidratos do dr. Bernstein]. Nova York: Little, Brown, 2005 (Joslin, 1919; o trabalho de Joslin também está descrito em Westman, Yancy e Humphreys, 2006, pp. 80-1).

dieta recomendada para o tratamento do diabetes. No entanto, a American Diabetes Association (ADA) continua tomando o partido da dieta de baixo teor de gordura, com base no fato de que os diabéticos correm grande risco de desenvolver cardiopatias e, uma vez que os cardiologistas recomendam uma dieta de baixo teor de gordura para prevenir os males do coração, essa também deve ser a dieta recomendada pela ADA (é só depois de desenvolvida a doença que a ADA recomenda o "controle" dos carboidratos e a substituição do açúcar por "outros carboidratos").

Esses pesquisadores pioneiros da dieta Atkins continuaram multiplicando seus trabalhos ao longo da primeira década do século XXI, conduzindo estudos clínicos com diversas categorias de sujeitos de pesquisa: homens e mulheres, atletas, obesos, diabéticos e pacientes de síndrome metabólica[16, 17]. Embora os ganhos obtidos com a dieta variem, todos os estudos apontam numa mesma direção. Um dos experimentos mais extraordinários foi feito com 146 homens que sofriam de pressão alta e adotaram a dieta Atkins durante quase um ano. A pressão sanguínea dos membros desse grupo caiu mais que a de um grupo que adotara a dieta de baixo teor de gordura – e que *também* tomava medicamentos redutores de pressão.

16. Alguns desses trabalhos foram feitos com verbas cedidas pela Fundação Robert C. e Veronica Atkins, criada em 2003 com os 40 milhões de dólares deixados por Atkins para financiar pesquisas após sua morte. Embora os pesquisadores relutassem em aceitar verbas de uma fundação com um programa tão claro em favor da dieta Atkins, não havia alternativa, visto que tanto o NHLBI quanto a AHA consideravam a dieta de alto teor de gordura perigosa demais para ser estudada, de modo que nunca cederam verbas para estudos clínico a respeito dela. ("About the Foundation", Robert C. and Veronica Atkins Foundation. Disponívem em: <http://www.atkinsfoundation.org/about.asp>, acesso em: 11 out. 2013).

17. Síndrome metabólica é o nome que se dá a um grupo de transtornos que ocorrem simultaneamente no indivíduo. São eles: obesidade "central" (em torno do abdome), aumento do índice de triglicerídeos, queda do colesterol HDL, alto índice de glicose em jejum e pressão alta. A combinação de alguns desses problemas, ou de todos, indica um aumento agudo do risco de doença coronariana, derrame e diabetes tipo 2. A síndrome foi descrita inicialmente pelo endocrinologista Gerald Reaven e, por isso, também é chamada às vezes de "síndrome de Reaven". É conhecida ainda como "síndrome cardiometabólica", "síndrome X" e "síndrome de resistência à insulina". Os sintomas que a definem variam um pouco de acordo com os diferentes órgãos de saúde (NIH, OMS etc.).

Na maioria desses experimentos, a dieta que deu os melhores resultados tinha 60% de suas calorias na forma de gordura[18]. Essa proporção de gordura era semelhante à ingerida pelos inuítes e pelos massais, mas era extraordinariamente alta em comparação com a recomendação oficial de 30% ou menos. Porém, nenhum estudo bem controlado feito com outros tipos de dieta demonstrou vantagens tão claras na luta contra a obesidade, o diabetes e as doenças cardíacas para populações tão diversificadas.

Apesar da regularidade dos resultados, Westman e seus colegas continuam sendo corpos estranhos no mundo da nutrição. Previsivelmente, talvez, seus trabalhos são recebidos com indiferença, desprezo ou ambos. Eles têm dificuldade para publicar suas pesquisas em periódicos de prestígio e os convites para grandes conferências são raros. Volek diz que, mesmo quando foi convidado a apresentar suas descobertas em encontros de profissionais da área, divulgando pesquisas que abalam os alicerces das ideias convencionais sobre alimentação, o que predomina entre os ouvintes é a ausência de curiosidade: "As pessoas simplesmente ficam em silêncio." Apesar de um conjunto substancial de dados a indicar que a opção alimentar mais saudável é um regime rico em gorduras e pobre em carboidratos, seus colegas ainda se referem rotineiramente à dieta como "charlatanice" e como uma "moda". Volek me disse que essa área de estudos é, às vezes, desanimadora. "Temos de lidar com o preconceito. [...] É dificílimo arranjar verbas ou periódicos que queiram publicar nossos estudos."

Westman escreveu palavras eloquentes sobre os problemas de trabalhar em prol de uma mudança de paradigma quando o preconceito existente é tão grande: "Quando a cultura está tomada por um medo da gordura na dieta que não tem nenhuma base científica, a tal ponto que os pesquisadores que dirigem as instituições de financiamento de estudos não admitem a pesquisa sobre dietas ricas em gordura por re-

---

18. Somente um pequeno número de estudos sobre as dietas de alto teor de gordura procuraram isolar os efeitos da gordura saturada em particular, pois as dietas com alto teor de gordura saturada têm sido consideradas perigosas demais para ser estudadas. Nos poucos estudos conduzidos até aqui, não se constatou nenhum efeito adverso desse tipo de dieta (Rivellese et al., 2008; Hats et al., 2003; Forsythe, 2010; Cassady, 2007).

ceio de 'prejudicar as pessoas'" – como vimos que ocorre no NIH e na AHA – "essa situação não permite que a ciência 'corrija a si mesma'. Cria-se uma espécie de tabu científico por causa da baixa probabilidade de obtenção de verbas, e as instituições de financiamento de estudos aparentemente não têm culpa, pois dizem que os cientistas nem sequer lhes enviam pedidos de verbas."

Embora Volek e seus colegas há muito insistissem junto à ortodoxia da ciência da nutrição para que assumisse uma postura "mais neutra e equilibrada" em relação à dieta de baixo teor de carboidratos, continuavam relutando em recomendar o regime a toda a população norte-americana, pois ele não havia sido submetido a um estudo clínico de longa duração[19]. Somente um estudo de dois anos ou mais poderia tirar as dúvidas persistentes sobre uma dieta tão rica em gordura, a fim de refutar a especulação, muito comum entre pesquisadores e médicos, de que os efeitos negativos da ingestão de quantidades tão grandes de proteína e gordura só se mostrariam após um período prolongado de uso da dieta[20].

Em 2008, foram finalmente publicados os resultados de um ensaio clínico de dois anos. Foi o estudo de Israel, discutido no capítulo

....
19. No fim da primeira década do século XXI, o estudo mais longo havia durado somente um ano. Foi o estudo "De A a Z", realizado na Universidade Stanford, que demonstrou que mulheres na pré-menopausa que se alimentavam seguindo a dieta Atkins tinham todos os indicadores melhores que as que adotavam a dieta da Zona (com teor moderadamente baixo de carboidratos), a dieta LEARN (moderadamente pobre em gordura, moderadamente rica em carboidratos) e a dieta Ornish (baixíssimo teor de gordura e altíssimo teor de carboidratos) (Gardner et al., 2007).

20. Uma das preocupações eram os efeitos do excesso de proteínas, e essa preocupação tem sua razão de ser – mas esse excesso só é problemático quando a dieta não tem gordura. Quando se ingerem proteínas, os rins e o fígado removem o nitrogênio e o excretam na urina. A gordura ingerida nos alimentos é crucial para esse processo. Quando se come uma carne excessivamente magra, o nitrogênio não pode ser processado e acaba se acumulando num nível potencialmente tóxico. Esse problema é comum entre as pessoas que fazem dieta hoje, pois, embora dispostas a cortar os carboidratos, elas continuam relutando em comer mais gordura em razão de preconcepções alimentadas há muito tempo. Os inuítes consideravam a carne excessivamente magra uma fonte insuficiente de nutrientes. Stefansson chamou o problema de "inanição por ingestão de carne de coelho" (*rabbit-starvation*) e sofreu ele mesmo dessa doença quando passou um período comendo carnes magras e uma quantidade insuficiente de gordura durante seu experimento de um ano à base de carne, em 1928 (Stefansson, 1956, p. 31).

sobre a dieta mediterrânea, que envolveu 322 homens e mulheres acima do peso ideal. O estudo foi excepcionalmente bem controlado em comparação com os outros estudos em ciência da nutrição. O almoço, que é a principal refeição do dia em Israel, era servido no refeitório de uma empresa.

No estudo, os sujeitos de pesquisa foram divididos em três grupos: um que comia a dieta de baixo teor de gordura prescrita pela AHA, um que comia a dieta mediterrânea e um que comia uma dieta de estilo Atkins, com alto teor de gordura (não era exatamente a dieta Atkins, pois os sujeitos de pesquisa eram encorajados a preferir fontes de gordura de origem vegetal e não animal). Iris Shai, a especialista israelense que dirigiu o ensaio ao lado de Meir Stampfer, professor de nutrição em Harvard, disse que inicialmente planejara incluir apenas os dois primeiros grupos. Mas, depois de ouvir uma palestra que Westman dera em Harvard em 2004 e de ler alguns dos artigos mais recentes sobre a dieta de baixo teor de carboidratos, ela resolveu incluir também um regime de alto teor de gordura[21].

Shai constatou que, para quase todos os indicadores de doença cardíaca que puderam ser medidos ao longo dos dois anos que durou o estudo, o grupo da dieta Atkins era o que parecia mais saudável – além de ter sido o que mais perdeu peso. Para o pequeno subconjunto de diabéticos que integrou o estudo, os resultados pareciam mais ou menos iguais para a dieta Atkins e a dieta mediterrânea. Em todos os casos, a dieta que teve o pior desempenho foi a de baixo teor de gordura.

Com base nos resultados desse estudo e de outros dois estudos recentes sobre a dieta Atkins, ambos os quais duraram dois anos[22], se-

---

21. Por esse motivo, a Fundação Atkins foi uma das financiadoras do estudo.
22. Os outros dois estudos não evidenciaram vantagens tão claras para a dieta Atkins e não serão examinados em detalhes aqui, pois não foram tão bem controlados quanto o estudo israelense. Ao passo que a equipe de Shai servia almoço – a principal refeição do dia – aos sujeitos de pesquisa (ocasião que também dava a oportunidade aos participantes para que se instruíssem sobre como seguir a dieta, e que foi suplementada por sessões de aconselhamento), nos outros dois estudos os participantes simplesmente ganhavam um livro de receitas e outros materiais informativos e tinham sessões semanais de aconselhamento. Por isso, os resultados obtidos por Shai devem ser considerados mais confiáveis. Um dos outros dois estudos foi realizado por uma

ria de imaginar que as preocupações sobre os potenciais efeitos maléficos do regime a longo prazo poderiam ser finalmente engavetadas. Constatou-se que a função renal e a densidade óssea, dois dos principais temores, continuavam tão boas como sempre, se não melhores, entre as pessoas que adotavam a dieta de alto teor de gordura. Em geral, porém, essas importantíssimas descobertas de longo prazo não foram discutidas pelos nutricionistas ortodoxos nem se traduziram num maior apoio à dieta de teor de gordura mais alto. Para os pesquisadores especializados nesse tema, entretanto, esses estudos eram as provas que eles estavam esperando. Westman, Volek e Phinney chegaram à conclusão razoável de que a dieta de alto teor de gordura e baixo teor de carboidratos poderia, sim, ser recomendada a um público mais amplo[23].

Gary Taubes e a "grande mentira da gordura"

Embora esses pesquisadores tenham sido ignorados pela maior parte dos médicos e dos nutricionistas convencionais, houve uma pessoa que, sozinha, conseguiu redirecionar o discurso da ciência da nutrição ao longo dos últimos 10 anos, encaminhando-o para a ideia de que o motor da obesidade e de outras doenças crônicas não são as gorduras, mas

....

equipe da qual fazia parte Gary Foster, da Universidade Temple. Esse ensaio, com 307 adultos, comparou uma dieta de restrição calórica e baixo teor de gordura com uma dieta Atkins sem limite de consumo de calorias, e os investigadores quase não constataram diferenças na saúde e na perda de peso dos sujeitos de pesquisa que adotavam as duas dietas – com uma notável exceção; a saber, que o colesterol HDL melhorou 23% na dieta Atkins, ao passo que essa vantagem não se verificou no grupo de baixo teor de gordura (Foster et al., 2010). O segundo estudo foi conduzido por Frank M. Sacks, professor em Harvard, e comparou quatro dietas com diversas proporções de carboidratos, proteínas e gorduras. Sacks começou a trabalhar com 811 adultos acima do peso ideal e, depois de dois anos de estudo, quase não constatou diferenças nos resultados (Sacks et al., 2009).

23. Em 2010, Phinney, Volek e Westman escreveram um novo livro sobre a dieta Atkins intitulado *The New Atkins for a New You: The Ultimate Diet for Shedding Weight and Feeling Great* [A nova Atkins para um novo você: a melhor dieta para perder peso e se sentir bem] (Nova York: Touchstone, 2010), que vendeu mais de 500 mil exemplares em dois anos. Phinney e Volek também publicaram, por conta própria, dois livros sobre a dieta de baixo teor de carboidratos.

os carboidratos: o jornalista científico Gary Taubes. Em 2001, ele escreveu uma história crítica da hipótese dieta-coração para a revista *Science*, sendo essa a primeira vez em que um periódico científico importante publicou uma análise cabal das debilidades científicas do dogma antigordura – pelo menos desde que Pete Ahrens perdera a batalha para Ancel Keys em meados da década de 1980. Taubes também pesquisou tudo o que havia sido publicado sobre o assunto, desde as pesquisas sobre obesidade feitas na Alemanha e na Áustria antes da guerra até as de Pennington, e concluiu que a obesidade era de fato um problema hormonal e não uma decorrência da gula e da preguiça. No artigo publicado na *Science*, Taubes mostrou que o hormônio que causa a obesidade é provavelmente a insulina, cujos índices disparam quando comemos carboidratos. Uma de suas principais conclusões, na verdade, é que a gordura é o nutriente que *menor* probabilidade tem de nos deixar gordos, pois é o único macronutriente que não estimula a produção de insulina.

Outros pesquisadores e cientistas haviam publicado críticas da hipótese dieta-coração, mas Taubes foi o primeiro a juntar todas as ideias sobre o tema numa única narrativa ampla. E, além disso, ele conseguiu alcançar um público de abrangência nacional. Plantou logo em seguida uma segunda bomba na *New York Times Magazine*, intitulada "E se foi tudo uma tremenda mentira?". Em 2007, publicou o livro *Good Calories, Bad Calories* [Calorias boas, calorias ruins], uma obra meticulosamente pesquisada e densamente anotada que defendia, de modo amplo e original, uma hipótese "alternativa" sobre a obesidade e as doenças crônicas. Sua tese era que as causas da obesidade, do diabetes e de doenças correlatas são os açúcares e os carboidratos refinados que integram nossa dieta, e não a gordura ou o "excesso de calorias" que, segundo se afirma, advém do fato de comermos mais do que devíamos.

Em tempos recentes, Taubes tem sido o adversário mais influente da hipótese dieta-coração. O próprio Michael Pollan, um popular especialista em gastronomia que diz que devemos comer "principalmente vegetais", elogiou Taubes por desmascarar a pseudociência envolvida no

Capa da *The New York Times Magazine*, 7 de julho de 2002

Da *The New York Times*, 7 jul. 2002. © 2002 *The New York Times*. Usado com permissão e protegido pelas leis de direitos autorais dos Estados Unidos. São proibidas a impressão, a cópia, a redistribuição e a retransmissão deste conteúdo sem expressa permissão por escrito.

O jornalista científico Gary Taubes escreveu um artigo que marcou época, questionando publicamente a ideia de que a gordura na dieta, seja de que tipo for, causa doenças cardíacas e obesidade. [Tradução da manchete: E se a gordura não engorda? Pesquisadores influentes começam a pensar que o dr. Atkins talvez tivesse razão. Por Gary Taubes.]

dogma antigordura e o chamou de o Alexander Solzhenitsyn do mundo da nutrição.

O trabalho de Taubes despedaçou os dogmas a tal ponto que a maioria dos especialistas em nutrição não tem sido capaz de responder a esse desafio, exceto ignorando-o e desprezando-o, como já haviam feito com tantas outras personalidades questionadoras. Quando o livro de Taubes foi lançado, Gina Kolata, que escreve para o *The New York Times* sobre tópicos de medicina, disse que Taubes era "um jornalista científico corajoso e audaz", mas terminou sua resenha com um vago "Me desculpe, mas não estou convencida"[24]. A atitude dos nutricionistas em relação a Taubes era tão gélida em meados da primeira década do século XXI, quando comecei minhas pesquisas para este livro, que, embora muitos especialistas na hipótese dieta-coração tivessem lido o que ele escrevera, quase nenhum deles estava disposto a falar sobre ele. Os trabalhos de Taubes como jornalista científico valeram-lhe muitos prêmios, entre os quais três prêmios "ciência na sociedade" da Associação Nacional de Escritores sobre Ciência, o número máximo que essa associação pode conceder a qualquer escritor. No entanto, mais ou menos dois terços de minhas entrevistas com especialistas em nutrição começaram com uma frase do tipo: "Se você segue a linha de Gary Taubes, prefiro não conversar com você."

Taubes, por sua vez, era bastante provocativo nas críticas que fazia à ciência da nutrição e a seus praticantes. Depois de uma palestra num instituto de pesquisa, um dos professores mais antigos perguntou: "Sr. Taubes, seria correto afirmar que um dos subtextos da sua palestra é que o senhor pensa que somos todos idiotas?" Mais tarde, em seu blog, Taubes escreveu: "É uma excelente pergunta." Explicou que não falta-

---

24. Kolata não tratou de nenhum dos milhares de estudos científicos que Taubes citara. Em vez disso, apresentou como prova decisiva de sua posição vários "estudos definitivos" que ela encontrara, conduzidos por pesquisadores de Nova York, em que sujeitos de pesquisa hospitalizados haviam sido alimentados com dietas cujo conteúdo de carboidratos e gorduras variava entre 0% e 85%, e não se havia constatado diferença alguma em matéria de peso corporal ou indicadores de saúde. Taubes respondeu, com razão, que na verdade só fora feito um estudo desse tipo – com 16 pessoas (Taubes, 28 out. 2007).

va inteligência àquelas várias gerações de cientistas; o problema é que eles haviam sido educados para pensar de modo parcial. Se o objetivo da ciência é encontrar a resposta correta, escreveu Taubes, "o fato de terem obtido a resposta errada numa escala tão gigantesca e tão trágica beira o indesculpável". Na última linha do artigo que escreveu para o *New York Times Magazine* em 2002, ele cita a pergunta de um pesquisador que, embora em tom de brincadeira, tinha lá seu fundo de verdade: "Será que os adeptos da dieta de baixo teor de gordura deveriam pedir desculpas?"

Apesar da animosidade entre Taubes e os especialistas ortodoxos em nutrição, boa parte do que ele escreveu parecia tão crível que foi assimilado pela ortodoxia de modo quase imediato. É claro que o açúcar e a farinha branca são ruins! Os nutricionistas falavam como se isso fosse algo que eles sabiam havia muito tempo. Em 2010, uma manchete do *Los Angeles Times* declarava: "Antes o problema era a gordura, mas agora mais nutricionistas acusam o açúcar e os cereais refinados". Pesquisadores de todo o país, que haviam lido e digerido a obra de Taubes, começaram de repente a estudar a sacarose, a frutose e a glicose, comparando-as umas com as outras e examinando seus efeitos sobre a insulina. Há pouco tempo, alguns investigadores defenderam a tese de que a frutose encontrada nas frutas, no mel e no xarope de milho pode ser pior que a glicose para provocar os indicadores de inflamação ligados às doenças cardíacas[25]. A glicose encontrada no açúcar e nas hortaliças amidosas, por sua vez, parece operar junto com a insulina para causar obesidade. Os estudos científicos sobre esses diferentes tipos de carboidratos refinados ainda está na infância, de modo que realmente não sabemos se todos os carboidratos contribuem para a obesidade, o diabetes e as doenças cardíacas ou se alguns tipos são piores que os outros.

A única afirmação que parece segura é a de que os carboidratos e os açúcares refinados que a AHA nos recomenda comer no contexto de uma dieta saudável e de baixo teor de gordura não são meras calorias

---

25. O açúcar comum (sacarose) e o xarope de milho de alto teor de frutose são compostos da mesma mistura em partes aproximadamente iguais de frutose e glicose.

"vazias" e indiferentes, como há muito tempo nos dizem, mas, na verdade, fazem ativamente mal à saúde de diversas maneiras[26]. Além disso, estudos clínicos realizados em anos recentes dão a entender que todos os tipos de carboidratos, inclusive os presentes em cereais integrais, frutas e hortaliças amidosas, fazem mal à saúde quando consumidos em grande quantidade. Vimos que no estudo de Shai, em Israel, o grupo da dieta mediterrânea, que ingeria uma grande proporção de calorias na forma desses carboidratos "complexos", se mostrou menos saudável e mais gordo que o grupo que seguia a dieta Atkins, embora fossem mais saudáveis que a turma da dieta de baixo teor de gordura. Também a Women's Health Initiative, na qual 49 mil mulheres ingeriram uma dieta com alto teor de carboidratos complexos durante quase 10 anos, comprovou apenas uma redução marginal do risco de doenças ou do peso. No entanto, a ideia geral de que até uma quantidade grande de carboidratos *não refinados* pode fazer mal à saúde não encontra eco nos norte-americanos, acostumados a ver esses alimentos como eminentemente saudáveis. E não resta dúvida de que será difícil para os nutricionistas contradizerem formalmente o conselho que vêm dando ao público há meio século.

    Mesmo assim, o pouco progresso científico que tem sido feito nos últimos anos em direção a uma compreensão mais ampla dos carboidratos em geral foi claramente devido à obra de Taubes. "Essa foi a contribuição mais importante que ele deu a esta área", disse Ronald M. Krauss, influente nutricionista e diretor de pesquisas do Instituto de Pesquisas do Hospital Infantil de Oakland. Para um jornalista, foi uma participação tremenda no mundo da ciência. Em 2013, Taubes se tornou um dos poucos jornalistas a escrever um artigo científico submetido a revisão paritária e publicado num periódico científico altamente respeitado, o *British Medical Journal*. No entanto, dada a influência paralisante que as ideias de Keys exercem sobre os pesquisadores

---

26. Em 2011, um grupo de nutricionistas de elite publicou o primeiro artigo de alto nível afirmando, como questão consensual, que os carboidratos refinados são piores que as gorduras saturadas como causas das cardiopatias e da obesidade (Astrup et al., 2011).

em nutrição há tantas décadas, talvez fosse inevitável que uma hipótese alternativa tivesse de ter sido proposta por alguém de fora[27].

Uma mudança de paradigma sobre o colesterol

Enquanto a obra de Taubes reorientava o discurso da ciência da nutrição para que deixasse de enfocar a gordura como grande mal alimentar e os pesquisadores da dieta de baixo teor de carboidratos realizavam seus estudos clínicos mostrando que as dietas sem carboidratos refinados eram altamente recomendáveis, um terceiro fator esteve operante nos últimos 15 anos para consolidar a tese de que uma dieta com teor mais alto de gordura é mais saudável. Esse fator tem a ver com as novas hipóteses científicas sobre a previsão das doenças cardíacas, que viraram de ponta-cabeça tudo o que pensávamos saber sobre o colesterol, as cardiopatias e a alimentação.

Um dos pesquisadores mais influentes nesse campo é Ronald Krauss. Ele é, sem dúvida, um dos aristocratas da nutrição, sendo sempre convidado pela AHA e pelo NIH para participar de painéis de especialistas, e conduziu um grande número de pesquisas financiadas pelo NIH. Krauss também difere de seus colegas acadêmicos de elite porque atende regularmente a pacientes de carne e osso. Enquanto os epidemiologistas da nutrição passam os dias examinado dados de questionários e os bioquímicos da nutrição fazem experimentos de laboratório sob condições idealizadas, Krauss é um dos pouquíssimos nutricionistas que, como Donaldson e Pennington em outra época, têm a expe-

---

27. Em 2012, Taubes e o médico Peter Attia fundaram uma associação sem fins lucrativos chamada Nutrition Science Initiative (NuSI) com uma doação de 40 milhões de dólares da Fundação Laura e John Arnold. O objetivo é conduzir pesquisas científicas de alta qualidade em assuntos que o NIH e a AHA relutam em pesquisar. Em 2013, a NuSI começou um experimento-piloto para testar a hipótese de que os carboidratos contribuem mais que as proteínas e as gorduras para o acúmulo de gordura no corpo. Cinco centros de estudo, entre os quais a Universidade Columbia e o próprio NIH, estão participando do experimento, cujo conselho supervisor conta com nutricionistas de elite. Uma descrição do protocolo do estudo pode ser encontrada num artigo da *Scientific American* (Taubes, 2013).

riência do contato direto com pessoas que procuram se livrar de seus problemas de peso e de saúde.

Krauss contribuiu de diversas formas para tirar a gordura saturada do banco dos réus da nutrição, mas sua contribuição mais importante, do ponto de vista científico, foi a descoberta de um novo bioindicador de doenças cardíacas. Na década de 1990, ele descobriu um método de previsão das cardiopatias que ao mesmo tempo superava e desacreditava os métodos que haviam alicerçado a hipótese dieta-coração. A capacidade de medir algum indicador sanguíneo que indique com confiança que o paciente corre o risco de sofrer infarto é, naturalmente, o sonho dourado das pesquisas cardiovasculares. Há 60 anos, Keys propôs que o colesterol total no sangue seria esse indicador e condenou a gordura saturada baseado unicamente na propriedade que ela tem de elevar esse índice. Depois, nas décadas de 1970 e 1980, quando os cientistas começaram a compreender as complexidades envolvidas nesse "colesterol total" – que ele, na verdade, não previa de modo confiável o risco de ataque cardíaco e mascarava medidas mais sutis, a saber, as do colesterol LDL e HDL –, durante um tempo teve-se a impressão de que a gordura saturada seria redimida. Afinal, as gorduras saturadas de origem animal fazem aumentar o índice de colesterol HDL, e essa é uma de suas virtudes esquecidas. Por outro lado, a gordura saturada também faz aumentar o colesterol "ruim", o LDL. Esses efeitos conflitantes foram fatais para a gordura saturada, pois a opinião científica oficial, por razões políticas e outras, preferiu o colesterol LDL ao HDL como indicador de risco de cardiopatia ao longo das últimas décadas.

Krauss era um dos pesquisadores que não estavam convictos de que o colesterol LDL seria o melhor e mais confiável bioindicador de doença cardíaca[28]. Em seu consultório, ele vira pacientes que baixaram o índice

---

28. Um dos problemas é básico: o exame de medida do colesterol LDL nunca foi digno de confiança. A metodologia padrão consiste em medir o colesterol total e subtrair o HDL e um terceiro componente do colesterol total, chamado lipoproteína de densidade muito baixa (VLDL). A VLDL, porém, não é medida diretamente; é estimada a partir do índice de triglicerídeos, e isso provoca confusão nos resultados, sobretudo quando o índice de triglicerídeos é muito grande. Allan Sniderman, especialista em bioindicadores da Universidade McGill, me disse: "O erro é substancial. Se o resultado de colesterol LDL no exame é de 130 mg/dl, ele pode, na verdade, estar em qualquer nível entre 115 e 165 mg/dl, ou ainda mais que isso" (entrevista com Sniderman).

de colesterol LDL ou que já o tinham dentro dos parâmetros "saudáveis", mas que mesmo assim sofreram infarto. Krauss observou que a capacidade de o colesterol LDL prever doenças cardíacas só é confiável quando os índices de colesterol LDL são muito altos – 160 mg/dl ou mais. Para a pessoa comum que sofre de cardiopatia e cujo colesterol LDL está apenas no limite, esse indicador não significa muito. Com efeito, em vários estudos importantes, constatou-se não haver correlação alguma entre os índices de colesterol LDL e o fato de as pessoas sofrerem ou não um ataque cardíaco[29].

Grosso modo, apesar de todo o estardalhaço que o envolve, o colesterol LDL não é, em geral, digno de confiança como indicador de risco de doença cardíaca. Com efeito, muitos pesquisadores afirmam hoje que o "colesterol LDL alto" já não é especialmente significativo. "Não há base científica para tratar pessoas com base no indicador LDL", escreveram um cardiologista de Yale e um colega numa carta aberta ao NIH publicada no periódico *Circulation*, da AHA. Allan Sniderman, professor de medicina e cardiologia da Universidade McGill, descreveu-me a situação da seguinte maneira: "O LDL é um resquício de outra época."

Krauss compulsou toda a literatura científica em busca de pistas de indicadores mais confiáveis. Encontrou uma série de pesquisas sobre outros indicadores que por muito tempo haviam sido ignorados, uma das quais se originara na universidade onde ele trabalhava. Na década de 1950, o físico John W. Gofman, especializado em física aplicada à medicina, descobriu que, assim como o colesterol total podia ser dividido em colesterol LDL e colesterol HDL, as próprias partículas de LDL podiam ser analisadas como somatória de uma série de "subfrações do LDL". Krauss confirmou a existência dessas subfrações em meados da década de 1980, usando uma tecnologia semelhante à empregada por Gofman. Descobriu que algumas partículas de LDL

---
29. Além disso, num estudo com 304 mulheres saudáveis, onde se mediu diretamente a calcificação das artérias por meio de tomografia de feixe de elétrons, não se descobriu correlação alguma entre o grau de calcificação e o índice de colesterol LDL (Hecht e Superko, 2001).

eram grandes, leves e flutuantes, ao passo que outras eram pequenas e densas. Constatou-se que as partículas pequenas e densas tinham uma correlação bastante próxima com o risco de cardiopatia, ao passo que as partículas grandes e leves não tinham ligação alguma com esse risco. A conclusão de Krauss foi que o "LDL total" encobria uma realidade mais complexa: pelos padrões convencionais, a pessoa que tivesse o "LDL total alto" estaria em má situação; no entanto, se esse LDL fosse principalmente do tipo grande e flutuante, não havia problema. Por outro lado, uma pessoa com LDL relativamente baixo pareceria estar protegida; se, no entanto, esse LDL fosse do tipo pequeno e denso, isso sinalizava um alto grau de risco.

Por meio dessa única descoberta, Krauss revelou por que o "colesterol LDL alto", embora fosse queridíssimo dos especialistas convencionais e endossado pela AHA, não correspondia às expectativas depositadas nele como indicador de infarto. À semelhança do colesterol total na década de 1980, um bioindicador predileto acabou se mostrando mais complexo e revelou-se composto de mais frações do que originalmente se imaginava. Embora recomendações de saúde pública tivessem sido emitidas e estatinas tivessem sido prescritas a milhões de norte-americanos com base na ideia de que esses medicamentos diminuíam a quantidade de colesterol LDL no sangue, a ciência da previsão dos ataques cardíacos ainda era uma obra em andamento.

Krauss também pesquisou o que acontecia com as subfrações do LDL quando os sujeitos de pesquisa eram alimentados com diversos tipos de dieta. Descobriu que, quando as pessoas comiam mais gorduras totais e gorduras saturadas em lugar de carboidratos, o tipo "bom" de LDL aumentava, ao passo que o LDL pequeno e denso, associado às doenças cardíacas, diminuía. Caso se confirmasse essa descoberta, a acusação lançada contra as gorduras saturadas estaria consideravelmente enfraquecida; se a gordura saturada só fazia aumentar o índice desse LDL inócuo, seu efeito sobre o corpo humano era relativamente benigno. Caso se levasse em conta também a capacidade da gordura saturada de elevar o colesterol HDL, ela começava a parecer, talvez, saudável, e certamente muito melhor que os carboidratos que nos mandavam comer em seu lugar[30].

Krauss, porém, não fez muito alarde, entre seus colegas, da descoberta das subfrações do LDL. Ele sabia que, mesmo depois da reprodução bem-sucedida do experimento, essa descoberta deveria ser vendida aos nutricionistas sem muita insistência; caso se desse a entender que eles estavam errados havia muito tempo com seu apoio ao colesterol LDL, eles poderiam ofender-se. E, com efeito, a maioria dos especialistas achou por bem simplesmente ignorar as descobertas de Krauss. Em 2006, por exemplo, quando pedi a Robert Eckel, então presidente da AHA, que me desse sua opinião sobre elas, ele disse que, embora respeitasse o trabalho de Krauss, não o considerava particularmente importante (visão que continuava sustentando em 2013, quando voltamos a conversar). Penny Kris-Etherton, da Universidade do Estado de Pensilvânia, uma das nutricionistas mais poderosas do país, me explicou em 2007 que "os cientistas acadêmicos acreditam que a gordura saturada faz mal e têm extrema relutância em aceitar descobertas que deem a entender o contrário".

Ainda assim, animado por sua interpretação dos dados, Kraus tentou modificar as diretrizes da AHA sobre gordura. Há muito tempo que estava envolvido nos níveis mais altos da AHA, e pensou que, se conseguisse convencer a associação a relaxar a recomendação de reduzir o consumo de gordura total e gordura saturada, poderia fazer um grande bem à saúde dos norte-americanos. Em 1995, quando assumiu a presidência do comitê de nutrição, ele teve sua oportunidade. No fim, acabou supervisionando duas edições da diretrizes alimentares da AHA, a de 1996 e a de 2000. A pessoa que mais se opunha à gordura saturada no comitê era Alice Lichtenstein, da Universidade Tufts, outra personagem influente da elite da nutrição. Enquanto Kraus defen-

---

30. Outros bioindicadores promissores foram descobertos e promovidos em anos recentes, como a apolipoproteína B (ApoB) e o colesterol não HDL. Mas somente as subfrações do LDL podem explicar a descoberta problemática, em diversos estudos de grande porte, de que não existe uma correlação confiável entre o colesterol HDL e as doenças cardíacas. Por esse motivo, as subfrações de Krauss são significativas e mais importantes que todos os demais indicadores.

dia a ideia de que a quantidade admissível de gordura saturada deveria permanecer igual, Lichtenstein queria que o limite fosse reduzido ainda mais que os 8% então preconizados – para 6% ou 7%. Krauss tentou evidenciar a ausência de provas científicas em favor de uma recomendação tão radical. Era evidente que até os cretenses de Keys, cuja ingestão de gordura saturada fora falseada devido ao "problema da quaresma", comiam mais gordura de origem animal do que Lichtenstein pretendia recomendar.

Krauss conseguiu, no fim, fazer algumas mudanças significativas nas diretrizes da AHA. Na edição de 1996, acrescentou a ressalva – feita então pela primeira vez em um relatório da AHA sobre alimentação – de os ácidos graxos saturados dos laticínios, da carne e do azeite de dendê eram de tipos diferentes e não tinham os mesmos efeitos sobre os lipídios do sangue; na verdade, algumas dessas gorduras saturadas nunca tinham sido correlacionadas com qualquer tipo de efeito negativo sobre o colesterol[31]. Porém, Krauss me disse que esse nível de especificidade não poderia ser incorporado às diretrizes distribuídas ao público, pois "era muito complicado". Mesmo assim, ele considerou uma vitória o fato de que, na edição seguinte das diretrizes, quatro anos depois, conseguiu deslocar o conselho de redução das gorduras saturadas para baixo na lista de prioridades, enterrando-o debaixo de diversos subtítulos.

No fim, porém, Krauss perdeu a batalha para os tradicionalistas, que contra-atacaram. Quando Lichtenstein assumiu o cargo de presidente do comitê de nutrição, em 2006, a AHA enveredou pelo caminho oposto, reduzindo a proporção de gordura saturada admissível

---

31. Dez anos se passaram até que uma diretriz emitida por outro órgão incorporasse essas letras miúdas sobre os diversos tipos de gordura saturada, e isso só ocorreu na França. As recomendações alimentares oficiais do governo francês para o ano de 2010 fizeram, pela primeira vez, uma distinção segundo a qual apenas as gorduras saturadas encontradas predominantemente nos óleos de coco e dendê e, secundariamente, na carne e no salmão (os chamados ácidos láurico, mirístico e palmítico) poderiam ser correlacionadas com as doenças cardíacas por causa de seus efeitos sobre o colesterol LDL. Outro tipo de gordura saturada (o ácido esteárico), encontrado principalmente na carne, no leite/laticínios e nos ovos, foi completamente exonerado. (Na verdade, sabe-se desde a década de 1950 que o ácido esteárico não afeta negativamente o colesterol.)

dos 10% em que Krauss a havia fixado para 7% das calorias ou menos. Era a mesma quantidade de gordura saturada admitida na dieta mais agressiva do NIH, a da etapa 2, direcionada para pacientes de altíssimo risco depois de terem sofrido um ataque cardíaco. Agora, ela era recomendada a homens, mulheres e crianças sem distinção. Quando perguntei a Lichtenstein se o comitê havia levado em conta o trabalho de Krauss sobre as subfrações do LDL e suas consequências para o entendimento do papel das gorduras saturadas, ela respondeu que o trabalho dele era "complicado" e que ela "não teve tempo" de estudá-lo.

Em 2013, Lichtenstein se juntou a Bob Eckel numa força-tarefa da AHA e do American College of Cardiology (ACC) para atualizar as recomendações de tratamento de doenças cardíacas para os médicos de todos os Estados Unidos. Os conselhos se tornaram então ainda mais draconianos: preconizou-se que todos os adultos "em risco", entre os quais incluíam-se cerca de 45 milhões de pessoas saudáveis, deveriam, por precaução, cortar ainda mais sua ingestão de gordura saturada para meros 5% a 6% do total de calorias[32]. Esse índice sem precedentes era espantosamente baixo. Para obedecê-lo, é preciso adotar uma dieta praticamente vegana. A força-tarefa de Eckel justificou essa recomendação citando apenas dois estudos clínicos: o DASH e o OmniHeart. Nesses experimentos, os sujeitos de pesquisa foram alimentados com uma dieta que continha de 5% a 6% de gordura saturada, e seus índices de colesterol LDL caíram significativamente. Essa descoberta só poderia ser interpretada de forma positiva caso se ignorassem os traba-

---

32. Essa força-tarefa da AHA-ACC é diferente da famigerada comissão de nutrição da AHA, responsável pela edição das recomendações alimentares desde 1961. A força-tarefa da AHA-ACC foi criada em 2013 para formular diretrizes de tratamento que envolvessem tanto alimentação quanto medicamentos, a serem seguidas por médicos que tratassem pacientes adultos. Antes, essas diretrizes para os médicos eram escritas pelo National Cholesterol Education Program (NCEP) do NIH desde que essa divisão fora fundada, em 1986. O NCEP preparou três edições de diretrizes, todas chamadas "ATP" e numeradas de 1 a 3. No entanto, o painel reunido para redigir a última edição, a ATP4, teve seus trabalhos paralisados por discordâncias das regras de revisão sistemática dos dados. Depois de quase 10 anos de trabalho infrutífero, em junho de 2013 os gestores do NHLBI anunciaram que estavam repassando a tarefa à AHA e ao ACC. Isso significa, na prática, que o governo entregou a grupos privados a formulação de suas diretrizes mais importantes em matéria de doença e alimentação (Gibbons et al., 2013).

lhos de Krauss e os grandes estudos que refutaram a tese de que o colesterol LDL era um bom indicador de risco para a maioria das pessoas. A comissão também teve de desconsiderar o fato de que os sujeitos de pesquisa desses dois ensaios clínicos sofreram forte *queda* do colesterol HDL, sendo este um importante indicador de piora da saúde cardíaca. Além disso, os indicadores de diabetes não melhoraram e os sujeitos de pesquisa não perderam peso.

Ao fazer sua recomendação de consumo reduzidíssimo de gordura saturada, o painel de especialistas da AHA-ACC declarou que não levou em conta os efeitos da dieta proposta sobre o diabetes e a síndrome metabólica. E por que não? Dado o fato de há muito se ter provado que essas doenças estão interligadas, essa decisão foi espantosa. O próprio termo "síndrome metabólica" foi criado para descrever um grupo de fatores de risco que ocorrem simultaneamente e, juntos, elevam o risco de doença coronariana, derrame e diabetes tipo 2. Parece claro, portanto, que o efeito de qualquer tratamento, a dieta inclusive, deve ser avaliado conjuntamente para todas essas doenças.

A realidade atual dos especialistas ortodoxos em nutrição, no entanto, é que sua antiga fidelidade ao colesterol LDL os deixou encurralados. Uma quantidade imensa de dados científicos precisa ser ignorada para que eles possam sustentar sua posição; com efeito, as diretrizes de tratamento da AHA-ACC não citam nenhum dos grandes ensaios clínicos que o NIH patrocinou ao longo de décadas, como o MRFIT e a Women's Health Initiative, que, em seu conjunto, testaram mais de 61 mil mulheres e homens durante mais de sete anos e nunca conseguiram evidenciar quaisquer benefícios de uma dieta com baixo teor de gordura saturada. Os dois estudos citados pela força-tarefa de Eckel, por sua vez, haviam testado um total de 590 pessoas durante oito semanas[33].

Além disso, Eckel, Lichtenstein e seus colegas continuaram – como os líderes do estudo LRC no NHLBI, em 1984 – a postular, sem

---

33. Pode-se defender a hipótese de que esses estudos foram controlados com mais rigor e, portanto, produziram resultados mais confiáveis que o MRFIT e a Women's Health Initiative. No entanto, o estudo israelense, que favoreceu a dieta Atkins, envolveu 322 pessoas durante *dois anos* e também foi muito bem controlado.

nenhuma base lógica, que a diminuição do colesterol LDL através da dieta tinha os mesmos efeitos biológicos da diminuição do colesterol LDL por meio do uso de estatinas. Não existem dados que corroborem essa afirmação. Pelo contrário, os poucos indícios favoráveis a ela se enfraqueceram ainda mais nos últimos anos, pois hoje já existem vários estudos que testaram uma dieta de redução do colesterol LDL e constataram que a correlação entre esse indicador e o risco de infarto era, na melhor das hipóteses, fraca. Apesar de tudo isso, a recomendação da força-tarefa da AHA-ACC – uma dieta em que a gordura saturada esteja limitada a apenas 5% a 6% do total de calorias – é a nova norma para as pessoas que precisam fazer baixar seu colesterol LDL (um grupo para o qual não se dá nenhuma definição), e existe grande probabilidade de que esse conselho venha a ser aplicado para a maioria dos norte-americanos adultos. Também é provável que venha a ser canonizado pelo USDA, visto ser Alice Lichtenstein a presidente da comissão que está redigindo as *Dietary Guidelines* de 2015.

Ignorando todos os dados sobre dieta e sobre o colesterol LDL, inclusive os trabalhos de Krauss e de outros pesquisadores sobre as subfrações do LDL, o NIH e a AHA conseguiram, assim, conservar o colesterol LDL no papel de bioindicador predileto, como se a ciência não tivesse progredido em absoluto nos últimos 20 anos. E, como ocorre com boa parte dos conselhos que temos recebido sobre a prevenção de doenças cardíacas, as justificativas desse estado de coisas são mais políticas e financeiras que científicas: o colesterol LDL tem muitos adeptos e uma longa história; todos os médicos o conhecem e compreendem; o governo tem toda uma burocracia – o Programa Nacional de Educação sobre o Colesterol – dedicada a sua redução; acadêmicos investiram suas carreiras nele; os laboratórios farmacêuticos, com seus lucrativos medicamentos para a redução do colesterol LDL, o promoveram. Além disso, o colesterol LDL é há muito tempo o bioindicador mais usado para condenar a gordura saturada, fato que o tornou especialmente atraente numa comunidade de pesquisadores sobre alimentação e doenças altamente predisposta contra esse tipo de gordura.

A força-tarefa da AHA-ACC tomou uma atitude altamente controversa e deu a impressão de rebaixar *ligeiramente* a importância do colesterol LDL nas diretrizes de 2013, eliminando a menção dos índices específicos acima dos quais o tratamento se torna recomendável – índices esses que já estavam definidos desde 1986. A força-tarefa também promoveu o "colesterol não HDL" como um bioindicador adicional relativamente novo, pois imaginou-se que poderia prever com mais precisão os riscos cardiovasculares[34]. Essas mudanças parecem representar um passo na direção correta em matéria de compreensão das doenças cardíacas, mas é muito provável que aí também estivessem em ação outras forças, e não a da pura e simples ciência. Um observador cínico assinalaria que os direitos de patente sobre as estatinas expiraram em 2013, de modo que se reduziram os incentivos econômicos para que os laboratórios farmacêuticos continuassem favorecendo o colesterol LDL.

Muitos especialistas na relação entre alimentação e doenças, entre eles Ronald Krauss, estão decepcionados com essa insistência contínua no colesterol LDL. Em 2006, depois que as diretrizes promovidas por Lichtenstein na AHA desfizeram todo o trabalho de Krauss em prol das gorduras saturadas, ele se sentiu "desencantado com o processo de diretrizes alimentares", segundo me disse, e parou de trabalhar ativamente com a AHA. Em 2011, também abriu mão de uma cobiçada vaga no painel de especialistas do NCEP comandado por Eckel e Lichtenstein, quando percebeu que não poderia concordar com a direção na qual os trabalhos estavam caminhando.

As contribuições intelectuais de Krauss, no entanto, não haviam se esgotado. Depois disso, ele empreendeu um trabalho que solapou ainda mais os fundamentos da hipótese dieta-coração e as alegações contrárias às gorduras saturadas. Essa contribuição teve impacto mais amplo e mais duradouro sobre a comunidade da nutrição.

---

34. O "colesterol não HDL" é calculado subtraindo-se o colesterol HDL do colesterol total. Como acontece com o colesterol LDL, no entanto, sua precisão cai acentuadamente quando o índice de triglicerídeos é alto (Van Deventer et al., 2011).

Krauss revoga a sentença de morte das gorduras saturadas: parte 2

Krauss continuou a raciocinar sobre as consequências de suas pesquisas acerca do colesterol LDL. Em 2000, decidiu fazer uma revisão sistemática de toda a literatura científica sobre as gorduras saturadas. Será que os antigos ensaios clínicos e estudos epidemiológicos que seus colegas citavam com tanta frequência para apoiar a hipótese dieta-coração eram tão sólidos quanto alegavam os especialistas? Krauss não foi a primeira pessoa a tentar fazer essa revisão, o próprio Taubes examinou esses trabalhos para escrever seu livro e outros já o haviam feito antes dele, mas Krauss foi, dentro da ortodoxia da nutrição, o pesquisador mais influente a abraçar essa empreitada.

Em 2009, Krauss me disse que sabia que tinha pela frente "um osso duro de roer", mas o fato é que o processo foi ainda mais dificultoso do que ele imaginava. Ensaios clínicos como o dos Veteranos de Los Angeles, o estudo de Oslo e o estudo dos Hospitais Psiquiátricos Finlandeses (ver o capítulo 3) eram sacrossantos. No decorrer dos anos, revestindo seus argumentos de uma linguagem cuidadosa e adotando o modo de falar de seus adversários, Krauss conseguiu inserir muitas ideias suas nas discussões sobre nutrição. Mas mesmo ele deparou, dessa vez, com uma resistência feroz. Krauss me disse que nunca se sentiu tão frustrado e nunca demorou tanto para conseguir publicar um artigo quanto na tentativa de publicar o que escrevera sobre gordura saturada. Teve de enfrentar "uma série torturante de revisões", primeiro no *Journal of the American Medical Association*, que acabou recusando o artigo, e depois no *American Journal of Clinical Nutrition* (AJCN). A redação do artigo sofreu cinco "grandes permutações" no decorrer de três anos e foi concluída em 2010.

No fim, Krauss acabou publicando dois artigos sobre o que ele e seus colegas haviam descoberto: um que examinava *todos* os dados de estudos epidemiológicos sobre alimentação e doença e outro que examinava *todos* os outros dados, inclusive os estudos clínicos. No primeiro artigo, Krauss e seus colegas concluíram que "a gordura saturada não está correlacionada com um aumento do risco" de doença cardíaca ou derrame. Foi a primeira vez em que um pesquisador analisou todos os estudos epidemiológicos juntos, e Krauss descobriu que eles não forneciam nenhuma prova que incriminasse a gordura saturada.

No segundo artigo, Krauss expôs suas descobertas acompanhadas de um conjunto mais judicioso de ressalvas. Uma das conclusões do artigo era que, a julgar pelo bioindicador tradicional – o colesterol LDL –, a gordura saturada não parecia tão saudável quanto as poli-insaturadas. Mas, ao dizer isso, Krauss estava apenas cumprindo um dever *pro forma*. Não afirmou por escrito o que afirmava pessoalmente: que não acreditava que o colesterol LDL fosse um indicador confiável de doenças cardíacas, exceto para as pessoas cujos índices eram extraordinariamente altos. Com base nos indicadores em que efetivamente confiava – os triglicerídeos e o colesterol LDL pequeno e denso –, Krauss chegou a uma conclusão em que, aí sim, acreditava inequivocamente: que comer gordura saturada é mais saudável do que comer carboidratos. Em outras palavras: queijo é mais saudável que pão, e ovos com bacon são mais saudáveis que mingau de aveia.

Os editores do *AJCN*, cientes de que o artigo de Krauss deixaria a maior parte de seus leitores estarrecida, publicou-o ao lado de um editorial de Jeremiah Stamler, um dos proponentes da hipótese dieta-coração, o qual, aos 91 anos, ainda a defendia com zelo. Nesse longo editorial, intitulado "Dieta-coração: uma revisitação problemática", Stamler disse muitas coisas, entre elas que as conclusões de Krauss eram contrárias a quase todas as recomendações alimentares nacionais e internacionais e, portanto, provavelmente estavam erradas. Esse argumento circular não explicava como a ciência pode corrigir a si mesma se o simples fato de discordar das teorias convencionais é suficiente para tirar a razão e a credibilidade de um pesquisador.

Depois de publicados, no entanto, os dois artigos de Krauss marcaram um ponto de virada nas discussões sobre nutrição. Por causa do prestígio de Krauss, os artigos permitiram que o que antes se sussurrava fosse dito em voz alta e que o que antes era proibido fosse declarado em público.

A Academia de Nutrição e Dietética (a antiga Associação Dietética Americana), por exemplo, organizou em 2010 um encontro chamado "O grande debate das gorduras", evento sem precedentes pelo fato de considerar a salubridade das gorduras saturadas como um tema digno de ser debatido. Um dos quatro palestrantes, Dariush Mozaffarian – um astro em ascensão entre os epidemiologistas de Harvard – anunciou diante de milhares de nutricionistas que, com base numa leitura atual dos dados sobre doença cardíaca e obesidade, os especialistas deveriam voltar a atenção para os carboidratos; "na realidade, já não vale a pena enfocar as gorduras saturadas", ele disse.

De modo geral, tanto nos Estados Unidos quanto no resto do mundo, um número cada vez maior de cientistas vem se mostrando, em anos recentes, dispostos a criticar a ciência que apoia a hipótese dieta-coração. E um número cada vez maior de cientistas faz pesquisas baseadas na hipótese alternativa de Gary Taubes. No entanto, numa situação que pode ser considerada tragicamente paradoxal, as recomendações alimentares oficiais, sob o tacão de Robert Eckel e Alice Lichtenstein, estão caminhando num sentido diametralmente oposto e restringindo ainda mais o consumo de gorduras saturadas.

O resumo do que se descobriu sobre gorduras saturadas nos últimos 50 anos é o seguinte: os primeiros estudos que condenaram a gordura saturada foram malfeitos; os dados epidemiológicos não evidenciam nenhuma correlação negativa; o efeito da gordura saturada sobre o colesterol LDL (quando adequadamente medido em suas subfrações) é neutro; e um número significativo de estudos clínicos feitos nos últimos 10 anos demonstra a ausência de quaisquer efeitos negativos da gordura saturada sobre as cardiopatias, a obesidade e o diabetes. Em outras palavras, sob um exame atento, todos os pontos de apoio da condenação das gorduras saturadas caem por terra. Agora parece que o que sustenta essa condenação não é a ciência, mas gerações e gerações de hábitos e preconceitos – como demonstram as diretrizes da AHA-ACC de 2013, o hábito e o preconceito, embora possam ser derrubados, ainda representam poderosos obstáculos à mudança.

Como estão as coisas hoje

Os norte-americanos seguem zelosamente a recomendação alimentar de restringir a ingestão de gordura e produtos de origem animal há mais de 60 anos, ou seja, desde que a AHA recomendou essa dieta pela primeira vez, em 1961, como a melhor maneira de evitar as doenças cardíacas e a obesidade. Dezenove anos depois, em 1980, as diretrizes do USDA passaram a dizer a mesma coisa. De lá para cá, os dados do próprio governo nos mostram que os norte-americanos reduziram seu consumo de gordura saturada em 11% e de gordura em geral em 5%[35]. O consumo de carne vermelha caiu continuamente; a carne foi substituída pelo frango. De acordo com um relatório do USDA, os norte-americanos também seguiram o conselho oficial de cortar o consumo de alimentos que contenham colesterol, como as gemas de ovo e os frutos do mar, embora se saiba há muito tempo que o colesterol na comida tem pouquíssimo efeito sobre o colesterol no sangue (como foi discutido no capítulo 2)[36]. A justificativa original da diminuição do consumo de gorduras era baixar o colesterol no sangue, e os norte-americanos também conseguiram fazer isso. De 1978 para cá, o índice total médio de colesterol nos adultos norte-americanos caiu de 213 mg/dl para 203 mg/dl. O segmento de norte-americanos com colesterol "alto" (mais de 240 mg/dl) caiu de 26% para 19%. Além disso, a maior parte dessa queda foi devida ao declínio do colesterol LDL, o objetivo mais visado pelas autoridades nos últimos 30 anos. Em 1952, quando Ancel Keys começou a defender a dieta com teor reduzido de gordura, ele previu que, "se a humanidade parasse de comer ovos, leite, laticínios, carnes e todas as gorduras visíveis", as doenças cardíacas se tornariam "muito raras". No entanto, é certo que isso não se verificou.

35. As mulheres se mostraram especialmente obedientes às diretrizes e mantiveram seu consumo no limite inferior da quantidade recomendada de calorias, mas mesmo assim são o grupo que mais sofre com o sobrepeso e a obesidade (Dietary Guidelines Advisory Committee, 2010, pp. 67 e 69).

36. Foi apenas em 2013 que a força-tarefa de Eckel reconheceu discretamente que os indícios em favor da tese de limitar a ingestão de colesterol eram "insuficientes" (Eckel, 2013, p. 18). Essa foi a primeira vez que uma autoridade de saúde admitiu esse fato nos Estados Unidos.

Com efeito, ao longo desses anos, e apesar – ou talvez por causa – desses esforços, a obesidade e o diabetes assumiram proporções epidêmicas nos Estados Unidos: hoje, o CDC estima que 75 milhões de norte-americanos tenham síndrome metabólica, um transtorno do metabolismo da gordura que, na verdade, é aliviado pelo consumo de gordura saturada, a qual eleva o colesterol HDL. E, embora as mortes por doenças cardíacas tenham diminuído de 1960 para cá, isso ocorreu por causa dos aperfeiçoamentos do tratamento médico. Não é possível afirmar com certeza que a *ocorrência* de doenças cardíacas tenha diminuído muito ao longo desse período.

É natural que as autoridades do setor de saúde relutem em assumir a responsabilidade por esse estado de coisas. O mesmo relatório do USDA que documenta o fato de o público ter conseguido aderir a suas diretrizes alimentares deposita redondamente o ônus da culpa pela obesidade e demais doenças nos ombros das crianças e dos adultos norte-americanos, "pouquíssimos" dos quais "hoje seguem as Diretrizes Alimentares do USDA" – uma afirmação que, sem prova alguma, é reiterada ao longo de todo o documento.

As recomendações alimentares que o USDA e a AHA oferecem hoje para resolver os problemas de saúde da nação consistem em basicamente continuarmos fazendo a mesma coisa. Ambas as organizações abrandaram ligeiramente os limites de consumo de gordura. Nas diretrizes mais recentes emitidas pela AHA, a recomendação de consumo diário de gordura passa de 30% das calorias para uma faixa que vai de 25% a 35% – mudança que, para a maioria das pessoas, provavelmente não significa nada. E as mais recentes *Diretrizes alimentares* do USDA, publicadas em 2010, não apresentam nenhum percentual ideal para os três grupos principais de macronutrientes – proteínas, gorduras e carboidratos[37]. No entanto, a proibição da gordura saturada permanece forte; o relatório do USDA continua assumindo a posição de que "uma dieta saudável é uma dieta com alto teor de carboidratos".

....
37. O USDA também abandonou sua famosa pirâmide alimentar, optando por um gráfico mais simples chamado "Meu prato", que tem quatro partes e mais um círculo branco ao lado, que seria um copo de leite, rotulado de "leite e laticínios". A categoria "gorduras e óleos", que ocupava o topo da pirâmide alimentar, desapareceu por completo das novas recomendações.

Índices de obesidade nos Estados Unidos, 1971-2006

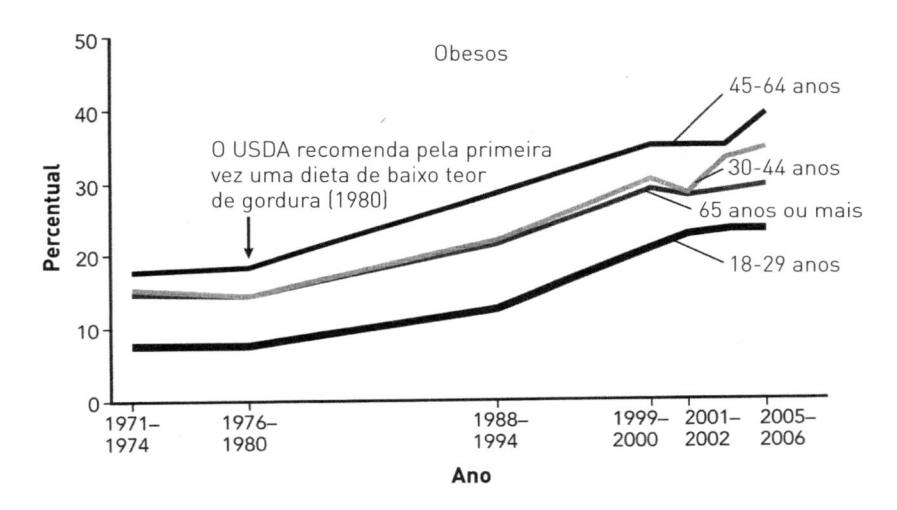

[Gráfico: Percentual de obesos ao longo dos anos 1971-2006, mostrando aumento em todas as faixas etárias (45-64 anos, 30-44 anos, 65 anos ou mais, 18-29 anos). Uma seta indica: "O USDA recomenda pela primeira vez uma dieta de baixo teor de gordura (1980)".]

Fontes: CDC/NCHS, National Health and Nutrition Examination Surveys (NHANES); adaptado de "Health, United States, 2008: With Special Feature on the Health of Young Adults", National Center for Health Statistics.

A obesidade sobe nos Estados Unidos depois de o USDA recomendar uma dieta com baixo teor de gordura e alto teor de carboidratos.

Enquanto isso, os mesmos preconceitos que alimentaram durante tanto tempo a hipótese dieta-coração permanecem vivos e continuam dominando o discurso da ciência da nutrição. Foi assim que, em 2006, quando a Women's Health Initiative concluiu que uma dieta de baixo teor de gordura não afeta em nada as doenças e a obesidade, os pesquisadores que fizeram o estudo, bem como as autoridades da AHA e do NHLBI, liberaram comunicados à imprensa dizendo que esse estudo de meio bilhão de dólares não tinha sido bem-feito o suficiente para que pudéssemos tirar conclusões sobre nossa dieta a partir dele. Em 2010, quando saiu a meta-análise de Krauss com resultados favoráveis à gordura saturada, o *American Journal of Clinical Nutrition* minimizou seu impacto, publicando o editorial crítico de Jerry Stamler como "introdução" ao trabalho de Krauss. E descobertas inconvenientes, como as de Volek e Westman, continuam sendo ignoradas, mal interpretadas e neutralizadas por explicações capciosas dadas pela grande maioria dos especialistas em nutrição.

Além disso, a aliança entre os meios de comunicação e a ortodoxia da nutrição continua forte. Mark Bittman, colunista de gastronomia para o *New York Times*, talvez seja o exemplo mais eminente de uma voz na mídia que estimula uma dieta baseada em frutas e hortaliças e minimiza a importância da carne – função que ele herdou de Jane Brody. Jornalistas e nutricionistas continuam trabalhando juntos para atribuir uma importância indevida a qualquer estudo que pareça condenar quer a carne vermelha, quer a gordura saturada[38]. E o público assimila essa mensagem. os norte-americanos continuam evitando todos os tipos de gordura: o mercado dos "substitutos da gordura", as substâncias para-alimentares que tomam o lugar da gordura nos alimentos processados, continuava crescendo a uma razão de quase 6% ao ano em 2012; a maioria desses substitutos são à base de carboidratos[39].

Se os nutricionistas realmente cometeram um erro ao recomendar que os norte-americanos evitassem a carne, o queijo, o leite, o creme

---

38. Exemplo recente dessa ênfase dada aos estudos anticarne foi a multiplicação das manchetes quando, em 2013, se descobriu que uma substância química chamada colina, presente nos alimentos de origem animal, poderia ser convertida pelo fígado no composto orgânico óxido de trimetilamina (TMAO), que parece causar aterosclerose em ratos. Essa conclusão foi fruto de estudos pequenos, e a atenção que a mídia deu ao fato parece desproporcional. *Nature Medicine*, o periódico que publicou os estudos em questão, também fez propaganda deles: a capa da edição em que foram publicados ostentava uma ilustração sinistra, com duas pessoas de pele escura e aparência alienígena devorando bifes num restaurante. Mais tarde, um crítico assinalou que os alimentos de origem animal com alta proporção de TMAO não eram a carne vermelha e os ovos, mas os peixes e os frutos do mar. De todo modo, os dados que estabeleciam um vínculo entre o TMAO e a aterosclerose em seres humanos ainda eram preliminares. (Estudos sobre o TMAO: Koeth et al., 2013; Wilson Tang et al., 2013. A cobertura da mídia: Kolata, 25 abr. 2013; Kolata, 8 abr. 2013; o "crítico" é Masterjohn, 10 abr. 2013.)

39. A maionese de baixo teor de gordura, por exemplo, contém um substituto da gordura para conservar a cremosidade e a riqueza que se perdem quando esta é removida. Os substitutos mais usados são à base de carboidratos: celulose, maltodextrina, gomas, amidos, fibras e polidextrose.

de leite, a manteiga, os ovos e tudo o mais, esse erro foi monumental. Levando em conta apenas as mortes e as doenças – ou seja, desconsiderando milhões de vidas afligidas pelo sobrepeso e pela obesidade –, é muito possível que as recomendações nutricionais dos últimos 60 anos tenham sido as mais mortíferas de toda a história da humanidade. Hoje temos a impressão de que desde 1961 a população norte-americana vem sendo submetida a um experimento em larga escala que fracassou redondamente. Todos os indicadores confiáveis de uma boa saúde pioram com uma dieta de baixo teor de gordura, ao passo que inúmeros estudos clínicos demonstraram que as dietas ricas em gordura melhoram os indicadores de doença cardíaca, pressão sanguínea e diabetes e são mais propícias à perda de peso. Além disso, está claríssimo que a condenação original das gorduras saturadas foi baseada em dados problemáticos e, no decorrer dos últimos 10 anos, caiu completamente por terra. Apesar dos 2 bilhões de dólares de dinheiro público norte-americano gastos na tentativa de provar que a diminuição do consumo de gordura saturada previne o infarto, a hipótese dieta-coração não se confirmou.

No fim, aquilo que acreditamos ser uma verdade incontestável – a ideia convencional que aceitamos tacitamente – se resume, de fato, a meros 60 anos de pesquisas equivocadas na área da nutrição. Antes de 1961, havia nossos antepassados e suas receitas. Antes disso, havia os antepassados deles, com seus arcos e flechas, suas armadilhas ou seu gado – porém, em se tratando de línguas antigas, velhas canções e artes tradicionais, bastam poucas gerações para que tudo seja esquecido.

CONCLUSÃO

> "Você talvez esteja se fazendo infeliz três vezes ao dia sem motivo algum."
>
> Edward Pinckney, *The Cholesterol Controversy*, 1973

A conclusão a que este livro chega é que uma dieta com maior teor de gordura é, com quase toda certeza, mais saudável sob todos os aspectos do que uma dieta de baixo teor de gordura e alto teor de carboidratos. Uma ciência rigorosa dá apoio a essa afirmação e também conduz, por meio de uma lógica simples, à outra conclusão importante do livro: a de que, a menos que você queira comer como um camponês italiano, bebendo uma tigela de azeite de oliva no café da manhã, a única maneira de consumir gordura suficiente para a boa saúde consiste em ingerir as gorduras saturadas presentes nos alimentos de origem animal. Na prática, isso significa ingerir leite e laticínios não desnatados, ovos e carne – até carne gorda. Em suma: todos aqueles alimentos saborosos e proibidos aos quais renunciamos há tanto tempo. Esses alimentos são elementos necessários de uma dieta saudável.

Nos últimos 10 anos, um grande número de estudos científicos da mais alta qualidade vem se acumulando a ponto de constituir um corpo de indícios quase incontroversos. Demonstrou-se que um regime de alto teor de gordura e baixo teor de carboidratos combate as doenças cardíacas, a obesidade e o diabetes; numa comparação direta, produz resultados melhores que a chamada dieta mediterrânea; e deixa muito para trás a abordagem oficial de baixo teor de gordura que vem sendo recomendada nos países ocidentais há meio século.

No fim, essa dieta de baixo teor de gordura foi péssima para a saúde sob todos os aspectos, como evidenciam a explosão dos índices de obesidade e diabetes e nossa incapacidade de vencer as cardiopatias. Prescrita para o público pela AHA desde 1961 para combater as cardiopatias e adotada pelo USDA em 1980 como plano alimentar oficial para todos os homens, mulheres e crianças do país, esse regime fracassou. Ensaios clínicos rigorosos – o único tipo de experimento científico que pode fornecer "provas" propriamente ditas nessa área – só foram realizados muito tempo depois de a recomendação de corte de gorduras ser dada aos norte-americanos. Nos últimos tempos, contudo, vários estudos desse tipo provaram que a dieta de baixo teor de gordura não combate a obesidade, as doenças cardíacas, o diabetes e nenhum tipo de câncer. E deve-se dizer que a dieta de baixo teor de gordura testada nesses estudos não era a pior possível, repleta de bolachas recheadas e refrigerantes; era o modelo do que ainda hoje nos mandam comer, ou seja, uma dieta com muitas frutas e hortaliças, cereais integrais e carnes magras.

Como é possível que tantas autoridades respeitadas tenham cometido tamanho erro? Essa história é longa e complexa, mas, como em tantas outras tragédias da humanidade, suas raízes são a ambição pessoal e o dinheiro. Este livro está repleto de provas de como essas fraquezas humanas desempenharam seu papel. No entanto, essa história de equívocos nutricionais também teve por trás um elemento mais nobre: o desejo apaixonado, entre pesquisadores de altos princípios, de curar as doenças cardíacas dos norte-americanos. Eles queriam salvar o país. O problema é que, por assim dizer, queimaram a largada e fizeram recomendações oficiais antes que estudos conclusivos fossem realizados[1]. Desconsideraram aqueles que os alertavam de que todas

---

[1]. A recomendação de uma dieta de baixo teor de gordura foi baseada nos dados mais impressionistas que se obtêm por meio de estudos epidemiológicos. Esse tipo de estudo deu origem à maioria das recomendações de saúde que, nos últimos 50 anos, foram feitas e depois desfeitas: a suplementação de vitamina E, a terapia de reposição hormonal e, por que não dizê-lo, a própria dieta de baixo teor de gordura. Uma das

as intervenções médicas devem seguir o princípio basilar do juramento hipocrático: "Primeiro, não prejudicar."

Esse erro original dos proponentes da dieta de baixo teor de gordura se multiplicou de várias maneiras ao longo dos anos: bilhões de dólares foram gastos para tentar provar a hipótese, interesses comerciais se alinharam ocultamente e carreiras científicas se construíram em cima disso. O preconceito se ampliou e se consolidou. Pesquisadores citavam os estudos uns dos outros – estudos sempre inadequados, diga-se – confirmando seus próprios pressupostos como num salão de espelhos. Os críticos foram marginalizados e silenciados. Por fim, todo um universo de especialistas em nutrição começou a acreditar que a carne, o leite e os ovos eram alimentos perigosos e insalubres. Esqueceram-se de todas as vacas que seus ancestrais haviam ordenhado.

A decepção imensa que sobreveio em 2006, quando o maior de todos os estudos clínicos já feitos sobre alimentação não conseguiu demonstrar nenhum efeito positivo da dieta de baixo teor de gordura, deixou os nutricionistas num estado de quase absoluta confusão. Enquanto as autoridades hoje admitem que não se devem impor limites demasiado rígidos à gordura – a AHA e o USDA mudaram discretamente os índices recomendados –, os mais poderosos painéis de especialistas do país voltaram recentemente a recomendar um corte do consumo de gorduras saturadas num nível tão drasticamente baixo que se pode afirmar que não teve nenhum precedente na história, exceto talvez nos períodos de maior pobreza material que assolaram a humanidade.

De acordo com essa recomendação, a dieta ideal (com pouquíssima carne, leite e ovos – quase vegana, na verdade) exige necessariamente que a maior parte das gorduras venha das duas alternativas possíveis: o azeite de oliva e os demais óleos vegetais. O azeite de oliva não parece fazer mal à saúde, embora não se tenha demonstrado que ele tem de

....
conclusões práticas a que o leitor deste livro deve chegar, portanto, é que deve encarar com certo ceticismo os resultados de qualquer estudo epidemiológico. A palavra "correlação" (que, nas notícias de jornal, geralmente se traduz por "está ligado a") é a marca distintiva desse tipo de estudo. O leitor deve dar preferência a artigos que tragam as palavras "ensaio", "experimento" e "causa", ou seja, que usam a linguagem dos estudos clínicos.

fato a propriedade de combater doenças e sua linhagem não seja tão antiga quanto normalmente se supõe. Mas uma das revelações deste livro é que os óleos vegetais poli-insaturados, quando aquecidos na temperatura necessária para fritar alimentos, criam produtos da oxidação que podem fazer um mal imenso à saúde. Esses óleos altamente instáveis estão agora sendo usados tanto nas grandes redes de *fast-food* quanto nos restaurantes caseiros para substituir as gorduras trans. Essa mudança talvez seja lembrada, um dia, como um dos maiores equívocos de saúde pública cometidos em toda a história dos alimentos industriais – apesar de que talvez seja difícil imaginar uma série de consequências inusitadas piores do que as que resultaram do imenso experimento a que toda a população dos Estados Unidos e do mundo ocidental foi submetida quando adotou a dieta de baixo teor de gordura e alto teor de carboidratos nos últimos 50 anos.

A corrida para banir de nossa dieta as gorduras de origem animal nos deixou expostos aos riscos das gorduras trans e da oxidação dos óleos vegetais. Se não tivéssemos abandonado a carne e o leite, poderíamos ainda estar usando banha, sebo e manteiga como nossas principais gorduras alimentares. Essas gorduras são estáveis, não se oxidam e são consumidas desde os primórdios da história humana.

As gorduras de origem animal foram condenadas, a princípio, por seu suposto poder de aumentar os índices de colesterol total e, depois, de colesterol LDL – dois indicadores que, no caso da grande maioria das pessoas, não são nada confiáveis para prever o infarto. Os outros indícios contrários às gorduras saturadas foram obtidos em um pequeno número de estudos clínicos influentes que, como se constatou depois, não eram tão sólidos quanto originalmente se pensava. No fim das contas, o argumento contrário às gorduras saturadas caiu por terra.

Além disso, hoje sabemos que temos muitas outras razões para comer alimentos de origem animal, como carne vermelha, queijo, ovos e leite integral: sua densidade nutricional é particularmente alta, muito mais que a de frutas e hortaliças; eles contêm gorduras e proteínas na proporção que os seres humanos precisam; demonstrou-se que fornecem a melhor nutrição possível para o crescimento e a reprodução saudáveis; as gorduras saturadas são, além disso, os únicos alimentos que aumentam o índice de colesterol HDL, que, como se demonstrou, é um indicador muito mais confiável do que o colesterol LDL no que se refere ao risco de ataque cardíaco. Por fim, as gorduras saturadas, como todas as gorduras, não nos deixam mais gordos.

Por tudo isso, nosso medo das gorduras saturadas não tem razão de ser. Pode ter parecido razoável em outra época, mas hoje só persiste em razão dos preconceitos de pesquisadores, médicos e autoridades de saúde pública: confirma suas ideias preconcebidas. Pesquisadores parciais que escrevem artigos contra a carne conseguem facilmente publicá-los em periódicos sujeitos a revisão paritária e, depois, podem ter certeza de que suas descobertas serão promovidas pelos meios de comunicação, que têm a mesma parcialidade. Temos convivido há tanto tempo com essas parcialidades que achamos quase impossível pensar de maneira diferente. (Na verdade, creio que só consegui escrever este livro porque ingressei na área da nutrição vinda de fora; minha parcialidade era a do americano médio. E, ao contrário dos médicos e dos pesquisadores universitários, não sofro nenhuma das pressões que eles geralmente enfrentam para conseguir publicar seus trabalhos, obter verbas de pesquisa e ganhar promoções.)

Temos excelentes razões para tentar superar o preconceito contra a gordura saturada. A ciência da relação entre alimentação e doenças já não sustenta nenhum argumento convincente contra esse tipo de gordura. E a carne vermelha, o queijo e o creme de leite são deliciosos, no fim das contas! Isso para não mencionar ovos fritos na manteiga, molhos cremosos e a gordura macia de uma carne assada. Os prazeres desses alimentos foram esquecidos há muito tempo, mas eles podem garantir refeições saborosas e profundamente satisfatórias. É recomendável comer não só carnes magras, mas também a gordura da carne, pois ela fornece ao corpo a gordura de que ele precisa e também ajuda a compensar os perigos do excesso de proteínas, que, se não forem associadas a gorduras numa proporção suficiente, podem causar envenenamento por nitrogênio.

Coma manteiga; beba leite integral e dê esse leite a todos os membros da família. Encha a geladeira de queijos cremosos, miúdos, linguiça e – isso mesmo – bacon. Não se demonstrou que *nenhum* desses alimentos cause obesidade, diabetes ou doença cardíaca. Um conjunto cada vez maior de pesquisas recentes apresenta fortes indícios em favor da ideia de que essas doenças são causadas, ao contrário, pelos carboidratos. O açúcar, a farinha branca e outros carboidratos refinados são, com quase toda certeza, os principais motores dessas doenças. Tanto as pesquisas científicas quanto os registros históricos nos levam a concluir que o consumo de carboidratos refinados conduz a um maior risco de obesidade, cardiopatia e diabetes.

A culpa dessas doenças não é da genética: de acordo com o diretor do Projeto Genoma Humano, o número de genes associado a elas é grande demais para ter algum significado. Em 2009, ele escreveu que a quantidade de genes implicada no desenvolvimento dessas doenças crônicas era tão grande que "apontando para tudo, a genética não apontaria para nada". Além disso, nenhum estudo clínico demonstrou que essas doenças sejam causadas por outros fatores ambientais. Somente os carboidratos foram apontados pelos experimentos clínicos como provável causa principal da obesidade, das doenças cardíacas e do diabetes.

Reconheço que essas conclusões parecem contrárias a nossa intuição. Pareciam contrárias a minha intuição quando comecei a fazer as pesquisas que redundaram neste livro. E as implicações dessas conclusões, embora se apoiem numa ciência rigorosíssima, parecem quase impossíveis de acreditar: no fim das contas, uma salada de beterraba com vitamina de frutas é pior para sua silhueta e seu coração do que um prato de ovos fritos na manteiga. Uma salada com carne assada é melhor do que uma porção de homus com bolacha de água e sal. E, na hora do lanche, uma fatia de queijo gordo é melhor que uma fruta.

Além dos lanches, estamos profundamente necessitados de mais alimentos que se encaixem na categoria "saudável" em nossas principais refeições. Algum leitor já reparou que é muito difícil passar a vida inteira jantando apenas hortaliças, peixe e macarrão? Além disso, depois que os peixes se tornaram nossa única "refeição segura", eles estão sendo rapidamente extintos dos oceanos. Um menu mais amplo, que incluísse costeletas de cordeiro, carne de panela e feijoada, nos proporcionaria uma bem-vinda diversidade. Em resumo, o caminho que leva a refeições mais ricas em gordura com alimentos integrais e não processados passa inevitavelmente pelos alimentos de origem animal – e é por isso que foi esse o caminho que os seres humanos preferiram trilhar ao longo de toda a história.

O fato de nossas tradições alimentares não serem vistas pelas lentes de uma perspectiva histórica ampla talvez seja a razão principal pela qual nossa política nutricional se desviou tanto desse caminho. As autoridades nos garantem não haver "registro" de quaisquer "dados" de longo prazo que indiquem que os seres humanos ingeriam uma dieta com alto teor de gordura saturada, e isso significa apenas que não existem estudos clínicos feitos durante mais de dois anos com uma dieta com alta proporção de alimentos de origem animal. Mas esses mesmos especialistas se esqueceram de consultar os registros de quatro milênios de história. Livros de receitas, anais, diários, memórias, romances, listas de alimento para aprovisionamento militar e relatos de missionários, médicos, exploradores e antropólogos – perfazendo juntos um conjunto quase ilimitado de livros, da Bíblia às peças de Shakespeare – deixam claro que os alimentos de origem animal constituem o núcleo principal das refeições humanas há milhares de anos. É verdade que, durante boa parte desse período, a expectativa de vida das pessoas era baixa, mas elas morriam de doenças infecciosas. Sua vida adulta transcorria livre das doenças crônicas com que atualmente temos de lidar – a obesidade, o diabetes e as doenças cardíacas; se os antigos sofriam dessas coisas em alguma medida, não era de modo algum nos índices epidêmicos que nos assolam hoje. Desde a época em que Atena pôs na mesa de Odisseu "os lombos de uma ovelha, de uma cabra gorda e de um grande javali selvagem, rico em banha", e Isaías profetizou no Antigo Testamento que o Senhor "prepara para todos os povos, sobre esta montanha, um banquete de carnes gordas [...] de carnes suculentas", até o dia em que Pip furtou uma torta de carne de porco em *Grandes esperanças*, de Charles Dickens, e uma análise histórica documentou que os norte-americanos do século XVIII costumavam comer três ou quatro vezes mais carne vermelha do que comem hoje, nosso passado escrito tem muito a nos ensinar. A carne foi o alimento central ao longo de toda a história da humanidade, como nos dizem os próprios registros que essa humanidade escreveu. Nós nos pusemos em perigo ao esquecer nossa própria história.

A história nos diz que as doenças cardíacas estão inter-relacionadas com a obesidade, o diabetes e outros males crônicos. Essa constelação de problemas médicos crônicos, hoje chamada de síndrome metabólica, já foi denominada "sexteto da obesidade", "doenças ocidentais", "doenças da civilização" ou, no comecinho do século XX, quando as colônias inglesas foram tomadas de assalto por cargas e mais cargas de açúcar, "doenças sacarinas". Como vimos, as conclusões tiradas dessa história coincidem perfeitamente com os resultados dos melhores e mais cuidadosos estudos clínicos realizados nos últimos 10 anos. As observações são compatíveis; não há paradoxos a serem explicados. Caso sejamos capazes de associar as lições da ciência com as da história, talvez nos seja possível tomar decisões mais esclarecidas sobre o que fazer para chegar à cura das doenças crônicas.

UMA OBSERVAÇÃO SOBRE CARNE E ÉTICA

Neste livro, não discuti as profundas implicações éticas e ambientais das conclusões que tirei de minhas pesquisas. Muita gente reluta em comer animais, e isso é compreensível. Antigamente, as culturas humanas elaboravam ritos complexos em torno do ato de pedir perdão antes de matar animais para servirem de alimento. Já não dispomos desses atos sagrados para nos reconciliar com nossa necessidade biológica de comer, e isso nos desorienta. Também as questões ambientais são complicadas: as vacas produzem metano, um dos gases do efeito estufa, e consomem uma quantidade de recursos relativamente grande em comparação com o cultivo de frutas e hortaliças; por outro lado, a carne vermelha talvez seja mais densa em nutrientes por unidade de recursos consumidos, e também proporciona nutrientes que não se encontram nos alimentos de origem vegetal. Assim, é possível que a boa saúde dos habitantes de um país que coma mais carne possa redundar numa economia dos gastos com assistência médica, equilibrando as contas em geral. E proponho um experimento mental: o que aconteceria se voltássemos a comer banha e sebo, reduzindo assim a carga que impomos à terra para cultivar a soja, a colza, o algodão, a açafroa e o milho que transformamos em óleos vegetais? Essas questões são todas complexas e vão além do que me propus tratar neste livro. Tentei explorar aqui quais tipos de gordura alimentar são bons para a saúde humana – e nada mais. Num país como os Estados Unidos, assolado por doenças crônicas, os dados científicos relacionados a essa questão me pareceram um bom ponto de partida.

Agradecimentos

Este livro tomou conta de quase 10 anos de minha vida. Sustentou-me intelectualmente e mudou de modo fundamental os contornos de meu pensamento; ao mesmo tempo, foi um esforço tremendo que exigiu de minha família um apoio enorme ao longo desses anos. Assim, agradeço acima de tudo a meu marido, Gregory, e a meus filhos, Alexander e Theo. Mesmo quando o livro lhes atrapalhava a vida, meus filhos o defendiam e falavam bem do bacon na frente de seus professores. Renunciavam a minha companhia para que eu pudesse trabalhar ("Quantas páginas faltam, mamãe?") e me fortaleciam de todas as maneiras possíveis. Gregory, além de servir de caixa de ressonância para minhas ideias, foi quem sustentou nossa família e foi meu editor, meu encorajador, meu conselheiro e meu amor constante, a quem eu não poderia ser mais grata do que sou. Embora ele ainda traga chicletes clandestinamente para dentro de casa, é óbvio que este livro é dedicado a ele.

Fora de minha família, há algumas outras pessoas sem as quais este livro nunca teria existido. Uma delas é minha amiga e empresária Tina Bennett, que deu forma a este livro, promoveu-o e, quase sozinha, o manteve vivo ao longo de tantos anos. A seu entusiasmo fiel e sua bondade abundante somam-se um domínio absoluto de todos os aspectos de edição e publicação de livros e um olhar certeiro para problemas de texto. Cheia de sabedoria e tato, ela sempre tinha a palavra exata para resolver cada situação; eu não seria capaz de imaginar nenhum aspecto deste empreendimento sem a presença dela. Sua assistente Svetlana Katz foi, em todas as situações, uma presença calorosa, versátil e astuta.

Outra pessoa essencial foi Emily Loose, a primeira a identificar o potencial do livro e a me dar a confiança de que eu seria capaz de escrever algo que valesse a pena.

Depois, tive a grande sorte de encontrar minha editora, Millicent Bennett, que trabalhou de forma incansável para transformar meu manuscrito num argumento coerente. Foi infinitamente generosa, sensata e perseverante ao fazer o trabalho de edição deste livro. Ela é um modelo de rigor e pensamento lógico. Meu muito obrigada, querida Millicent.

O livro nasceu de uma reportagem sobre as gorduras trans cuja pauta me foi dada pela inteligente e tranquila Jocelyn Zuckerman, editora da revista *Gourmet*. Depois, essa reportagem foi publicada, com toda a coragem, por Ruth Reichl. Agradeço às duas por terem me posto nesse caminho, coisa que nenhuma de nós poderia jamais ter previsto. No começo, as pessoas que mais abriram meus olhos para a ideia de que a política nutricional norte-americana poderia estar drasticamente errada foram Mary Enig, Fred Kummerow e Gary Taubes. Conversando com eles e aprendendo sobre a ciência da nutrição, comecei a vislumbrar a imensa dimensão dessa história, a qual, como é óbvio, despertou meus instintos jornalísticos. Entrei então num estado de pesquisas que pode ser chamado de "compulsão completa", durante o qual senti a necessidade de desenterrar *todos* os estudos sobre nutrição feitos nos últimos 60 anos e investigar todas as pistas. Por essa tendência a um detalhismo rigoroso, esse amor pela análise e essa independência mental, agradeço a meus pais Susan e Paul Teicholz. Essa compulsão, entretanto, é uma coisa completamente minha. Talvez se explique por um desejo de descobrir a verdadeira razão das coisas.

Sou profundamente grata às muitas autoridades e pesquisadores, tanto nas empresas alimentícias quanto na academia, que cederam seu tempo e seu conhecimento para ajudar a trilhar este caminho. Entre os que se esforçaram de modo especial para responder a minhas perguntas ou que me ofereceram algum tipo de ajuda extraordinária, devo mencionar Tom Applewhite, Christos e Eleni Aravanis, Henry Blackburn, Tanya Blasbalg, Bob Collette, Greg Drescher, Jørn Dyerberg, Ed Emken, Sally Fallon, Anna Ferro-Luzzi, Joe Hibbeln, Stephen Joseph, Ron Krauss, Gil Leveille, Mark Matlock, Gerald McNeill, Michael Mudd, Marion Nestle, Steve Phinney, Uffe Ravnskov, Robert Reeves, Lluis Serra-Majem, Bill Shurtleff, Sara Baer-Sinnott, Allan Sniderman, Jerry Stamler, Steen Stender, Kalyana Sundram, Antonia Trichopoulou, Jeff Volek, Eric Westman Bob Wainright, Catherine Watkins, Lars Wiedermann, George Wilhite e Walter Willett. Boa parte dessas pessoas não vai concordar com certos aspectos deste livro, mas espero que todas reconheçam que me esforcei honestamente para apresentar de modo imparcial as provas científicas. A todas, agradeço sinceramente.

Várias pessoas leram na íntegra ou em parte o manuscrito do livro e me sugeriram correções: Michael Eades, Ron Krauss, George Maniatis, Lydia Maniatis, Stephen Phinney, Chris Ramsden, Jeremy Rosner, David Segal, Christopher Silwood, Gary Taubes, Leslie A. Teicholz, Eric Westman e Lars Wiedermann. Sou-lhes extremamente grata pelo tempo e pela ponderada atenção que dedicaram ao material, bem como pelo esforço extraordinário que alguns deles empenharam a fim de que eu pudesse cumprir os prazos editoriais.

AGRADECIMENTOS

Considero-me extremamente sortuda por fazer parte da equipe de autores da Simon & Schuster. John Karp me ofereceu caloroso apoio; Anne Tate é uma mestra da publicidade, e a espirituosa Dana Trocker é uma maravilha do *marketing*. Também integravam a equipe da S&S com quem trabalhei: Alicia Brancato, Mia Crowley-Hald, Gina DiMascia, Suzanne Donahue, Cary Goldstein, Irene Kheradi, Ruth Lee-Mui e Richard Rhorer. Sou profundamente grata a todos e à equipe da Dix, imensamente cuidadosa e meticulosa. Agradeço, ainda, ao sempre eficiente e amável Ed Winstead.

Minha equipe de ajudantes pessoais foi integrada por Linda Sanders, que localizou centenas de artigos científicos sem parar de fazer a faculdade de medicina, CJ Lotz, Malina Welman, Madeline Blount e Hannah Bruner. Agradeço também a Bill e Tia Shuyler pelo trabalho em meu site e nas mídias sociais.

Por sua amizade ao longo dos anos, sobretudo à medida que esses anos foram se alongando e as amizades foram ganhando um aspecto de sacrifício, agradeço a Ann Banchoff, Cleve Keller, Charlotte Morgan, Sarah Murray, Marge Neuwirth, Lauren Schaffer, David Segal, Jennifer Senior e Lisa Waltuch. Sempre que saía de minha caverna para ficar na companhia de vocês, eu ganhava uma dose essencial de sanidade.

Além disso, como sabem todos aqueles que têm filhos novos, poder se dedicar a trabalhos de nosso próprio interesse é um luxo. Eu jamais poderia ter dedicado tantas horas a este trabalho de consciência tranquila não fosse pela ajuda de Iulianna Kopanyi e Éva Kobli-Walter, que cuidaram de meus meninos com devoção e de tantas maneiras aliviaram tremendamente minha carga.

À minha família dedico minha gratidão mais intensa: a meus pais, por seu amor e tolerância ilimitados; a Marc e Leslie, por razões profundas demais para serem postas em palavras; e, mais uma vez, a Theo, Alexander e Gregory pela paciência e pela constante lealdade.

Glossário

AAP – American Academy of Pediatrics [Academia Americana de Pediatria], a maior associação profissional de pediatras nos Estados Unidos.

Ácidos graxos – Cadeias de átomos de carbono rodeadas de átomos de hidrogênio. Os ácidos graxos podem ser saturados ou insaturados. Três ácidos graxos unidos na forma de um tridente formam um triglicerídeo.

AHA – American Heart Association [Associação Americana do Coração], a mais antiga organização de voluntários que se dedica a combater as doenças cardíacas e os derrames nos Estados Unidos; é também a maior associação sem fins lucrativos do país.

Colesterol HDL – O tipo de colesterol que, transportado por lipoproteínas de alta densidade, é considerado "bom", pois as pessoas em quem o índice de colesterol HDL é maior tendem a ter baixo risco de sofrer de doenças cardíacas. O colesterol HDL é uma fração do colesterol total.

Colesterol LDL – O tipo de colesterol que, transportado por lipoproteínas de baixa densidade, é considerado "ruim", pois as pessoas em quem o índice de colesterol LDL é maior tendem a ter alto risco de sofrer de doenças cardíacas.

Dieta de baixo teor de gordura – Geralmente se define como uma dieta em que de 25% a 35% das calorias são ingeridas na forma de gordura. A dieta de baixo teor de gordura é diferente da dieta "prudente", que restringe as gorduras saturadas e o colesterol encontrado em ovos, alimentos de origem animal e frutos do mar, mas não restringe a gordura em geral.

Dieta prudente – A primeira dieta oficialmente recomendada para a prevenção das doenças cardíacas nos Estados Unidos. Foi muito utilizada nesse país entre o fim da década de 1940 e a década de 1970, quando foi substituída pela dieta de baixo teor de gordura. A dieta prudente restringia o consumo de gorduras saturadas e do colesterol encontrado em ovos, frutos do mar e outros alimentos de origem animal; mas, ao contrário da dieta de baixo teor de gordura, não restringia a ingestão de gordura de modo geral. A típica dieta prudente tinha 40% de suas calorias na forma de gorduras.

Dietary Goals for the United States – Metas alimentares para os Estados Unidos. As cinco metas postuladas em 1977 pela Comissão do Senado Americano para Nutrição e Necessidades Humanas (o chamado "Relatório McGovern").

Dietary Guidelines for Americans – Diretrizes alimentares para os norte-americanos. Uma série de relatórios periódicos iniciada em 1980 e realizada conjuntamente pelo US Department of Agriculture (USDA) e pelo US Department of Health and Human Services (HHS), que traz recomendações de nutrição em vista da boa saúde do povo norte-americano. A pirâmide alimentar do USDA era baseada nessas diretrizes.

Estudo clínico – Um tipo de estudo cujos participantes são distribuídos em grupos que receberão uma ou mais intervenções, de modo que os pesquisadores possam avaliar os efeitos dessas intervenções sobre sua saúde. O estudo "randomizado" ou "aleatorizado" é aquele em que os participantes são distribuídos por acaso entre os diferentes grupos. O estudo "controlado" é aquele em que há um grupo de controle que não é objeto de intervenção alguma. O "estudo clínico randomizado e controlado" é considerado o padrão superior e a prova definitiva em matéria de ciência de modo geral.

Estudo da Saúde das Enfermeiras – Nurses Health Study, o maior e mais longo estudo epidemiológico já feito nos Estados Unidos. Iniciado em 1976, o estudo ("Nurses I") foi expandido em 1989 ("Nurses II") e, ao todo, já acompanhou mais de 200 mil mulheres. "Questionários de frequência alimentar", sobre alimentação e estilo de vida, são enviados às participantes a cada dois anos; o preenchimento é voluntário. O estudo é custeado pelo NIH e dirigido por Walter C. Willett, da Escola de Saúde Pública de Harvard.

Estudo de caso-controle – Um tipo de estudo epidemiológico em que sujeitos de pesquisa em quem foi diagnosticada uma doença são comparados com um grupo de controle de modo que se possa fazer uma avaliação dos fatores de risco (como dieta, exercícios físicos, colesterol no sangue) que, em geral, é retroativa. Esse tipo de estudo é relativamente barato, visto que os sujeitos são, em geral, avaliados uma única vez e não são acompanhados no decorrer do tempo.

Estudo epidemiológico – Um tipo de estudo que avalia a incidência de doenças ou outros problemas numa população. A epidemiologia nutricional envolve o estudo da dieta de uma população – estudo esse que às vezes é feito apenas periodicamente – e a comparação das informações assim obtidas com eventuais ocorrências de saúde. Os estudos epidemiológicos demonstram correlações, mas não evidenciam relações causais. Também são chamados de estudos "de observação".

GLOSSÁRIO

FDA – Food and Drug Administration [Administração de Alimentos e Medicamentos], um órgão do HHS. A FDA é encarregada de zelar pela salubridade dos alimentos nos Estados Unidos.

Gorduras insaturadas – As gorduras cujas moléculas de ácidos graxos contêm uma (gorduras monoinsaturadas) ou mais (gorduras poli-insaturadas) ligações duplas.

Gorduras monoinsaturadas – Gorduras cujas moléculas contêm apenas uma ligação dupla cada uma. A gordura monoinsaturada mais comum é chamada "ácido oleico" e é particularmente abundante no azeite de oliva.

Gorduras poli-insaturadas – Gorduras cujas moléculas contêm múltiplas ligações duplas. Muitas gorduras poli-insaturadas são óleos vegetais, como os de soja, milho, açafroa, semente de girassol, semente de algodão e colza, sendo este o principal óleo presente no óleo de canola.

Gorduras saturadas – As gorduras cujas moléculas não têm ligações duplas. São encontradas predominantemente em alimentos de origem animal, como ovos, leite e carne, bem como nos óleos de coco e dendê.

Gorduras trans – As gorduras cujas moléculas de ácidos graxos contêm uma ligação dupla na configuração "trans". A ligação "trans" cria uma molécula em forma de zigue-zague, permitindo que as moléculas adjacentes se encaixem confortavelmente umas às outras, resultando numa gordura capaz de permanecer sólida em temperatura ambiente. O outro tipo de ligação dupla, chamado "cis", cria moléculas em forma de U que não se encaixam entre si e, portanto, assumem a forma de óleos (gorduras líquidas).

Ligação dupla – Termo químico que se refere ao modo pelo qual dois átomos se ligam entre si. Uma ligação dupla é como se dois átomos se dessem as duas mãos. As moléculas de ácidos graxos que têm uma ou mais ligações duplas são chamadas "insaturadas" e constituem o tipo de molécula encontrado de modo predominante no azeite de oliva e nos demais óleos vegetais, ao passo que os ácidos graxos sem ligações duplas são chamadas "saturados" e prevalecem nas gorduras de origem animal. As ligações duplas existem em duas formas: as "trans" e as "cis".

NCEP – National Cholesterol Education Program [Programa Nacional de Educação sobre o Colesterol], um programa administrado pelo NHLBI, um órgão do NIH. O NCEP foi criado em 1985 nos Estados Unidos com o objetivo de informar os norte-americanos sobre os meios de evitar as doenças cardiovasculares ateroscleróticas. Até 2013, o NCEP foi responsável pela publicação das diretrizes mais influentes do país, dirigidas aos médicos, sobre como baixar os índices de colesterol por meio da alimentação e/ou de medicamentos.

NHI – National Heart Institute [Instituto Nacional do Coração], um órgão do NIH dedicado ao combate contra as doenças cardiovasculares nos Estados Unidos. Fundado pelo presidente Harry S. Truman em 1948, teve seu nome mudado para NHLBI, em 1969.

NHLBI – National Heart, Lung, and Blood Institute [Instituto Nacional do Coração, do Pulmão e do Sangue], o órgão do NIH dedicado à prevenção e ao tratamento das doenças do coração, do pulmão e do sangue nos Estados Unidos. Antes de 1969, chamava-se NHI.

NIH – National Institutes of Health [Institutos Nacionais de Saúde], o principal órgão governamental responsável por pesquisas médicas e biomédicas nos Estados Unidos, sediado em Bethesda, Maryland.

OMS – Organização Mundial de Saúde, o órgão da Organização das Nações Unidas (ONU) dedicado à saúde pública internacional.

Triglicerídeos – Uma forma de ácidos graxos que circulam no corpo. Os triglicerídeos são compostos de três moléculas de ácidos graxos unidas em suas pontas por uma molécula de glicerol em forma de tridente. Desde a década de 1940 que um índice alto de triglicerídeos no sangue é considerado um indicador de doença cardíaca.

USDA – United States Department of Agriculture [Departamento de Agricultura dos Estados Unidos]. Desde 1980 o USDA é coautor das *Dietary Guidelines for Americans*. Entre 1992 e 2011, publicou sua pirâmide alimentar com base nessas diretrizes. Depois, a pirâmide foi substituída por um gráfico chamado "My Plate" [Meu prato].

WHI – Women's Health Initiative [Iniciativa de Saúde da Mulher]. O maior estudo clínico já feito sobre a dieta de baixo teor de gordura, no qual quase 50 mil mulheres foram estudadas ao longo de sete anos e cujos resultados foram publicados em 2006. Esse estudo, financiado pelo NIH a um custo estimado de mais de 700 milhões de dólares, foi realizado em centros de saúde de todos os Estados Unidos e suas participantes foram divididas em três grupos com três intervenções diferentes: terapia de reposição hormonal, suplementação de cálcio/vitamina D e dieta de baixo teor de gordura.

Permissões e autorizações

p. 34 O gráfico de Keys, 1952
Copyright © Journal of Mt. Sinai Hospital, Nova York, 1953. Material reproduzido mediante permissão da John Wiley & Sons, Inc.

p. 41 Yerushalmy e Hilleboe: dados de 22 países
Reimpresso com permissão da Medical Society of the State of New York.

p. 61 Ancel Keys na capa da *Time*: 13 jan. 1961
Da revista *TIME*, 13 jan. 1961 © 1961, Time Inc. Usado mediante licença.

p. 63 Cartum sobre riscos e benefícios
Reimpresso mediante permissão de S. Harris.

p. 79 Cartum sobre as mudanças da doutrina sobre o colesterol
Reimpresso por cortesia de Harley Schwadron.

p. 101 Consumo de gorduras nos Estados Unidos, 1909-99
The American Journal of Clinical Nutrition (2011, v. 93, p. 954), American Society for Nutrition. Reimpresso mediante permissão.

p. 103 "Leve este anúncio a seu médico", Mazola, 1975
Reimpresso mediante permissão de ACH Food Companies, Inc.

p. 140 Disponibilidade e consumo de carne nos Estados Unidos, 1800-2007: total, carne vermelha e aves
Reimpresso mediante permissão da Cambridge University Press.

p. 141 Disponibilidade de carne nos Estados Unidos, 1909-2007: total, carne vermelha e aves
Reimpresso mediante permissão da Cambridge University Press.

p. 160 "Conferência do Consenso" do NIH: *Time*, 26 mar. 1984
Da revista *TIME*, 26 mar. 1984 © 1984, Time Inc. Usado mediante licença.

p. 168 Cartum de um restaurante
Reimpresso mediante permissão de S. Harris.

p. 208 Cartum sobre a dieta de baixo teor de gordura
Reimpresso por cortesia de Harley Schwadron.

p. 212 Antonia Trichopoulou
Reimpresso mediante permissão de Antonia Trichopoulou.

p. 215 Ancel Keys e colegas passeando pelo sítio arqueológico de Cnossos
Reimpresso mediante permissão de Christos Aravanis.

p. 218 Anna Ferro-Luzzi
Reimpresso mediante permissão de Anna Ferro-Luzzi.

p. 226 Pirâmide da Dieta Mediterrânea
Copyright © Oldways (www.oldwayspt.org). Reimpresso mediante permissão de Oldways.

p. 229 Walter Willett e Ancel Keys, Cambridge, Massachusetts, 1993
Copyright © Oldways (www.oldwayspt.org). Reimpresso mediante permissão de Oldways.

p. 276 Anúncio de Sokolof publicado no *New York Times*, 1º nov. 1988
Copyright © the National Heart Saver Association. Reimpresso mediante permissão.

p. 279 Consumo de óleo vegetal nos Estados Unidos, 1909-99
The American Journal of Clinical Nutrition (2011, v. 93, p. 954), American Society for Nutrition. Reimpresso mediante permissão.

p. 345 Cartum da dieta dos esquimós
Reimpresso mediante permissão de S. Harris.

p. 393 Capa da *The New York Times Magazine*, 7 de julho de 2002
De *The New York Times*, 7 jul. 2002 © 2002 *The New York Times*. Todos os direitos reservados. Usado com permissão e protegido pelas leis de direitos autorais dos Estados Unidos. São proibidas a impressão, a cópia, a redistribuição e a retransmissão deste conteúdo sem expressa permissão por escrito.
Fotografia © Lendon Flanagan. Reimpresso mediante permissão.

Índice remissivo

Os números de página em itálico indicam as ilustrações.

"A definição da Dieta Mediterrânea precisa ser atualizada?" (Serra-Majem), 267
Academia de Nutrição e Dietética, 390
Academia Nacional de Ciências, 4, 201
   e as crianças, 179, 181
   e as gorduras trans, 320
   e as questões políticas, 150, 179
açafroa, óleo de açafroa, 9, 30-1, 102, 213, 239, 338, 404
ácido linoleico, 296n6, 334, 339
acroleína, 338
açúcar, 128, 142, 248n21, 358-61, 398, 402-3
   e a AHA, 164-5, 376
   e a dieta de baixo teor de carboidratos, 350-1
   e a dieta mediterrânea, 226, 267
   e as doenças cardíacas, 37, 41-2, 50-2, 318, 359
   e as questões políticas, 126n1, 145
   e o câncer, 203, 360
   e o estudo dos Sete Países, 50-1, 267
   e o USDA, 225
   e os inuítes, 358-9
   e Taubes, 374-5
adventistas do sétimo dia, estudo dos, 130-2
África, 36, 100, 191, 218n2, 360
   consumo de carne na, 13-5, 17-8, 27, 74, 174-5
   estudos de Mann na, 13-6, 24
Ahrens, E. H. "Pete", 30-2, 62, 69-73, 84-5n10, 348, 373
   e a Conferência do Consenso, 161-2
   e a dieta prudente, 123
   e a hipótese dieta-coração, 69, 85, 123, 161-2
   e as cardiopatias, 69-70, 148
   e as questões políticas, 145, 148-9
   e Keys, 38, 69
   e o colesterol, 32, 38, 69
   e os carboidratos, 69
   e os lipídios, 30, 32

e os triglicerídeos, 70, 194
e Stamler, 72-3
akikuyus, 174-5, 175n9
Albrink, Margaret, 70-1
álcool, 37, 120n16, 249, 351
ver também vinho
aldeídos, 334n16, 336-40, 342
Alemanha, 33n6, 41, *41*, 45, 105, 231, 248-9n22, 357
  e a dieta de baixo teor de carboidratos, 350
  e a obesidade, 353-5, 373
  e as crianças, 176-7, 191
alimentos de alto teor de gordura, 258, 402
alimentos de baixo teor de gordura, 7, 139, 164-7, 188, 191-2, 210, 394n39
alimentos protetores, 180-1, 250
Allbaugh, Leland G., 267
alta adesão, grupo de, 207
altura corporal, 35, 150, 174, 179, 266
  e as crianças, 186, 192
American Academy of Pediatrics (AAP), 178, 181, 187, 188-92
American College of Cardiology (ACC), 384-7, 390
American Diabetes Association (ADA), 368
American Heart Association (AHA), 46, 90, 109, 175, 307, 331n12
  e a dieta de baixo teor de gordura, 5, 60, 110, 127, 164-6, 176, 205, 208, 238, 252, 259, 289, 366, 371, 395, 398-9
  e a dieta mediterrânea, 238, 252n25
  e a hipótese dieta-coração, 57, 59-60, 62, 81, 83
  e as crianças, 178, 183
  e as doenças cardíacas, 57-60, 62, 82, 102, 125, 176-7, 196, 290, 384-5, 391-3, 398

  e as gorduras saturadas, 59-60, 289, 366, 382-3, 386
  e as gorduras trans, 291, 292, 294n5
  e as questões políticas, 82, 125-8, 147, 153
  e Keys, 57, 59-60, 81, 83, 148
  e Krauss, 378, 382-4, 385
  e Mann, 81-2
  e o colesterol, 59, 62, 63, 110, 196, 212, 378-81, 384-7
  e o NHLBI, 82-4, 161-2
  e o presidente Eisenhower, 58, 59n1, 82
  e os óleos hidrogenados, 103, 290-1, 294
  e os óleos vegetais, 100-3, 290, 331, 341
  e White, 39, 58, 83-4
  recomendações alimentares da, 4, 15, 58-60, 62, 100-1, 109-10, 125-7, 147, 164-5, 175, 205, 208-9, 212, 238, 252n25, 259, 289-91, 331, 335, 343, 347, 366, 368n16, 371, 376, 382-7, 391, 394-5, 398
  verbas para pesquisa da, 57-8, 82, 83, 109-10, 165-6, 252n25, 366, 368n16, 370-1, 378n27, 395
American Journal of Cardiology, 230, 254n26
American Journal of Clinical Nutrition (AJCN), 65, 73, *101*, 227, 254n26, 279, 388, 393
American Oil Chemists' Society (AOCS), 290, 298n7, 339
American Soybean Association (ASA), 278-81, 283-5
amidos, 350, 359, 376-7, 394n39
Anderson, Clayton & Company, 110, 286, 294
Anitschkow, Nikolaj, 26

Applewhite, Thomas H.:
  e as gorduras trans, 295, 297-8, 300-1, 308
  seus conflitos com Enig, 297-8, 300
Aravanis, Christos, 231, 234, 260n31, 266
Archer Daniels Midland (ADM), 322, 327, 339-41
arroz, 5, 17, 71, 190, 191, 226, 361
artérias, 18, 172n7, 275, 327, 380n29
  e as crianças, 176, 182, 188
  e as doenças cardíacas, 24-6, 37, 61, 64
  e as gorduras trans, 290, 293
  e o colesterol, 25-6, 61, 64, 195
  Ornish e as, 170-2
  ver também arteriosclerose e aterosclerose
arteriosclerose, 357-8
Associação Dietética Americana, 346, 390
Associação Médica Americana (AMA), 151-2, 239, 348
Associação Nacional dos Fabricantes de Margarina, 297, 306n11, 313, 320
Associated Press, 83n9, 304
aterosclerose, 18, 24n2, 41, 78, 90, 172n7, 193, 296, 337, 394n38
  e as crianças, 176-7, 182
  e Keys, 33-4, 43, 51
  e o colesterol, 27
Atkins, Robert C., 7, 169, 175, 344-50
  e Ornish, 346-7, 365
  empresa de suplementos dietéticos, 345, 349
  morte, 349, 368n16
  recomendação de uma dieta de alto teor de gordura, 344-7, 349, 362-4, 366, 370, 372
Austrália, 20, 34, 41, 187

Áustria, 41, 353-5, 373
aves, carne de, 136, 145
  e a dieta mediterrânea, 211, 226, 249, 256n28, 262
  e o USDA, 225
  e os estudos clínicos, 89, 256n28
  história do consumo das, 139, 140, 141
  ver também frango; peru
azeite de dendê:
  campanhas contra o, 275-8, 280-1, 282-6
  como alternativa às gorduras trans, 324, 326, 330
  da Malásia, 280-1, 284-6, 332
  defesa do, 281-6
  e as gorduras saturadas, 9, 30, 278, 383
azeite de oliva, azeitona, 31, 102, 233-46, 266-70, 281, 329, 397
  e a dieta mediterrânea, 1, 210-4, 217, 219-20, 223-4, 226, 227, 234, 236-40, 242, 246, 250, 252-5, 256n28, 257-8, 264, 266-8
  e a Oldways, 233-6
  e as doenças cardíacas, 45, 242-3, 399
  e as gorduras monoinsaturadas, 9, 19n4, 30, 104, 226, 239n15, 244, 253, 338
  e as gorduras trans, 304-5, 308
  e as pesquisas científicas, 45, 217, 234-5, 240-6, 252-5, 256n28, 257-8, 308
  efeitos do, sobre a saúde, 7, 217, 239-44, 268
  extravirgem, 241, 244, 258
  no decorrer da história, 104, 240, 245-6, 268

bacon, 5, 12, 62, 63, 68, 70, 122, 159, 160, 347, 389, 402

Bacon, Francis, 68
balas e doces, 105, 165, 273, 351
baleia, óleo de, 100
banha suína, 31-2, 98, 104, 107n9, 263, 271, 273, 275, 336, 339, 342, 400, 403-5
   comparações entre a Crisco e a, 105-7
   e as alternativas às gorduras trans, 323-5
   e as doenças cardíacas, 51, 66
   e as gorduras insaturadas, 9, 19n4
   história do consumo da, 139
   seu consumo nos Estados Unidos, *101*, 101
Banting, William, 350-1, 357, 362, 367n15
bardis, 20
Barker, J. Ellis, 360
batatas, 136, 218, 224, 235, 249, 323
batatas fritas, 99, 128, 205, 337, 340n20, 359
   e os óleos hidrogenados, 273, 285
Beauchamp, Gary, 244
Best Foods, 287-8, 306
Bíblia, 129-30n4, 403
biscoitos, 99, 169, 272, 273, 352n4
   de baixo teor de gordura, 165-7
   e as alternativas às gorduras trans, 323, 325, 329
   e as gorduras trans, 302, 316, 323, 325-6
   e os óleos tropicais, *276*, 277, 283
Bittman, Mark, 15, 394
Blackburn, Henry W., 24, 230, 231, 260n31
   e as críticas a Keys, 42
   e o estudo dos Sete Países, 44-5, 46, 49n12, 234
Bloch, Abby, 348

Boeing Employees Fat Intervention Trial (BeFIT), estudo, 193-4, 198-200, 204
Bogalusa, Estudo do Coração de, 185-6
bolachas, 99, 128, 272, 309, 323, 329, 402
   de baixo teor de gordura, 165-7
   e os óleos tropicais, *276*, 277, 283
British Medical Journal (BMJ), 18, 177, 254, 377
Brody, Jane, 136, 167, 394
   e a hipótese dieta-coração, 63
Brown, Michael, 197
Burger King, 275, 332, 333n13, 340n20
Byers, Tim, 206

cabras, 13, 262-3, 403
caça, 11-2, 20-1, 137, 395
café da manhã, 5, 40, 63, 70, 122, 135, 180, 347, 397
Calábria, 264-7
cálcio, 13, 180, 293
   e as crianças, 178, 184
   e as mulheres, 204, 380n29
calorias, 15, 123, 168-9n3, 315, 371-2n22
   de carboidratos, 35, 127, 145, 165, 169, 353, 377
   de gorduras, 5, 11, 14, 33, *34*, 35, *41*, 47, 59-61, 67, 99, 112, 127, 164, 183-5, 187-92, 194, 199, 205, 220-1, 226n1-3, 256n28, 272, 282, 301, 309n12, 320n5, 331, 343, 356, 369, 384-6, 392
   e a dieta mediterrânea, 250, 256n28
   e a obesidade, 376, 391n35
   e as doenças cardíacas, 65, 123
   e as mulheres, 100, 203, 256n28
   e o diabetes, 376
   restrição de, 70, 120n16, 123, 350-3, 366, 391n35

ÍNDICE REMISSIVO

Canadá, 11, 34, 41, 104n4, 322, 358-9
Cancer (Baker), 360
câncer, 7, 17-8, 33, 47, 201-10, 358
  colorretal, 134, 204-5
  de mama, 201-6, 242
  de próstata, 131
  do cólon, 113, 201
  do endométrio, 131, 205
  do pulmão, 52, 112, 316, 334n15
  e a ciência da nutrição, 15-6
  e a dieta de baixo teor de gordura, 6, 398
  e as alternativas às gorduras trans, 330
  e as gorduras poli-insaturadas, 152, 203, 341
  e as gorduras trans, 297
  e as mulheres, 131, 201-6, 334n15
  e as questões políticas, 135, 152
  e o colesterol, 113-5
  e o preconceito contra a carne, 131-2, 134
  e os carboidratos, 203, 357, 360
  e os estudos clínicos, 6, 91, 112-3, 116, 156, 204-5, 258, 284
  e os estudos epidemiológicos, 44n11, 52, 203
  e os óleos vegetais, 100, 113, 202, 334, 341
  prevenção do, 173, 201, 242
  vínculo entre a gordura na dieta e o, 201, 208, 221
carboidratos, 180, 316-7n3, 343-6, 352n4, 354-78
  calorias de, 34, 127, 145, 166, 169, 352, 376-7
  complexos, 127, 377
  e a AHA, 164-6, 343, 376
  e a dieta mediterrânea, 256-9, 263, 268, 343, 377
  e a obesidade, 69, 360, 373, 374-6, 390, 402
  e a pressão alta, 358, 360
  e Ahrens, 69-71
  e as doenças cardíacas, 29, 69-71, 152, 357-60, 376, 390, 402
  e as questões políticas, 127-8, 145-7, 152
  e Atkins, 344-5, 349, 362-72, 377
  e Krauss, 377, 381-2, 389
  e o câncer, 204, 357, 360
  e o corte de gorduras na dieta, 343, 376
  e o diabetes, 350, 357, 360, 367-8, 373-6, 402
  e o USDA, 225, 343
  e os estudos clínicos, 97, 256-9, 377
  e os inuítes, 12, 358-60
  e os substitutos da gordura, 397, 398-9n1
  e os triglicerídeos, 69-70
  e Taubes, 350n3, 372-7, 376, 390
  fontes de, 5, 69-70, 122, 128, 165
  refinados, 91, 127, 165-6, 173, 204, 359-61, 376, 378, 402
  ver também dieta de baixo teor de carboidratos; dieta de alto teor de carboidratos
cárie dentária, 17, 175, 358, 361
carne, 9, 60-2, 71, 73, 121-3, 158, 247n19, 290n3, 325, 343-4, 352n4, 359-61, 394-404
  Atkins e a, 344, 361
  consumida na África, 13-4, 17-8, 26, 74, 174-5
  consumida sem gordura, 20-1, 370n20
  de animais selvagens e domésticos, 19-20
  de órgãos (miúdos), 11-2, 20, 139, 168n3

e a dieta de baixo teor de carboidratos, 350-2, 357, 361
e a dieta de baixo teor de gordura, 7, 392, 398-9
e a dieta mediterrânea, 218, 224, 226, 250, 252, 254, 256n28, 259, 261-8
e a evolução humana, 168n3
e as crianças, 178-9, 186, 188-9
e as doenças cardíacas, 8, 37-9, 42, 45, 50, 61, 67, 131-3, 136, 144, 359
e as gorduras saturadas, 8, 129-30, 384
e as mulheres, 192, 204
e as questões políticas, 128-9, 135, 144-6, 139, 153
e as recomendações do USDA, 163-4, 225
e o colesterol, 25-6, 129-30
e o estudo dos adventistas do sétimo dia, 131-2
e o estudo dos Sete Países, 45, 50
e o experimento de Stefansson, 12-3, 75, 370n20
e Ornish, 170
e os estudos clínicos, 7, 88, 94, 96, 114, 154-5, 186-7, 204, 252, 254, 256n28, 259
e os índios americanos, 16-7
e os inuítes, 11-2, 351, 357-9, 370n20
e os siques e os hunzas, 16
magra, 1, 7, 12, 20-1, 34, 145, 154-5, 166, 186, 189, 226, 370n20, 398, 401-2
Mottern e a, 128, 145-6
no decorrer da história, 137-41, *140*, *141*, 144, 403
preconceito contra a, 8, 126-36
vermelha, 1, 7-8, 15, 19, 25, 53n13, 88, 129-30, 132-5, 140-1, *140*, *141*, 145, 170, 174n8, 211, 224-5, *226*, 252, 256n28, 261-3, 267, 391, 401

carne bovina, 2, 13, 19, 130, 135, 256n28
e a dieta mediterrânea, 262, 264
e os bifes, 13, 33, 62, 138, 182, 362, 394n38, 402
e os estudos clínicos, 89, 115
história do consumo da, 135-8
ver também vacas
Castelli, William P., 80, 131-2n7
Center for Science in the Public Interest (CSPI), 280n2, 310
e as gorduras saturadas, 274-5, 278
e as gorduras trans, 274, 313, 319-20
e os óleos tropicais, 275, 283-5, 319
Centers for Disease Control and Prevention (CDC), 343, 392, *393*
cereais, 1, 19, 122, 136-7
e a dieta de baixo teor de gordura, 6, 398
e a dieta mediterrânea, 211, *226*, 239
e as crianças, 180, 184n12, 191
e as mulheres, 192, 205
e o USDA, 15, 163-4, 184n12, 224
e Ornish, 169
e os carboidratos, 5, 343-4, 376
e os estudos clínicos, 6, 205
integrais, 6, 15, 127, 205, 211, 344, 377, 398
cereais, 163, 174, 180, 192, 360n9
e a dieta mediterrânea, 249, 264
e os carboidratos, 5, 122, 127, 169, 343, 352n4
cérebro, 20, 25, 138, 331, 356
e o experimento de Stefansson, 12-3
e o ganho de peso, 354, 354n5
cetonas, 365
Chainbearer, The (Cooper), 138
Chalmers, Thomas C., 178
Charles, Kris, 325
Cheerios, 166

chocolate, 51, 105, 273, 286, 301, 322, 325
Cholesterol Controversy, The (Pinckney), 55n14, 397
Circulation, 81, 90, 380
cirurgias cardíacas, 171, 176
Cleave, Thomas L., 359
Clinton, Bill, 175n10, 192
Clube Anticoronariano, estudo do, 89-90, 95
Cnossos, 215
Cochrane Collaboration, 189
colesterol, 2, 14, 25-8, 29-31, 36-41, 54, 69-70, 74, 75, 78, 79, 80, 93-4, 109, 117-29, 158, 167n2, 168, *168*, 175-6, 187, 192-201, 233, 241, 254, 282, 298, 336, 340, 378, 380, 392
  e a AHA, 59-60, 62, 110, 196, 212, 380, 385-7
  e a carne, 26-7, 129-30
  e a Conferência do Consenso, 158-62
  e a dieta de baixo teor de gordura, 35, 194, 198-200, 368, 371-2n22, 372n23 395
  e a dieta mediterrânea, 212, 224, 238, 254, 256-7
  e a rotulação de produtos alimentícios, 320
  e Ahrens, 30-2, 38, 69
  e as crianças, 176, 178, 181, 182-8
  e as doenças cardíacas, 4, 25-8, 32, 36-7, 40, 42n10, 54, 59, 62-4, 69, 77-9, 85, 88, 110, 113-5, 125, 129, 136, 148, 154, 157, 159-60, *160*, 176, 181-2, 186, 188, 192-200, 257, 288, 291, 321n6, 331, 379-80, 382n30, 385-7, 389, 395, 400
  e as gorduras saturadas, *ver* gorduras saturadas
  e as gorduras trans, 288, 291, 296, 303-6, 308-9, 314, 320-1
  e as mulheres, 78, 192-4, 193, 199-200, 380n29
  e as questões políticas, 125-6, 136, 145, 150-1, 152
  e Atkins, 362, 366, 371-2n22
  e Keys, 25, 27-9, 32, 33, 36-40, 60-2, 64, 88, 102, 114, 121, 129-30, 288, 379
  e Krauss, 378-89
  e Mann, 14, 75, 80-1
  e o azeite de oliva, 233, 241-4, 304n10
  e o câncer, 113-5
  e o NCEP, 161, 164, 176, 196, 199-200, 384n32, 387
  e os estudos clínicos e epidemiológicos, 46, 48, 77-80, 89-90, 93-5, 98-100, 110-2, 118-9, 123n17, 154-8, 161, 166, 183-7, 192, 193-4, 242-4, 254, 256-7, 308-9, 366, 371-2n22, 385-6
  e os lipídios, 29
  e os óleos hidrogenados, 228, 288, 291, 299
  e os óleos vegetais, 38, 98-100, *103*, 175, 331, 337, 341
  e Ravnskov, 28, 54
  fontes alimentares de, 26-8, 29
  oxidação do, 27n3
  ver também lipoproteínas de alta densidade; dieta de baixo teor de colesterol; lipoproteínas de baixa densidade
colesterol não HDL, 382n30, 387
colestiramina, 154, 155, 177
colza, óleo de colza, 102, 104, 405
Comissão de Nutrição e Necessidades Humanas do Senado, 126-7, 135, 145-6, 149, 149n14, 153, 176, 201, 220
  e Atkins, 346

Comitê Consultivo Nacional do
  Coração, 84
Conferência do Consenso, 158-62, *160*,
  178, 187
confusão por indicação, 314
Congresso dos Estados Unidos, 84, 108,
  125-8, 145-54
  e a Academia Nacional de Ciências,
    150, 151, 153, 177
  e a Comissão de Nutrição do Senado,
    126-8, 139, 145-7, 149, 150, 153-4,
    176, 201-2, 220, 346-7
  e as gorduras trans, 302, 309
  e as mulheres, 193, 201
  e os óleos tropicais, 280-1, 284-5
Conklin, Daniel J., 338
Conselho de Alimentação e Nutrição,
  150-4
Conselho Oleícola Internacional (COI),
  233-5, 236-7n13, 237n14, 272
Cooper, James Fenimore, 138
Cooper, Theodore, 145
cordeiro, 13, 89, 138, 256n28, 262-4,
  402
Corfu, 46-8, 215, 260-1
Crawford, Michael, 19
creme de leite, 6, 9, 94, 96, 100, 129,
  169, 205, 286, 344, 395, 401
Cremora, *276*, 277
Creta:
  e a dieta mediterrânea, 213, *215*, 216,
    219, 224, *225*, 231-2, 246, 253,
    254, 259-68, 383
  e o azeite de oliva, 219, 246
  e o estudo dos Sete Países, 46-9, 213,
    215, 216, 259-61, 264, 266-7
crianças, 149, 176-92, 358
  e as doenças cardíacas, 26, 176,
    177n11, 178, 182, 183, 185-7
  e as gorduras trans, 326

e o ganho de peso, 181, 182, 354
e os estudos clínicos, 183-8, 191-2
e os estudos de McCollum, 179-81
recomendações dietéticas para, 176-
  83, 185-8, 326
simpósio de Houston sobre as, 191-2
Crisco, 99, 105-9, 333
  e as gorduras trans, 287, 301
  e Moses, 290-1
  e os óleos hidrogenados, 271-2, 288,
    294
  e os óleos tropicais, *276*, 277
  na história, 106-7
Cristol, Rick, 313
cromatografia gasosa, 29-30
Csallany, A. Saari, 336-7

Daniel, Carrie R., *140*
DASH, 384
Dayton, Seymour, 90-2, 113n14, 122
"década de progresso contra as doenças
  cardiovasculares, Uma" 82
derrames, 59, 119-20, 360, 386, 390
  e o colesterol, 114, 120, 156
  e os estudos clínicos, 204-5, 258
desaparecimento de alimentos, 136
Deuel, Harry J., 287
diabetes, 3, 5, 33, 288, 338, 392, 402
  diretrizes de tratamento da
    AHA-ACC, 385
  e a dieta de alto teor de gordura, 397
  e a dieta de baixo teor de colesterol,
    397
  e a dieta de baixo teor de gordura,
    207-8, 367, 398
  e a dieta mediterrânea, 248, 256, 371
  e a história do consumo de alimentos,
    137
  e as gorduras saturadas, 390
  e as gorduras trans, 319

e as questões políticas, 136, 146
e Atkins, 344, 347-8, 364n11, 366-8, 371
e os carboidratos, 350, 357-8, 361, 366-7, 373, 335
e os estudos clínicos, 207, 256, 364n11, 366-7, 371, 385
e os massais, 15
e os triglicerídeos, 69
e Taubes, 373
Dickens, Charles, 138, 403
Diet for a Small Planet (Lappé), 130
dieta Atkins, 228, 237, 344, 349, 352n4, 362-72, 377
  e a perda de peso, 344, 348-9, 363, 366-7, 371
  pesquisas sobre a, 348-9, 362-72, 385n33
dieta de alto teor de carboidratos, 367, 397, 400
  e o colesterol, 198
  e o ganho de peso, 354
  e o USDA, 392, 393
  e os triglicerídeos, 69
dieta de alto teor de gordura, 7-8, 11-22, 70, 361
  comparações entre a dieta de baixo teor de gordura e a, 397-8
  dos índios americanos, 17-8
  dos inuítes, 11-3, 16, 20, 75
  dos massais, 13-6
  e a AHA, 176, 252n25, 368n16, 370
  e a dieta de baixo teor de carboidratos, 351, 357
  e a dieta mediterrânea, 220-1, 222, 224-5, 238, 252n25
  e as carnes consumidas sem gordura, 20-1
  e as crianças, 181, 188-91
  e as mulheres, 202

e Atkins, 7, 344-6, 349, 362-3, 366, 368-70, 372
e o colesterol, 37-8
e o experimento de Stefanssons, 75
e Ornish, 170
e os animais domésticos e selvagens, 18-9
pesquisas sobre a, 92, 252n25, 362-3, 366, 368n16, 369n18, 370, 397
dieta de baixo teor de carboidratos, 63, 120n16, 200, 398
  a dieta Atkins como uma, 345, 349, 362-72
  e a dieta mediterrânea, 256-9
  e a perda de peso, 345, 349-53, 357
  e os estudos clínicos, 256-9, 363-8, 378
  no decorrer da história, 350-3, 353-7, 363
dieta de baixo teor de colesterol, 5, 164, 397
  e a margarina, 109
  e as crianças, 177, 183-4
  e as questões políticas, 125, 152
  e os derrames e hemorragias, 120
  e os estudos clínicos, 94-5, 110, 154-5, 158-9, 166, 184-5
dieta de baixo teor de gordura, 6-8, 35, 198-211, 394-9
  comparações entre a dieta de alto teor de gordura e a, 397-8
  consequências inesperadas da, 122, 209
  desvantagens da, 396-8
  dieta de baixíssimo teor de gordura, 173-4, 175-6, 222, 346
  e a AHA, 6, 61, 110, 128, 164-6, 176, 204, 208, 238, 253, 258, 289, 367, 372, 394, 398-9

e a Conferência do Consenso, 158-60
e a dieta mediterrânea, 211, 219-20, 238-9, 256-8, 269, 372, 377
e a hipótese gordura-câncer, 201-2
e a obesidade, 6-7, 208-9, 346, 393, 398
e a pressão alta, 369
e a revista Lancet, 122
e Ahrens, 69-70
e as crianças, 177-8, 181-92
e as doenças cardíacas, 7, 46, 64, 65n4, 88-9, 122, 176-7, 181, 188, 201, 208-9, 256, 259, 320, 346, 392, 398
e as mulheres, 176, 192-3, 200-5, 208
e as questões políticas, 124-6, 147-53
e Atkins, 368-9, 372
e Keys, 88, 221, 392
e o colesterol, 32, 193, 196-8, 368, 371-2n22, 396
e o diabetes, 208-9, 398
e o USDA, 1, 205, 238, 258, 393, 398-9
e Ornish, 171, 173-4, 175-6, 222, 346
e os akikuyus, 174-5
e os estudos clínicos, 7, 89, 93, 113, 154-5, 157, 160, 183-4, 188-9, 204-6, 256-8, 368, 372, 377, 394, 398-9
e Pritikin, 125, 167-8
e Taubes, 373, 375-6
dieta prudente, 64, 88, 115
e a AHA, 57-8, 63, 108, 290
e Ahrens, 123-4
e os estudos clínicos, 89, 91, 154, 157, 165-6
e os óleos vegetais, 99, 104, 109
Dietary Goals for the United States, 135, 145-7, 149n14, 150-1, 176
Dietary Guidelines for Americans, 149, 149n14, 163-4, 184n12, 225, 386, 392-3, 398

Dietary Intervention Study in Children (DISC), 183-8, 191
Dinamarca, 41, *41*, 313
doces, 51, 169, 267-8, 273, 286
doenças cardíacas, 18, 123, 199-201, 327, 368, 403
declínio das, na época da guerra, 37, 42n10
diagnóstico das, 42-3, 45-6, 65n4, 118, 143n11, 183, 207n18
diretrizes de tratamento para, 385-7, 391
e a AHA, 57-60, 62, 81-3, 102, 125, 102, 196, 291, 385-7, 391-2, 398
e a carne, 6, 37-9, 42, 46, 50, 62, 66, 131-2, 136, 144, 360
e a ciência da nutrição, 14, 21
e a Conferência do Consenso, 160, *160*
e a dieta de alto teor de gordura, 362, 364, 366, 397
e a dieta de baixo teor de carboidratos, 352, 357, 398
e a dieta de baixo teor de gordura, 6, 46, 65, 65n4, 88-9, 121-2, 176-7, 181, 188-9, 201, 208, 256, 259, 321, 346, 392, 398
e a dieta mediterrânea, 212, 217, 224, 246, 250-3, 256-9, 266-8
e a hipótese dieta-coração, 65-7, 378
e a região do Mediterrâneo, 36, 213, 217, 231
e a revista *Lancet*, 121-2
e Ahrens, 70-1, 148
e as crianças, 26, 177, 177n11, 178, 182, 183, 184-6
e as gorduras saturadas, *ver* gorduras saturadas
e as gorduras trans, 293, 296, 312-21, 322-3

ÍNDICE REMISSIVO 427

e as mulheres, 65, 111n12, 131n5, 176, 192-3, 195, 199-200, 205, 207n18
e as questões políticas, 126, 136, 147-8, 152, 387
e Atkins, 344, 346-9, 368, 369, 371
e Keys, 23-6, 27, 33-44, 34, 50-1, 57, 59-60, 61, 65, 69, 72, 74, 88, 102, 213, 215, 217, 246, 259, 267, 288, 356, 378, 392
e Krauss, 378-80, 382n30, 387-9
e Mann, 13-5, 24, 36, 42, 59n2, 74, 80-1, 85, 172n7
e o açúcar, 37, 50-1, 268, 314, 360
e o azeite de oliva, 46, 243-4, 399
e o colesterol, *ver* colesterol
e o NHLBI, 81-4, 97, 193
e Ornish, 170-3
e os carboidratos, 29, 71-2, 152, 357-60, 376, 391, 402
e os estudos clínicos, 5, 76-80, 89-96, 111-2, 117, 123n17, 154-7, 160, 166, 186-8, 194-6, 205, 207n18, 143, 251-4, 256-8, 331, 366, 371
e os estudos epidemiológicos, 44-7, 50, 66, 117-9, 118n15, 215, 259, 263n33, 267
e os índios americanos, 17
e os massais, 13-5, 24, 67, 74, 172n7
e os óleos hidrogenados, 277
e os óleos tropicais, 277, 282
e os óleos vegetais, 67, 90-1, 99, 102, 144, 321, 331, 335, 341
e Stamler, 25, 72, 97
e Taubes, 144n13, 374
e White, 39-40, 58, 62, 143
e Yerushalmy, 40-2, 41
epidemia de, 23-4, 33n6, 39, 57, 62, 94, 144, 192, 352
mortes por, *ver* mortes

na história, 137, 142-4
prevenção das, 14n2, 24, 40, 47, 60, 62, 88, 102, 117, 123, 154-5, 157, 161, 176, 217, 243, 246, 291, 321, 346, 364, 387, 397
vínculo entre a gordura e as, 3, 13, 15, 23, 33-47, 34, 41, 50-4, 62, 65-7, 69, 160, 221, 356, 360, 362, 364, 374, 390
Donaldson, Blake, 351-2, 357, 361, 378
Dontas, Anastasios, 231
dose-resposta, relação, 53, 133
Dr. Atkins'Diet Revolution (Atkins), 344-6, 350
Drake, Steven, 279-81, 285
Drescher, Greg:
e a dieta mediterrânea, 222-3, 229-30, 232, 235n12
e o azeite de oliva, 234
duplo-cego, estudos, 98

Earth's Best, 191
Eat Well and Stay Well the Mediterranean Way (Keys), 216
Eckel, Robert, 382, 384-7, 390, 391n36
efeito de desempenho, 96
efeito de observância, 134
efeito placebo, 96
efeitos anti-inflamatórios, 244, 247n19
Eisenhower, Dwight D., 89, 143
e a AHA, 58, 59n1, 82
os infartos de, 39-40, 58
Em defesa da comida (Pollan), 15
Enig, Mary G.:
e as gorduras trans, 297, 312, 320
seus conflitos com Applewhite, 297-8, 300-1
Ensaio de Intervenção de Múltiplos Fatores de Risco (MRFIT), 111-3, 154, 385

enxaqueca, 143
epidemiologia, estudos epidemiológicos,
62, 110, 116-21, 198, 222, 251, 256,
267n35, 310, 338n19, 398-9n1
  comparações entre os estudos clínicos
  e os, 53, 72, 87
  definição, 44n11, 50, 116
  e a dieta mediterrânea, 227, 237,
  248-9, 259-61, 263
  e a hipótese dieta-coração, 117-21
  e as doenças cardíacas, 44-6, 50, 66,
  76-80, 117-21, 120n16, 193-6, 215,
  259, 263n33, 267
  e as gorduras saturadas, 45-7, 53,
  120n16, 215, 388-90
  e as gorduras trans, 311, 314-6, 320n5,
  321
  e as mulheres, 202-3
  e as questões políticas, 148
  e Mottern, 126
  e o azeite de oliva, 242-3
  estudo da Western Electric, 117
  Estudo do Coração de Bogalusa,
  185-6
  Estudo dos Funcionários Públicos
  Israelenses, 117, 118n15, 121
  NiHonSan, 118-9
  Roseto, 66-8, 116
  sobre doenças crônicas, 52-3
  ver também Estudo da Saúde das
  Enfermeiras; estudo dos Sete Países
Espanha, 36, 192, 203
  e a dieta mediterrânea, 211, 218, 223,
  226, 234-5, 249n24, 254-5, 257-8,
  263, 265-7
  e o azeite de oliva, 233n9, 235, 244-5
Estados Unidos:
  consumo de açúcar nos, 360
  consumo de gordura nos, 99, *101*,
  102, 279, 280, 286-7, 289, 300-2

dieta mediterrânea nos, 229, 238-9,
269
doenças cardíacas nos, *33n6*, *34*, *41*,
45
e a hipótese dieta-coração, 121-2
e as crianças, 191
e o estudo dos Sete Países, 44-5, 48-9
história do consumo de alimentos
nos, 136-43, *140*, *141*
índices de obesidade nos, *393*
queda do colesterol nos, 392
estatinas, 158, 161, 171, 197, 381, 386-7
  ver também medicamentos para baixar
  o colesterol
Esterbauer, Hermann, 336
estilo de vida:
  fatores medidos nos estudos, 3, 46-7,
  50, 64, 315-7
  força-tarefa para o estudo do, 391n36
  programa de Ornish, 176
Estudo da Saúde das Enfermeiras, 109,
174n8, 202, 263n33
  e as gorduras trans, 311-2, 315-6, 317
  Questionário de Frequência
  Alimentar no, 315-6
Estudo de Dieta e Coração de Lyon,
251-2
Estudo de Intervenção na Nutrição
Feminina, 203
Estudo do Coração de Helsinque, 156
Estudo do Coração Indo-Mediterrâneo,
251-3
Estudo dos Funcionários Públicos
Israelenses, 117, 118n15, 121
estudo dos Sete Países, 231n8
  Crete e o, 45-9, 213, *215*, 215, 259-61,
  264, 266-7
  dados nutricionais no, 45, 48-9, 67n5
  de Keys, 43-54, 67n5, 74, 87, 89, 116,
  213-5, 235, 259-64, 266-7

e a dieta mediterrânea, 213-5, 232, 247, 259-61, 264, 266-7
e a Grécia, 44-9, 213, 232, 235, 259
e a hipótese dieta-coração, 44, 46, 50-4, 64, 87
e as doenças cardíacas, 44-6, 50, 215, 259, 267
e as gorduras saturadas, 45-7, 53, 89, 215
e o açúcar, 50-2, 267
resultados paradoxais do, 46-7
Estudo Nacional Dieta-Coração, 84, 109-11, 115
estudos clínicos, 123n17, 316, 341, 378, 402
   comparações entre os estudos epidemiológicos e os, 53, 72, 87
   DASH, 384
   DISC, 183-6, 191
   e a AHA, 109-10, 165-6, 252n25, 366, 371, 393
   e a dieta de alto teor de gordura, 92, 252n25, 362, 367, 369n18, 395
   e a dieta de baixo teor de gordura, *ver* dieta de baixo teor de gordura
   e a dieta mediterrânea, 227, 246-56, 259, 370-2, 376-7
   e a hipótese dieta-coração, 87-95, 98, 109-16, 154-5, 158
   e as alternativas às gorduras trans, 332-3
   e as crianças, 183-8, 191-2
   e as gorduras saturadas, 80-1, 88-90, 94, 96, 111, 116, 156, 158, 166, 184, 186, 204-6, 253, 259, 308, 369n18, 385-6, 388, 390, 401, 403
   e as gorduras trans, 95, 308-9, 311
   e as mulheres, 6, 93, 112n13, 193, 199-201, 203-7, 257, 370n19, 377, 398

e Atkins, 362-73, 385n33
e o azeite de oliva, 234, 243-4, 251-5, 256n28, 257-8, 308
e o NHLBI, 97, 154-8, 204-6, 385, 393
e o óleo de soja, 90-7, 331-2
e Ornish, 171-2
e os carboidratos, 96, 256-8, 377
e os estudos de Judd, 307-9
e os óleos vegetais, 89-94, 98-9, 115, 166, 253, 258
em Israel, 256-7, 370-1, 377, 385n33
Estudo BeFIT, 193-4, 199-201, 204
Estudo de Dieta e Coração de Lyon, 251-3
estudo de Oslo, 94-5, 110n11, 115, 388
Estudo do Clube Anticoronariano, 87-90, 95
Estudo do Coração de Helsinque, 156
Estudo do Coração Indo-Mediterrâneo, 253
estudo dos Hospitais Psiquiátricos Finlandeses, 92-5, 115, 388
Estudo dos Veteranos de Los Angeles, 90-3, 95, 110n11, 113n14, 115, 388
estudo GISSI-Prevenzione, 255
Levantamento Coronariano de Minnesota, 115
LRC, 154-60, 177, 385
MRFIT, 111-2, 154, 385
OmniHeart, 384
PREDIMED, 257-9
sobre nutrição, 53, 83, 87-99, 109-16
STRIP, 186, 191
WHI, 6, 204-6, 258, 377, 385, 393
ética, 32, 96, 127, 130, 155, 405
European Prospective Investigation into Cancer and Nutrition (EPIC), 242, 247n20, 248

Exelerato ZTF, 333
exercícios físicos, 133, 189, *226*, 315, 350, 352
   e as doenças cardíacas, 14n2, 37, 42n10, 59n2
   e as mulheres, 206
   e o colesterol, 195, 198
   e o estudo NiHonSan, 121
   e Ornish, 170-1, 173, 176
   e os estudos clínicos, 88, 97, 206
   e os massais, 14

farinha, 37, 69, 351, 358
   branca, 359-61, 376, 402
Farr, Walter, 286, 322
fast-food, 217, 275, 286, 326
   e a oxidação dos óleos vegetais, 332-5, 337, 340, 342, 400
Federation of American Societies for Experimental Biology (FASEB), 299-302
Fehr, Walter, 328
Feinleib, Manning, 114
Ferro-Luzzi, Anna, 236-7n13
   e a dieta mediterrânea, 216-21, *218*, 224, 227-8, 235, 247-8, 264
   e o azeite de oliva, 216, 240-1, 264
fígado, 13, 18, 20, 138, 155n17, 169, 195, 263, 290, 364-5, 370n20, 394n38
   e os óleos vegetais, 335-6
Filipinas, 67, 282
Filler, Lloyd, 181
Finlândia, 36, 186, 268
   e as doenças cardíacas, *41*, 42n10, 45-6
   e o estudo dos Sete Países, 44-6
Fleischmann's, 109, 177n11
Flint, Austin, 142
Food and Drug Administration (FDA), 272-4

e a oxidação dos óleos vegetais, 340n20, 340-1
e a rotulação de produtos alimentícios, 95, 100, 167n2, 243, 274, 281, 309, 313, 321-2, 327, 340n20
e as gorduras trans, 95, 100, 272, 290n3, 297, 309, 313, 320-3, 327-9, 340n20, 341-2, 400
e o azeite de oliva, 243-4
e o colesterol, 29
e os estudos clínicos, 243
e os óleos hidrogenados, 297-9
e os óleos tropicais, 281, 283
Food Politics (Nestle), 236, 236-7n13
Foreman, Carol, 147
Fórum de Toxicologia, 314
Foster, Gary, 363, 371-2n22
Framingham, Estudo do Coração de, 131-2n7
   e as mulheres, 76-7, 193, 196
   e o colesterol, 76-80, 113, 193, 195-6
França, *41*, 45, 203, 266, 367n15, 383n31
   e a dieta de baixo teor de carboidratos, 350
   e a dieta mediterrânea, 218, 224, *226*, 251
frango, 19, 263n33, 334, 391
   e a dieta mediterrânea, 262-4
   e os óleos hidrogenados, 273, 285
   história do consumo de, 139-40
frango, gordura de, 9, 19n4, 336
Frantz, Ivan, 116
Fredrickson, Donald S., 166, 177
Frito-Lay, 110, 329
frutas, 1, 5-6, 12, 124, 136, 184n12, 394, 400-2
   e a dieta de baixo teor de gordura, 6, 398

e a dieta mediterrânea, 211, 214, 224,
  226, 235, 238-9, 247-9, 251-3,
  260n31, 264, 267
e a ética, 405
e as crianças, 189
e as mulheres, 205-6
e o preconceito contra a carne, 134,
  135n8
e o USDA, 15, 163-4, 224, 225
e Ornish, 169, 347
e os carboidratos, 122, 343-4, 376
e os estudos clínicos, 6, 94, 97, 205-6,
  251-3
e os inuítes, 358
e os massais, 13
história do consumo das, 141-2
frutos do mar, 20, 27, 391, 394n38
frutose, 360, 376
fumaça de automóvel, 37, 42
Fundação Dieta Mediterrânea, 254, 266
Fundação para a Nutrição, 128, 152
Fundo Mundial de Pesquisa do Câncer,
  134, 173, 203

Gabão, 67
Gâmbia, 190-1
ganho de peso, 70, 194
  e as crianças, 181, 183, 353
  e o cérebro, 353, 354n5
  papel da gordura alimentar no, 356-7
  ver também obesidade
Garthwaite, Stephen, 283
General Foods, 128, 152, 294n5
General Mills, 110, 283
genética, 75, 104n4, 197, 328, 402
  e as doenças cardíacas, 26, 36, 46, 70,
    75
  e os estudos clínicos, 111n12, 184
girassol, óleo de semente de girassol, 30,
  102, 239, 253, 329

GISSI-Prevenzione, estudo, 255
glicose, 364-5, 367, 376
Gofman, John W., 380
Goldstein, Joseph, 197
Good Calories, Bad Calories (Taubes),
  350n3, 373
Good Food Book, The (Brody), 167
gordura corporal:
  a gordura na dieta como causa da, 35,
    164, 208, 221, 356, 374
  e a dieta de baixo teor de
    carboidratos, 355
  e as crianças, 189
  e as doenças cardíacas, 23-4
  e as gorduras saturadas, 401
  e Atkins, 363-6
  e os hormônios, 352-5
  e os triglicerídeos, 69
  e Taubes, 373
  ideias de Keys sobre, 35-6
  na obesidade, 352-5
gordura do leite, 13, 145, 296
gorduras, ácidos graxos, na dieta:
  consequências inadvertidas da
    redução das, 69
  de origem animal *vs.* de origem
    vegetal, 30
  diminuição das restrições à, 3-4
  e os animais selvagens e domésticos,
    19
  essenciais, 122, 296n6
  estrutura química das, 16n3, 29, 29,
    105n6, 239n15, 327, 338
  necessidade de consumo das, 210, 222
  preocupação com, 1-2, 35
  seu consumo nos Estados Unidos,
    101, 102
  tipos de, 8, 29, 31, 30, 37, 47, 73
gorduras hidrogenadas, *ver* óleos
  hidrogenados

gorduras insaturadas, 30, 67, 248-9n22
  e os estudos clínicos, 90, 205
  fontes de, 9, 19n4
  ver também gorduras monoinsaturadas
    e gorduras poli-insaturadas
gorduras interesterificadas, 327, 332
gorduras monoinsaturadas, *31*
  e a dieta mediterrânea, 226, 263
  e o azeite de oliva, 9, 19n4, 30, 104,
    226, 239n15, 244, 253, 338
  e os animais selvagens e domésticos,
    19-20
  estrutura química das, 29, 239n15
gorduras poli-insaturadas, *31*, 213,
    226n3, 338-42, 390
  e a AHA, 58, 290, 335
  e a margarina, 40, 92, 103, 109
  e as crianças, 177, 189
  e as questões políticas, 129, 152
  e o câncer, 152, 203, 341
  e o colesterol, 39, *103*
  e os óleos vegetais, 9, 19, 31, 100,
    103-5, *103*, 124, 202, 239n15,
    338-41, 399
  estrutura química das, 30, 239n15, 338
  pesquisas sobre, 89, 92-5, 113n14,
    253, 335-6, 341
gorduras saturadas, 1-4, 13, 16, *31*, 104,
    108, 117, 124, 164, *168*, 224, 241,
    269-86, 294, 299, 341-3, 345, 369n18,
    378-97, 399-400
  campanhas contra as, 276-9, 286
  e a AHA, 57-8, 289, 367, 381-3
  e a carne, 7, 129-30, 384
  e a Conferência do Consenso, 160,
    160
  e a dieta de alto teor de gordura, 361,
    369n18, 396
  e a dieta mediterrânea, 212, 226n3,
    259, 261-3, 266, 384
  e a hipótese gordura-câncer, 201-2
  e Ahrens, 31-2, 37, 69, 147
  e as crianças, 177, 183, 186-7, 189-90
  e as doenças cardíacas, 3, 7, 15, 22,
    40, 45-7, 58, *61*, 65, 69, 73, 79,
    88-9, 92-3, 96, 118n15, 118-20, 136,
    147, *159*, 192, 212-3, 261, 266,
    275-9, 283, 377n26, 380, 384-5,
    388, 391
  e as gorduras trans, 305, 308, 321
  e as mulheres, 192, 199-200, 202,
    204-6, 386
  e as questões políticas, 126, 129, 136,
    144-7, 153, 276, 280-1, 284-6
  e Keys, 21, 37-8, 45-6, 53, 60, *61*, 65,
    73, 88-9, 129-30, 213, 215, 270,
    310, 318, 378, 384
  e Krauss, 378, 380-2, 387-8, 394
  e Mann, 79-80
  e o colesterol, 31-2, 37-8, 53, 61, 73,
    158, 192-3, 194, 198-9, 276, 305,
    342, 378-87, 389-92, 396, 401
  e os animais selvagens e domésticos,
    19-20
  e os estudos clínicos e
    epidemiológicos, 45-7, 53, 79-80,
    88-91, 94, 96, 111, 116, 118n15,
    118-9, 156, 158, 165-6, 183, 186-7,
    204-5, 215, 253, 259, 308, 369n18,
    385-6, 388, 391, 400, 403
  e os óleos tropicais, 278, 280-6
  estrutura química das, 30, 321, 338
  fontes de, 9, 30-1, 278, 384
  limites ao consumo da, 383-6, 392
  no decorrer da história, 139, 403
  nos rótulos dos produtos
    alimentícios, 284-5, 322-3
gorduras trans, 2, 7, 74, 108, 269-71,
    278, 285-335
  alternativas às, 323-35, 338-40, 399

defesa das, 295-8, 301-2, 305-6, 321
e a FDA, 94-5, 101, 269, 290n3, 296,
   309, 313, 321-3, 327-9, 338n19,
   340n20, 342, 399
e as questões políticas, 302, 309, 313
e o colesterol, 288, 292, 296, 303-6,
   308-9, 313, 321-2
e os óleos hidrogenados, 9, 101, 105,
   106n7, 269, 285-8, 290, 293-4,
   259-300, 305-6, 323-4, 331
e Willett, 310-21, 323
eliminadas dos produtos alimentícios,
   323-5, 330, 342
em ruminantes, 290n3
estrutura química das, 105n6, 290n3,
   321
nos rótulos dos produtos
   alimentícios, 95, 101, 290, 309,
   313, 320-1, 327, 338n19
nos tecidos corporais, 289, 293, 299,
   322-3, 342
pesquisas sobre, 94-5, 270, 287-9,
   292-301, 303-9, 311-20
proibição das, 296, 309-10, 313,
   340n20, 342, 399
seu consumo nos Estados Unidos,
   300-2
Gori, Gio, 201
gota, 143, 358
Gould, Kay Lance, 170-1n5, 171-3
Gourmet, 2, 108
Grandes esperanças (Dickens), 403
Grécia, 167, 203, 247n20
   antiga, 129-30n4, 240, 245, 262,
   265n34
   atrativos da, 230-2
   e a dieta mediterrânea, 45, 211-6, *215*,
   216-8, 220-6, 226, 229-35, 246-50,
   255, 260, 264-8
   e as doenças cardíacas, 44-5

e o azeite de oliva, 213, 235, 240-3,
   245, 281
e o estudo dos Sete Países, 44-50, 216,
   231, 234, 259
Greenland, Sander, 261
Greenwald, Peter, 202, 231
"gripe Atkins", 365

Hall, Richard, 317
Hamilakis, Yannis, 246
Handler, Philip, 153
Harman, Denham, 335
Harper, Alfred E., 151-2
Harris, Ron, 286
Harvey, William, 350, 367n15
Havaí, 39, 118, 235n12, 236-7n13
Hayes, K. C., 308
Hegsted, Mark, 126-7, 135, 187
   e a dieta mediterrânea, 220, 239
   e as crianças, 182-3
   recomendações alimentares de, 147-9,
   151
Helsing, Elisabet, 223, 250
hemorragia cerebral, 120, 157
HHS, 149n14, 150
Hilleboe, Herman E., 41-3, *41*
hipótese dieta-coração, 55, 126, 364,
   387-9, 393, 395
   credibilidade institucional da, 4, 81,
   84, 159-60, 187
   de Keys, 33-5, 40-7, 46, 49-54, 55, 57,
   62-7, 69-72, 81, 87, 122, 146-8, 155,
   227, 300, 391
   e a AHA, 57, 58-60, 62, 81-2, 84
   e a Conferência do Consenso, 159, 187
   e a revista *Lancet*, 121-2
   e a revista *Time*, 61
   e Ahrens, 69, 85, 123, 159-61
   e as doenças cardíacas, 33-4, 40-3, 46,
   50, 65-9, 379

e as gorduras saturadas, 388
e as mulheres, 176
e as questões políticas, 125, 145, 147, 150
e Atkins, 346
e Krauss, 379, 387-9
e Mann, 74-5, 80, 85
e o colesterol, 195, 198
e o viés de seleção, 68, 115
e os estudos clínicos e epidemiológicos, 44, 46, 49-54, 64, 78, 84, 87-95, 97, 109-20, 154-5, 158
e os óleos hidrogenados, 275
e Reiser, 73
e Stamler, 59, 72-3, 114-5, 117, 121, 389
e Taubes, 373-5
observações antigas que não davam apoio à, 62-5
promoção da, 67, 69
hipótese gordura-câncer, 201-3, 208, 221
Holanda, *41*, 44, 49, 268, 303
Holub, Bruce, 322
Homero, 245-6, 265n34
Honolulu, Havaí, 36, 118-9
Hoover, Robert N., 204
hormônios, 25
e a gordura corporal, 353-5
na obesidade, 353-6, 373 376
Horowitz, Roger, 139-40, *140*
hortaliças, 1, 13, 124, 136, 175, 190, 350, 394, 401-2
e a dieta de baixo teor de gordura, 6, 398
e a dieta mediterrânea, 211, 215, 218-9, 224, *226*, 235, 238-9, 246-52, 254, 256n28, 260n31, 264-5
e a ética, 404
e as mulheres, 204-5

e o preconceito contra a carne, 128, 133, 135n8
e o USDA, 15, 163-4, 184n12, 225, *225*
e Ornish, 170, 346
e os carboidratos, 70, 343-4, 376-7
e os estudos clínicos, 6, 94, 96, 204-5, 252, 254, 256n28
e os inuítes, 11-2, 358
história do consumo das, 137-8, 141-2, 144
verduras, 141-2, 180
Hospitais Psiquiátricos Finlandeses, estudo dos, 92-5, 115, 388
Houston, Simpósio de, 191
Hrdlička, Aleš, 17
Hu, Frank B., 209, 250
Hubbard, Lucius Frederick, 108
Hunter, J. Edward, 301-5, 308, 320n5
hunzas, 17

idade e envelhecimento, 14, 78, 118, 131n5, 158, 164, 182, 335, 353, 358
e a dieta de baixo teor de carboidratos, 350-1
e a dieta mediterrânea, 247-9, 253, 256-7, 266
e as crianças, 182-3, 184-7, 188-90
e as doenças cardíacas, 34, 65, 123n17, 126, 143, 175
e as mulheres, 131n5, 176, 193, 196, 200n17, 202, 205
e os estudos clínicos, 88, 89, 93-4, 123n17, 154, 156, 184, 185-6, 202, 253, 256-7
e os massais, 13, 172n7
Ilíada (Homero), 262
Índia, 17, 66, 116
índios americanos, 17-8, 36
Institute for Shortening and Edible Oils (ISEO), 291, 294-8, 300-2, 304-6, 320

Institute of Medicine (IOM), 320
  e a gordura corporal, 354-5
  e a obesidade, 354n5, 373, 376
  e os carboidratos, 355, 373
  insulina, 256
Instituto Americano de Pesquisa do Câncer, 134, 173, 203
International Agency for Research on Cancer (IARC), 334
International Life Sciences Institute (ILSI), 310, 318
inuítes, 11-3, 36, 104n5, 351, 357-60, 369
  dieta de alto teor de gordura dos, 11-2, 16, 20, 75
  e os carboidratos, 11, 359-60
  ideias de Schaefer sobre os, 357-9
  ideias de Stefansson sobre os, 11-2, 16, 20, 75-6, 370n20
iogurte, 5, 66, 167, 225
  e a dieta mediterrânea, 211, 226
Irlanda, 41, 65, 116
Israel, 41, 142
  consumo de óleos vegetais em, 99
  e a dieta mediterrânea, 256-8, 370-1, 377
  e Atkins, 370-1, 377, 385n33
Itália, 36, 39, 41, 203, 397
  e a dieta mediterrânea, 211-7, 218, 218-21, 223-6, 226, 229, 234-5, 255, 262-5, 266-8
  e as doenças cardíacas, 34, 45
  e o azeite de oliva, 224, 233n9, 235, 239, 246
  e o estudo dos Sete Países, 44-6, 48, 50, 213-5, 259
  e os estudos clínicos, 255
ítalo-americanos, 66-7, 116

Jacobson, Marc, 187-8
Jacobson, Michael, 274, 319

James, W. Philip T., 221
Japão, 36, 39, 157, 191, 247
  consumo de gordura no, 67
  e a oxidação dos óleos vegetais, 336
  e as doenças cardíacas, 34, 41, 42n10, 113, 118-20, 268
  e as mulheres, 201
  e o estudo dos Sete Países, 44
  e os triglicerídeos, 71
jejum, ver quaresma
Jenkins, Nancy Harmon, 237
Jolliffe, Norman, 89
Joseph, Stephen, 325
Journal of the American Medical Association (JAMA), 55, 66, 85, 157, 202, 347, 388
  e a WHI, 205-6
  e Ornish, 171
Judd, Joseph T., 288, 307-9
Jungle, The (Sinclair), 144

Kannel, William B., 78, 193n15
Katan, Martijn B.:
  e as alternativas às gorduras trans, 324
  e as gorduras trans, 303-10, 312-3
Keebler Company, 276, 277, 283
Kellogg's, 166, 254n27, 276, 277
Keys, Ancel Benjamin, 32-56, 103, 373, 377
  comparações entre Willett e, 311-2, 317
  críticos de, 41-4, 45, 54, 62
  e a AHA, 57, 59-60, 81-2, 84, 148
  e a dieta de alto teor de gordura, 362
  e a dieta de baixo teor de gordura, 88, 221, 391
  e a dieta mediterrânea, 213-220, 215, 222-4, 227, 229, 231-2, 259-64, 267-8, 383

e a hipótese de açúcar, 50-2
e a região do Mediterrâneo, 36, 213-9, 231-2
e a revista *Time*, 54, 57, 61-2, *61*
e Ahrens, 38, 69
e as doenças cardíacas, 23-5, 27, 32-44, *34*, 50, 57, 60-1, *61*, 65, 67, 69, 74, 88, 102, 213, 215, 219, 245, 259, 267, 288, 355, 377, 391
e as gorduras saturadas, 23, 37-8, 45-6, 53, 60, *61*, 65, 71, 88-9, 129-30, 213, 215, 310, 317, 377, 320
e as gorduras trans, 288
e as pesquisas sobre o azeite de oliva, 241
e as questões políticas, 146, 148-9
e Mann, 74-5, 81
e o câncer, 114
e o colesterol, 25, 27-8, 32, 36-40, 60, 64, 88-9, 102, 114, 120, 129-30, 288, 377
e o estudo de Roseto, 67-8
e o Estudo Nacional Dieta-Coração, 84, 109
e o NIH, 57, 81-2
e o preconceito contra a carne, 129-30
e os estudos clínicos, 97, 116, 155
e os óleos hidrogenados, 288
e os óleos vegetais, 37-8, 99, 102
e White, 39, 62, 84
estudo dos Sete Países de, 43-54, 67n5, 74, 87, 89, 116, 213-5, 234, 259-64, 267-8
hipótese dieta-coração de, 23, 33-5, 40-4, 45, 50-4, 57, 59-60, 62-8, 69-71, 81, 87, 121, 148, 155, 216, 227, 300, 391
observações antigas que não davam apoio a, 65-6
sobre a gordura corporal, 35-6

sua dieta pessoal, 60-1
sua relação com Stamler, 59, 61, 72, 231n8, 391
Keys, equação de, 38
Keys, Margaret, 36, 40, 44, 62, 214
Knopp, Robert H.:
e as mulheres, 198-200, 204-6
e o colesterol, 194, 198-9
Kolata, Gina, 161, 375, 394n38
Korver, Onno, 303, 305
Kraft Foods, 286, 340
e as alternativas às gorduras trans, 325-6
e as gorduras trans, 294n5, 295, 313, 322
Krauss, Ronald M., 320n4, 377-89
e as doenças cardíacas, 378-80, 382n30, 386-9
e as gorduras saturadas, 379, 380-3, 385-7, 393
e o colesterol, 379-89
Kris-Etherton, Penny M., 118n15, 252n25, 309, 320n4, 382
Kritchevsky, David, 4, 293
Kromhout, Daan, 49-51, 247n19, 260n31
Kronmal, Richard A., 156n18, 157
Kummerow, Fred A.:
e as gorduras trans, 289-301, 303, 320-1, 327, 340n20
e os óleos hidrogenados, 291-3
Kushi, Lawrence, 227, 236, 262n32

Lancet, The, 254n26, 312, 335, 360
e a hipótese dieta-coração, 121-2
e os estudos clínicos, 90-3
Lappé, Frances Moore, 130
laticínios, 9, 17, 108, 120, 121, 130, 136, 241, 249, 383, 392n37, 397
de baixo teor de gordura, 6, 167, 189

e a AHA, 60, 166
e a dieta de baixo teor de gordura, 391, 399
e a dieta mediterrânea, 218, 226, 249, 268
e as crianças, 178-9, 189
e as doenças cardíacas, 37-9, 46, 62, 66
e as questões políticas, 127, 144-5
e o colesterol, 31, 62
e os estudos clínicos, 88, 116, 154
leguminosas, sementes de, 174, 180, 211, 225, 249
leite, 6, 9, 16, 31, 61, 145, 293, 343, 350, 396, 400-2
  e a dieta mediterrânea, 211, 226, 261
  e as crianças, 180-2, 186, 190, 192
  e as doenças cardíacas, 50, 66-7
  e as gorduras trans, 290n3, 302
  e o USDA, 163-4, 225
  e os estudos clínicos, 90-3, 98, 110n11, 111, 186-7
  e os massais, 13, 74, 174
  semidesnatado, 139, 191-2
Leren, Paul, 94, 110n11
Letter on Corpulence, Addressed to the Public (Banting), 350
Levantamento Coronariano de Minnesota, 115
Leveille, Gil, 150, 324, 327
Lichtenstein, Alice, 175, 320n4, 349
  e as diretrizes de tratamento da AHA--ACC, 384-7
  e as gorduras saturadas, 382-4, 387, 390
Lifshitz, Fima, 183
linguiça, 268, 347, 401
linhaça, 9, 247n19
Lipid Research Clinic Coronary Primary Prevention Trial (LRC), 154-60, 177, 385

lipídios, 29-31, 188, 194, 196, 298, 307, 339, 383
lipoproteínas de alta densidade (HDL), 194-9, 367n15, 379-81
  "boas", 194, 242n16, 256
  e a dieta de baixo teor de gordura, 194, 198, 200, 371-2n22
  e a dieta mediterrânea, 224, 256-7
  e as alternativas às gorduras trans, 330
  e as doenças cardíacas, 196-8, 380, 385, 401
  e as gorduras saturadas, 196-8, 342, 379, 381, 392, 401
  e as gorduras trans, 303-4, 306-8, 320, 321n7
  e as mulheres, 197, 199-200
  e Atkins, 366, 371-2n22
  e o azeite de oliva, 242n16, 243, 304n10
  e os estudos clínicos e epidemiológicos, 79, 186, 19, 243, 213-4, 306-8, 366, 371-2n22, 385
lipoproteínas de baixa densidade (LDL), 194-200
  e a dieta de baixo teor de gordura, 193, 197, 397
  e a dieta mediterrânea, 224, 256-7
  e as alternativas às gorduras trans, 329
  e as crianças, 184-5, 188
  e as diretrizes de tratamento da AHA-ACC, 385-7
  e as doenças cardíacas, 196-7, 379-80, 380n29, 386-7, 389, 400
  e as gorduras saturadas, 342, 378-80, 384, 386-7, 389-90
  e as gorduras trans, 303-4, 308-9, 314, 320-1
  e as mulheres, 196, 199-200

e Krauss, 379-90
e o azeite de oliva, 241-2, 304n10
e os estudos clínicos e
 epidemiológicos, 80, 156, 184-5,
 194-5, 242, 156-7, 308-9, 385-6
e os óleos vegetais, 331, 337, 341
obsessão pelas, 196-7, 391
"ruins", 194-5, 241, 256, 342, 379
livros de receitas, 7, 138, 174n8, 403
e a Crisco, 106
e a dieta mediterrânea, 211, 216-7,
 229, 237-8, 262
Loders Croklaan, 307, 327, 332
longevidade, 90, 100, 172-3, 182, 351,
 362, 403
 e a dieta mediterrânea, 216, 222, 240
 e a dieta vegetariana, 173-4
 e o estudo dos Sete Países, 48, 213,
  216
 e os índios americanos, 18
Lowenstein, F. W., 67

Mabrouk, Ahmed Fahmy, 288
macarrão, 5, 33, 122, 343, 345, 402
 e a dieta mediterrânea, 214, 226
maionese, 99, 102, 394n39
Malásia, 278-85, 332
Malhotra, S. L., 65-6
Mann, George V., 74-6, 84-5
 e as doenças cardíacas, 14-5, 24, 36,
  42, 59n2, 74, 79, 85, 172n7
 e Keys, 74-5, 81-2
 e o Estudo do Coração de
  Framingham, 76, 79-80
 e o estudo dos massais, 13-6, 24, 28,
  36, 42, 74, 76, 172n7
manteiga, 6-8, 17, 37, 163, 169, 180,
 286, 339, 342, 395, 400-2
 comparações entre a Crisco e a, 106-7,
  109

comparações entre a margarina e a,
 107-9, 286-7, 304
e as alternativas às gorduras trans,
 323-5
e as doenças cardíacas, 51, 66
e as gorduras saturadas, 8, 31-2
e as gorduras trans, 314
e as pesquisas sobre o azeite de oliva,
 241
e o estudo dos Sete Países, 48, 51
e os estudos clínicos, 90-2, 96-8, 112,
 205
e os óleos hidrogenados, 268-71, 275,
 293
e os óleos vegetais, 102, 106, 241
história do consumo da, 139, 144
seu consumo nos Estados Unidos,
 101, 102
manteiga de cacau, 9, 32
margarina, 42, 51, 129, 167, 177n11
 e a dieta mediterrânea, 251-2, 256
 e as gorduras poli-insaturadas, 40, 92,
  102, 109
 e as gorduras trans, 286-91, 294,
  296n6, 301, 304, 312-4, 323
 e os estudos clínicos, 92, 112, 115,
  251-2, 256
 e os óleos hidrogenados, 107-8, 271-3,
  305
 e os óleos vegetais, 99, 102, 107-9
 fabricação da, 97, 107, 109-10, 305
 no decorrer da história, 107-8
 seu consumo nos Estados Unidos,
  101
Marrocos, 226, 236, 255
massais, 36, 369
 comparações entre os akikuyus e os,
  174-5
 e as doenças cardíacas, 14-5, 24, 67,
  74, 172n7

e o colesterol, 14, 28
estudos de Mann sobre os, 13-6, 24, 28, 36, 42, 74, 76, 172n7, 174-5
Matlock, Mark, 322-3, 339-41
Mattson, Fred H., 233n10, 300
Matz, Marshall, 127, 146
Mayer, Jean, 63
Mazola, 99, 102, 103, 109
McCarrison, Sir Robert, 16
McCollum, Elmer V, 179-80
McDonald's, 275, 320, 332-3, 340n20
McGovern, George, 126-7, 135-6, 144-5, 149n14, 151, 201, 220, 346
McNeill, Gerald, 307, 332, 336
medicamentos para baixar o colesterol, 83n9, 114, 123, 133, 157, 159, 197, 357, 384n32, 386
  e os estudos clínicos e epidemiológicos, 88, 96, 112-3, 123n17, 154, 157-8, 177, 367-8
mediterrânea, dieta, 48, 210-40, 397
  apoio do público e da academia à, 227-9, 237
  conferência de Cambridge sobre a, 223-8, 234n11, 238, 261, 311
  criação da, 211-7, 212, 215, 218, 229, 247, 260, 310-1
  definição da, 217-220, 218, 223, 227-8, 247-9
  e a carne, 218, 225-7, 226, 250, 252, 254, 256n28, 259, 261-7
  e a ilha de Creta, 213, 215, 215, 219, 222-3, 226, 230-1, 246, 252, 254, 259-67, 384
  e a saúde, 227-30, 235, 238-9, 245-6
  e as doenças cardíacas, 212, 217, 225, 246, 251-3, 256-9, 265-7
  e as frutas, 211, 214, 225, 226, 235, 238-9, 246-8, 252-4, 260n31, 264-5, 267
  e as hortaliças, 211, 214, 218-9, 225, 226, 235, 238-9, 246-52, 254, 256n28, 260n31, 264-5
  e Atkins, 370-1, 377
  e o azeite de oliva, 1, 210-3, 217, 219-20, 223-4, 226, 227, 234, 236-40, 242, 246, 250, 252-5, 256n28, 256-7, 264, 266-8
  e os carboidratos, 256-8, 263, 267, 343, 377
  e os meios de comunicação, 228, 233, 235-8, 257-8
  financiamento das conferências sobre a, 234, 236-7
  nos Estados Unidos, 229, 238-9, 269
  pesquisas sobre a, 227, 237, 247-60, 263, 267, 370-2, 377
  pirâmide da, 225-8, 226, 234n11, 237, 239, 247, 256n28, 261-2, 268, 311
  porcentagens de gordura da, 220, 223, 226
  promoção da, 215-6, 221-2, 228-38, 267
Mediterrâneo, região do, 226, 233
  e Keys, 36, 213-9, 231-2
  e o estudo dos Sete Países, 44-5, 47, 213-5
  seus atrativos, 230-1, 267
Meier, Paul, 157
meio ambiente, 75, 127, 131, 247, 402, 405
Menard, JoAnne Sether, 205
Menotti, Alessandro, 49n12, 50-2, 260n31
Mensink, Ronald, 303-4, 307, 312
metabolismo, 25, 39-40, 30, 32, 183, 287, 289, 352-3, 366
Michaels, Leon, 143, 144n12, 360n9
Midttun, Harold, 324
Miettinen, Matti, 93

milho, óleo de milho, 9, 30-2, 60, 90, 102, 104, 113, 142, 213, 360, 405
oxidação do, 269, 334, 335, 338
minerais, 178, 188, 359
molhos, 2, 106, 175n10, 189-90, 210, 214, 238, 324, 401
molhos cremosos para salada, 29, 100, 103, 181, 204, 210, 239
Moore, Thomas J., 83
mortes, 174, 185, 241, 403
   de Atkins, 349, 368n16
   e a dieta mediterrânea, 251, 258, 265-6
   e as gorduras trans, 312-4, 318, 322
   e as mulheres, 193
   e o câncer, 91, 114, 132, 201, 341
   e os óleos vegetais, 98n3, 331, 335
   e Stefansson, 12-3
   por doenças cardíacas, 4, 6, 23, 25, 33, *34*, 36-7, 41-2, *41*, 44-8, 51-2, 66, 77-9, 90-1, 93, 116-7, 120n16, 126, 131-3, 156, 172, 176, 193, 196, 197, 215, 247n20, 251, 258, 266, 312-4, 318, 322, 361, 392
   por suicídio e violência, 156, 185, 331
Moses, Campbell:
   e os óleos hidrogenados, 290-1, 294
   e os óleos vegetais, 102
Mottern, Nick:
   e a carne, 127, 129, 147
   e o relatório da comissão de nutrição, 126-8, 145-6, 153
Mozaffarian, Dariush, 390
Mudd, Michael, 309, 313
mulheres, 102, 106, 108, 175n9, 191-3, 217, 256n28, 302, 312
   e a dieta de baixo teor de gordura, 176, 192-3, 200-5, *208*
   e as doenças cardíacas, 65, 111n12, 131n5, 176, 192-3, 197, 199-201, 205, 207n18
   e as gorduras saturadas, 192, 199-200, 202, 204-6, 386
   e o câncer, 131, 201-6, 334n15
   e o colesterol, 78, 192-3, 197, 199-200, 379n28
   e os carboidratos, 358, 377
   e os estudos clínicos e epidemiológicos, 6, 76-7, 93, 111n12, 131, 192-3, 197, 199-208, 258, 370n19, 377, 386, 394
   grávidas, 45, 176, 353
músculos, 24, 354-5, 364, 366
   comparação entre os massais e os akikuyus, 174-5
   de animais, como alimento do ser humano, 19-21

Nabisco:
   e as alternativas às gorduras trans, 324-5
   e os óleos hidrogenados, 286, 306n11
   e os óleos tropicais, 276, 277-8, 283-4
National Cancer Institute (NCI), 135, 201-4, 232, 315
National Colesterol Education Program (NCEP), 161, 164, 176, 192-6, 199-200, 384n32, 387
National Health and Nutrition Examination Surveys (NHANES), *140*, 300n9, 301-2
National Heart Institute (NHI), 39, 82-4
National Heart Saver Association (NHSA), 277
National Heart, Lung, and Blood Institute (NHLBI), 145, 384n32
   e a AHA, 82-4, 161-2
   e a conexão entre o câncer e o colesterol, 114
   e a Conferência do Consenso, 158-62

e a dieta de baixo teor de gordura, 193, 393
e as crianças, 177, 183
e as doenças cardíacas, 82-4, 97, 193-4
e as mulheres, 193-4, 204-6
e as pesquisas científicas, 84, 97, 154-8, 193, 204-6, 368n16, 385, 393
recomendações alimentares do, 159-61, 193-4, 368n16, 393
National Institutes of Health (NIH), 39, 72, 153, 166, 175, 307, 330, 331n11, 368n17, 378n27, 384n32
Conferência do Consenso do, 161-2, 160, 178, 187
e a hipótese dieta-coração, 81, 84, 111
e as crianças, 178, 185, 187-8, 191
e as doenças cardíacas, 196, 321n6, 386
e as gorduras saturadas, 274, 384, 386
e as pesquisas científicas, 80-2, 84, 93, 98n3, 109-10, 115, 128, 185, 189, 198, 234, 290, 337, 363, 370, 378n27, 380
e Keys, 57, 81
e Mann, 80-1
e o colesterol, 83n9, 114, 196-9, 298, 320n5, 380, 386
e o NHLBI, 82-4
recomendações alimentares do, 4, 185, 384
Ness, Andy R., 250
Nestle, Marion, 223, 227, 231-2, 235-6, 236-7n13
New England Journal of Medicine, The (NEJM), 80n8, 242-3, 304, 317, 355
New York Times, 15, 90, 132, 136, 167, 181, 205, 283, 394
e a dieta mediterrânea, 237, 258
e a hipótese dieta-coração, 62-3

e as questões políticas, 151-2
e Keys, 40, 62
e Ornish, 173, 175n10
e Taubes, 373-6, 374
New York Tribune, 139
Newer Knowledge of Nutrition, The (McCollum), 179
Newsweek, 141, 232, 236, 317, 346
Nicolosi, Robert J., 306, 318
NiHonSan, 118-21
Nixon, Richard, 298
Noruega, 33n6, 41, *41*, 43-5
nos Estados Unidos, 239, *279*
promoção do, 234-7, 245-6, 269
Not by Bread Alone (Stefansson), 11-2

O'Neill, Molly, 238-9
obesidade, 3, 12, 33, 35n7, 59n2, 71, 133, 137, 164, 319, 390-8, 403
Atkins e a, 347, 349, 367-8
e a ciência da nutrição, 16
e a dieta de baixo teor de carboidratos, 350-2, 354, 357, 397
e a dieta de baixo teor de colesterol, 5
e a dieta de baixo teor de gordura, 5, 208, 347, *393*, 398
e a dieta mediterrânea, 212, 248
e as mulheres, 391n35, 393
e as questões políticas, 136, 146
e os carboidratos, 69, 361, 369, 373-6, 390, 402
e os estudos clínicos, 111, 256, 257, 367, 393
e Taubes, 372-6, 374
nos Estados Unidos, 393
papel dos hormônios na, 353-6, 369, 373
Odisseia (Homero), 245
Oldways Preservation and Exchange Trust, 221, 223n5, 233-7

e a dieta mediterrânea, 229-30, 233, 235-7, 261
e o COI, 233-4, 237n14
oleaginosas, sementes, 190, 253, 344
 e a dieta mediterrânea, 211, 218, 226, 238-9, 249-50, 256, 256n28, 258-9
 e o USDA, 225
 e os estudos clínicos, 256, 256n28, 258-9
óleo de amendoim, 9, 32, 104, 239, 334
óleo de canola, 9, 30, 104n4, 251, 325, 339
óleo de coco, 107, 282, 324, 339
 campanhas contra o, 275-7, 279-81, 283
 e as gorduras saturadas, 9, 32, 383n31
 seu consumo nos Estados Unidos, 279
óleo de fígado de bacalhau, 180, 190n14
óleo de gergelim, 67, 100
óleo de peixe, 5, 95, 104n5, 255
 e as crianças, 181, 190n14
óleo de semente de algodão, 9, 30-2, 67, 90, 100-2, 105, 279, 405
óleos hidrogenados, 105-9, 271-5, 324-8, 342
 campanhas contra, 285
 e a AHA, 104, 291-2, 294
 e a margarina, 107-8, 271-3, 307
 e as alternativas às gorduras trans, 324-7, 332
 e as gorduras trans, 9, 105, 106n7, 271, 272n1, 285-8, 289, 293-4, 299-300, 305-6, 324-5, 332
 e o colesterol, 275, 288, 292, 300
 e os óleos vegetais, 105-9, 271, 275, 291, 293, 296n6, 300, 306, 328, 332
 nos rótulos dos produtos alimentícios, 291
 parcialmente hidrogenados, 101, 105, 107n9, 272n1, 275, 284, 286, 292-3, 299, 305, 324-7, 332

pesquisas sobre os, 95, 288-9, 299-300, 305-6
promoção dos, 106, 278-9
seu consumo nos Estados Unidos, 101, 279
versatilidade dos, 273-4
vs. óleos tropicais, 279-81, 284-5
óleos tropicais, 320
 como alternativas às gorduras trans, 325, 327, 331
 companhas contra os, 276-81, 276, 284-6
 defesa dos, 283-6
 nos rótulos dos produtos alimentícios, 281, 284-5
 óleos hidrogenados vs., 279-80, 285-6
óleos vegetais, 1-2, 5-7, 50, 98-110, 129, 135, 189, 253, 296, 317-8, 331-42
 como alternativas às gorduras trans, 327, 331-5, 338-9, 399
 desvantagens dos, 104-5, 239, 269, 272, 328, 333-41
 e a AHA, 101-4, 300, 332, 341
 e a dieta mediterrânea, 223, 248-9n22, 254, 258, 269
 e a ética, 404
 e a margarina, 99, 103, 107-9
 e as doenças cardíacas, 67, 90-1, 99, 103, 144, 320, 332, 336, 341
 e as gorduras poli-insaturadas, 9, 19, 30, 101, 103-5, 103, 124, 203, 239n15, 338-41, 399
 e Keys, 37-9, 99, 103
 e o câncer, 101, 114, 202, 334, 341
 e o colesterol, 37, 99-101, 103, 212, 332, 337, 341
 hidrogenação dos, 105-9, 269, 272, 290, 293, 296n6, 300, 306, 328, 332
 interesterificados, 328, 332

marketing dos, 103, *103*
no decorrer da história, 101-2, 104-7
nos Estados Unidos, 99, *101*, 102, 279, 280, 286-7, 289, 300-2
oxidação dos, 104, 239, 269, 333-42, 399
pesquisas sobre, 89-94, 98-9, 116, 165-6, 254, 258, 337-8
produção dos, 98-9, 103-6, 109-10, 144
ver também óleos e gorduras específicos
Olestra, 274
Oliver, Michael, 73, 84-5n10, 121
Olson, Robert E., 152
ômega-3, ácidos graxos, 9, 247, 253, 330-1
ômega-6, ácidos graxos, 9, 330-1
OmniHeart, 384
Ong, Tan Sri Augustine, 283-5
Oreo, biscoitos, 281-4
Organização das Nações Unidas (ONU), 208, 219, 133, 255
Organização Mundial de Saúde (OMS), 40, 44, 67, 212, 334, 361, 368n17
e a dieta mediterrânea, 217, 223, 250
Ornish, Dean, 222-4, 228, 237, 370n19
e a dieta semivegetariana, 168, 173-4, 175-6, 346
e a reversão de doenças cardíacas, 168-73
e Atkins, 346-8, 365
Osler, Sir William, 143, 351
Oslo, estudo de, 94-5, 110n11, 115, 388
ovelhas, 25, 102, 139, 263, 360
ovos, 5, 9, 63, 120-2, 130, 136, 247n19, 343-4, 389, 394n38, 395, 397-402
e a dieta de baixo teor de gordura, 391, 397
e a dieta mediterrânea, 211, 226, *225*, 253, 258-9, 264

e a dieta pessoal de Keys, 62
e as crianças, 178-81, 190, 192
e as doenças cardíacas, 37-9, 51, 129
e as gorduras saturadas, 8, 383n31
e as mulheres, 205
e as questões políticas, 127-9, 145-6, 151-2
e Atkins, 344, 347, 362
e o colesterol, 27-9, 31, 129, 159, *160*, 391
e o estudo dos Sete Países, 48, 51
e o USDA, 163-4, *225*, 225
e Ornish, 169
e os estudos clínicos, 89, 98, 112, 115, 154, 205, 253, 258-9
e os inuítes, 11
e os triglicerídeos, 70
e Ravnskov, 28, 54
história do consumo dos, 139
Ozonoff, David, 301

pães, 37, 316-7n3, 343-4, 350, 389
e a dieta mediterrânea, 209, 211, *225*
e as questões políticas, 128, 147
e os estudos clínicos, 94, 205
e os óleos vegetais, 99, 102
pães e bolos, 209
e as alternativas às gorduras trans, 323-7
e as gorduras trans, 301, 309
e os óleos hidrogenados, 273
e os óleos vegetais, 99, 106
paleolítica, dieta, 7, 168-9n3
paradoxo francês, 41, 231
Pariza, Michael, 317
Pediatrics, 178
pedras na vesícula, 113, 330, 357, 361
e os estudos clínicos, 113n14, 156
peixes, 1, 20, 131, 136, 145, 247n19, 263n33, 383n31, 394n38, 402

e a dieta de baixo teor de carboidratos, 350
e a dieta mediterrânea, 226, 225, 239, 251, 256n28, 258, 264
e as gorduras poli-insaturadas, 19
e as mulheres, 192
e o estudo dos Sete Países, 48
e o USDA, 225, 225
e os estudos clínicos, 89, 94, 251, 256n28, 258
e os inuítes, 11, 357-8
história do consumo de, 138
Pennington, Alfred, 378
  e a dieta de baixo teor de carboidratos, 352, 353-6
  e o papel dos hormônios na obesidade, 353-6, 373
People, 151, 205
Pepperidge Farm, 276, 277, 283, 302
Percy, Charles H., 145
perda de peso, 2, 35, 191, 194, 346
  e Atkins, 344, 347-9, 362, 366-7, 372
  e a dieta de alto teor de gordura, 365, 397
  e a dieta de baixo teor de carboidratos, 344, 348-52, 354, 357
  e a dieta mediterrânea, 256-7
  e os estudos clínicos, 6, 89, 110, 256-7, 366-7, 372n23, 385
peru, 137-9, 191, 365n13
peso, 13, 45, 80, 174-5, 378
  e as crianças, 181, 186, 189-91
  e as mulheres, 204, 208, 377
"Pessoas saudáveis", meta, 5
Phinney, Stephen D., 104n5, 363-6, 372
Pinckney, Edward R., 55n14, 397
pipoca, 99, 275, 285
placa arterial, 17, 155
  e as crianças, 188

e as doenças cardíacas, 24n2, 24, 36, 74, 172n7
e o colesterol, 24, 27n3, 379n28
Poli, Giuseppi, 337, 340
Pollan, Michael, 15, 230, 373
pontuação da dieta mediterrânea, 249, 258n29
Popper, Karl, 68
porcos e sua carne, 19, 88, 102, 106, 139, 296, 346, 352n4, 403
Portugal, 41, 224, 226
Prentice, Andrew M., 189-90
Prentice, George, 18, 361
pressão alta:
  e as doenças cardíacas, 59n2, 77
  e o colesterol, 195
  e o estudo NiHonSan, 118-9
  e os carboidratos, 357-8, 361
  e os estudos clínicos, 111, 368
pressão sanguínea, 46, 119, 242, 348, 395
  e os estudos clínicos, 89, 111-2, 366
  e os massais, 14
  ver também pressão alta
Prevención con Dieta Mediterránea (PREDIMED), 257-9
Primeira Guerra Mundial, 107, 142
Pritikin, Nathan, 126, 168-9
Procter & Gamble (P&G), 233n10, 274, 285
  e a AHA, 56-7, 103
  e as gorduras trans, 300-1, 304, 308
  e os óleos hidrogenados, 105-6, 288-9, 294
  e os óleos vegetais, 103, 105-6
Projeto Genoma Humano, 402
proteínas, 35, 123, 130, 151, 231, 338n18, 345, 356, 363, 370n20, 378n27, 401-2
  Atkins e as, 344, 348, 371-2n22

e a dieta mediterrânea, 227, 263
e as crianças, 178, 183
e as doenças cardíacas, 30, 41, 42n10
e o USDA, 227, 393
pulmões, 138, 174, 334
câncer do pulmão, 52, 112, 316, 334n15
Putting Meat on the American Table (Horowitz), 139-40

Quaker Oats, 110, 128, 152, 166, 283
quaresma:
  e a dieta mediterrânea, 260, 263-5, 383
  e o estudo dos Sete Países, 48-9, 215, 260, 263-4
4-hydroxinonenal (HNE), 336-9
queijo, 6, 17, 37, 60, 107, 225, 343-4, 389, 394, 400-2
  e a dieta mediterrânea, 211, 214, 226, 259, 262n32
  e as doenças cardíacas, 51, 129
  e o estudo dos Sete Países, 48, 51
  e os estudos clínicos, 90, 94, 98, 110n11, 186, 205, 259
Quênia, 74, 121, 174, 190n14
  os estudos de Mann no, 13-5

randomização, 45
Ravnskov, Uffe, 28, 54
refrigerantes, 51, 165, 359, 398
Reino Unido, 16, 30, 49, 129-30n4, 139, 166, 174, 189, 215, 221, 244, 334
  consumo de açúcar no, 359, 403
  consumo de carne no, 359-60
  e a dieta de baixo teor de carboidratos, 350-1
  e a hipótese dieta-coração, 121-2
  e as doenças cardíacas, 34, 41, 42-3, 143n11

Reiser, Raymond, 73-4, 95n2
Renaud, Serge, 231
reposição hormonal, terapia de (TRH), 204, 312, 398-9n1
Rifkind, Basil, 154, 156-60
rins, 11, 20, 100, 138, 168-9n3, 341, 365, 370n20, 372
Ronk, Richard J., 283
Roseto, Filadélfia, 66-8, 116
Rossouw, Jacques, 206
Ryther, Robert, 333

Sacks, Frank M., 169, 371-2n22
sal, 145, 267n35, 366
saladas, 34, 142, 181, 402
salgadinhos, 205, 323, 352n4
salsicha, 98
samburus, 13-5, 121
sangue, 20, 25, 26, 177, 338n18, 364-5, 367
  os massais e o, 13, 28, 74, 174
Schaefer, Otto, 357-61
Schatzkin, Arthur, 204
Schaur, Rudolf Jorg, 339
Science, 151, 154, 157, 161, 178, 289, 373
sebo, 30, 98, 106, 269, 276, 286, 296, 336, 338, 399, 404
  e as alternativas às gorduras trans, 325-6, 333
  seu consumo nos Estados Unidos, 101, 102
sebo, 31, 98, 271, 325, 332, 400
Segunda Guerra Mundial, 71, 214, 354
  e a dieta mediterrânea, 260, 264-6
  e as doenças cardíacas, 37, 42n10
  e Keys, 25, 37
  e o estudo dos Sete Países, 45, 67n5, 260, 264
  e o Japão, 118
sementes, 102, 180, 253, 344

Serra-Majem, Lluis, 254, 257, 259, 266-8
Serviço Regional de Programas em Medicina, 82
sexo, sexualidade, 25, 347
sexteto da obesidade, 357, 361, 404
Shai, Iris, 371, 377
Shaper, A. Gerald, 13-5, 121
Shapiro, Laura, 232, 236
Shapiro, Samuel, 314-6
Sinclair, Upton, 144
síndrome metabólica, 248, 258n30, 357, 368, 392, 404
  e as diretrizes de tratamento da AHA-ACC, 385-6
  primeira descrição da, 368n17
Singh, Ram B., 253-4
siques, 17
SnackWell, efeito, 165
Sniderman, Allan, 379
sobremesas, 112, 175n10, 214, 267, 322
sobrepeso, 58, 66, 208, 319, 352, 367, 372, 391n35, 395
  ver também obesidade
Sociedade Americana do Câncer, 201, 205
soja, óleo de soja, 4, 9, 30, 59, 102, 104, 192, 213, 254, 325, 404
  como alternativa às gorduras trans, 328-31, 340
  e as gorduras trans, 287, 398, 306
  e os estudos clínicos, 90-7, 331-2
  oxidação do, 239, 268, 335-6, 338
  parcialmente hidrogenado, 276, 280, 285, 287, 298
  seu consumo nos Estados Unidos, 279, 286-7
  vs. óleos tropicais, 279-81, 285-6, 331
Sokolof, Philip, 325
  e as gorduras saturadas, 275-8
  e os óleos tropicais, 275-7, 280, 283-5

sorvete, 51, 90, 110n11, 186
Special Supplemental Nutrition Program for Women, Infants, and Children (WIC), 192
Special Turku Coronary Risk Factor Intervention Project (STRIP), 186, 191
Stamler, Jeremiah:
  e a AHA, 128, 147, 164-5
  e a hipótese dieta-coração, 59, 72-3, 114-5, 117, 123, 389
  e Ahrens, 72-3
  e as doenças cardíacas, 25, 72, 96
  e as gorduras saturadas, 96, 117
  e as questões políticas, 128, 145
  e Krauss, 389, 394
  e o câncer, 114-5
  e o colesterol, 25, 110, 114-5, 117
  e o Estudo Nacional Dieta-Coração, 85, 109-10
  e os estudos clínicos, 97-99, 110-1, 154
  e os óleos vegetais, 100, 104
  sua relação com Keys, 59, 61, 72, 231n8, 389
Stampfer, Meir, 198, 256-7, 371
Stare, Fredrick J., 76, 346
Stefanick, Marcia, 200n17, 206
Stefansson, Vilhjalmur, 11-3
  experimento com o consumo de carne e gordura, 12, 75, 370n20
  sobre os inuítes, 11-2, 16, 20, 75-6, 370n20
Steinberg, Daniel, 123, 154, 157
  e a Conferência do Consenso, 159-60
Story of Crisco, The, 106-7
Strong Medicine (Donaldson), 351
substitutos da gordura, 5, 329, 394, 394n39
Suécia, 28, 36-7, 41, *41*, 45, 52, 54, 137, 203, 208, 268

Suíça, 41, *41*, 45, 214, 266, 334
Swift & Co., 101, 340
   e as gorduras trans, 295, 296n6
   e o Estudo Nacional Dieta-Coração, 97, 110

tabagismo, 127, 131, 133, 194, 337
   e as doenças cardíacas, 40, 65, 76, 119
   e o câncer de pulmão, 52, 315
   e Ornish, 170, 173
   e os estudos clínicos, 88, 92, 95-6, 110-1
   e os estudos epidemiológicos, 44n11, 52-3
Taft, William Howard, 351
Taubes, Gary, 126n1, 373-8
   e a obesidade, 373-5, *374*
   e as doenças cardíacas, 144n13, *374*
   e as gorduras saturadas, 388
   e os carboidratos, 350n3, 373-5, 377, 390
Teter, Beverly B., 301
Teti, Vito, 265
Thun, Robert, 205
Time, 157, 346
   e a Conferência do Consenso, 159-61, *160*
   e a hipótese dieta-coração, 61-2
   e Keys, 54, 57, 61-2, *61*
Toward Healthful Diets, 150-3, 177
Trichopoulos, Dimitrios, 223, 247n20
Trichopoulou, Antonia:
   e a dieta mediterrânea, 212, *212*, 213, 216-25, 229, 243, 246-50, 258n29, 260
   e o azeite de oliva, 212, 240-3
triglicerídeos, 69-70, 175, 194, 195, 200, 328, 335, 368n17, 389
   e Ahrens, 69-70, 193
   e as doenças cardíacas, 69-70, 197, 288, 328
   e os estudos clínicos, 185-6, 256-7, 367
trigo, 138, 360n9
Trollope, Anthony, 138
Truman, Harry S. 39, 83
Turpeinen, Osmo, 93

úlcera gástrica, 16-7, 175, 335, 358, 360
Unilever, 303, 305-6, 327
USDA, 182, 327n10, 337, 339
   e a dieta de baixo teor de gordura, 1, 205, 238, 259, 393, 398-9
   e a história do consumo de alimentos, 136-7, 139n10, *140*
   e as crianças, 184n12, 192
   e as gorduras trans, 286, 288, 296, 300n9, 307-8
   e as questões políticas, 147-50, 153
   pirâmide alimentar do, 1, 149, 224, *225*, 239, 343-4, 392n37
   recomendações alimentares do, 1, 15, 136, 147-9, 163-7, 184n12, 192, 205, 209-10, 220, 224-6, *225*, 226, 238-9, 259, 343-4, 386, 391-3, *393*, 398

vacas, 13, 19, 27, 102, 136-8, 262, 360, 399, 405
   e as gorduras trans, 290n3
   e o preconceito contra a carne, 128, 130
   ver também carne bovina; sebo
veganismo, dieta vegana, 168, 174n8, 175n10, 184-5n13, 384, 399
vegetarianismo, dieta vegetariana, 31, 118, 128, 142, 208
   e as crianças, 178-9, 184, 190n14
   e o preconceito contra a carne, 129-30n4, 131

na África, 18-9
semi-, 6-8, 15, 170, 174-6, 180-1, 265, 346
Verduin, Pat, 323
Veteranos de Los Angeles, Estudo dos, 92-3, 95, 110n11, 113n14, 115, 388
viés de seleção, 68-9, 115
vinho, 66, 254
  e a dieta mediterrânea, 214, 226, 232-3, 254, 265n34, 267
vitaminas, 59n2, 135n8, 151, 181, 314
  D, 181, 204, 358
  E, 181, 185, 255, 283, 312, 398-9n1
  e a dieta mediterrânea, 255, 264
  e as crianças, 181, 183-7
  e o experimento de Stefansson, 12-3
  e os estudos clínicos, 183-7, 204, 255
Volek, Jeff, 363-6, 367-9, 372, 394

Wall Street Journal, 280, 285
Warner, Kathleen, 339
Washington Post, 147, 151, 153
Wesson Oil, 99, 103, 128n3, 286, 322
Western Electric, estudo da, 117
Westman, Eric, 362, 367-73, 394
White, Paul Dudley:
  e a AHA, 39, 58, 83-4
  e as doenças cardíacas, 39-40, 58, 62, 143
  e Keys, 40, 62, 84
Wiedermann, Lars H., 285, 295-6, 340
Willett, Walter C., 202-3, 236, 311-23
  comparações entre Keys e, 311-2, 318
  e a Dieta Mediterrânea, 222-8, *229*, 231, 234n11, 237, 248, 256n28, 261-2, 311-2
  e as gorduras trans, 311-22
  e o azeite de oliva, 224-5, 243
Wing, David G., 278
Women's Health Initiative (WHI), 6, 204-8, 258, 377, 385, 393
Wood, Randall, 293-5, 299

xantomas, 26

Yerushalmy, Jacob, 40-3, *41*, 45
Yorke-Davis, Nathaniel, 351
Young, S. Stanley, 318
Your Heart Has Nine Lives (Stamler), 103
Yudkin, John, 51, 73
Yusuf, Salim, 157

Zona, dieta da, 228, 237, 370n19
Zukel, William, 64-5